Antonic

La strad:

ROMANZO

MONDADORI

LA SAGA DEI PERUZZI
di Antonio Pennacchi
nelle edizioni Mondadori:

Canale Mussolini (2009, Premio Strega)
Canale Mussolini. Parte seconda (2015)
La strada del mare (2020)
Il fasciocomunista (2003-2017, Premio Napoli)

Dello stesso autore, presso Mondadori:
Shaw 150. Storie di fabbrica e dintorni (2006-2010)
Mammut (2011)
Il delitto di Agora (2018)
Brutto gatto maledetto! (2017) edizione italiana
di una irriverente fiaba danese per i più piccoli

Con altro editore:
Fascio e martello. Viaggio per le città del Duce (Laterza, Roma-Bari, 2008)

librimondadori.it

Agenzia: Simone Morandi
Editing: Massimiliano Lanzidei
Redazione: Laura Barbara Gagliardi

La strada del mare
di Antonio Pennacchi
Collezione Scrittori italiani e stranieri

ISBN 978-88-04-67893-9

I edizione settembre 2020

La strada del mare

A Fernando,
fratello mio gagliardo.

I

«Pace, Pace, che hai!?» aveva svegliato di soprassalto la moglie mio zio Benassi tutto agitato. Neanche l'alba o l'aurora ancora, ma buio pesto di là dalla finestra, con solo le luci del lampione di via Cellini che infilandosi tra le doghe consumate dell'avvolgibile di legno la illuminavano a bocca aperta – annaspante sul cuscino – ma senza riuscire a respirare. Boccheggiava quasi, tutta sudata la fronte, le guance, il collo. Sotto le coperte mia zia saltava e sussultava tremante, come lui quella volta – tanti anni prima – all'ultimo attacco di febbri malariche.

«Che hai Pace, che hai?» la implorava mio zio Benassi, mentre impaurito la strattonava forte per svegliarla.

«Aaargh...» ha fatto lei finalmente inspirando, e subito ricacciando l'aria dai polmoni: «M'agò inzognà un manto nero, Benassi. Un manto che m'involtoleva tuta e am fasea sofegar. Am parea propi da morir». Ma ripresi insieme all'aria i suoi spiriti, era immediatamente ripartita: «Cossa strattónito, orcocan? Stà fermo, baùco, con ste man».

Lui, rinfrancato: «Zitta, va'. Tu non ci crederai, ma pure io mi sono sognato il povero Fernando».

«Ancora col povero Fernando?» che era il cugino più caro di mio zio, da giovane, al suo paese in Umbria. Era quello con cui era scappato di casa nel 1922, per arrivare a Todi e partecipare anche loro alla marcia su Roma. Ma a Todi li aveva visti lo zio Enocle, che li aveva rimandati a calci in culo indietro: «Via di qua, siete troppo giovani». E dopo pochi mesi il povero Fernando – a zio Benassi venivano ancora le lagrime, dopo tanti anni, solo a nominarlo – aveva fatto la fine che aveva fatto.

«Tu pensa un po'» ha ridetto alla moglie, mentre acceso l'abat-jour guardava l'orologio e cominciava a togliersi il pigiama, «che proprio questa notte me lo sono andato a risognare. Si lamentava, il povero Fernando, e tanta era la pena che mi sono svegliato e ho trovato te che penavi più di lui. Mi pare ieri, che l'ho visto l'ultima volta a Bevagna».

«E va' in malora ti e Bevagna» s'è arrabbiata mia zia Santapace – detta da tutti Pace – che chissà da quanto le toccava sorbirsi ogni tanto questa storia: «Basta col povero Fernando, che non porta gnanca ben, parlar e riparlar di certe cose».

S'erano quindi alzati e alle sei e un quarto – digiuni – erano fuori di casa per andare a messa. Lei a piedi – con la signora Loreta che abitava a fianco – alla cappella dell'ospedale, da padre Osvaldo. Lui invece in bicicletta a San Marco. Dentro l'ospedale non gli pareva neanche messa: «Con quel puzzo di cloroformio».

Alle sette e un quarto o sette e mezzo erano di nuovo a casa. In cucina, sul lavello, c'era il tegame coi fagioli secchi messi a bagno la sera prima. Fagioli borlotti, non cannellini. Solo borlotti, mia zia Pace ferrarese di Codigoro: «Quai caneini? I caneini xèi fasoi marochin».

Lui, fatta colazione con la zuppa di pane e caffè d'orzo, via di nuovo in bicicletta per andare in ufficio all'Anla – l'Associazione nazionale lavoratori anziani d'azienda, presieduta da Giulio Andreotti – che zio Benassi aveva messo in piedi di sana pianta da solo, a Latina, dopo che era andato in pensione. All'inizio gli mandavano da Roma cinquantamila lire al mese. Poi non gliele hanno date più. Giusto un regalo a Natale – una mancia – che gli elargiva il senatore andreottiano di Latina. Ma tutte le mattine stava ugualmente lì – preciso preciso – al servizio dei pensionati che aveva affiliato.

Lei invece s'è cotta i fagioli. Li ha messi sul fuoco a bollire una prima volta e quando l'acqua s'è fatta nera – e i fagioli borlotti pure, da verdi striati di bianco da crudi, erano diventati neri, come giustamente debbono essere – li ha tirati fuori, li ha scolati, ha buttato l'acqua: «Massa sporca, par mi», e li ha rimessi sul fuoco a bollire un altro paio d'ore.

È andata a fare la spesa, è tornata, ha impastato la farina e le uova, ha steso la sfoglia con il mattarello, ha aspettato che si asciugasse un po', l'ha arrotolata. Col coltellaccio ha tagliato le spire di fettuccine, le ha girate di traverso e ritagliate a quadrucci. Ha aspettato che si seccassero e a mezzogiorno e mezzo li ha gettati a cuocere nel brodo di fagioli.

Lui intanto era rientrato in anticipo, rispetto all'usuale, perché dopo pranzo aveva in mente di dare il verderame: «Prima che cambia il tempo e mi si ammalano le viti».

Poggiata la bicicletta al muro era andato a cambiarsi nello sgabuzzino di dietro – la baracchetta abusiva in blocchetti di cemento che Otello aveva tirato su nell'orto tanti anni prima, con Accio che gli faceva da manovale – s'era tolto i vestiti e messa la combinazione; una vecchia tuta di quando andava ancora in officina al Consorzio agrario: un solo pezzo da capo a piedi, con la lampo al centro del petto. Tutta blu – una volta – stinta e macchiata adesso di zolfo e verderame come pure gli scarponi, vecchi anch'essi oramai, di un povero soldato tedesco morto durante la guerra sulla strada per Borgo San Michele.

Lì dietro nell'orto, seduto su uno sgabello con un bastone in mano a girare nel secchione, aveva preparato la mistura con cui riempire – quando stabilizzata – la pompa per irrorare: «Va' che bel lavoro che ho fatto».

«È pronto» s'è affacciata zia Pace ad avvisarlo.

Lui è rientrato e lei, appena seduti a tavola: «Agò ancora quel manto nero qua sul stòmego».

«E io il povero Fernando», zio Benassi.

«Orca santasgnàcara, ti e 'l Fernando».

S'è fatta l'una o l'una e un quarto, con loro a tavola in cucina ed il televisore – come al solito – in sala spento, a quell'ora.

Chi non lo teneva spento però – ma acceso anche di giorno – era la signora Elide del piano sopra alla Loreta, che mentre loro mangiavano la pasta e fagioli s'è affacciata alla finestra a strillare a più non posso: «Signora Paaaa', hanno ammazzato tuo figlio» strappandosi a ciocche i capelli dalla testa.

Zio Benassi è rimasto gelato col cucchiaio a mezza altezza, e ha cominciato a recitare: «Pater noster qui es in coelis».

Zia Pace invece come un'ossessa è uscita fuori sul mattonato in mezzo al giardino, di là dai due scalini del terrazzino d'ingresso, e rivolta alla signora Elide di sopra ha implorato: «Quale?»

Solo «Quale?» ha chiesto, perché non ne aveva più nessuno in casa. Tutti in giro – chi da più, chi da meno tempo – stavano oramai quei disgraziati. Pure Accio le era appena sparito la sera prima: «Non mi aspettare».

«Quando torni?» aveva provato lei.

«Non lo so».

«Dove vai?»

«Nemmeno».

«Va' in malora, allora» lo aveva benedetto.

«Quale?» adesso però chiedeva implorante alla signora Elide del piano di sopra, mentre già s'affacciavano e accorrevano le vicine: «Cètto! Jèsu! Ch'à succèso, ch'à succèso?» tutte mezzo marocchine dei monti Lepini qui intorno, calate oramai pure loro a Latina.

«Quale?» – le ripeto – chiese mia zia.

«Manrico» fu la sentenza.

«Nooo! Manrico no» s'accasciò zia Pace tra le braccia della signora Loreta, la più vicina a lei – anche d'anima e di cuore, pure se bassianese – di tutte le vicine.

Zio Benassi continuò a pregare sul piatto di pasta e fagioli. Arrivato a «Dimitte nobis debita nostra» scoppiò in singhiozzi e a stento riuscì a finire: «Sicut nos dimittimus debitoribus nostris».

Poi uscì fuori, scansando la signora Loreta, a sorreggere lui la moglie: «Vieni, che la pasta si fredda».

«Ch'at vegna un càncher a ti e la pasta» ributtandosi tra le braccia dell'amica: «Manrico no, Manrico nooo» strillava. Salvo interrompersi e rialzarsi dalle braccia della signora Loreta indicando mio zio: «È tutta colpa tua».

«E ti pareva» pensava paziente lui. Giobbe di marmo.

Quel giorno non ha più dato il verderame, nel pomeriggio. Non che se ne fosse scordato o non gli importasse più. Anzi, ogni tanto ci pensava – «Speriamo che il tempo regge» – e in quanto a lui lo avrebbe anche dato: «Tanto, che cambia più, oramai?»; non è che se faceva il fioretto e non lo dava, il figlio gli tornava in vita. Magari avesse potuto farlo riapparire bambino, insieme ai suoi fratelli e sorelle piccolini in quella casa, a ridere, strillare, litigare. Tutti a farlo arrabbiare – mio zio – e farlo piangere adesso nel ricordo: «Signore, fa' il miracolo! Fammeli riavere tutti qui piccolini».

Invece no. Quello che è stato è stato, e non c'è niente da fare: Manrico non torna. L'unica – per un uomo – è andare avanti. Tenersi il dolore nelle viscere e continuare a fare quel che s'ha da fare: seguitare a lavorare come già suo padre, i suoi zii e i suoi nonni di fronte ad ogni disgrazia e avversità. Ancorati al reale – al dovere che man mano impone il divenire generale del cosmo – fino all'ultimo istante di nostra vita.

Fosse stato per lui, ripeto, avrebbe pure dato il verderame, ma c'era troppa gente che andava e veniva. Bisognava fare pubblicamente fronte alla tragedia.

Così zio Benassi s'è tolto la combinazione – la tuta – e s'è vestito con giacca e cravatta per accogliere i vicini, la macchina della polizia venuta ad avvisare, gli altri figli e i parenti stretti e lontani che arrivavano da ogni dove, gli amici e coristi di San Marco, il parroco don Bussoletti, il professor Tasciotti, il senatore andreottiano. E tutti imbarazzati a chiedere: «Ma non è possibile. Chissà come è stato e come non è stato».

«È stato» rispondeva Benassi. E a tutti piangendo domandava: «Dov'è che ho sbagliato? Io ce l'ho messa tutta, e mia moglie pure, a farli crescere al meglio, nel rispetto e grazia di Dio. Dov'è allora che abbiamo sbagliato?»

Tutto il pomeriggio e la sera così, coi figli e parenti a susseguirsi in questura, a cercare di saperne qualcosa di più – solo Accio non s'è visto; sparita ogni traccia, riapparve dopo mesi – ma lui, Benassi, non voleva sapere niente: «Che m'importa più a me di come è andata? Oramai è andata e il figlio mio, adorato bellissimo figlio, non c'è più e chissà quanti danni pure ha combinato, chissà se ha ucciso anche lui... Ma non voglio sapere di più».

Alle sei e mezzo di sera però – gente o non gente dentro casa – ha ripreso la bicicletta e via a San Marco al vespro, a ripiangere e pregare sui banchi in cui aveva pregato anche Manrico piccolino.

A notte, quando è stata finalmente l'ora di andare a letto – con gli altri figli accampati alla bell'e meglio in sala, in cucina e nelle altre stanze – ha chiesto alla moglie, piangendo: «Dov'è, Pace, che abbiamo sbagliato?»

«A metterli al mondo, aghemo sbalià! Tutta colpa tua, Benassi, che mi hai fatto figliare a ripetizione come una coniglia. Fuori uno, pronto l'altro. Eccoli qua i figli che hai fatto, maladeti i Zorzi Vila quando che li go messi al mondo. Uno più desgrassià de l'altro, e lui per primo. Come farò adesso mi, a andare avanti? Figlio, diletto figlio mio... Signore, fammi morire subito de drìo de lu» si disperava sul letto mia zia Santapace Peruzzi in Benassi.

La mattina presto – quand'era ancora buio e dalle fessure tra le doghe della serranda entravano solo gli spiragli del lampione di via Cellini – si sono alzati, lavati, vestiti e andati a messa.

Lei da padre Osvaldo nella cappella dell'ospedale generale Santa Maria Goretti di Latina – con la signora Loreta che l'aspettava sul cancello – lui in bicicletta a San Marco. Ma quando stava a cavallo pronto per partire, mia zia s'era rigirata a dirgli: «Guarda di non andare in ufficio al patronato stamattina. Almeno oggi rimani a casa».

«Va bene, Pace» ed è partito.

Quando è tornato, s'è cambiato per rimettersi la combinazione. Ha dato col bastone un paio di rimestate al verderame dentro il secchio; lo ha versato piano piano nella pompa, stando attento a non mandarne fuori una goccia, e se l'è caricata sulle spalle – aveva passato già la settantina, a quel tempo – con le braccia tra i legacci. Ha mosso due o tre volte la leva di carico, ha aperto il rubinetto della lancia ed ha iniziato a irrorare col verderame le viti di uva Italia dell'orto dietro casa; la prima cosa che s'era piantato, appena arrivati qua.

Era il 1954 e lui a dire il vero non ci voleva venire. Zio Benassi stava bene in piazza San Marco – al palazzo della Previdenza sociale – e sarebbe rimasto lì per omnia saecula saeculorum: «In Paradiso» diceva lui.

Non ci aveva mai abitato prima in centro città – se pure si poteva chiamare città, la Latina del 1954 – sempre isolato in campagna a Marcellano da piccolo, e poi nella casina di via Gloria a Littoria Scalo tra il fango e le stradacce ogni volta che pioveva. Invece a Littoria centro – pardon, Latina oramai – come usciva dal portone aveva i portici, il marciapiede, la strada, la piazza San Marco: «Sia ringraziata la Madonna della Valle», diceva sempre zio Benassi, «per quanto è bella sta città».

Ma quella – mia zia Santapace, non la città – di continuare a stare ad abitare in affitto insieme al fratello, mio zio Adelchi che s'impicciava e metteva bocca su tutto, soprattutto su quello che non lo doveva interessare, mia zia s'era stufata: «Basta. Alla larga, alla larga» diceva ogni sera al marito.

Al marito però, non al fratello. Al fratello non ha mai detto nulla. Il marito non lo lasciava fiatare, ma al fratello – quel canchero di zio Adelchi – non aveva il coraggio di obiettare una sillaba, mentre quello s'impicciava e intrometteva.

Il bello è che ha continuato pure quando sono venuti via. Le capitava a tutte le ore in bicicletta – o in divisa con la moto Gilera di servizio – nella casa nuova a criticare, a riferire, a dire la sua su ogni cosa che, le ripeto, non lo riguardava. E lo stesso faceva con le altre sorelle Peruzzi, ovunque fossero andate ad abitare. Stava lì a controllare ogni minima paglia delle vite loro.

E loro – bestie assatanate Peruzzi doc, col coltello in mano di fronte a chiunque altro dell'universo mondo avesse osato guardarle non dico storto, ma solo non sufficientemente sottomesso ed ossequioso – loro davanti al fratello abbassavano lo sguardo e lo lasciavano dire qualunque sproposito gli uscisse dalla bocca. Senza il coraggio di ribattere – zitte e mosca – non vedendo giusto l'ora che se ne andasse.

Ma non se ne andava. Stava lì seduto su una sedia in cucina mentre quelle indaffaravano, e ciacolava ciacolava smontando e rimontando all'infinito – come un tic – il caricatore dalla pistola e un proiettile dopo l'altro dal caricatore. Quindi li rimetteva dentro – proiettile dopo proiettile – facendo forza sulla molla finché, di nuovo pieno, lo rinfilava da sotto nel calcio dell'arma. Aspettava un attimo – giusto il tempo di iniziare un'altra ciacola – lo smontava di nuovo e via da capo coi proiettili.

Noi bambini lo guardavamo affascinati: «Fammi toccare la pistola, zio. Fammici giocare».

«No. Non si può», ma intanto rismontava il caricatore e ci metteva in mano questa pistola.

«Cossa fètu, sìto mato?» strillavano le madri.

Lui rideva: «Ma l'è scarica, l'è scarica. No te vìdito che 'a xè scàrica?» e mostrava il caricatore. Poi ci toglieva la pistola e ci dava il caricatore: «Tie', zoghé con questi» e ci sgranava i proiettili in mano.

«I xè d'oro» facevamo noi.

«Sì, i xè d'oro» rideva lui – invece era ottone – e ciacolava ciacolava con le sorelle, nostre madri e zie, sui fatti delle famiglie loro e pure nostre.

Solo lui, però. Non gli altri fratelli Peruzzi, che erano invece alla pari con le sorelle: strillavano e baruffavano tra eguali, senza alcuna riserva. Solo davanti a lui – «Ch'agh vegna un càncher» – tacevano anche i fratelli maschi ed i cognati.

Si chiama avunculato in antropologia, dall'antico latino *avunculus*, il primo zio maschio – o quello più grande – da parte di madre. È quello più amato dai nipoti, ma è anche quello che comanda su tutti.

Come dice, scusi? Che lui però era solo il terzo maschio, essendoci prima Temistocle e Pericle?

Che ragionamenti sono? Temistocle era un pezzo, oramai, che s'era messo su la sua famiglia e andato via di casa, per conto suo, al podere 516. Pericle era morto – o disperso in guerra che è uguale – e il figlio maschio più grande di mio nonno e mia nonna era diventato lui, zio Adelchi, che pur essendosi sposato due volte non ha mai avuto figli.

È l'avunculo perfetto come ai tempi di una volta, quando i pochi che avevano la fortuna di possedere un po' di terra non la dividevano mai. La proprietà di famiglia restava sempre intatta e tutti rimanevano lì, con le mogli e i rispettivi figli, sotto il potere unico del fratello o zio più grande, che invece non si sposava e non faceva figli suoi per garantire appunto la massima imparzialità. Era lì che risiedeva la sua auctoritas.

I Peruzzi quindi – pure se divisi e separati oramai, ognuno per suo conto – quando si trovavano davanti a zio Adelchi pensavano evidentemente di stare ancora a quei tempi. Erano un clan. E morto Pericle, andato via Temistocle, lui – diventato gran vigile urbano, mezzo sceriffo – s'era nominato da solo capoclan. Accettato e riverito come tale – o più propriamente subìto – dai fratelli e soprattutto sorelle. Poi dice perché il Benassi – ma anche gli altri cognati – non lo potevano vedere.

Ma noi stavamo al 1954 che zia Pace e zio Benassi erano venuti via da casa sua, alla Previdenza sociale, per andare finalmente ad abitare in quella nuova a riscatto che gli aveva procurato Diomede; quel mio cugino che in tempo di guerra a maggio del 1944 – non so se ricorda – secondo la voce popolare si sarebbe appropriato del tesoro della Banca d'Italia di Littoria quando i tedeschi, al momento di ritirarsi, prima che arrivassero gli americani ne avevano fatto saltare per aria il caveau. Ma prima ancora degli americani sarebbe invece arrivato Diomede – che con certi amici suoi e delle carriole di legno che cigolando facevano «*cìo-cìo*» – si sarebbe portato via tutti i soldi. È così, dice la gente, che ha potuto mettere su le sue imprese e costruire – continuando a rubare, truffare e imbrogliare ogni volta – quasi tutta Latina.

A guardarla adesso – questa Latina che ha oggi centotrentamila abitanti e con i palazzi ha inglobato Borgo Piave, Borgo Isonzo, Gionchetto e Pantanaccio ed è cresciuta come la Trantor di Asimov – dalla Previdenza sociale in piazza San Marco a queste palazzine gialle costruite a risparmio ma nuove nuove da Diomede per l'Istituto case popolari, non sono che due passi soli, nemmeno tre o quattrocento metri. Ma allora pareva un abisso – anzi, l'Abissinia – un altro mondo disperso e sconosciuto.

«Porca miseria» diceva tra sé e sé zio Benassi mentre passavano i giorni e si avvicinava il momento di dare l'addio alla Previdenza sociale – il Paradiso, per lui – e sprofondarsi in quell'inferno: «Ma che male ho fatto io?»

Lo diceva però tra sé e sé, stando attento a non farsi scappare un respiro: «Se no, quella...»

Ma quella, mi deve credere, gli leggeva nella mente e saltava subito su: «Che hai detto?»

«Chi, io? Niente, niente».

«Ah, be'».

Diomede le case – o meglio, l'impresa di Diomede – le aveva finite a metà inverno. Lei però – zia Pace – aveva preferito aspettare che terminassero le piogge, per fare il trasloco: «Intanto sistemo un po'». E ogni pomeriggio pigliava una delle figlie grandi – o Norma o Tosca – e se la trascinava fin laggiù, a pulire e ripulire ogni stanza da qualunque sbaffo avessero lasciato i muratori: «Tu resti qui a guardare i tuoi fratelli» ordinava all'altra.

Quale delle due fosse meno contenta non glielo so dire. Norma aveva diciassette anni – nel 1954 – e Tosca quattordici, tutte e due con i grilli già per la testa. Si figuri quale voglia potessero avere, l'una di stare appresso a quella barca di fratelli con me al seguito, e l'altra di andare dietro alla madre per campi, fossi e pozzanghere fino agli sprofondi della casa nuova da ramazzare.

Tutte e due col muso lungo a digrignare e brontolare: «Perché sempre a me? Io domani ho compito in classe, ho da studiare...»

«Zitte, sa'?» strillava zia Pace con le mani alzate minacciose. E così tutti i giorni, finché a marzo – «Finalmente» – s'è fatto il trasloco.

O meglio, i pochi mobili – un vecchio armadio, tavoli, sedie, materassi e soprattutto letti piccoli e grandi, reti metalliche anche vecchie e stravecchie, brande da campo di legno e tela militari – erano partiti nei giorni precedenti, con l'aiuto di cugini e carretti a mano. Man mano che se ne andavano, le stanze nostre della Previdenza sociale si svuotavano. Noi ragazzini ci giravamo dentro spersi.

«Che ne sarà di noi?» pensavamo, e correvamo a rifugiarci nelle stanze di zio Adelchi, che erano ancora intatte, piene di roba conosciuta e rassicurante, anche se non c'era più zia Alfea. Un anno oramai che se n'era andata, e il suo odore di lavanda sfumava sempre più, ogni giorno che passava. Noi aprivamo i suoi cassetti e affondavamo il naso, a volerlo sentire ancora nei fazzoletti. Povera zia Alfea.

Finché una sera all'imbrunire ci avviammo alla casa nuova. Zia Pace aveva già preparato tutto – la cena pronta e i letti fatti – e in fila dai più piccoli ai più grandi, tutti con qualcosa in mano, chi una pentola, un cuscino, un paralume, scendemmo le scale della Previdenza sociale e addio vita vecchia, arriva la nuova.

All'inizio sembravamo contenti, sia grandi che piccoli, eccetto ovviamente Accio, che a un certo punto gli hanno tolto la radio che gli era stata affidata: «Tienila bene e non la far cadere, eh? Che se no si rompe e non la sentiamo più. Sei sicuro?»

«Sì, sì, sì» e la teneva orgoglioso impettito, stretta stretta fra le braccia.

Ma gliel'hanno tolta per darla a Mimì – la più piccola – che aveva poco più di un anno. Era nata lo stesso giorno – si ricorda? – in cui era morta zia Alfea. «Là non fanno in tempo a morì, che ne nasce subito un altro» dissero tutti alla Previdenza sociale e ancora adesso – quando la incontro – Maria Teresa Grifone mi ricorda ogni volta: «In quella casa si moriva e si nasceva nello stesso giorno».

E questa canchera di Mimì – da dentro la carrozzina di latta – a un certo punto s'era messa a sbracciare e smaniarsi che la voleva lei, la radio. «Dalla a Mimì che è più piccola» hanno detto ad Accio. E gliel'hanno tolta.

Lei non ha idea i pianti e le urla, con tutti intorno che gli facevano: «E basta, no? Sempre ste storie devi fare tu?». Manca poco e lo menano pure.

Ma cammina cammina per via Umberto I, chi rideva e chi scherzava in mezzo alla strada asfaltata – o meglio, asfaltata per modo dire: tutta rattoppata dalle buche della guerra – siamo arrivati davanti all'ex Gil sgarrupata, dove c'erano gli sfollati. È finita l'ex Gil – Gioventù italiana del Littorio – è finita però anche la strada.

Dopo l'angolo non c'era niente, altro che circonvallazione. Davanti alla Gil – all'inizio del grande campo desolato che la divideva dal palazzo M – c'era la fila di orti ed orticelli degli sfollati. Ma la circonvallazione terminava lì. Era ancora quella vecchia del primo piano regolatore del 1932, quando l'architetto Frezzotti aveva progettato per soli ottomila abitanti la città di Littoria, che Mussolini peraltro nemmeno voleva: «Son contrario mi, alle città. Io voglio la deurbanizzazione». E alla posa della prima pietra il 30 giugno di quell'anno – alla fondazione – non era venuto: «Andè in malora tutti quanti».

Poi però ci aveva preso gusto e all'inaugurazione – il 18 dicembre – s'era attribuito il merito: «Agò fato tuto mi. Ma cos'è questo borghetto? Fémola più granda, massa più granda, e fémola provincia». Così Frezzotti nel 1934 – neanche due anni – l'aveva riprogettata per cinquantamila abitanti e ridisegnato, allargandolo, il cerchio magico della circonvallazione: «Il sacro pomerio» diceva lui.

Ma costruisci di qua costruisci di là, il tratto nuovo di sacro pomerio – quello nostro, appunto – non lo avevano ancora realizzato. Stava sulle carte, sui progetti, sulle planimetrie. E sulla base di quelle planimetrie le case le avevano costruite al di là – «Poi tanto qui faremo il tratto di circonvallazione che si chiamerà viale XXI Aprile» – ma nel frattempo arrivarci era l'ira di Dio.

Case in mezzo alla palude, per l'appunto. E appena finita la strada asfaltato-rattoppata c'era solo la desolazione di campi sterminati in lontananza e, davanti a noi, un fosso pieno d'acqua, un filare di eucalypti e – prima del fosso – una specie di pista piena di buche in mezzo al fango, battuta e ribattuta dai camion, dai carri e dai carretti che avevano trasportato i materiali per il cantiere.

Era questo il viale XXI Aprile – «Ma tu guarda la Madonna della Valle, dove debbo andare a finire io» si disperava zio Benassi – e ogni buca lasciata da quei carri era colma d'acqua anche quella. Toccò fare lo slalom, per raggiungere le case nostre senza affogare.

Lei non ha idea però con che facce ci arrivammo. Tutti a ridere e scherzare, prima, fino alla Gil; a parte Accio che rivoleva la radio: «Io sono più grande e la tengo bene. Quella invece la fa cadere», tanto che a Mimì a un certo punto scivolò di mano.

«Visto?» strillava Accio: «Che avevo detto io?»

«Zitto un po'» e qualcuno gli mollò uno schiaffo.

Ma dopo la Gil, nessuno faceva più parola. Zitti mogi davvero, per paura che quella si arrabbiasse.

«Meglio che non dico niente» pensava zio Benassi: «Benedetta la Madonna della Valle».

«Meglio che non dico niente» pensavano Norma e Tosca: «Come facciamo a venire a Latina a scuola la mattina e a spasso la sera senza infangarci? Chi ci guarda più, a noi?». E così tutti gli altri, pure i più piccoli: «Meglio che non dico niente, va'».

«Che sono ste facce?» strillava zia Pace: «Non siete contenti di andare a casa vostra?»

«Chi ha detto niente, Pace?» faceva mio zio.

«Chi ha detto niente, mamma?» facevano le mie cugine con un groppo di pianto in gola, mugugnando insieme piano piano, all'unisono: «*Partire? Partiròòò / partir bisooogna / come comanderààà / nostro sovrà-àno*» guardando di lato in cagnesco la madre, tante volte le sentisse.

«Uuuhmmm...» digrignava quella.

«Io so' contento, ma'! So' contento io» strillava il solo Otello, che più andavamo avanti – in quella desolazione – e più sembrava felice.

«Menomale» facevano le sorelle.

«E menomale sì» ripeteva lui.

Arrivati quindi fino in fondo al fosso parallelo alla pista

chiamata viale XXI Aprile, trovammo sulla destra queste sei palazzine gialle a due piani – due appartamenti ognuna a piano terra e due a quello superiore – poste testa a testa, in tre file di due, rispetto alla futura strada. La nostra era l'ultima in fondo, proprio in mezzo alla palude. Con un altro fosso davanti casa – pieno d'acqua pure questo – stagni tutt'intorno, campi coltivati del podere dei Molon lì di fianco e campi incolti, pieni di cespugli e di eucalypti, al di là del fosso.

«Ecco: siamo arrivati» disse zia Pace.

«Porca putana» pensarono gli altri.

Eccetto Otello però – l'unico felice – assorto nei più insperati sogni: «È il paradiso qua, vedrai come mi diverto. Domani comincio a farmi una barca e ci navigo su tutti sti fossi e sti stagni. E sui campi lì davanti mi ci faccio i fortini e le capanne. Hai voglia tu a gioca' a banditi e indiani. Ci faccio venire tutta Latina e gli faccio pagare il biglietto. Chi non paga lo caccio».

Otello era un po' più grande di me, aveva dodici anni nel 1954 ed era il primo figlio maschio – dopo due femmine – di mio zio Benassi. Era nato nel 1942 al podere 517 da mia nonna, perché zia Pace e il Benassi abitavano già alla casina di via Gloria a Littoria Scalo, ma lei per partorire aveva preferito le cure della madre. E quando alla buon'ora la levatrice Cocco aveva lasciato entrare zio Benassi – dopo avergli messo Otello in braccio – nella camera dove la moglie mia zia Santapace ancora boccheggiava tutta sudata dopo un travagliatissimo parto, lui le aveva detto radioso: «Era ora. Finalmente ce l'hai fatta a farmi un maschio».

«Va' in malora ti e 'l to maschio» s'era messa a strillare come una pazza zia Pace: «Fora de qua. Andè fora tuti dó». Lo cacciò via con tutto il figlio: «Non vi voglio più védare gnanca se 'l moro».

Poi invece ci si affezionò, al figlio, e lo coccolava, anche se per tutta la vita, ogni volta che quello ne combinava una – e

Otello, come lei sa, ne ha combinate pure troppe – per tutta la vita se l'è presa col marito: «Volevi il figlio, eh? Volevi il maschio? Eccolo qua il tuo maschio, mannaggia a te e a lui quando l'ho fatto».

È Otello comunque che lei teneva in braccio il 16 settembre 1943 – l'anno dopo che era nato – quando ci fu il bombardamento dell'aeroporto nostro di Littoria, come le ho già raccontato. Loro stavano nella casina a piano terra di via Gloria, a Littoria Scalo, con la batteria contraerea piazzata dai tedeschi in giardino, lì davanti alla porta.

Zio Benassi – «Non si sa mai...» – s'era da tempo preparato al peggio, scavando in mezzo alla cucina, sotto il tavolo di legno, una buca nel pavimento di terra battuta, coi materassi dentro: «Va' che bel rifugio antiaereo, che ti ho preparato» diceva alla moglie.

«Orca» faceva lei: «Gnanca al palasso M».

Ma appena avevano cominciato, «*Wòuunn*», quella notte ad arrivare i Wellington inglesi dal mare ed abbassarsi con la pancia sulla casina nostra – per prendere l'allineamento con l'aeroporto – e subito «*Ta-ta-dàn ta-ta-dàn ta-ta-dàn!*» i tedeschi a mitragliare e i «*BOM-BOM-BÓMMM*» dei confetti inglesi che esplodevano sugli hangar e le piste d'atterraggio che aveva costruito proprio lui, mio zio Benassi s'era buttato con le figlie femmine sotto il tavolo. E lui sopra di loro, a proteggerle con altri materassi sulla schiena, gridava alla moglie, mia zia Santapace con Otello in braccio: «Vieni qua Pace, vieni qua!»

Ma lei niente – lei era una matta – e per tutto il bombardamento ha fatto dentro e fuori, sempre con sto ragazzino in braccio, a fare il tifo e dare una mano al fedele alleato germanico, che tutte le sere mangiava con loro spartendo il suo rancio: «Dài Hans! Guarda lì, guarda là che ne arriva un altro» e gli indicava col dito in alto un caccia che scendeva in picchiata. «Tiralo giù, tiralo giù. Spara fiòlo, spara ben che lo copemo».

E in mezzo ai «*BOM-BÓM*», ai «*Ta-ta-ta-tà*», agli «*Zìppp...*»

dei traccianti e dei proiettili dei caccia, ai motori che agghiaccianti rombavano «*Vrèèèèènn*» mentre picchiavano, e finalmente «*Uhòòòòuuunn*» quando poi cabravano – con mio zio che da sotto il tavolo continuava ad urlarle: «Dammi almeno mio figlio, te possin'ammazzà, o mi vuoi far morire il maschio?» – lei a un certo punto s'è messa a fare il servente al pezzo. Con tutto il figlio in braccio passava le cassette nuove e i nastri delle munizioni, man mano che finivano: «Forza Hans. Prendi queste, fai in fretta. Spara spara, ch'at vegna un càncher».

Io non dico l'esercito italiano, poiché era il 16 settembre del '43 – in fin dei conti – e noi non eravamo più, tecnicamente, alleati dei tedeschi ma degli angloamericani; anche se mia zia non era tanto d'accordo e per lei il nemico era ancora chi ci veniva a bombardare i poderi. Non dico quindi l'esercito italiano, ma la Bundeswehr tedesca sarebbe pure ora che riconoscesse una decorazione alla memoria, al valor militare di mia zia Santapace Peruzzi, coniugata Benassi. Ma pure a mio cugino Otello, oggettivamente combattente anche lui e tuttora vivo e vegeto. Rischiò la morte – come si suole dire – sul cosiddetto campo di battaglia.

Non aveva neanche un anno allora – undici mesi scarsi – e mia zia lo allattava ancora. Non camminava – una volta si camminava tardi, ti tenevano i mesi fasciato stretto con le bende per non farti venire le gambe storte – ma cominciò a gattonare a quattro zampe di lì a qualche giorno, come se le bombe e le raffiche delle mitragliatrici gli avessero dato la carica.

Gattonava di corsa come Speedy Gonzales. Si infilava dappertutto, finché mia zia – gattona di qua, gattona di là – manca poco e lo ammazza con il veleno dei topi. O meglio, lei non è che avesse intenzionalmente deciso di ucciderlo, anche se più avanti gli ha ridetto spesso: «Era meglio che mi fossi morto quella volta dei topi».

Era pieno di sorci a via Gloria. Ma non sorcetti piccoli di campagna, bensì pantegane grosse superstiti della palude;

superstiti in quantità industriale peraltro, e ognuna più grande di un cane bulldog. Gatti invece – come ricorderà – ce n'erano pochi. Solo zoccole e sorci in palude.

I primi gatti nel Pontino li introdusse direttamente il fascio da Roma: raccattarono due o tre furgoni pieni di felini tra il Colosseo e i Fori – con le vecchie zitelle gattare che strillavano: «Nooo, il micetto mio no» – e li vennero a scaricare a Borgo Grappa. Da lì – mischiandosi man mano con quelli che anche noi avevamo portato dal Veneto – hanno fatto razza. Ma sempre razza alloctona importata è, come gli eucalypti. Se lo vengono a sapere i verdi, ci ammazzano anche i gatti. Solo i topi sono autoctoni. E le zanzare.

Allora però erano troppi e la casina di via Gloria era a pian terreno: sorci che giravano di qua e di là e lui – Otello – che gattonando a quattro zampe ci giocava. Li abbracciava. Gli dava i bacetti. Ci si rotolava assieme, proprio come ai cani.

Come dice, scusi? Perché mia zia glielo lasciava fare?

E cosa vuole che facesse? Mia zia doveva andare in campagna a lavorare. A giornata. Il figlio, dopo avergli dato da mangiare, lo lasciava per terra: «Dove vuoi che vada? In caso, ci sono sempre i tedeschi» – quelli della contraerea – «che me lo guardano». Le poteva mai venire in mente che quello s'era fatto Mowgli, topo pure lui?

Stufa di tutti quei sorci – specie la notte che zio Benassi prendeva sonno subito e lei invece, nevrastenica, restava sveglia fino a tardi a rotolarsi dentro il letto col rumore «*Squìk, squìk, cruccrù cruccrù*» di questi elefanti che si rincorrevano lungo le travicelle di legno del tetto: «E lui dorme, sto nane, lu 'l dorme» mollandogli un calcio di fianco – alla fine ha comprato il veleno per i topi.

Ha messo a bollire non so quanti chili di cotiche di maiale, le ha fatte a pezzettini, ci ha mischiato ben bene il veleno e le ha seminate dappertutto, dentro e fuori la casina. O meglio, non proprio seminate a pioggia come il grano o il formenton. Pure lei aveva pensato «Non sia mai il ragazzino...»

e le aveva ficcate una per una giù in fondo dentro i buchi del muro, o su per le travi del tetto, dove credeva che fossero le tane dei topi: «Quando ci arriva fin qua quel malnato?». E tranquilla tranquilla se ne era andata in campagna a lavorare.

Ma quando è tornata dopo due o tre ore per ridargli la tetta da succhiare, l'ha trovato in un canto cianotico ingrumato – immobile, con la bava alla bocca e una cotica stretta tra le gengive – e i topi che gli giravano intorno. Altroché non trovarle nei buchi. Quel canchero andava a toglierle di bocca ai topi amici suoi, per ciucciarsele lui.

«Orco can d'un desgrasià» ha strillato mia zia, e sono accorsi i tedeschi dalla batteria.

Lei ha messo un pentolino sul fuoco con il latte e la cenere di stufa, e appena la mistura è stata tiepida gliel'ha fatta bere fin che non ha cominciato a vomitare. Poi via di corsa con la moto del fedele alleato germanico – lei dentro il sidecar col ragazzino in petto – fino all'ospedale di Littoria.

A zio Benassi la notizia gliel'ha portata all'officina del Consorzio agrario il cognato zio Adelchi in bicicletta, che in quanto vigile – o meglio: sceriffo – non c'è mai stato fatto o notizia, nei primi tempi di Littoria ma anche dopo, che lui non abbia saputo un attimo prima che accadesse.

Mio zio Benassi manca poco e gli sviene in braccio, a zio Adelchi: «Ma quella allora me lo vuole proprio ammazzare il maschio».

«Cosa dici, Benassi, cosa dici?»

«Dico che ve la ridò indietro, mannaggia a lei e tutti i Peruzzi. Ripigliàtevela!»

«Ah, no. Chi ga tolto, ga tolto».

Zio Benassi s'arrabbiò parecchio quella volta e ne disse di cotte e di crude alla moglie, tornati a casa con Otello per fortuna salvo: «Assassina. Me l'hai avvelenato».

«Mica l'ho fatto apposta» si arrabbiava pure zia Pace: «L'è il putin, che l'è un fià mona».

Non tutto il male però viene per nuocere e fu lì che zio Adelchi disse alla sorella: «Vegnì a stare con mi alla Previdenza sociale, è più sicuro che vicino all'aeroporto. A Littoria non ci sono topi e non c'è pericolo di bombe» e si trasferirono tutti, armi e bagagli. Addio casina, o sarebbe meglio dire casupola: camera e cucina, soffitto basso di legno, qualche lamiera, muri di tufo con l'intonaco scalcinato, pieni di buchi e la latrina – il prìvy – fuori all'aria aperta.

Alla Previdenza sociale invece corridoi, un balcone, la cucina col ripostiglio, un bagno completo di vasca e bidè, e quattro stanze belle grandi che zio Adelchi – sposatosi da poco con zia Alfea – sperava di riempire di figli, purtroppo mai venuti. Nel frattempo aveva fatto posto ai Benassi e di lì a poco – quando i Peruzzi tolsero i figli a mia madre Armida – prenderà con sé, sotto la sua tutela, la mia sorella più grande Adria.

Un appartamento di lusso quindi – per quei tempi – roba appunto da impiegati, avvocati o vigili urbani. Ma in quanto a previsioni – o divinazioni del futuro – zio Adelchi non ci ha mai azzeccato tanto bene.

Non passarono infatti quattro mesi e il 22 gennaio 1944 – sbarco di Anzio e Nettuno – cominciarono a piovere granate su Littoria anche peggio, se possibile, dell'aeroporto. Certe sgrullate tutti i giorni, e non di bombe d'apparecchio, ma confetti navali molto più grossi, sparati a ripetizione come la grandine – dalle cannoniere americane al largo del mare di Capoportiere e Torre Astura – tutti su Littoria.

E rannicchiati stretti, dentro il rifugio della Previdenza sociale – alla fioca luce che andava e veniva da una tremolante lampadina – ad ogni colpo e gragnuola di bombe che si sentivano scoppiare da ogni parte di Littoria, mio zio Benassi guardava torvo il cognato, zio Adelchi. «Eh?» gli rifaceva a ogni boato, stringendosi forte il suo maschio e le femmine al petto: «A sentire te, qua non arrivavano le bombe».

«Casso de razonamenti xèi? Xèa colpa mia adesso?» si risentiva zio Adelchi: «Marochin marchigiano perugino».

Così a marzo del '44 dovettero sfollare anche da Littoria e nello sfollamento – lei ricorderà: erano in bicicletta e pioveva a dirotto; pioveva acqua e non bombe, ma pioveva che pioveva – zia Pace rischiò di farlo morire un'altra volta, mio cugino Otello di diciassette mesi ormai. Che quando arrivarono finalmente al podere dei parenti nostri Mantovani dalle parti di Pontinia, lo zio Costante che stava sotto il portico s'era sbiancato, appena li aveva visti entrare nell'aia.

«Cossa gàlo sto fiòlo?» era scattato: «Non respira più» e le aveva strappato il piccolo Otello cianotico dal seggiolino, lo sollevava in alto e lo scuoteva forte.

«Maladeti i Zorzi Vila» urlava zio Costante Mantovani: «L'è drìo annegare» con tutta l'acqua che aveva preso lì davanti, nel seggiolino sospeso sulla ruota anteriore. Tutta in bocca gli era entrata, la piova.

«Me l'hai affogato» piangeva zio Benassi.

«Ma qua' afogà?» s'arrabbiò lei appena Otello riprese – per fortuna un'altra volta – a respirare: «L'è to fiòlo che l'è un mona. Non podea chiuderla, quea boca? Senpre avèrta a bévare aqua?»

Fu quella volta, non so se ricorda, che lei per la strada sotto quell'acqua a un certo punto s'era fermata per togliere a un povero tedesco morto – in mezzo a un fosso – gli scarponi nuovi nuovi, perché quelli del marito erano rotti scalcagnati. Quegli scarponi che le ho già detto, che lui poi – passandogli regolarmente il grasso – s'è conservato tutta la vita.

Lei raccontava di avere fatto un sacco di fatica perché non venivano – «Gli andavano stretti» al tedesco – e a ogni strattone che dava per levarglieli, la testa si moveva di qua e di là; ma sempre con gli occhi aperti e fissi nei suoi, a volerla guardare in faccia e non scordarsela più: «E gnanca mi me lo scordo. Avrà avuto al massimo una ventina d'anni» diceva.

E ogni volta che Otello ne combinava qualcuna, lei si rammaricava: «Non era meglio che mi morivi quella volta affogato?». Perché ride, scusi? Perché prima ho detto che rimpiangeva il veleno dei topi? E va be', una volta i topi e un'altra l'affogamento. Conforme. Non stiamo a sottilizzare, per piacere.

Passato lo sfollamento rientrarono in Previdenza sociale. Era maggio del '44 e appresso a Norma, Tosca ed Otello, nel 1945 – finita la guerra – mia zia mise al mondo Manrico ed era tutta felice: «Ah, che bel bambino che ho fatto».

Dopo un po' – appena cominciato a camminare – arrivai pure io dai Benassi, che mia nonna aveva chiamato l'Armida: «Va ben. Il putino torna dai Peruzzi».

«Comandi, siora» obbedì mia madre: «Basta almanco che 'l vada con la Pace» che era l'unica di tutti i Peruzzi che l'avesse sempre trattata con affetto, mai da maladonna con il marchio della lettera scarlatta sulla fronte come invece le sue sorelle e l'intero parentado, dopo che purtroppo era rimasta incinta di me con mio cugino Paride mentre mio padre, zio Pericle, erano già tre anni che risultava disperso in guerra in Africa Orientale.

«E sia la Pace» sentenziò mia nonna, ed andai quindi con loro.

«Dove che mangiamo in sei mangeremo in sette» m'accolsero lieti zio Benassi, zia Pace e i miei cugini.

Passano un altro paio d'anni e nel 1948 arriva Violetta: «Che vuoi che sia? Da sette a otto, nantra fémena xè festa granda».

Un altro anno e mezzo e arriva Accio, e questa volta però mia zia non stava tanto per il verso giusto, anche perché le erano appena morti – a distanza di venti giorni uno dall'altra – il padre e la madre, ossia mio nonno e mia nonna: «Che disgrazia massa granda che me xè capità, con anca sto fiòlo ramengo rabioso 'nvelenà».

Altri tre anni e infine Mimì, che pure se nata lo stesso

giorno che era morta zia Alfea, zia Pace però aveva recuperato i suoi sentimenti: «Che bèa picinina ch'agò fato, amor de la sua mama».

E tutti insieme questa barca di gente – zio Benassi, zia Pace, Norma, Tosca, Otello, Manrico, Violetta, l'innominabile Accio, Mimì e l'umile sottoscritto – a marzo del 1954 s'è mossa dalla Previdenza sociale per venire ad abitare in questa casa in mezzo alla palude. Ben al di là del sacro cerchio magico della circonvallazione, oltre il futuro e costruendo viale XXI Aprile.

Tutti tristi e sconsolati eccetto Otello, l'unico contento: «Qua sì, che mi diverto», come se alla Previdenza sociale si fosse invece annoiato.

Quella era un casermone, un quadrilatero gigantesco con un sacco di scale e appartamenti su tre piani, pieno pieno di bambini e ragazzi di ogni età. Era un formicaio, dove le donne figliavano a tutte le ore, mica come adesso che non figlia più nessuno e se non arrivassero questi immigrati sui barconi dal mare – pieni di fame e con la voglia di figliare – l'Italia si spopolerebbe da un momento all'altro. Solo i poveri fanno figli a questo mondo – come lei sa – i ricchi no.

Ma noi quella volta eravamo poveri e la Previdenza sociale una pipinara di tutte le età, che sulle terrazze o nel cortile interno – un quadratone grosso, con un giardino in mezzo e i vialoni col ghiaietto – giocava chi a campana, chi al dottore, chi a pallone o a mazzafionda. Il terrazzo, poi, era uno splendido grande circuito, su cui si poteva correre in bicicletta e scontrarsi a piacimento coi carrozzini di legno a tre ruote sui cuscinetti a sfera, *skateboard ante litteram*, se non c'era in giro Giorgio Maulucci – secondo piano, scala C – che aveva la mania del teatro: «Giochiamo al teatrino, io faccio il regista». E le femmine: «Sì, sì, sì».

Il padre era un impiegato dell'Inps che faceva pure, però, il corrispondente del *Messaggero*. Erano gli unici – in tutta

Latina Littoria – che d'estate andassero in villeggiatura. A un certo punto sparivano.

«Niente teatrino» si lamentavano le femmine.

«Menomale» facevamo noi maschi.

Ma dopo una settimana o due, questo Giorgio riappariva col fratello piccolo appresso – «Siamo stati in Tirolo»; «Ah, be'» si estasiavano le femmine; «Ci potevi restare» mugugnava invece Otello – e via da capo a travestire, con la giacca e cravatta del padre e gli abiti lunghi della madre, i maschi da femmine e le femmine da maschi: «Avanti, in scena! Oggi si fa la *Francesca da Rimini*».

«Ma che razza di teatro è questo?» insisteva Otello: «Questa è la recita che fanno dalle suore. Il teatrino vero è il mio».

Glielo aveva regalato zia Alfea a Natale. Era tutto di legno smontabile, con le quinte e lo scenario a doppia visione: di qua l'interno di una casa, col salotto e le camere, e di là un porto, di notte, con un grande piroscafo all'ormeggio. E le marionette di gesso coi fili che lui guidava dall'alto, e cambiava e modulava la voce ad ogni personaggio. Zia Alfea si moriva a guardarlo, stravedeva per Otello: «Dài, dài, fammi il teatrino e ti do cinque lire». E appena l'anno dopo – febbraio 1953 – è morta di polmonite malarica.

«Ma che ne sai tu, di teatro? Tu sai solo di sassate e mazzafionde» lo redarguivano le femmine – a partire dalle sorelle – tutte appresso a Giorgio Maulucci. Che lei non ci crederà, ma poi è diventato preside del liceo classico a Latina: «E non ha più smesso per tutta la vita» – dice ancora adesso Otello – «di rompere i coglioni alla gente con il teatro».

Lei pensi che era pure amico di Strehler e ogni anno portava due o tre classi del liceo a Milano, a vedere al Piccolo le opere di Brecht e guai a chi non apprezzava. Era capace di bocciarlo. Ma lei si rende conto? Poveri figli di coloni caricati con la forza sopra i treni per tornare su – in Altitalia – a vedere Strehler? «Roba da darghe 'l confin», diceva zio Adelchi, «se non propio la fusilasion».

Poi sul terrazzo non ci hanno più lasciato andare, a giocare. Chiuso sbarrato, dopo che un bambino piccolo dei Coccia era caduto giù da una finestra del primo piano, morendo di colpo sul marciapiede di via Costa – l'Andrea Costa che fu tra i fondatori del socialismo italiano – che però prima si chiamava via Cencelli; non in onore del conte Valentino Orsolini Cencelli presidente Onc e fondatore di Littoria, bensì di suo fratello maggiore Amedeo, ufficiale pilota della regia marina, decorato con due medaglie d'argento al valor militare, abbattuto in mare dal cielo di Venezia il 22 gennaio 1916, prima guerra mondiale. Caduto pure il fascismo, cambiarono la targa: «E che mi tengo», avranno pensato, «un Cencelli sopra i muri?»

«Ma guarda che non è il fascista. È il fratello eroe di guerra, poverino, morto giovane per la Patria prima ancora che nascesse il fascismo».

«E chi se ne frega. Sempre Cencelli è» e si sono però tenuti fino ad oggi via Umberto I – con tutti gli onori – l'ineffabile sovrano che nel 1898 fece sparare coi cannoni, dal generale Bava Beccaris, sul popolo lavoratore di Milano, massacrandolo a decine e centinaia. «Gloria sempre all'anarchico Bresci», diceva mio nonno, «che fece giustizia».

Ecco, non potevano dedicare questa ad Andrea Costa e lasciare Amedeo Cencelli dove stava? «No, sapeva troppo di fascismo». Ah, be'.

Questo bambino piccolo dei Coccia aveva comunque faticosamente trascinato una sedia sotto il davanzale per potercisi arrampicare ed affacciare. Ma si era sporto troppo ed era venuto giù. Lei non ha idea i pianti, le urla e la disperazione della madre e di tutta la famiglia, ma pure di tutta la Previdenza sociale. E da quel giorno non solo non ci hanno fatto più andare in terrazzo, ma a tutte le finestre del palazzo – ad ogni piano, in ogni casa – misero delle reti da pollaio a mezza altezza, per non far sporgere i ragazzini.

Del resto, quello fu lo stesso periodo che sui parapetti della scenografica scalinata del palazzo delle poste – capolavoro di architettura di Angiolo Mazzoni – vennero messi al volo i cavalletti di Frisia coi rotoloni di filo spinato, per impedire che i ragazzini ci facessero la scivorella. C'era sempre la fila – sembrava di stare alle piste di sci a Chamonix – per salire fin sopra, mettersi col culo sulla copertina di travertino del parapetto e lasciarsi scivolare di corsa fin sotto. Finché uno non è caduto, s'è ribaltato di testa ed è morto. E un altro – nello stesso periodo – alle poste di Sabaudia, altra scalinata ancora più scenografica, sempre di Mazzoni, considerata monumento nazionale dell'architettura italiana. Be', misero i cavalletti di Frisia – la *concertina* di filo spinato – anche a Sabaudia, per non farci più andare i bambini; ma monumento era e monumento resta.

«Fosse successo ai tempi di adesso», diceva zio Adelchi, «i ghe deva la galera al Mazzon. Altro che grande artista, architetto futurista de stocasso. Non gli lasciavano progettare più nemmeno un pollaio: pluriomisidio colposo i ghe deva. Tentata strage».

E insomma chi giocava a campana – sul terrazzo o nel cortile della Previdenza sociale – chi al teatro, a acchiappa-rella, a guardie e ladri, ai cannoncini col carburo, a pallone a mazzafionda a monopattino, e chi invece litigava e battagliava. Una pipinara, le ho detto. E quando ci si stufava di stare in cortile – sotto gli occhi delle madri che costantemente dall'alto controllavano – scappavamo dal cancello di dietro, a fare danni per tutta Littoria. Pardon Latina, oramai. Sassate ai lampioni e ai bicchieretti di vetro dei pali della luce.

Non scappavamo dall'ingresso principale della Previdenza sociale – quello che dà sui portici di piazza San Marco, davanti alla farmacia e alla chiesa – perché c'era il portiere che non ti lasciava passare. Altro che portiere: con quel cappello grigioverde in testa dell'Inps, era una guardia carceraria. Passavamo da dietro – da via Umberto I appunto, il massacratore, quasi di fronte all'ingresso laterale della prefettura – dove c'era un cancello sempre chiuso col lucchetto, e tutti quindi sicuri che nessuno potesse evadere.

Era un cancellone grosso con delle sbarre spesse di ferro verticali, alte e strette. Ma strette strette pure quanto volevano, ce n'erano due – non ricordo se la terza e la quarta, partendo da destra, all'interno, verso sinistra o la quarta e la quinta – che il fabbro doveva essersi sbagliato e gli erano venute più larghe di qualche millimetro. Nemmeno ricordo chi lo avesse scoperto, ma mettendosi di sbiego con le gambe dall'altra parte, e poi strusciando il bacino di fianco e tutto il corpo e infine la testa – prima la nuca e poi la fronte – si riusciva a passare di là. E via tutti di corsa – Otello davanti e Manrico sempre dietro – a fare a sassate con quelli della piazza. Piazza 23 Marzo intendo – una pipinara pure quella, ai palazzi Ina – oggi piazza della Libertà.

Da queste scorribande tornavamo verso sera tutti contenti – sempre attraverso, uno ad uno, le sbarre del cancello – con qualche volta, però, un filo di sangue che colava dalla testa. È vero difatti che noi Peruzzi in quest'arte – lei ricorderà mio cugino Statilio – abbiamo expertise e tradizioni secolari. Ma come lei sa, le sassate sono normalmente a doppio senso di circolazione: una volta si danno, l'altra si prendono. E quando a casa con la testa rotta ci ritornava Otello, mia zia lo ripassava di santa ragione: «Desgrassià, desgrassià d'un fiòl d'un can che go messo al mondo».

Ma quando per caso ci tornava Manrico, allora sì che lo gonfiava di botte – sempre Otello naturalmente, non Manrico, a cui anzi s'affrettava amorevole a disinfettare la ferita spruzzandogli la testa col fiasco dell'aceto – «Anche questo mi vuoi portare sulla cattiva strada?»

Manrico – a essere onesti – provava sempre a difendere il fratello: «Non è stata colpa sua». E allora sì, che mia zia menava pure lui.

La pacchia era terminata poco prima che venissimo via dalla Previdenza sociale ed era finita – guardi un po' – per colpa di Accio, che Otello non lo voleva appresso, perché era troppo piccolo; ma la madre, mia zia Santapace, glielo appioppava a forza: «Portati anche lui o resti in casa pure tu».

«Ma ho già Manrico» si schermiva Otello.

«Manrico? E che peso è? È grande, buono e migliore di te» e in effetti non era nessun peso per lui Manrico, che era affascinato dal fratello più grande. Chissà che eroe gli pareva e faceva tutto quello che Otello diceva.

Quella volta insomma si sono dovuti portare anche Accio, ma quando è stato il momento di infilarsi tra le sbarre del cancello per scappare insieme agli altri, quello s'è messo a piagnucolare: «No no, io lì non ci entro».

«Che vuoi che sia? Sbrigati e vieni qua».

«No no, ho paura che mi incastro e dopo non passo».

«Ma sei proprio capoccione, sa? Ci passiamo noi che siamo grandi, non ci passi tu che sei piccolino?». Aveva quattro anni Accio, le ripeto, e loro, rispettivamente, dodici e nove, e facevano avanti e indietro – dentro e fuori dalle sbarre del cancello – a dargli ripetute dimostrazioni: «Visto? Che ci vuole? Vieni avanti, capoccio'».

Alla fine lo hanno convinto e quel mona s'è avvicinato al cancello – con Otello fuori a dargli istruzioni ed aspettarlo, e Manrico dentro invece a spingerlo e indirizzarlo – s'è messo di fianco, ha scavalcato con le gambette il lastrone di ferro alla base, ha fatto passare il bacino, la pancia ed il petto.

«Ecco: fai così, fai cosà. Il braccio adesso. No questo, quell'altro, sopra le spalle» gli diceva Otello.

Ma passate le spalle e tutti e due i braccetti, è arrivata la testa, che purtroppo non passava. Non passava.

«Dai così! Stringi forte e vieni vieni» gli facevano i fratelli.

«Non passo! Non passo» si disperava Accio, con la testa incastrata – la nuca e le orecchie stritolate – tra le sbarre di quel cancello. Tutto pieno di sudore oramai – la fronte grondava come le sorgenti della Belladonna – misto a pianto e mocciolo dal naso.

«Ma guarda sto stronzo...» faceva Otello a un amico suo a fianco – Peppino Fantasia, mi pare – e tutti e due insieme lo hanno preso in braccio. O meglio, uno davanti e l'altro dietro ne hanno sollevato il corpo a bandiera su via Umberto I e iniziato a tirarlo a tutta forza, per cercare di estrarne la testa da dentro la Previdenza: «Tira Peppi', tira» e tiravano tiravano.

Ma ad ogni ulteriore tiro che quelli tentavano, Accio sentiva strapparglisi le orecchie e scoppiargli le tempie.

«Dài che sta a veni'... Tira un altro po', Peppi'. Tira, tira».

«Ahi, ahi, ahi» strillava Accio come un maiale che stanno per scannare ma a cui hanno sbagliato il primo colpo, e tutti allora intorno coi coltelli: «Dài, dài, dài». E lui, povero maiale: «Ahi, ahi, ahi».

Fatto sta, Accio non veniva: il corpo di qua dal cancello – su via Umberto I – e la testa di là, nella Previdenza sociale.

«Che facciamo adesso?» Manrico.

«Ahò, bisognerà tagliargli la testa» Otello.

«Nooo! La testa no: non me la tagliate!» piangeva Accio.

«Ma statti zitto, sto a scherza'...» rideva Otello.

«Ma che ciavrai da ridere?» rideva anche Manrico, mentre quell'altro piangeva.

Insomma le hanno tentate tutte – «Come ci è entrato ci deve uscire» – pure a farlo tornare indietro: «Rimetti il corpo di qua, le gambe di là, il braccio di sopra» ma più lo intorcinavano e più si incastrava nel ferro. Sentiva – diceva lui – la ruggine in bocca, sulla lingua, nel palato, dentro gli occhi: «Ahi, ahi, ahi» strillava come una gallina.

Tutti preoccupati. Le femmine piangevano. Violetta chinata sotto lo consolava: «Come stai Accio, poverino, come stai?»

«Sto male, sto male, mi scoppia la testa, chiamate mia mamma».

«Sì, mo' vado proprio a chiama' mamma...» faceva Otello: «Non sarò mica scemo». E riprovava a tirarlo ancora più forte: «E vieni, vaffallippa, vieni».

«Ahiahiààhiii! Lasciatemi morire».

Finché è arrivato il portiere con qualche madre degli altri ragazzini, e Otello s'è dovuto arrendere: «Va' a chiamare mamma, va'...» ha detto a Manrico.

«Chi? Io? Ma vacci tu, no? Che sei il più grande».

«E come faccio? Tu stai già dentro, io debbo fare il giro del palazzo. Dai Manri', vacci tu che a me m'ammazza».

«E a me non mi mena?»

«Manri' non fare il furbo. A te, ti mena piano».

Quello è partito per andarla a chiamare, ma quando è stato all'ingresso della scala lei – in quel preciso istante – s'è affacciata dal balcone che dalla cucina dava sul cortile, lo ha visto e gli ha chiesto incuriosita: «Cossa xèi sti strilli e rumori... Quale gioco state a fare oggi?»

«Ohi ma', vieni giù subito che ci sta Accio che sta per morire. Bisognerà tagliargli la capoccia, mi sa... Io ho già detto un sacco di preghiere»; pregava sempre, quello.

Lei non ha idea zia Pace: «Mariavèrzine! Oddìo, oddìo, oddìo». E giù a scapicollarsi per le scale con Tosca e Norma appresso e mia sorella Adria anche, che stava lì con noi – come ricorderà – a casa di zio Adelchi vedovo, oramai: «Oddìo, oddìo, oddìo».

In un attimo sono state al cancello. Il portiere intanto ne aveva aperto l'altra anta con la chiave e tutta la Previdenza sociale s'era radunata lì, chi dentro dal cortile e chi fuori sulla strada, a dire ognuno la sua: «Chiamiamo i pompieri»; «No, basta un po' d'olio»; «Ciamemo un fàvaro che tàja le sbare». E tutti insieme, appena è arrivata lei: «Signora Benassi stia calma».

«Ma che calma e calma di una mona. Fatemi passare, no?» mentre Accio – che fino a quel momento non aveva mai smesso di piangere ed urlare «Ahi, ahi, ahi» – appena percepita, seppure solo nei paraggi, la presenza della madre, s'era zittito ammutolito di colpo. Ma quando finalmente la gente si è scansata e lei s'è ritrovata davanti alla testolina del figlio di qua dal cancello – con le orecchie tutte strappolate – e il corpicino invece di là dalla strada, lei gli ha strillato: «Come casso hai fatto a ficcarti lì dentro?»

«Sono stati loro» intendendo i fratelli.

«No, ma'! Te lo giuro» Otello, mantenendosi però a distanza di sicurezza: «Ha fatto tutto lui, ma'. Io gli avevo pure detto di no».

«Zitto, sa'? Che a te ti prendo dopo» e ha cominciato a manipolare pure lei il tapino, provando a spingere o a tirare di qua e di là, tante volte venisse; mentre lui zitto zitto muto muto non faceva neanche più «Ahi» ad ogni altro dolore che gli veniva pure inferto, per paura che quella lo menasse lì per lì, con la testa di qua ed il corpo di là, da quel canchero di cancello.

«Pure spia, il capoccione» faceva intanto piano piano Otello a Manrico: «Come ha fatto a non passarci, che noi più grandi ci passiamo tutti? Me lo ha fatto apposta. Vedrai tu come lo concio, quando mi capita sotto».

E tra chi consigliava di qua e chi invece sconsigliava di là, mia zia Pace ha mandato le figlie grandi e mia sorella Adria di sopra, a prendere l'acqua e il sapone. Sapone da bucato di una volta, che crede? Mica il sapone profumato – che lo usavamo allora solo a Pasqua e a Natale – e nemmeno lo shampoo, che ancora non sapevamo cosa fosse.

Appena sono arrivate con un secchio e la bacinella, giù una doccia gelata che manca poco e affoga pure – dentro le sbarre – e via col sapone da bucato a insaponarlo tutto quanto: la testa, il muso, il collo, le orecchie, di qua e di là delle sbarre. E Accio: «*Ptciù! Ptciù! Picùf!*» che sputava il sapone dalla bocca e piangeva perché gli bruciava gli occhi. Con lei che strofinava a tutta forza senza preoccuparsi dei suoi occhietti, pensando solo a poterlo in qualche modo estrarre: «Zitto, sa'? Che se no ti meno pure».

E quello, più forte: «Ahi, ahi, ahi».
Fatto sta, a furia di sapone e di strattoni insaponati: «*Splòtfch!*» il capoccione all'improvviso è uscito fuori.
«*Òhfff!*» un sospiro di sollievo generale.
«*Pciàff!*» una sculacciata a tutta forza di zia Pace.
«Ahi! Ahi! Ahi!» un'altra volta a piangere, il povero Accio.
Io adesso non le so dire se non ci era passato perché davvero avesse, come sostenevano i fratelli, un capoccione enorme, spropositato in un bambino di quattro anni – molto più grosso dei loro che ne avevano, le ripeto, uno nove e l'altro dodici – o più semplicemente perché avessero sbagliato sbarra, e invece di infilarlo fra la terza e la quarta o la quarta e la quinta, che adesso non ricordo bene, lo hanno mandato a immolarsi lì di fianco, su qualche sbarra più stretta. Passaci tu, se sei capace.
Accio ancora adesso – più di sessant'anni dopo – ogni tanto di notte si sogna che sta tra le sbarre di ferro di quel cancello, con la testa da una parte e il corpo penzolante dall'altra. Sente prima stringersi e pressare forte la nuca, e poi le tempie e la fronte mentre la ruggine gli empie la bocca e la gola finché – di soprassalto – si sveglia sudato, con le orecchie rosse rosse, doloranti intorcinate.

E insomma arrivammo davanti alla casa nuova. Un muretto con la rete di recinzione ed un cancelletto per accedere a una sorta di giardino: un fazzoletto di terra di centotrenta metri quadri – undici per dodici – e un altro dietro casa un po' più grosso. Tutta terra bianca – argilla pura – che solo a guardarla e senza neanche assaggiarla mio zio Benassi ha pensato sconsolato: «Qua non ci cresce niente». Ma subito pure: «Be', mi ci faccio portare tre o quattro camion di terra buona dallo Scalo e ci pianto le viti, un albero di fico, le pere e vedrai tu che orto».
«Quale orto?» zia Pace: «Questo è il giardino. Mi ci metti i fiori e basta. L'orto te lo fai di dietro, che è pure più gran-

de» che era infatti di centocinquantaquattro metri quadri, undici per quattordici.

La casa invece era novanta metri in tutto: due scalini per accedere a un terrazzino coperto davanti; un ingresso che dava a destra sulla cucina e dritto sulla sala – abbastanza grande – in fondo alla quale c'erano un finestrone a tre ante coi vetri stuccati freschi freschi ed una porta-finestra per scendere nell'orto sul retro. Subito a sinistra invece – entrati dall'ingresso – si apriva una porta su un disimpegno microscopico in cui ce ne erano altre tre: una sulla camera di zia Pace e zio Benassi, una su quella delle figlie femmine e l'altra sul bagno.

O meglio, dire bagno – specie se uno aveva in mente quello della Previdenza sociale – è un tantinello esagerato. Ma rispetto al prìvy del podere 517 o di quando andavamo d'estate dai nostri parenti in campagna – la latrina che stava fuori a trenta metri, vicino alla concimaia – va be', allora sì che era un bagno, questo qua della casa nuova. Anche se c'era solo la tazza del water, un lavandino e una vaschetta piccolina piccolina a sedile, che davvero non ci entravi nemmeno seduto.

L'acqua calda, ovviamente, neanche per idea. Anzi, il più delle volte mancava pure quella fredda, oltre ovviamente alla luce sempre fioca – corrente a soli 125 volt, non 220 come adesso – che ogni tanto andava via anche lei. E tutti subito ad accendere le candele – sempre sulla credenza a portata di mano – in attesa che tornasse.

Prima o poi tornava però, con giubilo sorpresa e gioia di noi ragazzini, a cui la corrente elettrica – e soprattutto questo fatto che all'improvviso se ne andasse, e altrettanto all'improvviso a un certo punto ritornasse – sembrava un qualcosa di magico, incomprensibile, imponderabile. Noi quindi – almeno finché Otello non si iscrisse per corrispondenza alla scuola Radio Elettra di Torino – noi appena la luce se ne andava accendevamo le candele ma, nello stesso istante, iniziavamo a pregare: «Gesù, Giuseppe e Maria, fate tornare la luce» e *Paternostri* e *Avemarie* a ripetizione.

Lei non ci crederà ma sempre – sia pure a pause di qualche ora – il Signore ci esaudiva. La luce prima o poi tornava – anche se fioca fioca le ripeto, a 125 volt – poiché in effetti non era propriamente Lui a gestirla, ma la Sre, Società romana di elettricità che c'era prima che arrivasse l'Enel.

C'è voluta l'Enel – è un fatto storico incontrovertibile, un «*verum factum*» direbbe Vico – per avere finalmente la 220 volt, forte forte forte, senza che andasse più via. Ma solo nel 1962 però, quando i socialisti di una volta – quelli di Pietro Nenni, De Martino e Riccardo Lombardi che era pure ingegnere – in attesa di riuscire a concretare il primo centrosinistra organico appoggiarono dall'esterno il governo Dc-Psdi-Pri di Amintore Fanfani, ottenendone la nazionalizzazione dell'energia elettrica, fino allora in mano ai privati.

Prima dell'Enel c'erano cinque o sei gruppi capitalistici, che attraverso una miriade di controllate facevano il bello e il cattivo tempo, mentre la maggior parte delle campagne italiane restavano ancora all'età della pietra, senza elettricità. «Il privato guarda al suo tornaconto» dicevano i miei zii, ed è difficile che impianti una linea per servire pochi utenti. Ti lascia al buio e guadagna di più. È l'Enel che portò la luce e la corrente nelle campagne d'Italia. Sarebbe bene ogni tanto ricordarselo.

Comunque allora era così e pure la bonifica fascista dell'Agro Pontino aveva elettrificato solo i nuclei di fondazione e i poderi sulle strade provinciali, serviti dalle linee principali. Ancora mi ricordo le cabine di trasformazione, con le scritte grosse cubitali a lettere di marmo: «*Sre*». Nei borghi e in città c'era quindi questa Società romana di elettricità – che tutti chiamavamo «la Laziale» – mentre in campagna la gran massa dei coloni si dovette arrangiare per anni con i lumi a carburo o a petrolio. Per le lampadine, anche in Agro Pontino i contadini dovettero aspettare l'Enel, che tolse la scritta «*Sre*» dalle cabine e ci mise giustamente «*Enel*», finché il nuovo centrosinistra di fine millennio – l'Ulivo – privatizzò un'altra volta l'energia elettrica, che Dio li perdoni.

Tornando all'acqua invece era il 1954 le ripeto, e l'acquedotto di Latina era ancora quello di Littoria, malridotto dalla guerra, con chissà quante e quali perdite. Le tubazioni nuove poi – per allacciare le case nostre alla rete – le aveva fatte Diomede, si figuri quindi lei quante altre perdite ancora. Erano più le volte che stavamo senza acqua che quando l'avevamo, e ogni tanto succedeva qualche casino.

Una notte zio Benassi si è svegliato per andare al bagno – doveva avere già iniziato a combattere con la prostata – e per alzarsi ha messo al buio i piedi per terra a cercare le ciabatte. Ma invece delle ciabatte si è ritrovato con l'acqua alle caviglie: «Pace, l'alluvione» ha strillato.

Quella si sveglia, accende la luce e acqua dappertutto. Via allora a chiamare le figlie e i figli più grandi – i piccoli no: «Restate a letto, sennò v'affogate» – a cercare di capire cosa fosse successo. Dalla cucina si sentiva: «*Fìsccc, glogloglogló. Fìsccc, glogloglogló*».

Corri a vedere – sguazzando in mezzo all'acqua: «*Qluà, qluaqluaqluaqluà*» – c'era il rubinetto del lavandino aperto. Non un rubinetto di adesso, cromato. Un rubinetto di bronzo scuro di una volta, con il comando non a pomello, ma a farfalletta di ottone. Neanche il lavandino, ovviamente, era porcellanato. Un lavatoio e niente più, in graniglia di cemento scuro. Ma che oramai pieno pieno riversava dilagando, sui pavimenti, tutto quel che il rubinetto continuava a profondere adesso alla massima volontà. Qualcuno evidentemente – quando l'acqua non c'era – lo aveva aperto senza però richiuderlo.

«Chi è stato, chi è stato?» chiedevano tutti mentre – con le scope, gli stracci, gli spazzoloni – nel cuore della notte mandavano via l'acqua dalle stanze, verso la porta d'ingresso o quella della sala sull'orto.

«Chi è stato, chi è stato?» chiedevano tutti.
Indovini un po' chi era stato?
Accio: «Ma io avevo sete...»
«Potevi richiudere, no?» e giù botte, i fratelli.

Comunque – bene o male – ci siamo sistemati.

Scaricate le ultime masserizie, zia Pace ha riscaldato la cena sulla cucina economica a legna nuova nuova Zoppas blu, che l'Istituto case popolari aveva installato in ogni appartamento. Era una cosa monumentale, con i cerchi di ferro sopra, su cui mettere le pentole per scaldare l'acqua, e due forni di fianco, ed era pure l'unica fonte di calore in tutta quella casa.

Dopo cena però s'era fatta sera ed uscì – come mi pare d'averle raccontato un'altra volta – una luna piena grossa grossa, rossa rossa, a specchiarsi nel fosso lì davanti e mia cugina Tosca, uscita a vedere, si mise a cantare: «*Chi gettò la luna nel rio, / chi la gettò?*»

Appresso a lei cantammo anche noi «*Chi gettò la luna nel rio...*», mentre zio Benassi – accesa la radio – provava a tirare fuori e stendere sul tavolo, in cucina, le penne, le matite, la carta da musica a pentagramma e tutta la roba della Corale: «Ah, oggi debbo proprio finire di copiare *Va' pensiero* per i tenori».

Finché zia Pace disse: «Basta. A letto adesso, anche tu» – a mio zio – «che domani bisogna andare a scuola» e ci avviammo.

«Allegri vi voglio vedere!» – sempre zia Pace – perché tutti mogi eravamo invece, a parte Otello. Non è che fosse bastata *La luna nel rio*, a farcela passare. Quelle – le figlie grandi – nel rio ci si sarebbero buttate loro: «Ma tu guarda dove siamo finite...»

Anche perché – benché la casa nuova fosse più grande delle due sole stanze che avevamo per noi alla Previdenza sociale – sempre uno stuolo di gente eravamo. Peggio degli zingari, quando si trattava di andare a dormire.

Nella camera di zia Pace, oltre a lei e al marito c'era la piccola Mimì, in mezzo a loro nel letto grande e di fianco – dentro una culla alta di ferro e lamiera bianca in cui erano passati, uno alla volta, tutti quanti – il povero Accio, che oramai non ci entrava più e doveva stare con le gambe sempre raggrumate.

Otello dormiva in sala su una poltrona letto, corta pure quella, che zia Pace aveva comprato apposta qualche giorno prima. «Ah!» le aveva assicurato Pitton: «Qua dentro ci possono dormire almeno in due». Ma sì e no che ci entrava Otello.

Nella camera diciamo delle femmine, invece gli altri. Su una branda singola di ferro – sotto la finestra – io e Manrico: uno da capo e l'altro da piedi. Sul letto matrimoniale grande Norma e Tosca, con in mezzo Violetta.

Totale, insomma, dieci persone andate a letto con la luna – seppure piena, ripeto – di traverso, a parte Otello. Con Norma e Tosca che – sotto le coperte – non facevano che rimuginare: «Come faccio domani, tutta inzaccherata, a presentarmi a scuola? Nessun ragazzo mi guarderà».

Pure zio Benassi – mentre aspettava che arrivasse anche la moglie; che era sempre l'ultima a coricarsi e faceva avanti e indietro da uno all'altro, ad assicurarsi che ognuno avesse preso per bene sonno – pensava: «Roba da chiodi, dove m'ha portato». Ma subito anche, perché era uno che non si arrendeva: «Bisogna che mi sbrigo a far venire la terra. Vedrai che ti combino, con l'orto e le viti».

Finché tutti zitti – tutto buio – anche zia Pace è venuta a letto: «Ah, son proprio stanca, va'. Cammina di qua, cammina di là, porta su questo, porta quell'altro... non ce la faccio più. Però son proprio contenta. Non sto più in casa d'altri. Xè casa mia ciò, questa qua, orco d'un can de quel can de me fradèo».

Zio Benassi, sentendola felice, ha sorriso anche lui nel buio – sotto le coperte – con quel suo solito sorrisino sghembo a mezza bocca, uno di quei sorrisi che, come lei sa, dicono e non dicono. Ma dicono, dicono.

Zia Pace non so se ne è accorta, ma – buio o non buio – quella era una strega e gli leggeva nel pensiero. «Tu no, eh?» gli ha chiesto allora allungandogli, col piede, un calcetto: «Tu volevi restare là. Non sei contento di questa casa qui, soltanto nostra?»

«Ma sì, Pace, sono contento anch'io» ha confessato allora: «Basta che sei contenta tu» – mentre voltandosi sollevava piano piano Mimì che dormiva nel mezzo, la spostava di lato e si avvicinava lui a zia Pace – «e sono contento anch'io. Qualunque cosa fai, basta che sei contenta e mi contento pure io...»

«Sì, vabbe', ma non mi stare a mettere incinta un'altra volta. Varda da saltare, quand'è l'ora, desgrassià» ridendo anche lei.

«Ma è peccato, Pace! Peccato mortale».

«E dopo ti confessi! Che ci sta a fare, allora, la confessione? Doman mattina ti confessi».

«E se muoio stanotte?»

«Va' che non muori, non muori. Non starmi a mettere incinta un'altra volta ch'at copo, sa'?»

«Brutta diavola. Non solo in mezzo alla palude, tu pure all'inferno mi manderai».

La mattina dopo sono partiti presto tutti e due con le biciclette a mano – fin che non si passava il fango – per andare alla prima messa delle sei e mezzo a San Marco. La cappella dell'ospedale non c'era ancora, e quindi anche mia zia era con lui non perché ci fosse stato nella notte quel salto nel peccato, ma perché peccato o non peccato – come le ho detto – loro per tutta la vita sono stati a messa il mattino. E mio zio – il pomeriggio o sera – pure al vespro e benedizione.

Tornati a casa, lei ha preparato la zuppa di pane e orzo e

lui è andato a lavorare: «Ma sì, va': l'officina del Consorzio è pure più vicina».

Noi intanto in piedi. Tutti a pane e caffellatte e via – chi all'asilo, chi alla scuola elementare all'Orologio, chi alle medie o al magistrale a palazzo M e chi al ragioneria all'Istituto – tutti in fila indiana come la danza del serpente, girando attorno alle pozzanghere nella ricerca del percorso migliore. E arrivederci e grazie, amen. Ci vediamo a pranzo o nel pomeriggio, quelli dell'asilo.

Otello faceva ancora la prima media al palazzo M o – meglio – nell'ala Sud del palazzo M, che avevano appena finito di restaurare nella sua albinea bellezza di travertino, dai danni della guerra. L'ala opposta e la parte centrale del palazzo con la grande scalinata – dove prima c'era la torre con l'aquila imperiale che non verrà invece più ricostruita: «Va in mona l'aquila, la torre ed anca il Duce, ch'agh vegna un càncher a tuti e trì» – erano ancora sgarrupate e in mezzo al piazzale c'era un groviglio di reti e di filo spinato per non far passare non solo gli studenti, tante volte si facessero male o gli cascasse in testa tra i ruderi un pezzo di solaio, ma soprattutto per non farci tornare gli sfollati. Avevano penato l'ira di Dio per cacciarli – chi alla Gil, chi all'ex 82, chi in qualche casa nuova – ma fin che non la rimisero a posto ficcandoci il liceo classico, tutte le sere c'era qualcuno, arrivato magari dalla Calabria, che provava ad infilarcisi dentro.

Al di là della rete e del filo spinato però, Otello quella mattina guardava con gli occhi di fuori l'ala sgarrupata: «Madonna quanto legname ci dev'essere lì dentro, per le barche e le mie capanne. Basta che mi frego solo un po' di porte» e intanto si fregava le mani.

Se ne era già fatta qualcuna l'anno prima di capanna – insieme ai suoi amici della Previdenza sociale – in quel grande campo incolto tra il palazzo M e gli orti degli sfollati della Gil, pieno di sterpi, sentieri, stagni, pozzanghere e rovi, dove adesso c'è invece l'isolato del Supercinema con il bar Friuli. Secondo il piano regolatore sarebbe dovuto diventare una piazza monumentale che nemmeno a Norimberga: il Foro Mussolini per le sfilate e le grandi adunate tra il palazzo M – sede dei fasci – e la facciata della Gil, Gioventù italiana del Littorio, travertinea pure quella.

Subito dopo la guerra hanno detto: «Ma quale Foro, quale piazza? Non ne abbiamo anche troppe?» e la prima giunta comunale democraticamente eletta ha iniziato a vendere la terra ai privati – a cento lire al metro, più che regalata – che alla fine degli anni cinquanta si sono poi messi a costruire.

Lì in mezzo Otello s'era già fatto un paio di capanne coi suoi compagni. Anzi, aveva fatto più capanne che compiti l'anno prima, e forse per questo, a scuola, lo avevano bocciato: «Ripetere».

«Eh, no» s'era arrabbiato zio Benassi: «Allora lo mando a lavorare».

«Eh no lo dico io» s'era arrabbiata ancora di più zia Pace; più con il marito, quasi, che con quel canchero del figlio: «Non avevamo detto che li dobbiamo far studiare tutti?»

Era il comandamento lasciato da suo fratello Pericle, che appena arrivati qui dall'Altitalia aveva proclamato: «Adesso, però, nantri aghemo da farli studiar tuti i nostri fiòi, maladeti par senpre i Zorzi Vila».

«Studiare però, diceva tuo fratello. Non farsi bocciare», zio Benassi.

«Non stare a fare il filosofo. Non ti pare vero, eh? Tu sei stato contrario fin dall'inizio...»

«Ma tu sei matta bugiarda. Rigiri le parole, cambi ogni volta versione e ricordi solo quello che ti pare».

«Va là, va là, ch'am arcordo massa bene mi».

La questione si era posta con la prima figlia – Norma – quando terminata la quinta elementare zia Pace le aveva fatto sostenere l'esame d'ammissione alla prima media; cosa che non faceva nessuno allora, del popolo cosiddetto basso. Solo l'avviamento professionale – per qualcuno – e tutti gli altri, invece, subito a lavorare. Zia Pace no: «Alle medie e poi un diploma».

Lui allora – zio Benassi – non è vero che fosse stato contrario, anzi. Lui aveva solo avvisato: «Patti chiari, Pace, perché io sono un operaio e questa è la mia paga. Posso fare volentieri qualche ora di straordinario, per far studiare i figli. Ma questo è il bilancio su cui puoi contare e non una lira di più. E se studia questa, poi debbono assolutamente studiare tutti e cinque» – ancora non erano previsti gli altri due, erano fermi con Violetta in arrivo – «ma differenze tra i figli non ne voglio: o tutti o nessuno».

«E io cosa ho detto, teston? Tutti, li faremo studiare».

Era un imperativo categorico per zia Pace; mutuato non solo da zio Pericle, il cui comandamento era un di più – aveva il culto del fratello che del resto, per lei che si doveva sposare, aveva rubato all'ammasso un sacco di grano sotto gli occhi del fattore, durante la trebbiatura: «Questo xè par ti, sposa, o credévito ch'am ghessi desmentegà?» e ogni volta che lo raccontava, ripiangeva di nuovo zia Pace – ma era già affascinata di suo, dalla voglia di leggere, studiare, capire.

Aveva frequentato – a suo tempo – solo fino alla terza elementare. Zio Benassi invece la seconda per due volte, senza però essere stato bocciato come Otello. Il fatto è che i Benassi – a Marcellano in Umbria, comune Gualdo Cattaneo, provincia Perugia – stavano al podere di Sant'Angelo e la scuola invece al paese, a un paio di chilometri da farsi ovviamente a piedi; dove però c'erano solo la prima e la seconda elementare. Dalla terza in poi bisognava arrivare al Pozzo, ma i chilometri diventavano sette e la madre non ce lo aveva mandato – «Poro fijo» – rispedendolo un altro anno a Marcellano in seconda: «Così armeno te la 'mpari bene».

Pure zia Pace a Codigoro – provincia di Ferrara – stava in campagna. La scuola era a Mezzogoro – a due o tre chilometri dal podere – e aveva pure la terza elementare. A lei era piaciuto studiare e avrebbe voluto continuare, ma non ce n'era più: «Basta acsì e va in malora». La voglia di leggere, però, non le era più passata. Già allora, quando la mandavano insieme a zio Adrasto – poco più grande di lei – a pascolare le vacche sotto l'argine del Po di Goro, si portava sempre appresso i giornali vecchi del padre o dei fratelli grandi, anche a pezzetti, e se li leggeva e rileggeva più volte. Li imparava a memoria quasi, per il gusto di leggere che la pigliava. Stava bene zio Adrasto a chiamarla: «Vien zogare, ciò».

Ci andava per farlo contento, alla fine, ma il gioco vero – felicità, più che semplice divertimento – era leggere, per lei. Qualunque cosa, purché fosse da leggere.

I figli poi li ha messi in croce. Non solo studiare e andare a scuola – che lei non aveva potuto – ma leggere, leggere, leggere, pure a casa.

Non c'era festa, Befana, cresima, comunione, compleanno o promozione, che lei non regalasse ai figli – o facesse regalare dalla Befana, Gesù Bambino, i compari padrini o chi per loro – solo e soltanto libri. Altro che giocattoli. Solo libri che mano mano – con sette figli, faccia conto ogni anno tra befane feste e compleanni quanti ne vengono – s'accumulavano dappertutto in ogni angolo della casa e, di figlio in figlio, tutti avevano l'obbligo di leggere anche quelli vecchi dei fratelli e sorelle più grandi: *L'ultimo dei Mohicani, Il principe e il povero, I racconti della lupa, Pel di Carota, L'isola del tesoro, Michele Strogoff*, i due *Libri della giungla, I pirati della Malesia, La regina dei Caraibi, Robinson Crusoe, Kim, I viaggi di Gulliver, Jerry delle Isole, Il re del mare, Le avventure di Pinocchio, Zanna Bianca, Viaggio al Centro della Terra, 20.000 Leghe sotto i Mari, Piccole donne, Senza famiglia, Cuore, Davide Copperfield, La pupilla del cardinale, Taras Bulba, Alice nel paese delle meraviglie, Il piccolo alpino, La teleferica misteriosa, Capitani coraggiosi, I misteri della jungla nera, Incompreso, Tartarin di Tarascona, Tartarino sulle Alpi, La figlia del capitano, I ragazzi della Via Pal, Piccoli uomini, Il piccolo Lord, La rivincita di Yanez, Oliviero Twist, Il Giornalino di Gian Burrasca, Robin Hood, Moby Dick, Le mille e una notte, La Costa d'Avorio, Le tigri di Mompracem, Tom Sawyer, Le avventure di Huckleberry Finn, Il richiamo della foresta, I figli del Capitano Grant, Hansel e Gretel, I pattini d'argento, La Bibbia dei ragazzi, Le mie prigioni, Gargantua e Pantagruel, Sandokan alla riscossa, Fabiola, Alì Babà e i quaranta ladroni, Un americano alla corte di re Artù, La capanna dello zio Tom, Il conte di Montecristo, Le piccole donne crescono, I piccoli uomini crescono, Vita di Gesù, Un capitano di quindici anni, La guerra dei mondi, La Freccia Nera, Dalla terra alla luna, L'isola misteriosa, Il padrone del mondo, Il Corsaro Nero, Ivanhoe, Sulle frontiere del Far West, Ben Hur, Jolanda la figlia del Corsaro Nero, Il giro del mondo in 80 giorni, Tre uomini in barca, Tre uomini a zonzo, Il barone di Munchhausen, Notre Dame de Paris, Novantatré, I miserabili, Fanfan la Tulipe, Il Milione, Bertoldo Bertoldino e Cacasenno, Da Quarto al Volturno, Ettore Fieramosca, Picciotti e garibaldini, Luci e ombre della storia, I tre moschettieri, Vent'anni dopo, Peter Pan, Le confessioni di un italiano, I ragazzi di Jo, Segreti della Carboneria, Il piccolo caporale di Napoleone, La prateria di fuoco, Carlo Magno, Pastorale eroica, Le gesta del Cid, Dei ed eroi dell'antica Grecia, I giganti del West, Lucia di Lammermoor, La pista di Santa Fè, I pirati del Mar Giallo, Forte Apache, Urson testa di ferro, I guerriglieri della Sierra Nevada, Anna Karenina, L'idiota, Piccolo mondo antico, Geronimo!, Il principe zingaro, I predoni del Sahara, Il piccolo romito, Don Chisciotte della Mancia, I cadetti di Guascogna, Lord Jim.*

Dux della Sarfatti poi, insieme alla *Mostra della Rivoluzione Fascista*, all'*Enciclopedia Pratica Bompiani* d'anteguerra – un volume solo, però: il primo – e al coevo *Atlante Geografico* De Agostini, completo di cartine dell'Aoi, Africa Orientale Italiana.

Giornaletti invece pochi, giusto qualche *Corriere dei Piccoli* o *Il Monello* – con Superbone lo sbruffone, Rocky Rider e il principe Nizar – *Blek Macigno, Nembo Kid* e *Capitan Miki*.

Quelli davvero belli – l'*Intrepido*, che con Buffalo Bill, Roland Eagle e Forza John vendeva trecentomila copie a settimana, a trenta lire l'una; e gli *Albi dell'Intrepido*, che erano una cosa davvero favolosa, con le strisce a china in bianco e nero di *Akim*, sul retro delle copertine – in casa di zia Pace non potevano entrare perché proibiti dalla Chiesa.

A San Marco, quando uscivi, c'era attaccato alla porta – proprio di fronte all'acquasantiera – l'elenco di questa stampa malvagia che un buon cattolico non avrebbe mai dovuto prendere in mano, pena, dopo morto, l'inferno. E insieme giustamente ai bolscevichi *Avanti!* e *l'Unità*, e ai fotoromanzi scandalosi tipo *Bolero* e *Grand Hotel*, c'erano però pure l'*Intrepido* e gli *Albi dell'Intrepido*. Io non sono mai riuscito a capire perché *Il Monello* si potesse leggere e l'*Intrepido* invece no. È un mistero della fede, che neanche santo Tomasso d'Aquino dottore della Chiesa, riuscirebbe a spiegare.

Impilate infine per bene dentro lo sgabuzzino, le serie complete dei fascicoli di *Famiglia Cristiana, 7 Anni di Guerra* – tutta la seconda guerra mondiale in migliaia e migliaia di foto – e la *Storia del Fascismo Illustrata*, a fotografie anche questa.

Tutti obbligati a leggere, ma tutti appassionati però, compreso Otello; che quelli di scuola no, non li poteva vedere – «Ciò le capanne, io, da fà» – ma questi sì.

Ogni volta che arrivava un libro nuovo, era una corsa a strapparselo di mano, a chi lo leggeva per primo. Quasi sempre Otello con la forza, che appena terminato, prima di passarlo ai più piccoli – Manrico, Accio, Violetta, Mimì – gli svelava il finale: «Vie' qua che te racconto la fine».

«Nooooo. Non la voglio senti'...» scappavano quelli.

E lui dietro, ridendo, gliela diceva.

L'ultima a leggerli – ma uno per uno regolarmente tutti quanti senza perderne uno, un po' di pagine alla volta tra un rammendo, una sfoglia di pasta da tirare, le maglie mutande e lenzuola da lavare – era zia Pace con passione anche lei. Guai a chi per caso li trattasse male: «Come fanno poi gli altri, dopo di te?» e giù botte. Si metteva con l'ago, il filo e la colla e li aggiustava. Le pagine eventualmente sgualcite le ripassava col ferro da stiro a vapore; non nel senso di quelli elettrici di adesso con l'acqua, la caldaia e lo sbuffo, ma quelli di una volta in ghisa o ferro brunito con le braci dentro – le bronze del fuoco di legna – che a quei tempi chiamavamo «a vapore».

Così quando Otello s'era fatto bocciare e zio Benassi aveva perso la pazienza – «Io lo pesto come l'uva e lo mando a lavorare» – lei aveva fatto muro: «No, ripete l'anno e basta. E guai a te se lo tocchi».

Li poteva menare solo lei.

«Volevi il figlio maschio?» gli ha rincarato la dose: «Finalmente ce l'hai fatta a farmelo, mi hai detto quella volta. Non te lo ricordi più? Poi sono io ch'am desméntego, eh?»

Lui allora s'arrendeva e scappava in bicicletta a San Marco alla Corale: «Mannaggia Otello e le capanne».

Capanne che erano pure lontane, quando stavamo alla Previdenza sociale – almeno cento metri e passa, fino allo spiazzo davanti al palazzo M – non gli si poteva fare bene la guardia. Appena te ne andavi, arrivavano quelli della piazza – o peggio ancora delle Case popolari – e ci si ficcavano dentro o te le buttavano giù. Invece qua – a casa nuova, in mezzo alla palude – sui campi incolti davanti al cancello, stavano al sicuro: «Appena arrivano i nemici gli salto addosso e gli strappo la trachea» pensava Otello che, detto tra noi, la trachea era l'unica cosa che ricordasse, del programma di scienze dell'anno prima.

Erano quasi tutte vuote però le altre case, quando a marzo del 1954 siamo arrivati lì. C'era solo a fianco a noi – nell'appartamento contiguo al nostro, col giardino davanti e l'orto dietro confinanti e divisi solo da una rete – la signora Loreta con il marito, un fratello e due figli: un maschio un po' più piccolo di Otello, ma più grande di Manrico, e una femmina come Violetta. Erano bassianesi – marocchini di queste montagne lepine – ma brava gente e zia Pace s'è legata da subito come una sorella a questa Loreta. Per anni e anni hanno diviso tutto, togliendo perfino la rete divisoria tra i due giardini. Tutto in comune facevano.

C'era solo un'altra famiglia – i Gava, veneti come noi e una barca di figli, sette come zia Pace – che era venuta prima di tutti, prima anche della signora Loreta; ma stava al piano di sopra di un'altra palazzina in testa alla seconda fila, di fronte allo stradone che in futuro sarebbe diventato viale XXI Aprile. Tutte le altre case erano vuote.

«Quando arriva sta gente?» smaniava Otello: «Come faccio io, se no, a giocare da solo? Come formo una banda, con chi lo costruisco un esercito, le capanne e le barche? Porca miseria, ha ragione papà: era meglio la Previdenza sociale» e il pomeriggio – i primi tempi – riscappava là, a giocare con gli amici vecchi.

Ma passa un giorno passa un altro, le palazzine gialle si sono riempite, con lui che ogni giorno guardava contento – e gli andava incontro ad accoglierli e fare strada – carri e carretti che arrivavano, e pure qualche camion, carichi di armadi, materassi, comò e soprattutto ragazzini. E quelli dell'età pressappoco uguale alla sua, subito li raccoglieva sotto l'ali, se li faceva amici: «Io sono il capo, qua. Ti nomino vicecomandante e stai sicuro che ti proteggo sempre».

«Sì sì» facevano quelli, e i primi tempi – chi una volta chi due, contenti o meno contenti – tutti li ha fatti giocare a vitellino.

«Che roba è?» chiedevano: «Non ci ho mai giocato».

«Eeeh» Otello: «È un gioco da grandi. A me lo hanno insegnato i miei cugini» anche se a lui – per la verità – non è che fosse piaciuto molto.

Ogni estate zia Pace, finite le scuole o l'asilo, sbolognava un po' di figli in campagna – dai fratelli e sorelle – sia per non averli tra i piedi che ne aveva anche troppi, sia per farli sfamare da qualcun altro: «In campagna ghe xè in abondansa da magnar».

Loro peraltro – i fiòi di zia Pace – ci andavano volentieri. Felici ultrafelici, perché lì nessuno li menava: né zii maschi né tampoco le femmine; mentre a casa lei li ripassava anche due o tre volte al giorno. A briglia sciolta li menava. Giusto Manrico – va' – qualche volta si salvava; con Accio però che pigliava pure le sue. Certi pianti si facevano quei figli, in campagna, quando l'estate finiva e li venivano a riprendere: «Nooo. Vògio restar qua».

Lì reimparavano a parlare in veneto – che a Littoria, pardon Latina oramai si parlava solo romanesco – tutto il giorno avanti e indietro per i campi e la stalla. A guardare le vacche ed il musso pisciare, su e giù per i carri e carretti, a cavallo del porco, a ranchinare il fieno, a cavare le bietole col rampino, a pulirle dal cespo di foglie col falcetto, andare a farsi il bagno nel Canale Mussolini – chi aveva avuto la fortuna quell'anno del podere 516 o 517 – o in quello d'irrigazione chi andava dai Dolfin a Borgo Hermada o da zia Bìssola ad Aprilia, e chi nel fiume Sisto a Pontinia se gli erano toccati i parenti Mantovani.

Ma il massimo, il paradiso, era proprio il primo pomeriggio, subito dopo pranzo, quando era obbligatorio dormire tutti quanti – perché fuori il solleone picchiava e se restavi in giro disturbavi il riposo di tutta la gente che poi doveva tornare a lavorare – e noi ci mettevano dentro la stalletta del cavallo, a piano terra, ripulita a puntino e utilizzata come granaio.

Mai più nessuno – per quanto ha campato – ha più dormito bene come in quei pomeriggi d'agosto, dopo avere un po' ciacolato coi cugini, su quell'alto soffice manto di frumento sfuso, da poco trebbiato. Altro che i materassi anatomici-ergonomici di adesso. Il frumento sì, faceva fresco spazio – in tutto quel caldo – ed aderiva chicco per chicco ad ogni piega del corpo, mentre l'odore t'inebriava fragrante.

Adesso non ricordo, però, se quella volta Otello stesse al podere 517 sul Canale Mussolini o dai Mantovani sul Sisto, dai Dolfin all'Hermada o a Aprilia dai Lanzidei. Nemmeno ricordo quanti anni esattamente avesse: se sei o sette, o otto, dieci o undici. Ma lì eravamo cugini di ogni età, e tutti ne abbiamo sempre avuto uno più grande affezionato, che ci faceva giocare e che non mollavamo un attimo. Gli stavamo sempre appresso: «Portami con te, inventa un gioco, fammi una mazzafionda, prendimi a cavalluccio».

Così a tutti è capitato, una volta o l'altra, che questo cugino più grande dicesse furtivo, a un certo punto: «Vieni che ti faccio assaggiare la Ferrochina Bisleri» o la marsala all'uovo Riccadonna che la madre teneva conservate lassù in alto, sopra la credenza. E dopo saliti sulla sedia, presa la bottiglia, bevuta la Ferrochina o quel che era e scappati di corsa in stalla o nel fienile – o meglio ancora in mezzo ai campi, stesi ansimanti sull'erba, all'ombra di un eucalyptus, guardando le vacche pascolare lungo l'argine vuoi del Canale Mussolini, o fiume Sisto o canale d'irrigazione che fosse – dicesse: «Piaciuta la Ferrochina? Adesso giochiamo a mucca e vitellino».

«Che gioco è?» chiese quella volta Otello: «Non lo conosco».

«È un gioco nuovo, inventato da me. Ma non lo devi dire a nessuno, se no ce lo rubano. Capito?»

«Sì. Ma come funziona?»

«Io faccio la mucca e tu il vitellino, macaco. Non lo hai visto in stalla il vitellino quant'è bello, quando va a mangiare il latte dalla mamma? Come fa, eh? Come fa?»

«Si attacca alla tetta».

«Bravo. Così fai pure tu con me».

«Ma mica ce l'hai, la tetta, tu».

«No star preocuparte» e il cugino più grande s'è calato le braghe. Ha preso Otello e se lo è attaccato.

«Vabbe', proviamo sto gioco» ha pensato lui, e s'è messo a fare il vitellino, finché però si è stufato: «Ma qui il latte non esce».

«Non ti preoccupare t'ho detto, macaco. Continua così, e vedrai che esce».

Ma quando poi è uscito, Otello lo ha sputato: «*Ptciù, ptciù, ptciùf!* Ahò, non mi piace mica, a me, sto gioco» e con le mani provava e riprovava – sputando e risputando – a pulirsi le labbra e la bocca. E le strusciava e ristrusciava per asciugarle sull'erba, mentre il cugino si raccomandava: «Non lo dire a nessuno, eh? È un segreto tra di noi».

«Sì, ma giocaci da solo, un'altra volta. Io non ci gioco più, vaffanculo a te, le mucche e i vitellini». Si è andato a lavare le mani e la bocca – non so dirle con precisione se nel Mussolini o nel Sisto, o nel canale d'irrigazione – ed è venuto via rabbioso dall'argine: «Pascola le vacche, va'».

Per un po' di giorni non ci ha proprio voluto più giocare. Quello lo chiamava allettandolo – «Vieni qui che ti porto a cavalluccio, vieni che t'ho fatto una trottola di legno» – e lui: «Va' in mona».

Nemmeno ha più voluto la Ferrochina: «Ma come? Ti piaceva tanto...» non riusciva a spiegarsi la zia.

«Mo' non mi piace più» e appena ritornato a casa e ritrovato suo fratello Manrico più piccolo, lo ha allertato: «Ahò! Guarda che se qualcuno ti vuole far giocare a mucca e vitellino, tu non lo devi fare assolutamente, è una brutta cosa. Gli devi rispondere: vaffanculo giocaci da solo e mo' lo vado a dire a mio fratello Otello. Hai capito?»

«Sì».

«E che hai capito?»

«Che a vitellino non ci debbo mai giocare».

«Bravo» e tutti e due soddisfatti.

Solo al fratello più piccolo ancora – il povero Accio – non

hanno detto niente. Non lo hanno avvisato. E tanti anni dopo – da grandi oramai, con mogli e figli – andando non so come a lato del discorso, Otello un giorno gli ha chiesto: «Ma che per caso te lo ha fatto fare pure a te, quel figlio di puttana, il vitellino?» e già cominciava a ridere.

«Non mi dire che anche tu...» è sbiancato Accio.

«Certo» e Otello rideva.

«Che ti ridi, disgraziato?» s'è arrabbiato Accio: «Tu mi dovevi avvisare. Eri mio fratello più grande, io mi fidavo di te, mi dovevi proteggere».

«T'ho protetto, t'ho protetto. Non sai quante volte l'ho fatto».

«Ah, sì? Lasciando che quello facesse pure a me il vitellino?»

«E che vuoi che sia? Ce semo passati tutti...» ridendo Otello: «Manrico però lo avevo avvisato. A te invece mi debbo essere scordato» e rideva rideva: «Però poi t'ho sempre protetto».

«Come quando m'hai fatto ficcà sotto dalla moto? Anzi, mo' che ci ripenso, deve essere stato pure lì per il vitellino».

Che ci possiamo fare? Quelli erano i tempi, non c'erano i Me Too o le consapevolezze di adesso, e Otello – appena venuti ad abitare alla casa nuova – com'è come non è, aveva insegnato il gioco anche a quelli che mano mano arrivavano dopo di noi, a popolare le casette gialle in mezzo alla palude. Lui la mucca, ovviamente, e gli altri i vitellini.

Una mattina però – finito il pane e caffellatte e pronto per andare a scuola – zia Pace lo aveva bloccato sulla porta: «Accompagna prima tuo fratello Accio all'asilo», che stava dalle suore in piazza San Marco di fianco alla chiesa.

«Ma non faccio in tempo, io ciò da fare, debbo arrivare presto a scuola...»

«Zitto, sa'? E accompagnalo fin dentro, non lo lasciare sulla strada».

S'era preso il fratello guidandolo in malo modo – «Sto capoccione imbranato» – in mezzo alle pozzanghere dello stradone, finché dall'altra fila di case gialle era sbucato Silvio Di Francia, un amichetto suo di questi nuovi discepoli, che arrivato fresco fresco da Roma appresso al padre impiegato alla provincia, diceva di avere fatto lotta giapponese a Roma, quella che adesso chiamano judo. E ridendo e scherzando sono arrivati di fronte al palazzo M.

«È presto per entrare a scuola» gli ha detto allora questo Silvio: «Facciamo in tempo a giocare un po' in mezzo alle frasche». A vitellino, secondo Accio.

«E questo?» ha risposto Otello indicando l'ingombro del fratello: «Io questo lo debbo portare all'asilo».

«Mandalo da solo, no?» Silvio: «Lo instradiamo e ci va per conto suo».

«Ma io non sono capace, non ci sono mai andato, non so attraversare la strada» piagnucolava Accio, di quattro anni.

«Te la facciamo attraversare noi», era corso della Repubblica, «da lì stai subito in piazza San Marco che non ci passa nessuno e dritto dritto fino all'asilo. Che ci vuole?»

«Vabbe'» ha detto Accio: «Fatemi attraversare questa strada però, che qui passano le macchine».

Macché. Neanche a prenderlo per mano e portarlo di là. Perdevano troppo tempo: «Quali macchine? Non lo vedi che non c'è nessuno? Tu stai attento e appena te lo diciamo noi, scatti di corsa e vai di là».

«Va bene».

Passa un attimo e quelli fanno: «Pronto? Via», e Accio è scattato. Ha chiuso gli occhi ed è partito.

Ma non ha fatto in tempo a fare quattro passi – sia pure di corsa – che: «*Bòmb!*» è andato a sbattere addosso a una moto che da Borgo Isonzo veniva verso piazza del Popolo.

Era un Galletto bianco, 160 cc, della Moto Guzzi; quello metà moto e metà scooter, a ruote alte ma col poggiapiedi e la protezione per il guidatore, con la ruota di scorta montata fra quella anteriore e la parte frontale del telaio. E Accio lo ha investito. Non è stata la moto a investire lui. È lui che ha investito il Galletto: «*Pàm!*». L'ha preso di fianco, proprio addosso al guidatore – una quarantina d'anni d'età e i baffi neri – che ha sterzato frenando a secco e poggiando il piede a terra, dall'altra parte, per non cadere.

Lui invece è rimbalzato – dopo la botta «*Pàm!*» – e è ricaduto da quest'altra parte lungo lungo sull'asfalto con la nuca che, sbattendo, ha fatto: «*Pòck!*» come un cocomero.

«Ma guarda sto stronzo» ha detto Otello, raccogliendosi il fratello.

S'è fatta un sacco di gente attorno. Il guidatore della moto bianco come un cencio – più bianco ancora del Galletto bianco della Guzzi – ripeteva a tutti: «Io non l'ho visto, non l'ho proprio visto, m'è venuto addosso lui» e voleva portarlo all'ospedale.

«All'ospedale?» diniegava Otello: «Scusi tanto per il disturbo, ma io lo debbo portare all'asilo, se no chi la sente mia madre?» e lui e quel Silvio Di Francia si sono presi in mezzo Accio, hanno scansato tutti e via per la strada dell'asilo. Con Silvio Di Francia che però faceva: «Ma qui l'asilo è lontano, poi arriviamo tardi a scuola e non ce la facciamo a andare cinque minuti dietro le frasche».

«Vabbe'», e invece che all'asilo lo hanno portato alla Previdenza sociale a casa di zio Adelchi, dove c'era allora mia sorella Adria. Non sono nemmeno saliti. Otello l'ha chiamata dal cortile: «Adria! Adria!»

«Che vuoi?»

«Bisogna portare Accio all'asilo».

Ma quella dal balcone della cucina s'è accorta che il ragazzino non stava bene, bianco più bianco anche lui del guidatore del Galletto Guzzi bianco: «Che ha fatto quel figlio?» e è scesa di corsa.

Neanche il tempo di arrivare in fondo alle scale – e Otello a dire: «Sbrigati, che io faccio tardi a scuola» – che Accio ha vomitato nell'androne della scala F, proprio a cavallo del primo scalino, tutto il pane e caffellatte che s'era mangiato a colazione.

«Non è che ha sbattuto la testa, sto ragazzino?» ha chiesto Adria.

«Sì, ma solo un po'».

«Orca santa sgnàcara. E se ha fatto una commozione cerebrale?»

«Adria!? Io debbo andà a scuola» ed è scappato via di corsa quel figlio di buona donna – con tutto il rispetto, ovviamente, per mia zia – insieme all'amico suo.

Adria s'è portata Accio di sopra, che per le scale però piagnucolava: «Ma io debbo andare all'asilo».

«Quale asilo, quale asilo? Ti ci porto dopo» e invece lo ha messo a letto, gli ha preparato la borsa d'acqua calda, il tè e la camomilla. Lo ha accudito fino al pomeriggio, quando lui pian piano s'è rimesso – non è morto – e sono venute le sorelle grandi, Norma e Tosca, a ripigliarselo e portarlo a casa. Con lui che per la strada insisteva: «Non è che adesso mamma mi mena, perché non sono andato all'asilo?»

Invece quella volta zia Pace non ha menato nessuno, né lui né Otello – che chissà come gliela deve avere raccontata; era un contapalle, Otello, che lei nemmeno se lo immagina – e la storia è finita lì: «Tutto bene, quel che finisce bene».

Come dice lei, scusi? Che in fin dei conti si trattava di Accio? Fosse stato Manrico, allora sì che Otello era nei guai?

Eh, può pure essere.

A parte i vitellini i primi tempi, poi però Otello li ha fatti divertire in mille modi, questi nuovi amici delle case gialle in mezzo alla palude. Gli stavano dietro come le mosche al miele. Ogni giorno, dopo pranzo, non poteva tardare dieci minuti ad uscire di casa, che subito c'era la ressa davanti al cancello, di ragazzini che lo chiamavano strillando – mica c'era il citofono, allora – attaccati alla rete di ferro sul muretto: «Otello! Oteeellooo!»

La madre dentro lo menava al volo – «Sei tu allora, disgraziato, che gli dici di venire qua» – mentre lui si divincolava per scappare.

Quell'estate poi – nonostante lei insistesse – non ha voluto neanche andare in campagna dagli zii: «Ma io sono stato promosso quest'anno, ma', e tu non mi hai dato neanche un premio. Mi vuoi almeno far restare qua?»

«Ch'at vegna un càncher a ti e 'l premio. Volevi essere bocciato un'altra volta, bruto musso ripetente ch'at sì?»

«Dài ma', dài. Io qua ciò da fà».

«E cossa at gavarà da fare ti, bon gnint'altro de malanni?» Ma quando poi lo vedeva partire sotto il solleone: «Camina almanco a l'ombra, desgrassià. Votu piliarte un colpo de sol?»

«Non mi fa niente a me il sole. Mi piace, il sole. Non mi piace l'ombra» e via a far guerra con le altre bande o a farsi il bagno al canale delle Acque Medie, quello che passa a fianco a Latina, dalla parte opposta a casa nostra. O meglio, adesso è parte integrante della città, ci sono stuoli di palazzi e palazzine che arrivano ben oltre il canale, fino al Gionchetto e al Pantanaccio – Trantor, le ho detto – ma allora stava a quasi un chilometro dalla città. Oltre Campo Boario, in aperta campagna.

L'Acque Medie è una specie di fratello minore del Canale Mussolini. Mentre il Mussolini raccoglie le acque più alte – per cui adesso lo chiamano anche, ufficialmente, Collettore delle Acque Alte – lui convoglia verso il mare le acque che sgorgano copiose dalle sorgenti poste al piede dei Lepini. Tutte acque di media quota che prima della bonifica – insieme a quelle alte del Fiume Antico o fosso di Cisterna, del torrente Teppia e del fosso di Sermoneta sbarrate e incanalate poi dal Mussolini – con il fiume Ninfa andavano a riversarsi nel catino di Piscinara. E lì restavano per mesi e mesi – allagandolo tutto – impossibilitate da una parte a defluire verso il mare di Latina dai rialzi della duna quaternaria, e dall'altra parte dalla lontananza e scarsissima pendenza verso quello di Terracina. Restavano tutte là – in Piscinara – a impaludarla per mesi e mesi, finché tra nugoli di zanzare il sole dell'estate le faceva evaporare.

Il canale delle Acque Medie fu scavato interamente a mano. A vanga e palotto, a pala e picco. E scavando scavando, in diversi tratti gli sterratori s'imbatterono in resti anche grandi ed imponenti di murature antiche, di età medievale e romana, se non addirittura protostorica. «Cossa femo, fermemo? Spetemo?» chiedevano ai soprastanti, non sia mai si dovessero avvertire gli archeologi.

«Buta zo, buta zo. Ndemo avanti, ch'aghemo da far na bonìfica» e buttarono giù tutto. Restano solo rarissime fotografie di lunghi muraglioni in *opus reticulatum* del I secolo. Dei tempi di Augusto.

Il canale delle Acque Medie parte quindi da Ninfa e aggirato il catino di Piscinara, costeggiandone il crinale, curva a Campo Boario, giunge al Distretto – è il fiume sacro di Latina città, oramai; nostro Nilo e Gange, Tigri ed Eufrate, come il Mussolini per l'Agro – e proseguendo sempre sul bordo della linea di displuvio settentrionale della duna quaternaria, arriva e confluisce nel Rio Martino, che tagliando come un coltello la suddetta duna sfocia a mare.

Questo Rio Martino è un cavo antichissimo però, non lo ha fatto la bonifica fascista – che lo ha solo giustamente riattivato – ma quasi sicuramente Nerone, che tra il 54 e il 68 d.C. aveva avviato un'imponente razionalizzazione, ripopolamento agrario e bonifica dell'Ager Pomptinus. Il segno ed il nome di *Rigus Martinus* lo troviamo già sulle carte geografiche del Cinquecento, su una mappa di Leonardo da Vinci e soprattutto nei documenti ed atti notarili del 1000 o 1100. Ancora nel Settecento l'ampiezza dello scavo al colmo dell'alveo arrivava a 75 metri, e la sua profondità ne misurava oltre 12: «*Talché viene ad essere il più vasto scavo, e forte, che sia in Europa*» scriveva Emerico Bolognini nel 1759.

Oggi su Google Maps, ma pure sulle carte, è denominato tutto indistintamente «*Rio Martino*» – da Ninfa fino al mare – come se fosse un unico corso d'acqua. Invece no. Sono due corsi distinti e diversi, ognuno con lo specifico suo Genius e identità: uno – l'Acque Medie – va da Ninfa al Rio Martino e fu scavato neanche cent'anni fa; l'altro invece duemila, dall'Acque Medie al mare. E non è rispettoso – non è giusto confonderli – per nessuno dei due.

Quando qualcuno già lo faceva anni fa – chiamando per caso «Rio Martino» pure l'Acque Medie – zio Adelchi da buon vigile urbano gli diceva: «Ti te sì un testa decasso, ignorante sia di storia che di geografia. L'Aque Medie lo ga fato Musolin, o gli volete togliere anche questo?»

«Be', a di' la verità», lo interrompeva col sorriso suo di sghembo zio Benassi, «l'avemo scavato noi, no Mussolini. Io nce l'ho mai visto a lui, a venì a scavà na palata de fanga».

«Senpio! Anca Neron, no lo ga mina scavà lu 'l Rio Martin. Lo garà fato fare ai s-ciavi, no?»

«Ah, sì» zia Pace: «Jèrimo s-ciavi anca nantri, ciò».

Ma noi stavamo a Otello e gli amici suoi che andavano ogni tanto a farsi il bagno al canale delle Acque Medie quando una volta, mentre loro si tuffavano e ridevano e scherzavano, a un certo punto dalla macchia di canne alte e fitte è sgusciato all'improvviso uno zingaretto di undici o dodici anni pure lui, ma moro moro moro con gli occhi a mandorla azzurri, i capelli neri lunghi quasi come una femmina, lisci lisci attorno al viso, tutto pronto già scalzo e mezzo nudo – senza bisogno di spogliarsi – con addosso un perizoma, uno di quei costumini marrone tipo Tarzan, con i lacci a tenere uniti i fianchi.

«Ahò!» ha fatto Otello appena lo ha visto: «E tu chi sei, te possin'ammazzà: Akim il figlio della giungla?»

«Akim! Anvedi Akim, Akim, Akim!» ci siamo messi a strillare tutti.

Io adesso non le so dire se questo zingaro lo chiamassero

Akim già da prima – come quello dei giornaletti – o sia stato un battesimo autonomo originale di Otello. Ma da quel giorno e per il resto della vita – che io ricordi – tutta Latina e pure i suoi parenti e amici zingari lo hanno sempre chiamato così.

«Ando' l'hai lasciate le scimmie, Akim?» sempre fine e spiritoso Silvio Di Francia.

«Ahùùùùùùù!» faceva l'urlo di Tarzan invece – battendosi i pugni sul petto – Marcellino l'Abruzzese, un altro presunto vitellino o vitellone, vista la stazza, che come lei sa diventerà proprietario e gestore del bar Friuli, finché lo cederà per aprire l'osteria e cucina Cantone Sette. Questo Marcellino, dopo che nel 1955 diedero al cinema dei preti *Marcellino pane e vino*, disse a tutti, grande e grosso già da piccolo: «Guai a chi me chiama più Marcellino! Je tiro 'r collo come a 'n pollo». E allora tutti: «Abruzzese», perché era marocchino volsco-sannita di Pescocostanzo e stavano sempre insieme – lui e Di Francia – uno più stupido dell'altro e tifosi ambedue della Lazio. Degenerati fin da piccoli nel profondo dell'anima, e non tanto per il vitellino – che come lei mi insegna poteva capitare a tutti – ma per la Lazio.

Ce n'era solo un altro, stupido come loro: Pietropaolo detto Atlante, perché sapeva tutte le capitali a memoria. «Ecuador? Quito! Liechtenstein? Vaduz! Colombia? Bogotá!» ma laziale pure lui. Lei non ci crederà ma ancora adesso – quando si intravedono – cominciano a cantare già da lontano: «*Vola! / Vola Lazio, vola! / Vola! / Tu non sarai mai sola*» gli venisse un colpo; che il Signore mi perdoni.

«Aquilotti», si chiamano tra loro.

«I tre porcellini» li chiamava invece Otello.

Fatto sta, appena lo zingaro ha mosso un passo – per scendere dall'argine e tuffarsi pure lui nell'Acque Medie – Otello gli ha detto a brutto muso: «Che cazzo stai a fà? Cerca d'andartene, va', non lo vedi che ci siamo noi? Ci vuoi venire a sporcare l'acqua nostra?»

«Vostra? E mica è vostro il canale» ha risposto quello: «Quando ve lo siete comprato? Anzi, è più mio che vostro, se vogliamo. Voi venite dal Piccarello un altro po', dallo sprofondo della Gil. Io ci abito attaccato».

«Abiti?» e tutti a ridere: «Uhà, uhà, uhà! Akim abita! Ma se dormi sotto le stanghe del carretto...» perché – a dire il vero – quelli, gli zingari, erano una pipinara pure loro, dietro Campo Boario, e non avevano ancora le case. C'era chi stava nei carrozzoni, chi nelle tende piantate coi pali per terra e chi, per l'appunto, sotto i carretti con i teloni sopra le stanghe.

«Vattene con le buone, va'», gli ha detto sempre a brutto muso Otello, «prima che ti meniamo».

Quello ha fatto dietro-front e marcia indietro, rinfilandosi tra le canne.

«Akim della giungla» gli strillavamo appresso, riprendendo a tuffarci. «Ahùùùùùùù!» gli urli di Tarzan.

Non passano però cinque minuti e quello è ritornato.

«*Sflàpsc! Sflàpsc! Sflàpsc!*» si sentiva fare dall'interno del canneto, mentre le truppe nemiche avanzavano.

È uscito fuori con tutti i suoi fratelli, cugini, parenti e amici zingari appresso – un'orda – tutti neri incazzati.

«Ahò, bisogna che t'avviso» ha detto Silvio Di Francia al primo che avanzava: «Guarda che io faccio lotta giapponese».

«Ah, sì?» gli ha risposto quello, che era pure il più grosso, e: «*Pciàfff!*» uno schiaffone in faccia che lo ha fatto volare fino al Distretto.

Le botte che ci hanno dato quel giorno gli zingari, lei non ha idea. E non botte normali da cristiani perbene, ma botte da disgraziati – con cattiveria – che non servono solo a vincere, ma a fare proprio male come imparano fra di loro fin da piccoli. Botte che quando le prendi non te le scordi più. L'Abruzzese lo gonfiarono come una zampogna e l'Atlante invece – se lei ci fa caso – cammina storto tuttora. Quando s'alza dalla sedia lo fa lui adesso – ogni volta – «Àààh!» l'urlo di Tarzan.

Fatto sta, Otello disse: «Ritirata tattica! Andiamocene va', non sporchiamoci le mani con questi». S'accertò che Manrico fosse già partito, si caricò Accio a cavalluccio sulle spalle e via di corsa – «Si salvi chi può» – per la via di casa.

Gli zingari erano arrivati a Latina nel 1948 – subito dopo la seconda guerra mondiale – e lì per lì non ci avevamo fatto nemmeno caso.

Erano anni di confusione ed arrivava tanta di quella gente in quel periodo – ciociari, fondani, campani, castelfortesi, terracinesi, calabresi, casertani, napoletani, romani, viterbesi, baresi, siciliani: tutti, come lei sa, marocchini doc d'ogni qualità – ci andavamo a preoccupare degli zingari?

Arrivarono – si può dire – insieme ai giuliano-dalmati. Solo che questi erano esuli dall'Istria e Dalmazia – italiani sangue nostro, cacciati col terrore dalla Jugoslavia di Tito – e subito il governo ne mise un migliaio circa dentro il campo profughi, allestito nelle caserme dell'ex 82° fanteria e alla vecchia Gil. Certo era un campo e non un albergo – miseri profughi alla dura ventura – ma insomma per i giuliano-dalmati qualcosa si fece e qualche anno dopo gli fu costruito di sana pianta il Villaggio Trieste. Loro invece – gli zingari – chi li conosceva?

O meglio: c'erano anche su da noi in Altitalia – gli zingari, lei sa, stanno dappertutto – ma quelli nostri su del Veneto erano bianchi di pelle, qualcuno pure biondo; erano sinti e vagabondi, facevano i fabbri, i calderai, aggiustavano le pentole, giravano i paesi con le giostre e gli animali addomesticati: scimmie, orsi, pappagalli. Rubavano anche – quando gli capitava a tiro qualche cosa – ma parlavano i dialetti nostri veneto friulani e ferraresi, mantovani o addirittura modenesi.

Questi invece erano scuri scuri olivastri. Chi li aveva mai visti?

Arrivarono su un carrozzone alla chetichella, sul far della sera, in un giorno di marzo: due cavalli neri tra le stanghe, a tirarlo, ed altri due dello stesso colore legati dietro con la fune, a farsi tirare. Venivano su via dell'Epitaffio, dall'incrocio dell'Appia dove – lei ricorderà – ogni tanto, di notte, il fantasma del Duce e quello di Claretta si cercano si cercano, ma non s'incontrano mai. Se c'è l'uno non c'è l'altra: «Dove sarà?» si disperano ognuno ogni volta.

Giunti al canale delle Acque Medie – gli zingari ovviamente, non il Duce o Claretta – il carro s'è fermato in mezzo al ponte che era nuovo di zecca, appena ricostruito dalla guerra. Il guidatore Osiri Salvini – bassetto robusto moro moro di neanche trent'anni, scuro scuro olivastro – s'è alzato a cassetta ed ha scrutato davanti a sé, a un chilometro circa, la città; che solo dopo è cresciuta fin lì e pure oltre. S'è voltato a guardare di qua e di là in ogni direzione, s'è riseduto ed è partito girando a destra subito dopo il ponte. «Vai» ha detto ai cavalli, e ha percorso l'argine costeggiando fino in fondo le estreme propaggini di Campo Boario. Lì s'è fermato – «Eeeeh», ai cavalli – e con un balzo è sceso a terra.

Tutti gli altri appresso, le donne e i bambini, con i pali già pronti da piantare e poggiarci le tende. Hanno acceso il fuoco e messo su il paiolo riempito d'acqua dal canale. Era ancora limpido e bevibile, allora, l'Acque Medie.

Zio Adelchi passava di là in divisa quella sera, sulla moto Gilera, tornando dallo Scalo. Li ha visti e ha pensato: «I starà per un fià, ma poi se ne andranno...»

Invece la settimana dopo sono arrivati altri due o tre carri – sempre carrozzoni coperti, tipo roulottes di adesso (anzi, le roulottes debbono averle inventate copiando proprio gli zingari) – sempre con due cavalli neri davanti a tirare, ed altri due legati dietro ogni carro a seguirli. Ma pieni pieni di donne e bambini, i carri.

Erano tutti i Salvini, i fratelli più piccoli di Osiri – pieni di prole anche loro, poiché da sempre si sposano e cominciano a figliare a sedici o diciassette anni al massimo – completi del vecchio padre e la madre.

Osiri è andato lui incontro a loro, sull'argine destro del

canale delle Acque Medie – mentre i nuovi carri si disponevano a cerchio attorno al suo – ad aiutare a scendere, tra le sue braccia, i genitori. Enea e Anchise dei Salvini.

Pure quella sera zio Adelchi, tornando dallo Scalo con la moto, li aveva sorpassati sulla via Epitaffio. «Sti casso de zigagni» s'era detto: «Speremo che i staga un po', e dopo se ne vanno...»

Invece no. I Salvini non si sono più spostati. Altro che nomadi. Stanno ancora qua. E non accennano ad andarsene. Quando ne manca qualcuno, è perché sta in carcere a via Aspromonte o a Campoleone, nel comune di Velletri.

Era comunque il 1948 quando sono arrivati, ma da dove venissero non lo sapevano neanche loro. Dicevano: «Siamo abruzzesi e veniamo da Aquino», che però sta in provincia di Frosinone. Pure Akim – una volta che glielo chiesero al bar Poeta: «Ma se po' sapé da ndó venite voi?» – pare abbia risposto: «Dall'Abruzzo. Veniamo da Aquino, ma siamo di origine abruzzese».

«Ma come fa a èsse abruzzese», s'arrabbiò l'Abruzzese nostro Marcellino amico di Otello, «che quando parla lui il dialetto suo, io che so' abruzzese pe' davero non lo capisco?»

Niente da fare. Loro tutti convinti, ancora adesso: «Noi veniamo dall'Abruzzo, parliamo l'abruzzese».

Invece no. Vengono dall'India. O meglio: tra l'India e il Pakistan meridionale. Sono arrivati in Italia da almeno sei secoli – seicento anni che stanno qui – più italiani di molti di noi. Per l'Italia sono andati anche in guerra – e parecchi ci sono morti – ogni volta che l'Italia ce li ha mandati.

La sola famiglia Di Silvio o De Silvio – presente anche questa oggi a Latina, strettamente imparentata coi Salvini – conta ben dodici caduti nella prima guerra mondiale 1915-18, tutti originari di quella zona: Abruzzo, Molise e Campania settentrionale. Dodici caduti, tra cui un sottotenente di complemento – Di Silvio Eduardo di Gaetano – e un decorato alla memoria: De Silvio Osiris di Enrico dal distretto militare di Campobasso, di anni ventidue, soldato del 47° reggimento fanteria.

Era nato a San Paolo del Brasile il 19 agosto 1894 (la corruzione Di Silvio>De Silvio del cognome è quasi sicuramente dovuta a un errore dell'anagrafe brasiliana), perché il padre era emigrato lì, ma non trovandocisi troppo bene – «Stavo meglio dove stavo» – era poi tornato con moglie e figli a Carpinone, provincia adesso di Isernia.

Osiris De Silvio è morto il 18 agosto 1916 – per le ferite riportate nel corso dei combattimenti di tre giorni prima – a San Martino del Carso. Il 19 avrebbe compiuto ventidue anni.

Lei però ricorderà di certo *San Martino del Carso*:

Di queste case
non è rimasto
che qualche
brandello di muro.
Di tanti

che mi corrispondevano
non è rimasto
neppure tanto.
Ma nel cuore
nessuna croce manca.

È il mio cuore
il paese più straziato.

scritta da Giuseppe Ungaretti nello stesso San Martino pochi giorni dopo, il 27 agosto 1916. Forse si conoscevano. Forse era proprio lui, uno di quelli che più direttamente gli «*corrispondevano*». Ma certo, *nel cuore*, la sua croce non mancava.

Medaglia di bronzo al Valor Militare, che se non fosse stato zingaro – io credo – sicuramente sarebbe stata almeno d'argento o d'oro. Legga la motivazione e giudichi:

Coadiuvava efficacemente il proprio comandante nel riordinare due compagnie costrette a retrocedere e alquanto disorientate per la perdita degli ufficiali, portando sempre gli ordini a destinazione. Raccoglieva anche militari dispersi e rimaneva infine gravemente ferito. Opacchiasella, 15 agosto 1916.

Ha capito? I soldati nostri *veri italiani purosangue* stavano scappando – «Si salvi chi può» – ognuno per suo conto: «Gambe in spala ragassi, e va in malora a la patria».

S'è messo lui – lo *zingaro* – a fermarli: «Dove andè? Stì qua maladeti, combatè drìo de mi» finché è caduto.

Che altro c'è da dire? Riposi in pace, Osiris De Silvio. Onore a Lui.

In ogni caso i Salvini di Latina parenti suoi – contrariamente a quanto sperava o prevedeva zio Adelchi – non se ne sono più andati. Col tempo si sono fatti le case col cemento e i mattoni – alcuni anche le ville – finché pure mio zio s'è messo il cuore in pace: «Ghe xè poco da fare, fiòi. Questi no i va più via».

Fatto sta, noi non siamo più andati a farci il bagno al canale delle Acque Medie. «Era pure torbida, l'acqua là» diceva Otello: «Pensiamo alle capanne».

Non so dirle esattamente quante – nel corso del tempo – ne abbia costruite d'ogni forma e maniera: da quelle sugli alberi tra i rami degli eucalypti come Tarzan, a quelle rotonde sul terreno tipo lestra, con una filagna di castagno alta al centro, i paletti più piccoli intorno a convergere a raggiera sulla cima e la copertura di frasche, erba stramma e cespugli. Ma ne fece tante anche più sofisticate: vere e proprie palafitte su quattro pali e la piattaforma sopra; baracche completamente di legno – sia pareti che copertura – e capanne miste, metà interrate e metà fuori terra. Sotto il sole di luglio a scavare e picconare – con gli attrezzi di zio Benassi – quell'argilla sul campo davanti casa, dura come il sasso. Con Accio, Manrico e gli altri intorno a fare il tifo e a dare – chi poteva e sapeva – una mano.

Una la costruì a mo' di sotterraneo – pala e picco, pala e picco a volontà – una buca di due metri d'altezza. Steso l'impalcato di assi e travicelli, la mimetizzò con zolle di terra, frasche e cespugli, che lei da sopra non vedeva niente. C'era una botola al centro, e una scaletta a pioli per scendere sotto.

Accio lo spedivano ogni dieci minuti a prendere in casa dal rubinetto, con un bottiglione, l'acqua fresca da bere. Sempre avanti e indietro. E quello si lamentava: «Il bottiglione pesa».

«Ma lo faccio per te, per il bene tuo», Otello, «perché è così, portando i bottiglioni, che ti vengono i muscoli. Se no rimani fiacco e floscio. Li vuoi pure tu o no, i muscoli come me?»

«Sì» e ripartiva come un fesso.

Tutti gli altri invece pronti a ripartire appresso a lui all'imbrunire per l'approvvigionamento dei materiali. Ripulita l'ala sgarrupata del palazzo M – in cui purtroppo c'era già rimasto poco, quando erano andati a rifornirsi loro: giusto qualche porta ed infissi che avevano dovuto sradicare con i denti – all'imbrunire partivano per i cantieri edili di Latina, da cui a quell'ora i muratori staccavano. Lei allora vedeva questa sfilza di ragazzini – dieci o venti perlomeno, incolonnati – che tornavano portandosi in spalla e dandosi il cambio a turno lungo la strada, pali e sostacchine dei ponteggi, sottomisure d'abete, palanche, cantinelle e palanchine d'ogni dimensione. A volte pure cofane e carriole – carriole di legno d'antan come quelle di Diomede, se lei ricorda, con le ruote di ferro cigolanti *«cìo-cìo»* – e attrezzi e strumenti d'ogni tipo: seghe da legno a mano, raspe, pialle, scalpelli, martelli da carpentiere, pinze, tenaglie, tenaglioni, pacchi di chiodi e rotoli di fil di ferro. Ogni tanto un custode gli correva appresso, e via di corsa anche loro mollando sul posto il maltolto. Il giorno dopo, però, subito lì a ripigliarselo.

L'unico che non partecipasse alle spedizioni era Manrico: «Io non vengo».
«E de che ciài paura?» Otello: «Stai con me».
«Di Dio, ho paura».
«Eh?»
«Settimo non rubare, ammoniscono le Scritture».
«Ma vaffallippavà. Però dopo te ce metti pure tu sotto le capanne, eh? Profittatore traditore disertore».
«Vengo io Ote', vengo io» s'affrettava a farsi sotto Accio.
«Tu no, sei troppo piccolo. È meglio che resti qua con san Domenico Savio».
«Io so' bravo a rubbà! Rubbo bene io» insisteva quello.
«E zitto», e uno schiaffone: «Non strillà, che se te sente mamma me leva la pelle».
«Se non me porti, glielo vado a di' io».
«Vabbe', vie' pure te», con un altro schiaffone: «Basta che te stai zitto... spia maledetta» e mentre Manrico li guardava severo, l'armata partiva.
«Mica se fa così però» bofonchiava l'Abruzzese: «O tutti o nessuno. Le sacre scritture indiane dicono che non s'abbandona la tribù che parte, sennò te legano ar palo e te lanciano i tòmavak in testa».
«Zitto pure tu, che de mi fratello posso parlà male solo io. Voi no».
«È arrivato Mussolini...» piano piano con l'Atlante. E partivamo per rubare il legname.
«Rubbare, rubbare?!» cercava conforto Otello da Di Francia: «Ahò, ma io ciò le capanne da fà».
Dentro queste capanne preparavamo le azioni di guerra contro le altre bande, specie gli sfollati della Gil, che stavano lì vicino a noi. Si giocava a carte – a briscola o a tressette – si raccontavano storie e Otello metteva in scena il teatrino che gli aveva regalato zia Alfea.
Pretendeva però che gli pagassimo il biglietto. Cinque lire a testa voleva, e a chi non le aveva segnava il debito con la

matita su un quadernetto, come facevano alla bottega d'alimentari. Ancora adesso, quando incontra l'Atlante, lo mette in croce: «Ahò, ma quando me le dai quelle cinquecentoventicinque lire che avanzo?»

«Erano solo quattrocentodieci Ote', non ce provà».

Era poi rimasto impressionato – l'ultima volta che era venuto a Latina il circo Togni, proprio sul campo davanti al palazzo M – dalla donna cannone e s'era messo in testa di rifare il numero anche lui nella capanna a palafitta che le ho detto prima. Smucinò per due o tre giorni con delle tavole su cui inchiodò anelli abbastanza grandi di fil di ferro con il cartone ondulato arrotolato sopra. Una specie di cannone, e dentro doveva andarci Accio che era piccolino: «Ma non mi faccio male quando esplode?»

«Ma che ti fai male: con me ti fai male? Famo solo finta. Io prima d'accende il carburo faccio un rumore col bastone sul cannone e tu, appena lo senti, esci da sotto di nascosto e per la botola sparisci e scappi fuori. Così li fregamo».

Quando però è stato il momento – «Ecco, siori e siori, il numero più pericoloso del mondo!» con tutti gli altri silenziosi e stretti sulla palafitta piena di suspense, e lui con una stecca ha cominciato a far rintronare il cilindro di cartone ondulato: «*Dròndorodondondondontrò!*» – Accio è rimasto impigliato nel fil di ferro finché il carburo è esploso: «*BÓM!*» e in una nuvola di fumo è caduto dalla botola.

«Ahi, àhiaiaiàhiii!» strillava da sotto.

«Il solito imbranato» s'è arrabbiato Otello. È sceso a soccorrerlo – Accio tutto nero: «Ariàhiàiàhiii» – e lo ha menato.

Silvio Di Francia protestava: «Rivoglio i soldi del biglietto. Mica se fa così. Me li devi ridà indietro».

«Te ridò indietro i soldi? Ma tu sei scemo, Silvie'! Non te sei forse divertito a vedé mi' fratello che scoppiava e cadeva? Ancora sta a piagne, poraccio. E tu ridevi come 'n matto...»

«Sì», ammise: «Un po' mi sono divertito».

«E mo' rivuoi indietro i soldi?»

«La mia parte!» strillava invece Accio: «Me devi dà la parte mia dei soldi», con le lagrime che gli rigavano le guance affumicate.

«Ma tu guarda sto stronzo...»

«Me la sono guadagnata!»

«E segna, allora. Prima o poi te li do», ma non glieli dava mai. Solo anni dopo – quando s'è messo a giocare sul serio a carte e a biliardo e ogni tanto stravinceva – tornato a casa a tarda notte li svegliava tutti e due, Accio e Manrico, e gli elargiva laute mance: «Tie', godete pure voi e baciate la mano al vostro benefattore».

«Seeeh! Con tutti quelli che ci hai fregato da piccoli?» e si buttavano giù dai letti a raccogliere i pezzi da cinquanta e cento lire che faceva cadere apposta, rotolanti, per terra.

Ma da piccoli no. Da piccoli non ce n'era per nessuno – fratelli o sorelle, maggiori o minori – tutti i salvadanai costantemente violati con destrezza. Senza lasciare il minimo segno d'effrazione ma lasciandoci sempre, però, qualche spicciolo dentro; in modo che quando poi la gente chiedeva «Ahò, ma a me mancano i soldi», lui potesse tranquillamente assicurare, dal mentitore che era: «E da me che volete? Vi sarete sbagliati a contare. Se ero stato io li pigliavo tutti, mica ve li lasciavo, no?»

Come vedeva una lira in giro la rubava, e già alla Previdenza sociale – quando era piccolo piccolo a neanche sei o sette anni – s'era appropriato di mille lire di carta di una volta, dalla borsetta della madre, e via con tutta la banda a fare spesa di castagnaccio, lupini, caramelle, bruscolini, torroncini, giornaletti, figurine e una pistola da cowboy alla bancarella che stazionava sempre in piazza San Marco. «Tu che vuoi?» faceva il generoso con gli amici: «Prendi, prendi. Offro io».

La madre se ne accorse vedendolo tornare col muso sporco di castagnaccio, questa pistola nera e le tasche traboccanti di bilie colorate di vetro, giuggiole e pesciolini di liquirizia: «Dove l'hai presa sta roba?»

«Me l'hanno regalata».

«Te l'hanno regalata?» e ha cominciato a menarlo di santa ragione prima ancora di andare a controllare dentro la borsetta se mancasse – non sia mai – qualche cosa. E quando ha visto che mancava, allora sì che c'è voluta solo la mano benedetta di povera zia Alfea – «Ma cosa fai, Pace? Non puoi mica ammazzarlo» – per toglierglielo da sotto le mani.

Ma appena tolto, lo ha preso per un orecchio e giù per le scale – con la pistola giocattolo in mano e zia Alfea sempre dietro: «Ma cosa fai, Pace? Stai calma, stai calma» – e tutta piazza San Marco fino alla bancarella di fianco alla chiesa, davanti all'oratorio dei preti: «Senta un fià, ma come si è permesso di prendere tutti quei soldi da un bambino piccolo?» al bancarellaro. «Non si è chiesto da dove li avesse pigliati lui?»

«Mica fasso 'l polisiotto mi, egregia siora».

«Ma ti ci porto io dalla polizia, brutto desgrassià, se non me li ridai subito indietro. E ciapa qua la to pistola».

«E tutta l'altra roba che si sono mangiati?»

«Sono la moglie del vigile Peruzzi» ha detto a quel punto zia Alfea: «Adelchi Peruzzi, non so se conosce...»

«Orco» e quello gli ha ridato indietro i soldi, recuperando però soltanto la pistola e qualche bilia di vetro. Il resto niente – sfumato aggratis – remissione pura, quel giorno, per lui: «Non ti far vedere più qua» ha potuto solo dire a mio cugino Otello.

Alle mie zie invece, mentre se ne andavano: «Bel delinquente che avete tirato su: stì atenti che una not o l'altra non av copa tuti... E complimenti a l'Adelchi, am racomando. Pardòn: al vigile Peruzzi».

«Bello di zia!» se lo stringeva per la strada l'Alfea, mentre zia Pace – la madre – lo rimenava: «Vedrai tu, quando stasera torna tuo padre e glielo dico». Ma invece non glielo diceva. Sempre all'oscuro lo teneva: «Se no quello chissà che fa».

Ai primi caldi quell'anno – il 1954 dico, alla casa nuova; non quando Otello aveva rubato le mille lire – zio Benassi ebbe l'ultimo attacco di febbri malariche. Non le so dire se fosse un postumo della malattia che s'era preso tanti anni prima – ai tempi della bonifica – o se invece fosse una nuova infezione, dovuta alla recrudescenza che dopo la guerra s'abbatté sull'Agro Pontino, imperversando fino a metà degli anni cinquanta. I danni causati dagli eventi bellici ad ogni opera idraulica – ma soprattutto gli allagamenti voluti dai tedeschi per contrastare il temuto sbarco anglo-americano sulla costa di Terracina – avevano favorito la rinascita e rinvigorimento delle zanzare anofeli rimaste, che s'erano rimesse a figliare alla grande impestando l'Agro Pontino e la piana di Fondi.

Furono migliaia e migliaia gli ammalati – tra cui mio zio – e centinaia i morti, come la povera zia Alfea. Solo col Ddt – sia benedetto per omnia saecula saeculorum chi lo aveva inventato – si riuscì a sradicare la malaria in Italia. Gli americani lo sparsero coi Dakota – gli stessi bimotori con cui ci avevano invaso allo sbarco di Anzio – sull'intero Agro Pontino.

La lotta fu lunga però, e ancora negli anni sessanta, ad ogni inizio estate, gli addetti del comitato antimalarico passavano con le pompe a mano fissate coi legacci sulla schiena come quelle del verderame – «Non si sa mai» – a irrorare di Ddt i muri esterni dei poderi, case e palazzi. Solo nel 1970 l'Italia verrà ufficialmente inserita dall'Oms – Organizzazione mondiale della sanità – tra i Paesi oramai liberi da malaria.

Zio Benassi aveva la febbre tra quaranta e quarantuno. Io me lo ricordo – steso sul letto – che saltava in aria rigido orizzontale, come avesse preso la scossa. Grondante di sudore tremava e delirava. Tremava di freddo, con quel caldo che pure già faceva, e la moglie e le figlie attorno – piangendo, le figlie – lo coprivano in continuazione con sempre più coperte prese dagli altri letti. Dieci o dodici, gliene avranno messe. Ma più lo coprivano, e più lui sudava e saltava.

Delirava, le ho detto.

«Chiama mi' madre, fà venì mi' nonna» – che chissà da quanti anni, oramai, riposavano nell'avito cimitero di Marcellano – «che solo loro sanno come fà» ordinava a zia Pace che secondo lui, invece, evidentemente non lo sapeva.

E poi, soprattutto: «Portàteme dalla nonna al letto suo, che solo là, io riesco a dormì».

Per fortuna arrivò il dottor Fabiano con il 1900 Alfa Romeo – tutto sporco impolverato dalle nubi di microgranelli d'argilla bianca sollevati lungo la pista del futuro viale XXI Aprile e dello stradone nostro, futura via Cellini – che appena entrato in camera strillò: «Levategli tutte chelle coperte che 'o fate morì».

«Ma come?» zia Pace: «Trema tutto dal freddo. E poi abbiamo sempre fatto così».

«E avite fatte male. So' usanze di una volta, ma so' usanze sbagliate. Levategli tutto vi ho detto: 'o malato àve 'a stà fresco, àve 'a respirà, la sua febbre la deve smaltire» e aperta la finestra lo visitò e riempì di chinino.

«Torno stasera», disse poi dolce a mia zia, «a veré come va. Ma tu ha 'a stà tranquilla, Pace, ca chesta è l'ùtima vòta che 'a malaria lo piglia» e zio Benassi guarì.

Fece qualche altro giorno di riposo a letto, con la moglie e le figlie che finalmente ridevano. Anzi, se qualche volta chiamava – «Pace!» – quella subito arrivava, mettendolo però sull'attenti: «Mo' basta, sa'? Che oramai sei guarito».

E riandando via, verso la cucina: «Ciama to nona, no?»

«Benedetta la Madonna della Valle. Non vedo l'ora de tornà al Consorzio».

Noi maschi quell'anno – ad agosto – andammo in colonia con i preti di San Marco a Rio Martino, come veniva tout court chiamata la foce del Rio. Allora per raggiungere il mare c'erano due sole possibilità: o a Rio Martino passando per Borgo Grappa, o a Foceverde – dove sbocca il Canale Mussolini – per Borgo Sabotino. Tutte e due comunque di dodici chilometri, rispetto ai nemmeno sette in linea d'aria tra Latina e il litorale.

Le femmine in colonia c'erano già state a luglio con le suore. Ai maschi, invece, toccava agosto. Si partiva la mattina davanti alla chiesa su una corriera blu dell'Atal. O meglio, corriera col rimorchio pieni pieni, che il prete appena partiva diceva due preghiere, e subito tutti:

Corete! Scappate!
Chiudete le finestre,
arivano i spaccateste
de Latina, de Latina!

Latina è quella cosa
che se chiama prepotenza,
ecco qua tutta la lenza
che cià voglia de menà.

Chi sono quelli là?
Chi sono questi qua?
Noi semo de Latina
e ce sapemo fà.

Se nun ce conoscete
guardatece nell'occhi:
noi semo de Latina
e ve spaccamo l'occhi.

Zùm-pàp-pà,
pesce fritto e baccalà.

Finita quella, si passava alla *Montanara*, la *Valsugana*, *Quel mazzolin di fiori*, *La santa Caterina* che «*pirulìn-pirulìn-pirulìn-pimpàm, / era figlia d'un re-ee-ee, / era figlia d'un re-ee-ee, / era figlia di un re!*», che però era pagano, lei e la madre invece no, e quando un giorno lui la trova in preghiera le chiede: «*Che fai o Caterina, / pirulìn-pirulìn-pirulìn-pimpàm, / in quella posa lì-ìì-ìì, / in quella posa lì-ìì-ìì, / in quella posa lì!*»

«*Io prego il mio Signore, / pirulìn-pirulìn-pirulìn-pimpàm!*» rispose ardita lei, e lui allora «*la testa le mozzò-òò-òò, / la testa le mozzò-òò-òò, / la testa le mozzò!*»

Fino a Borgo Grappa la strada era diciamo rattoppata, ma da lì alla foce di Rio Martino era tutta buche e non le dico sopra la duna, dove ancora si vedevano i bunker e le garitte di cemento costruite da mio cugino Diomede, col suo amico tedesco Eberhard, durante la guerra.

La colonia della Pontificia opera d'assistenza stava sotto la duna – dove adesso c'è il camping – in mezzo a una pineta bellissima che invece non c'è più. La salsedine o qualche germe se l'è mangiata tra gli anni ottanta e i novanta. Quelli del camping – che fanno peraltro una zuppa di pesce che è la fine del mondo – volevano ripiantarla, ma gli hanno detto di no, non so se la Forestale o chi altro, poiché pare che gli alberi non debbano superare in altezza la duna. Così hanno messo piante basse. Non ci sono più i pini alti e belli – e il manto per terra, una coltre di aghi soffice come il tartan, da cui spuntavano a frotte gli asparagi – di quando eravamo ragazzini.

C'è ancora però in fondo al camping la chiesetta piccina piccina che quell'anno costruirono, in mezzo alla pineta, mio zio Benassi ristabilito e due suoi amici muratori della Corale: Michelin e il figlio di Scapin. Era celeste allora – la cappellina – e c'era scritto, all'ingresso: «*Ave Maris Stella*».

Zio Benassi faceva da manovale – scavò col palotto le fondazioni, impastava la calce, portava i mattoni ed i blocchi di tufo – e s'era preso una settimana di ferie apposta. La mattina però veniva in spiaggia con noi. O meglio, noi stavamo all'ombra sotto una grande tettoia ricoperta di stuoie. I preti ci lasciavano uscire da lì soltanto per il bagno, sorvegliati da un pescatore sulla barca – Mannarelli si chiamava – che faceva da bagnino. Sole ce ne facevano prendere poco: «Troppo fa male», dicevano i preti, «sono l'aria e lo iodio che contano».

Zio Benassi invece ne prendeva anche per noi, con la testa sempre esposta ai raggi – piena di sudore come sotto le febbri malariche – e il corpo ricoperto di sabbia bollente contro i reumatismi. Ogni sera – prima del ritorno – riandava in spiaggia, riempiva di sabbia un sacco di iuta e lo caricava sopra la corriera. Arrivato a San Marco, se lo portava colmo colmo a casa sul manubrio della bicicletta e lo svuotava in fondo all'orto, a fianco alla rete. Il giorno appresso idem. In una settimana eresse un mucchio: «Ecco», tutto contento a zia Pace, «mo' i bagni di sabbia me li posso fà qua, senza dové andà al mare. Anzi, te li pòi fà pure tu».

«Ma va' a cagare, va'».

Lui ci provò però solo un paio di volte. Poi si arrese: «No, non è come il mare», ma se lei va là – a via Cellini 30, nell'orto di dietro – può essere che ancora ce la trova un po' di sabbia di mare mischiata alla terra, se i miei cugini non hanno ribaltato tutto anche lì.

Noi invece a Rio Martino restavamo in spiaggia fino all'ora di pranzo. Poi di nuovo in pineta, dove il cuoco dei preti Peppe e suo figlio Gerardo – coadiuvati dalle suore – ci facevano trovare marmittoni enormi di pastasciutta; collosa ma sempre pastasciutta aggratis, offerta dalla Pontificia opera d'assistenza e cotta su una cucina da campo americana residuata dallo sbarco di Anzio, donata dal munifico benefattore Diomede Peruzzi. «Preghiamo per lui» dicevano i preti, prima di dare il via e cominciare a mangiare – «*didè-didè-didèn*» – nei piatti d'alluminio dell'asilo, su certi tavoloni lunghi e le panche di legno dell'oratorio.

Per bere invece era più complicata. A ognuno di noi zia Pace riempiva d'acqua la borraccia d'alluminio – prima di partire – e ci dava pure dieci lire per la bottiglietta di gazzosa. Gerardo le teneva al fresco nella ghiacciaia, a contatto coi blocchi bianchi che andava a prendere ogni mattina da Salesi, che a via Cesare Battisti – all'angolo sudovest con corso Matteotti, dove adesso c'è un palazzo di sette piani – aveva il deposito della birra Peroni con annessa fabbrica del ghiaccio e di gazzose.

Ma finita quella, amen: non ce n'era più, e l'acqua nelle borracce tutta calda e schifosa di ferro. Niente, però, rispetto a quando poi è arrivata la plastica e l'acqua – così – sapeva di plastica anch'essa.

I preti si portavano appresso una botticella di legno, d'acqua potabile, ma giusto per emergenza. Per il resto – sciacquarsi, cucinare, lavare le pentole e i piatti dell'asilo – si usava solo l'acqua sulfurea che usciva a volontà dal sottosuolo, appena aprivi il rubinetto del pozzo. Puzzava da morire d'uovo fradicio, ma è una vena che pare scorra copiosa lungo la costa – da Rio Martino a Torre Astura – ricchissima di qualità termo-bromo-iodico-sulfureo minerali, salutari, magico-prodigiose.

Fin dal 1948 i politici promettevano che quell'acqua miracolosa sarebbe stata presto messa al servizio della città – «No come i altri che i xè vegnesti prima» – con delle terme che avrebbero fatto invidia e concorrenza pure a Lourdes: «Chissà quanta gente che ci lavorerà».

Ma com'è come non è – «Lui ha rubato»; «No, hai rubato tu» – non s'è mai vista una vasca, una piscina, un rubinetto o una fontanella sulla strada. Solo scandali, tra Società delle Terme che nascevano, si sciogllievano e rinascevano – con presidenti e consiglieri che cambiavano ogni volta, tutti ovviamente da pagare lautamente – senza che quell'acqua miracolosa abbia mai curato un solo reumatismo. L'unico miracolo che ha fatto, lo ha fatto ai presidenti e consiglieri. Mo' sta ancora tutto chiuso e i politici dicono: «Vabbe', ma mica c'è più l'acqua lì. S'è seccata». Sì, si è seccata di loro.

Il pomeriggio – come le ho detto – in colonia restavamo in pineta all'ombra, a riposare o giocare a carte o a rubabandiera, tutti coi piedi neri del catrame che ci si era attaccato la mattina in spiaggia, e che non veniva via nemmeno con la raspa. Nemmeno col Tide o con l'Olà, quando qualche anno dopo li hanno inventati. Giusto con l'olio d'oliva, riuscivi a scioglierlo. Ma chi poteva sprecare a quel tempo una goccia d'olio d'oliva per pulirsi i piedi? Sai le botte, le madri?

«Tienteli così, che domani tanto li risporchi».

Pure il catrame – come la cucina da campo della pastasciutta scotta nostra – era un lascito dello sbarco di Anzio: spurgo e affioramento da tutte quelle navi affondate al largo, compresa qualche petroliera d'appoggio. Ancora negli anni settanta, al mare di Latina ogni tanto ti impiastravi.

Anche Otello in colonia giocava sempre a carte: a tressette, terzilio, quintilio, eccetera. Ma soprattutto – in ogni istante, appena poteva – appresso a Mannarelli, il bagnino pescatore, a chiedere informazioni e studiare la sua barca di sotto e di sopra, in ogni minimo dettaglio: «Ma come faccio, mannaggia a me? Questo è troppo difficile, come li piego sti legni? Chissà se ci riesco...»

La prima la mise in cantiere a settembre – «Fra poco è autunno, piove e i fossi si riempiono» – ma optò per la soluzione più semplice: «È meglio che mi faccio le ossa con un sandalo», imbarcazione a fondo piatto che si usava una volta in palude, fatta apposta per i fondali bassi. «Con una barca vera da mare, è meglio che ci provo dopo».

Smontò due porte del palazzo M da una capanna – «Oramai è vecchia, m'ha stufato» – andò a rubare altre sottomisure al Banco di Santo Spirito in costruzione e fabbricò una specie di zatterone con le paratie laterali alte, per non far entrare l'acqua, ma senza prua o poppa: un sandalo rettangolare.

Faticò una settimana per riuscire a trovare il modo di sciogliere l'asfalto – rubato ovviamente anche quello all'Anonima Asfalti Bologna in un cantiere stradale – e spalmarlo su tutta l'imbarcazione, senza bruciarsi o farsi male. Dopodiché, aspettammo fiduciosi l'arrivo delle piogge.

Tra la fine di ottobre e i primi di novembre, finalmente il fosso davanti casa fu colmo: «È ora. Variamo la barca».

Lei non ha idea della gente che c'era. Non solo ragazzi e ragazzini, ma pure le famiglie con madri e padri di tutte le case gialle in mezzo alla palude, oltre – più che al varo, però, ad aspettarci al varco – agli emissari delle bande avverse di Latina: «Bravo, bravo» facevano finta di congratularsi con Otello.

Ma fra di loro, appena si voltava: «Vedrai che affondano, vedrai che affondano» gufavano.

Invece non affondammo, lì per lì. La barca reggeva a meraviglia i flutti del fosso, e tutti volevano salire. Scendeva uno e montava il prossimo. Scendeva questo, saliva un altro ancora. Otello sembrava un lupo di mare. Pencroff dell'*Isola misteriosa*. Prima aveva provato coi remi – che pure aveva preparato – ma le sponde erano troppo strette per poterli muovere e allora con un palo più lungo (previsto anche questo) faceva dall'alto, ritto in piedi come Caronte, spinta sul fondo e navigava di qua e di là.

A un certo punto cadde in acqua Accio: «Il solito stronzo...». Lo salvò al volo Angelo della signora Loreta pigliandolo per i capelli, e ancora adesso – quando lo incontra – gli chiede sempre: «Ti ricordi quando t'ho salvato la vita? Ancora non mi hai ringraziato come si deve».

«Ma ti pigliasse un colpo» risponde regolarmente quell'altro: «Io mi ricordo che eri stato tu, però, a darmi la spinta e farmi cadere. Poi non mi volevi manco salvare?»

Alla fine però affondammo tutti. Troppo peso sul sandalo, e soprattutto l'asfalto che – foglia dopo foglia – si scollava dal fondo ed affiorava nero galleggiante sul filo del fosso, a fianco alle paratie, mentre l'acqua entrava da tutti gli interstizi. Hai voglia a ributtarla via con un barattolone vuoto di pelati americani, *Peeled tomatoes*.

La barca affondò con Otello che fino all'ultimo – mentre

noi saltavamo a riva – restò col palo e il barattolo di pelati ritto in piedi, con l'acqua che mano mano gli saliva dalle gambe alla pancia ed al petto.

«Vieni via, vieni via» lo implorava zia Pace dalla sponda.

«No, il comandante è l'ultimo a poter lasciare la nave», rideva, «deve inabissarsi con lei».

«Disgraziato» strillava zia Pace.

E lui rideva rideva, continuando ad affondare.

Nel frattempo però – qualche settimana prima che varassimo la barca – ci era sparito il teatrino.

Una tragedia.

La sera prima avevamo fatto un po' tardi e quando zia Pace s'era messa a chiamare per la cena – «Otello, Otello! Sbrigatevi a venire, che quando arrivi vedi quello che ti faccio» – lui lo aveva lasciato dentro la capanna: «È inutile che mi metto a smontarlo, riportarlo a casa e rimontarlo domani. Lo lasciamo come sta e lo ritroviamo già montato. Chi vuoi che se lo frega?»

Per sicurezza aveva chiuso per bene la porta – una di quelle prelevate al palazzo M – con chiavistello, lucchetto e fil di ferro: «Manco Fantômas».

La mattina dopo, però, la sorpresa. Arrivati alla capanna la porta era intatta – sbarrata tale e quale a come l'aveva lasciata lui – che per aprirla ci vollero parecchi armeggiamenti, tra svolgere la matassa di filo di ferro che ci aveva arrotolato, trovare la chiave, aprire il lucchetto e le altre diavolerie che s'era inventato. Ma messo il muso dentro, il teatrino non c'era: «Che fine ha fatto?»

Aperto un buco nella parete – tra il legno e le frasche – erano penetrati portandoselo via assieme alle marionette. Arrivederci e grazie. Ci avevano lasciato solo la Madonnina di Lourdes di gesso sopra l'altarino allestito da Manrico – a protezione della capanna – davanti a cui ci faceva pregare: «Avranno pensato che se la trafugavano gli portava male» disse lui.

«Ci hanno rubato il teatrino!» facevamo costernati: «Chi sarà stato?»

«Quelli della Gil» decise Otello.

Erano i nostri più acerrimi nemici, anche se la banda più pericolosa in assoluto – di tutta Latina – era quella delle Case popolari, una caterva di guerrieri a cui non ci si poteva avvicinare. Per affrontarli in campo aperto ai giardini o a piazza Roma, ci dovevamo alleare con le bande piazzarole. Ne uscivamo ugualmente, però, sempre tutti malconci, nonostante il gran dispiego di lance, bastoni, spade di legno, mazzafionde e sassate a mano libera, ma soprattutto archi e frecce che non facevamo di legno – come era prassi e norma – ma con le asticelle di ferro ricavate dagli ombrelli rotti: «È la nostra arma segreta» diceva Otello.

Qualche anno più tardi Accio ci infilzerà da lontano Fernanda Zannella, che era pure figlia del suo compare di cresima. «Non l'ho fatto apposta, m'è scappato» si scusava, mentre Fernanda piangeva e si guardava sbigottita quest'asta di ferro – la freccia – piantata nel ginocchio.

«Ma tu guarda sto stronzo» disse Otello. E lo menò.

Questi dell'ex Gil invece – un mare di ragazzini sfollati con le loro famiglie – non erano particolarmente feroci o cattivi. Ma essendo i nostri più immediati vicini, erano pure – come insegnano i fondamenti della geopolitica – il nostro primo e principale nemico. Per andare a scuola o in centro – a San Marco a messa, all'oratorio o al cinema – noi sempre dietro, di fianco o davanti alla Gil dove c'erano gli orti loro, dovevamo passare. E ogni volta erano urla, sberleffi, sfide e appuntamenti.

«Sono stati quelli della Gil» dedusse Otello, e col muso mogio – gli veniva da piangere, povero Otello – congedò tutti: «Ognuno a casa sua, per oggi». E restò da solo seduto sul muretto di recinzione nostro, ad aspettare che come tutti i giorni s'affacciasse zio Adelchi.

Passa un po', e quello arriva con la moto Gilera nera 125

del servizio. Spegne la moto, scende e lo vede in quelle condizioni: «Cossa ghetu fato, nevodo?» che era – diciamolo – il suo nipote preferito, quello a cui dava sempre la mancia. Anzi, spesso era proprio Otello che da lontano, ancora prima che lui si avvicinasse, gli chiedeva: «Zio, damme dieci lire», quelle con l'aratro e la spiga di grano sopra. Lui rideva e gliele dava.

A dire il vero, le dava anche a Manrico; che non era però sfrontato come il fratello: se gliele dava spontaneamente lui, bene. E se no amen: non le chiedeva.

Se ci provava invece Accio – «Zio, me dai dieci lire?» – zio Adelchi con la faccia scura: «Chi te ga insegnà a domandar i schèi? Non è mica una bella cosa, sai? Inpara un fià d'educasion».

A Otello comunque – vedendolo mogio – «Cossa ghetu fato, nevodo?» chiese quel giorno.

«M'hanno rubato il teatrino, zio».

«El teatrin de l'Alfea?»

«Sì, quello che m'aveva regalato zia Alfea».

«Orca santa sgnàcara. E chi xè stà?»

«Quelli della Gil».

«Monta su», rimette in moto e partono.

Con Otello seduto dietro – sopra la cassettina metallica che c'era al posto del sedile, in cui i vigili tenevano le carte e i bollettari delle multe – arrivano alla Gil.

Scendono dal Gilera e zio Adelchi avanti – con la divisa nera, la pistola al cinturone, i calzoni larghi sulla coscia alla cavallerizza, gli stivali neri lucidi lucidi, che a ogni falcata risuonavano cupi «*tòck, tòck, tòck*» – e Otello appresso come un'ombra intimorita, a due o tre passi di distanza, sono entrati e l'hanno perlustrata tutta, camera per camera, salone per salone.

Zio Adelchi apriva le porte – o quelle specie di porte – senza neanche bussare: «Do un'occhiata» diceva.

«Fate, fate» rispondevano quelli. Padri di famiglia, madri che cucinavano o rassettavano, famiglie intere stipate in una stanza, letti e brande dappertutto, qualche manifesto – adesso si dice poster – di Claudio Villa attaccato alle pareti, bambini piccoli seduti sul vasetto, frotte di ragazzini ammutoliti all'istante dal solo suo apparire.

Lui guardava di qua e di là. Scrutava attento in ogni dove. Poi si voltava verso il nipote – come a dire «Qua non c'è» – e se ne andava: «Salute».

«Salute» rispondevano quelli, tirando un sospiro di sollievo.

Altro giro, altra porta – «Do un'occhiata» – altra famiglia di disgraziati. Con l'ombra Otello che – diciamo la verità – un po' si vergognava, ma che pure pensava, dentro di sé: «Ognuno ha le sue ragioni, maledetti i Zorzi Vila. A me, è un fiodenamignotta di questi, che mi deve aver fregato il teatrino».

Esaurite le stanze e i locali delle ali e della fronte della Gil, zio Adelchi ha perquisito anche la palestra e gli altri saloni suddivisi dagli sfollati con pareti di legno, cartone e compensato. Dal piazzale interno poi – pieno di calcinacci e puzzolente dei tanti fuochi spenti – sono entrati nei ruderi di quello che avrebbe dovuto essere il teatro.

Per paura che gli cadesse in testa qualcosa, zio Adelchi stava per dire al nipote: «Stai indietro, non entrare». Ma dal viso ha capito che Otello non aveva nessuna voglia di restare da solo in mezzo alla Gil: «Va ben, andemo».

E scala per scala, pericolanti quanto erano, si sono fatti tutta la scena, la platea, il palco, la galleria, i palchetti superiori uno per uno – quelli con gli archi in mattoni a sesto ribassato – in cui pure c'era qualche altra famiglia protetta solo da tende e cartoni, che di meglio non era riuscita a trovare. Ma pure lì, zero assoluto.

«Addio teatrino» pensava Otello affranto mentre – tra gli sguardi di ghiaccio degli sfollati – uscivano dall'ex teatro grande sgarrupato della Gil.

«Qua no ghe xè» disse zio Adelchi tornati alla moto, ma per niente arreso: «Non ti viene in mente qualcun altro, macaco d'un nevode, che può essere stato? Qualcuno con cui hai avuto a che dire?»

«Akim!» s'accese la lampadina a Otello: «Uno zingaro che chiamano Akim».

«Monta», scalciando la pedivella dell'accensione.

«Zio! Gli zingari menano...»

«Menano? At fasso védare mi, a chi è che mena i zigagni» e in pochissimi minuti – che a Otello sono sembrati un'eternità, abbracciato stretto alla vita dello zio per non cadere nelle curve a raso, che quello pigliava a tutta velocità sfiorando col muso l'asfalto peggio di Taruffi – sono piombati all'accampamento dietro Campo Boario, quasi sotto l'argine del canale delle Acque Medie.

Carrozzoni in circolo. Tende di qua e di là. Carretti con le stanghe in alto e i teloni sopra. Uomini che battevano ferri sull'incudine. Donne attorno ai paioli sopra i fuochi accesi. Ragazzini ignudi che correvano tra una pozzanghera e l'altra. Ragazze che cantavano in quella loro lingua strana. Cavalli al pascolo sull'argine.

Tutti fermi immobili all'istante – come al gioco «Stella!» e le belle statuine – appena è arrivata la moto Gilera con zio Adelchi: «Dove xèo Akim?» ha chiesto a Osiri Salvini in piedi in mezzo al campo.

Quello s'è voltato verso la moglie, che ha risposto: «È malato. Sta dentro il carrozzone a letto perché è malato» indicandone col viso la direzione.

«Xèo amalà? Adesso vedarem se 'l xè malà».

È andato a passi larghi al carrozzone – Otello sempre appresso – ha spalancato la porta e saliti i due gradini di legno è entrato.

Akim stava sì dentro il letto – non le so dire se malato o meno – ma seduto, non steso sulla branda; con le gambe sotto le coperte e il petto e le spalle fuori, a far muovere e giocare le marionette nostre nel teatrino, montato a puntino, di Otello e di zia Alfea: «Bruto smàfaro sgrafignon desgrassià pinciagaline».

Zio Adelchi lo ha preso per la collottola, tirato fuori dal letto e riempito di calci nel culo, con gli stivali.

La madre strillava: «Figlio mio!»

«Tasi, ti» le ha intimato zio Adelchi.

Otello di corsa s'è ripreso il teatro ed ogni sua cosa. Non stava più nella pelle. Rideva rideva, di nuovo dietro allo zio sopra la moto, stringendosi al petto – tra lui e la schiena di zio Adelchi – il teatrino ritrovato: «Vai piano però. Che se no mi casca tutto».

Akim – da lontano – li guardava sconfitto: «Mi dovete tornare sotto però, prima o poi».

Il rientro fu un tripudio, un trionfo. Nessuno in realtà aveva solo lontanamente sperato che potessero riuscirci – «Figurati se lo trovano» aveva detto l'Abruzzese – e tutto il popolo delle case gialle, riunito davanti al muretto nostro, festeggiò il rimirando redivivo teatrino. Pure i grandi, pure zia Pace radiosa e felice – per lo scampato dolore del figlio – ma soprattutto orgogliosa della prova fornita dal fratello: «Xè decorà al valor de l'Àffrica Orientale, ciò» ricordò alla signora Loreta, «medàlia de bronzo de la guera d'Abisinia».

Anche Manrico all'inizio era contento – «Il teatrino, il teatrino!» – ma man mano che Otello, sotto lo sguardo compiaciuto di zio Adelchi, andava avanti a raccontare nel più minimo dettaglio ogni scena e fase della spedizione, Manrico s'incupiva sempre più. Finché arrivati a zio Adelchi che alla Gil entrava stanza per stanza e guardava dappertutto, ha detto: «Mica è giusto però. Mica si fa così».

«Cossa?» è saltato come una molla zio Adelchi.

«Non si entra in casa della gente, zio, in quel modo. A farla da padroni».

«Cossa?» un'altra volta mio zio: «Quale casa, quale gente? Quei i xè sfolà, sfollati».

«E poi lui è vigile urbano», Otello, «pò fà quello che je pare» e ha ripreso a raccontare.

Manrico zitto.

«Non sei contento del teatrino?» lo carezzava zia Pace.

«Sì mamma, sono contento» e col visino assorto – per niente contento – seguitava ad ascoltare il report dell'operazione.

Ma arrivati al clou, alla scena madre del recupero del teatrino – con Otello che rideva enfatico: «Gli ha dato un calcio in culo a Akim, che l'ha fatto arivà fino al canale» – Manrico è esploso un'altra volta: «Eh, no. Non si entra in casa della gente a usarle violenza e darle calci nel sedere».

«Quali case? Quelli non hanno case, stanno sotto i carri, hanno le tende...»

«Sempre casa è. La tenda è la loro casa», Manrico.

«Ma i xè zigagni. Quei i xè zìngari ladri furfanti. No i xè òmini, i xè bestie».

«No, zio. Sono esseri umani come noi. Come me e te».

«Come mi? Basta va', ch'agò da montar in servissio...» e prima d'andarsene, però, disse da un canto a mia zia: «Ma con chi 'o ghètu partorì sto fiòlo ti? Non col Benassi, ciò. Tu lo hai fatto con calche spìritu gàist, porca putana. El ga na mente che gnanca Lusìfero. N'agò mai visto mi, un putin acsì».

L'adunanza si sciolse e noi ragazzini – con Otello davanti e il suo teatrino in braccio – ci avviammo alla capanna. Ma arrivati là – e a distanza di sicurezza, oramai, dalla madre e dagli adulti – Otello sbarrò il passo a Manrico, che stava per entrare: «Tu no. Tu vai da Akim, oggi, se vòi vedé 'r teatro».

Quello di stucco – di gesso – non sapeva che dire. E Otello sempre più carico – rosso di fuoco e gli occhi di fuori – ha proseguito: «Che stai, dalla parte de Akim adesso? Quello me rubba 'r teatro, e io non posso manco annà a chiamà mi zio, pe potémmelo ripijà?»

«Ma non in quei modi. Quei modi sono inumani ed ingiusti».

«E che je lasciavo, 'r teatrino a lui? Io me lo so' solo annato a riprènde, mica è colpa mia se lui me l'aveva rubato».

«La sua colpa non giustifica la tua» ha intignato Manrico: «Ognuno risponde per sé, davanti a Dio».

«Ma vaffanculovà» e Otello gli è saltato al collo. Si sono avvinghiati. L'Atlante e Di Francia volevano dividerli.

L'Abruzzese ha detto: «No, lasciatelo fà. Se m'era fratello a me, io l'avevo già ammazzato».

Ma era un match senza storia. Uno aveva dodici anni e l'altro nove, differenza che a quell'età conta parecchio. Otello gli ha fatto la scianghetta e – caduti a terra – gli è salito sopra: «T'arrendi?»

«M'arrendo» ha detto dopo un po' Manrico: «Ma risponderai anche di questo, un giorno, nella valle di Giosafat».

«Ammazzalo, ammazzalo» hanno strillato allora tutti e tre: l'Atlante, Di Francia e l'Abruzzese.

Otello invece rideva mentre – rialzati – Manrico se ne andava: «Che cazzo de fratello che ciò...»

«Eh?» quei tre.

«È gajardo, però». E la sera stessa hanno rifatto pace.

Zio Adelchi invece aspettò più di un mese – senza che Manrico oramai gli si avvicinasse più per la mancia – finché una sera lo chiamò da lontano: «Vieni qua, nevodo». E dandogliela ammise, sorridendo: «At ghevi razon ti, però. Anca i zigagni e pure i sfolà, i xè anca lori èseri uman».

Io che le debbo dire? Io non parlai quella volta, non dissi nulla. Ero solo contento come gli altri che fosse tornato a casa il teatrino di zia Alfea. Per il resto che ne sapevo? È inutile che lei tiri fuori le violazioni di domicilio. Era il 1954 e noi non sapevamo nemmeno cosa fossero queste violazioni. Anzi, non lo sapevano nemmeno quei poveracci – zingari e sfollati – che erano stati violati. Lui poi – mio zio Adelchi – era uno sceriffo, le ho detto. Che ci posso fare?

A metà novembre, quell'anno, venne a trovarci nella casa nuova mio fratello Onesto – lei ricorderà: era il maschio più grande, nato ancora in Altitalia, di Pericle e mia madre Armida – appena tornato dall'avere liberato Trieste, ricongiungendola alla Patria. Io era parecchio che non lo vedevo.

Neanche due anni prima, nel 1952, al festival di Sanremo aveva vinto a furore di popolo *Vola colomba*, cantata da Nilla Pizzi: «*Diglielo tu, che tornerò*». Adesso la davano a tutte le ore alla radio, insieme alle *Campane di San Giusto* che era però del 1915 – prima guerra mondiale – ma di nuovo attuale più che mai. E tutti in giro felici – pure i muratori sui cantieri che andavo con Otello a perlustrare – cantavano ai quattro venti:

Per le strade e per le rive di Trieste
suona e chiama di San Giusto la campana,
l'ora suona, l'ora suona non lontana
che più schiava non sarà!

Le ragazze di Trieste
cantan tutte con ardore:
«O Italia, o Italia del mio cuore,
Tu ci vieni a liberar!»

Onesto era partito carabiniere un anno e mezzo prima, quando si era stufato di stare dai parenti Dolfin di Borgo Hermada, dove lo aveva mollato zio Adelchi – «Va' che qua starai bene. Massa bene» – dopo che avevano deciso di togliere i figli a mia madre. O meglio, a decidere era stata la nonna, ma a sistemare tutto – «Ti qua, ti là, ti dai òrfani, ti dae suore, ti da mi» – era stato zio Adelchi.

A Onesto erano toccati i Dolfin: «A fare da garzon», dice ancora adesso, «altroché massa ben. Puteleto de botega senza paga. Notte e giorno in stalla o in mezzo ai campi, sotto l'acqua e sotto il sole. Lori invece sentà, seduti a non far niente. Solo mi, a laorar come una bestia, ch'agh vegna un càncher a lori e ai Zorzi Vila».

Così – compiuti gli anni richiesti dal bando – appena visto su un muro una domenica mattina a Borgo Montenero il manifesto per l'arruolamento, senza dire niente a nessuno ha spedito la domanda e zitto zitto è tornato in campagna.

Quando però è arrivato il postino dai Dolfin con la cartolina precetto – che oramai Onesto Peruzzi doveva partire carabiniere – a quelli gli ha preso un colpo: «Bruto ingrato desgrassià, come femo nantri adesso? Ah, no no. Non si fa così. Noi ti abbiamo accolto, fiòl d'una troia, com at fussi fiòlo nostro. T'abbiamo vestito e rivestito, accudito e riverito, e tu per ringrasiamento scappi alla traditora e vai carabiniere? Ah, xè proprio vero, alora, che chi no ga voja da laorar, o sbiro o prete se ga da far?»

«Ma parlè valtri?» pensava mio fratello mentre ridendo – con i Dolfin che gli bestemmiavano dietro – scappava di là coi suoi pochi fagottelli per andare a servire la Patria: «Tolèvla in quel posto».

«At vedarà, at vedarà» gli urlavano quelli: «Cossa crédito, mona, che da carabinier xè mejo che da nantri?»

«Ah, peggio non può essere».

Era bello – quel giorno che è venuto – mio fratello Onesto in divisa. O meglio, era bello sempre – biondo, snello, vibrante; gli occhi azzurri, il sorriso e lo stesso sguardo fiero di nostro padre Pericle, nella fotografia sul comò di zia Pace accanto a quella di zio Turati – ma nella divisa nera di carabiniere liberatore di Trieste sembrava proprio il più bell'angelo guerriero di Sabaoth. Non mi ha fatto giocare con la pistola – «Eh, no. No se pòl mina» – e nemmeno ha smontato il caricatore per farmi vedere i proiettili: «Sìto mato?»

Era tutto contento – «Ah, quanto xè bea Trieste» – anche se l'anno prima, a ottobre 1953 che era partito carabiniere nemmeno da sei mesi, all'inizio se l'era vista brutta: «Quando che 'l Pèla ne ga schierà con quater divisioni là, sul confin, sul piede de guera, tute armà fin ai denti. Orcocan, agò dito, qua i me fa far la fine de me pòvaro pà» nostro padre Pericle, disperso morto in Africa Orientale.

La questione di Trieste era ingarbugliata da parecchio. Fino al 1918 era stata – insieme all'Istria e alla Dalmazia – sotto l'Austria-Ungheria. Con la prima guerra mondiale era passata all'Italia. Ora non c'è dubbio che la città – come tutte quelle rivierasche della costa istriano-dalmata – avesse sempre avuto una popolazione a stragrande maggioranza italiana. Ma l'entroterra era altrettanto maggioritariamente popolato, se non di più, da slavi: croati e sloveni. E comunque sotto l'Italia ci sono rimasti poco più di vent'anni: dopo l'armistizio dell'8 settembre 1943, tutti quei territori vennero annessi al Reich germanico.

Durante la guerra di liberazione dei partigiani di Tito contro l'occupazione nazista, ci furono diversi eccidi e stragi di italiani, sospetti di fascismo e gettati nelle foibe. Eccidi e stragi nostre ai danni loro, però, c'erano già stati negli anni precedenti in Slovenia, da parte delle truppe al comando del generale Roatta. Questo non significa che un eccidio ne giustifichi un altro – come, più o meno, aveva tentato di far capire anche Manrico ad Otello – ma spesso lo spiega.

Fatto sta, quando le forze iugoslave di Tito liberano nel maggio 1945 l'Istria e la Venezia Giulia dai nazisti, entrano ed occupano anche Trieste, battendo sul tempo gli Alleati, che con i neozelandesi e i partigiani bianchi dell'Osoppo calavano da nordovest, dal Veneto e Friuli.

I patti a Yalta – tra Stalin, Roosevelt e Churchill – non erano stati troppo chiari sui Balcani. Gli inglesi pensavano – per ragioni storiche – che lì la supremazia spettasse a loro. Stalin invece: «Dove che riva i esèrsiti rossi, xè tuto nostro e amen». Fatto sta, i britannici riuscirono ad ottenere il 12 giugno 1945 il ritiro degli iugoslavi da Trieste, Gorizia,

Pola, Rovigno e Parenzo, che passarono sotto il controllo di un Governo militare alleato.

Il trattato di pace – firmato anche dall'Italia a Parigi il 10 febbraio 1947 – istituì infine il Territorio Libero di Trieste con un confine provvisorio, passante a sud di Muggia, che in attesa di eleggere gli organi del nuovo Stato lo divideva in due zone: la A, con Trieste città, sotto controllo alleato; la zona B, l'entroterra, controllo iugoslavo. Pola invece – con Rovigno e Parenzo – andava subito, per direttissima, alla Jugoslavia.

Come dice lei, scusi? Perché ci operarono questo trattamento punitivo?

Perché noi avevamo perso la guerra – che oltre tutto avevamo iniziato per primi – mentre loro l'avevano vinta, non so se le è chiaro. «Casso vètu sercando?» direbbe mio zio: «Chi teo ga comandà, da far tute quee guere?»

Il giorno stesso però del trattato di Parigi – il 10 febbraio 1947 – a Pola la maestra Maria Pasquinelli di trentaquattro anni, già fervente fascista, uccise per protesta con tre colpi di pistola il generale Robert De Winton, comandante delle truppe britanniche. Condannata inizialmente a morte, la pena le fu poi commutata in ergastolo e dopo diciassette anni ottenne la grazia e tornò libera nel 1964. È morta nella sua casa di Bergamo – riposi in pace anche lei, come pure De Winton e tutti gli altri – il 3 luglio 2013, compiuti da poco cent'anni.

La diplomazia italiana cercò ripetutamente di ridiscutere gli accordi, mentre a Trieste proseguivano gli scontri, i disordini, le proteste. I triestini volevano fortemente tornare all'Italia, gli slavi volevano Trieste per la Jugoslavia, che nel frattempo aveva guastato i suoi rapporti con l'Unione Sovietica. Il Territorio Libero di Trieste non aveva eletto i suoi organismi e la divisione in zone restava in stallo.

In Italia intanto era calata la stella di Alcide De Gasperi. Dopo sette anni di governo e la cosiddetta fatale «legge truffa», fu battuto alle elezioni del 1953 – la Dc perse più dell'8 per cento, mentre aumentarono i consensi a sinistra di socialisti e comunisti, e a destra dei monarchici di Achille Lauro (non il cantante) e dei neofascisti del Msi – così il suo partito, la Dc, lo fece fuori. Già minato nella salute, De Gasperi morirà l'anno dopo.

Al suo posto sale al governo Giuseppe Pella che, ottenuta la fiducia il 22 agosto 1953 anche al senato, incappa subito in una brutta crisi diplomatica con la Jugoslavia: le agenzie di Belgrado informano difatti che – di lì a breve – il maresciallo Tito avrebbe rivendicato la sovranità iugoslava su Trieste.

Pella a quel punto schiera quattro divisioni al confine – «Se fanno un passo, entriamo anche noi» – ed aumenta la presenza navale in Alto Adriatico.

Gli altri pure, gli slavi, rafforzano le truppe – «Se i fa na mossa, sparemo» – e tutti restano col fiato sospeso: «Porca putana, nantra guera?»

Si figuri mio fratello Onesto, schierato col battaglione mobile dei carabinieri – dopo neanche sei mesi di scuola, giovane giovane, nemmeno diciannove anni – insieme alle divisioni in assetto di guerra: «Maladeti i Zorzi Vila quan che son vegnesto carabinier. Va' che bela merda, ch'agò pestà».

È iniziato un tira e molla che è durato mesi. Tito aumentava ancora truppe: «Mo' vegnemo, mo' vegnemo».

Pella: «Mi te speto, mi te speto».

Inglesi e americani: «Stì boni, stì fermi, stì calmi» con gli americani però che – grazie soprattutto all'ambasciatrice a Roma, Clare Boothe Luce – man mano appoggiavano sempre più convinti le nostre ragioni, a differenza degli inglesi, le cui truppe d'occupazione a Trieste spararono in piazza, il 5 novembre 1953, contro i manifestanti italiani uccidendo sei persone: Pierino Addobbati, Erminio Bassa, Leonardo Manzi, Saverio Montano, Francesco Paglia e Antonio Zavadil, decorati poi con medaglia d'oro al valor militare.

Il 20 novembre Italia e Jugoslavia accettano di partecipare a una conferenza a cinque – prospettata da Usa, Gran Bretagna e Francia – e il 5 dicembre iniziano a ritirare le truppe dai confini.

Mio fratello Onesto rimane però là, col suo battaglione mobile dei carabinieri.

L'anno nuovo 1954 – a gennaio – il governo Pella cade. La fronda di De Gasperi ancora in vita e il gioco rituale delle correnti democristiane gli sono fatali.

Il 10 febbraio si insedia al suo posto un governo Dc allargato a Psdi, Pri e Pli, presieduto da Mario Scelba, l'acerrimo anticomunista che agli Interni era stato il «ministro della Celere» degli ultimi cinque governi De Gasperi. Ministero che – «Non si sa mai» – tiene per sé anche stavolta. E com'è come non è, giusto la settimana dopo – il 17 febbraio 1954 – a Mussumeli in provincia di Caltanissetta la polizia spara sulle donne che protestano per la carenza d'acqua e le bollette troppo esose. Nove feriti gravi – tra cui un bambino di sette anni – e quattro morti: Onofria Pellicceri, Giuseppina Valenza, Vincenza Messina e Giuseppe Cappalonga di sedici anni. A loro non viene però data nessuna medaglia.

Mentre poi mio fratello Onesto e i suoi compagni stanno di guardia sul confine di Trieste, la notte del 9 settembre a Novi Ligure in provincia di Alessandria altri colleghi loro carabinieri circondano la casa in cui il *campionissimo* Fausto Coppi – sospetto di simpatie sinistrorse e purtroppo già sposato – vive more uxorio, adulterinamente, con Giulia Occhini già sposata anche lei, che dalla stampa verrà chiamata la «Dama Bianca». Fanno irruzione e constatato che «*le lenzuola del letto matrimoniale in entrambi i due posti erano ancora calde*» arrestano in flagranza di reato la Occhini per adulterio e la traducono al carcere di Alessandria. Il processo verrà celebrato l'anno dopo – marzo 1955 – con la condanna di Fausto Coppi a due mesi di prigione per abbandono del tetto coniugale e di Giulia Occhini, incinta, a tre mesi. Sospensione condizionale della pena, però: «Parché sem boni».

La sorte di Trieste finalmente si chiarì dopo la conferenza a cinque, con il memorandum di Londra del 5 ottobre 1954, che stabilì il passaggio della zona A del Territorio Libero di Trieste sotto l'amministrazione e controllo del governo italiano, e la zona B invece a quello iugoslavo.

Il 26 ottobre quindi – col suo battaglione mobile dei carabinieri, insieme a tanti altri fanti, bersaglieri, avieri, finanzieri, alpini e marinai – mio fratello Onesto entrò in Trieste liberata, in mezzo a un gran tripudio di folla: «*Le ragazze di Trieste / cantan tutte con ardore: / "O Italia, o Italia del mio cuore, / Tu ci vieni a liberar!"*»

Appena terminata la ferma però – un altro anno e mezzo – si congedò e venne a casa. Hai voglia quelli a dirgli: «Ma resta qua. Metti un'altra firma».

«No no. Non sarà come i Dolfin, ma gnanca carabinier fa par mi».

Tornò a Littoria – pardon, Latina oramai – e andò a lavorare come operaio in uno stabilimento Pozzi che avevano appena aperto con la Cassa del Mezzogiorno. «Ah, hai fatto il carabiniere?» gli dissero: «Assunto!»

Facevano i primi tubi in plastica e lui stava alle trafile. Superato il periodo di prova, ha trovato casa a Latina – dalle parti del Piccarello – ed è andato a Tor Tre Ponti a riprendersi nostra madre Armida.

Lei non voleva: «E le appi? Come fasso con le appi?»

«Agh penso mi». Dopo averle coperte con dei teli scuri, s'è caricato le due arnie – tante, oramai, ne erano rimaste a mia mamma – su un triciclo da panettiere e gliele ha piazzate sull'argine dell'Acque Medie, a due o trecento metri da casa: «Va ben chi?»

«Va ben».

«Benon» e uno per uno, girando per i vari collegi e parenti, s'è andato a riprendere tutti i fratelli e sorelle – eccetto me che stavo in seminario e ci son voluto restare, e Adria che intanto s'era sposata con Fabrizio e trasferita a Formia – e ha riunito finalmente sotto un solo tetto la nostra dolce cara disgraziata famiglia. Dopo sposato s'è costruito anche lui – con le sue mani – una casetta a Campo Boario vicino agli zingari.

Dalla Pozzi è poi passato in Fulgorcavi a «ciclo continuo» – notte e giorno, sabati, domeniche e feste comandate – a smaltare i fili di rame per l'avvolgimento dei motori elettrici finché, di nuovo, lo hanno rimesso sulle trafile a caldo della resina, a far la guaina e isolare col pvc le corde dei cavi. Ma la prima cosa che ha fatto – fin dal primo giorno che è entrato in fabbrica – è stata la tessera del Pci e della Cgil.

Onesto Peruzzi è diventato comunista. Primo: «Parché son operaio». Secondo: «Parché 'l fasismo 'l ga mandà me pà a morir in Àffrica». E terzo: «Ma più importante degli altri», perché i Peruzzi – «Tuti fasisti, ch'agh vegna un càncher» – avevano trattato in quel modo sua madre e i suoi fratelli. «Quante volte i me ga ciamà "fiòl d'una troia", o "ti e quea spórca de to mare"?»

L'anno dopo che mio fratello aveva liberato Trieste però, ai primi di ottobre del 1955 arrivò anche per me l'ora di cominciare a pagare – come deciso a suo tempo da mia nonna: «In seminario te ga da andar, a farti prete per tuti nantri» – i debiti miei e di chi mi aveva generato.

«Mannaggia a voi» dissi alle api quando zio Benassi – dopo avermi fatto fare in bicicletta il giro dell'Agro Pontino a salutare i parenti uno per uno, che dandomi la mancia si raccomandavano: «Fa' il bravo e studia Periclin, diventa un bel prete» – mi portò, bontà sua, a salutare anche mia mamma a Tor Tre Ponti.

Lei piangeva piangeva, mentre poi me ne andavo. E le api uscirono dall'arnia e le volarono a stormo intorno al viso:

«Zzz... zzz... Ma al torna, Armida, al torna... Zzz... zzz... No star preocuparte».

«Vero che tórnito? Zzz... zzz...» e vennero a volare attorno a me, mentre già pedalavo – piangendo anch'io – verso il bivio dell'Epitaffio.

«Andè in malora» risposi: «Xè tuta colpa vostra».

«Nostra? *Vèèèhzzzt! Vèèèhzzzt!* Cossa vòtu che ne sapia nantre... zzz... zzz... dei destin de valtri umani?»

«Aaah, savì gninte valtre, eh?» m'arrabbiai allora: «E gnanca gnanca de quel pòvro santo prete de Comacchio savì qualcossa, brute troie maladete?»

«Pian coe parole! Casso c'éntrimo nantre col prevosto? Zzz... zzz... Va' in mona, Periclin» e con la benedizione delle api partii per il seminario minore.

Mi accompagnò zio Adelchi a Brescia dai Piamartini, come è chiamata la congregazione della Sacra Famiglia di Nazareth che aveva scelto lui.

Zio Benassi – «La potevi pure mandà più lontano, sta creatura» – avrebbe preferito i preti salesiani nostri di San Marco, che il seminario ce l'avevano a Roma a San Tarcisio. Anzi, ci aveva pure portati a visitarlo, me e Manrico: «Vi piace qua? Guardate come è bello, ci volete venire?»

Desiderava a tutti i costi un figlio prete, zio Benassi. Ci aveva provato anche con Otello, ma quello subito: «No no, io prete non mi ci faccio. Fàttici tu, papà».

Io e Manrico subito sì: «Ci piace, ci piace».

Zio Adelchi invece non so che gli era preso: se si era innamorato di questi preti Piamartini che stavano a Pontinia a Sant'Anna, o se per caso mi ha sbattuto là perché era lontano e a nessuno – soprattutto a mia madre – potesse saltare in mente di venirmi a trovare: «Ocio non vede, cuore non duole. Fora dai piè, el fiòl de la colpa». A me poi a convincermi non ci mise niente, abile com'era. Un serpente, una parlantina sinuosa che rigirava e rivoltava ogni frittata: «Questi sono missionari, poi ti mandano in Africa, in Brasile».

Appena sentito Africa, io avevo abboccato come un pesce: «Così vado a cercare mio padre» – ossia zio Pericle disperso in guerra – e sono partito per Brescia, a seicentocinquanta chilometri da Littoria, pardon Latina. E nessuno m'è mai venuto a trovare. Tornavo io in vacanza quindici giorni d'estate e amen.

L'anno dopo invece in seminario ci è entrato Manrico. Ma le monache vincenziane dell'asilo di San Marco – suor Teresa, suor Pia, suor Agnese, suor Maria; che se lo coccolavano e riverivano come proprio, non dico Gesù Bambino, ma un angelo del Signore – lo hanno convinto a scegliere la Congregazione della Missione di San Vincenzo de' Paoli, che il seminario minore stava a Siena, a trecento chilometri soli da casa. Così ogni Natale zia Pace e zio Benassi lo andavano a trovare.

I suoi inoltre – i vincenziani – è risultato che le missioni in Africa le avessero davvero. I miei invece no. O meglio, giusto qualcuna in Angola e Mozambico. Ma in Kenia e in Etiopia – quelle che interessavano a me – niente missioni dei preti miei Piamartini. Che ci andavo a fare io là? Mica c'era mai passato – in Angola e Mozambico – il mio povero disperso padre, o zio Pericle che dir si voglia.

Fatto sta però, oramai c'ero e ci sono rimasto – dai Piamartini – e Manrico invece dai vincenziani a Siena. Povere creature di nemmeno undici anni, senza padre e figlio della colpa io – come diceva zio Adelchi – ma sottratto alla madre e ai fratelli e sorelle anche Manrico, sbalestrati di qua e di là in questa valle di lagrime. Soli soletti in quegli edifici enormi sterminati, con tutta gente sconosciuta, il freddo e il cielo plumbeo dell'autunno senese o peggio ancora bresciano: «Brrr... ch'agh vegna un càncher».

E la nostalgia dei nostri prati, gli stagni, il «*crà-crà*» delle ranocchie, le capanne, i cugini e la malinconia profonda per l'assenza di zia Pace; che dolce dolce i suoi li menava due o tre volte al giorno, ma me non mi ha mai toccato e mai mi ha detto, come altre zie, sue perfide sorelle: «Fiòl de na vaca» o «Quea putana de to mare».

Certo il mangiare del seminario era meglio di quello di casa. O quanto meno più regolare e calibrato, perché non è che da zia Pace morissimo di fame. Tre o quattro volte al giorno mangiavamo anche là: pane e caffellatte la mattina, pastasciutta a pranzo, un tocco di pane e zucchero il pomeriggio e caffellatte la sera, per i piccoli e i ragazzi. I grandi a cena avevano minestra o polenta, uova, insalata o baccalà. E se prima di andare a letto ti riveniva fame, un bicchiere di vino rosso, magari clinto – che un bel bicchiere di vino non veniva giustamente negato, a quei tempi, nemmeno ai bambini – intinto col pane. E la domenica pollo; un pezzettino minuscolo ovviamente, che un volatile intero – proveniente come le uova dal pollaio nell'orto dietro casa – doveva bastare per tutto il reggimento pure a sera.

In seminario no. Il caffellatte c'era solo al mattino. A pranzo, invece: primo, secondo, contorno e frutta. A merenda pane e marmellata e la sera – di nuovo – primo, secondo, contorno e frutta. Certo modiche quantità e cucina delle monache. Non era il ristorante Impero – se permette – di piazza 23 Marzo a Latina già Littoria. Ma tutte quelle portate, la varietà dei piatti e la tovaglia a coprire la tavola sempre – non solo la domenica – facevano una bella differenza, rispetto a casa.

Nel mare di malinconia però dell'arrivo in seminario – pur tra mille e a volte sconvolgenti novità – quello che più fece impressione e meraviglia anche a Manrico fu la carta igienica. Non l'avevamo mai vista: «E questo che è?» ci chiedevamo davanti al rotolo dentro il gabinetto.

«Come faccio mo' a pulirmi?» e cercavamo di qua di là, attaccato al muro, il chiodo con i pezzi di giornale: «Chissà dove li hanno messi...»

Non era ovviamente doppio velo, triplo velo, vellutata come oggi – che ci fanno ogni giorno la pubblicità in televisione a ora di pranzo e di cena, a dire alla gente che sta a tavola: «Mangia pure, ma dopo è qui che devi venire» – no, erano rotoli d'uno strato solo di carta crespata pure un po' ruvida, di colore grigioverde-marrone che noi però, le ripeto, non avevamo mai visto.

Noi eravamo abituati che in campagna dai miei zii nel prìvy o latrina che stava fuori dal podere vicino alla letamaia – ma anche da zia Pace a Latina città – a fianco al water, sul muro, c'era una tavoletta di legno con due o tre chiodi a uncino a cui erano appesi, tagliati a misura, i foglietti di carta. Li preparava zia Pace: piegava per bene sul tavolo in cucina i giornali, col coltello affilato del pane li tagliava lungo le pieghe e li attaccava ai chiodi della tavoletta in bagno.

Erano giornali vecchi ovviamente. Pacchi di quotidiani invenduti che all'edicola regalavano, quasi. Allora non si facevano le rese – non c'era ancora il business del riciclo – e il giorno dopo, al grossista, per dare conto dei quotidiani avanzati restituivano solo la fascetta della prima pagina, con l'intestazione del giornale e la data. Stop. Gestire il rimanente era affare loro e lo smaltivano dandolo, spesso aggratis, alla gente che poi lo ritagliava a pezzetti, come zia Pace, e li attaccava in bagno.

Certo era un tipo di carta un po' dura. Ma che ne sapevamo noi? Mica l'avevamo mai provata l'altra. L'unico raffronto che potessimo fare era con le foglie di fico in campagna – sicuramente più morbide – e qualche volta la carta leggera, quasi velina, con cui avvolgevano l'involto della mortadella alla bottega di alimentari. Non quella azzurra della pasta però – che allora si vendeva sfusa, tutta in bella vista nei vari formati su uno scaffale a quadrettoni che arrivava fin sul soffitto – che era dura dura da poterci fare a sassate. No no: quella fina velina color nocciola, che però capitava solo ogni tanto, ripeto.

«Ah, oggi xè festa» diceva zio Adelchi quando – entrando in bagno – la vedeva attaccata al chiodo. Se no giornali e basta. E ringrazia la Divina Provvidenza per i quotidiani che, quando finivano, zia Pace tagliava quello che trovava – pure i settimanali *Oggi, Epoca, Gioia* e *Famiglia Cristiana,* se stava alle strette – e allora sì, che stavi alle strette anche tu.

«Quanto xè bea 'a modernità!» dirà mia zia Pace negli anni sessanta che finalmente, col benessere, arriverà la carta igienica – sempre quella crespa ad un velo solo, grigioverde e ruvidina – anche a Littoria, pardon Latina oramai. E arrivò insieme a tante altre cose – mica solo la carta igienica – tra cui il Tide e le saponette profumate.

Il Tide fu una rivoluzione per zio Benassi. Ma anche per Accio, perché dentro le scatole del Tide – mischiate col detersivo in polvere – c'erano le sorprese di plastica grigia per i bambini: i modellini delle navi da guerra, incrociatori, corazzate, portaerei e mezzi da sbarco sovietici o americani, e gli apparecchi da combattimento Vampire, Mig, Dakota e pure i soldatini. Ma per zio Benassi, però, fu tutta un'altra vita.

Lui faceva il meccanico – le ho detto – smontava e riparava i trattori. Era conosciuto per l'intero Agro Pontino come il mago degli iniettori. La pompa – come lei sa – è proprio il cuore del motore diesel, o almeno lo era una volta. Adesso non so più, con questi nuovi turbodiesel. Ma se la pompa allora non girava a puntino con la massima precisione, non girava neanche il motore: se il gasolio non veniva iniettato nella giusta quantità, giusta intermittenza e giusta velocità nei cilindri, non avveniva la combustione. Non c'era pressione e il motore si fermava. Gli iniettori erano quindi delicati e importantissimi. Quando «arrivavano» – come diceva mio zio – non c'era verso di rimetterli a posto. Bisognava buttarli e comprare quelli nuovi, forniti esclusivamente dalla casa madre.

Zio Benassi però – per questo lo chiamavano il mago – aveva trovato un modo suo speciale di rettificarli, rigenerando gli iniettori usati, con un risparmio di spesa che lei non ha idea. L'avvocato Grifone – che come le ho detto l'altra volta abitava anche lui alla Previdenza sociale ed era grandissimo amico di mio zio Benassi, anche se l'avvocato gli dava del tu e mio zio invece del lei: «Ma dammi del tu pure tu, Benassi» insisteva Grifone, e mio zio «Non ci riesco» – l'avvocato Grifone gli fece fare il brevetto.

Si misero a tavolino dopo cena per un po' di giorni – zio Benassi a fare gli schizzi su un quaderno e l'avvocato a disegnare e scrivere in bella copia – e presentarono la pratica all'ufficio brevetti. Poi tramite i preti salesiani nostri – gliel'ho già detto che Grifone era molto di chiesa? – con l'ausilio del vescovo di Velletri e di qualcuno dell'Opus Dei che da poco era sbarcata a Roma, l'avvocato riuscì ad ottenere un appuntamento alla Fiat: «Vedrai, Benassi, che stavolta fai i soldi».

«Speremo» disse mia zia, e Grifone partì per Torino.

Ma quando alla Fiat si videro davanti questo avvocato che voleva vendergli un brevetto per rigenerare gli iniettori usati delle pompe diesel, manca poco e chiamano i carabinieri: «E noi dopo, quelli nuovi, a chi li vendiamo? Se ne vada, se ne vada. E dica a quel suo amico di stare attento e non farlo più».

Era quasi più dispiaciuto l'avvocato Grifone che mio zio, quando tornò. Era mortificato. Per anni però ha continuato a stargli dietro, a mio zio, a stimolarlo. Voleva che si licenziasse dal Consorzio agrario, che si mettesse in proprio un'officina per conto suo: «Col nome e con l'ingegno che hai, ma sai quanto lavoro avresti? Verrebbero tutti da te».

«Eeeh, avvoca'. Per aprire un'officina ci vogliono i soldi».

«Te li presto io. Me li ridai con comodo quando potrai».

Pure zia Pace oramai si era convinta: «Dài Benassi, mettiti per conto tuo, magari in società con Grifone».

«E se poi mi ammalo o mi succede qualche cosa? No, Pace» e all'avvocato disse: «Grazie tante, ma io da figlio di mezzadri contadini poveri braccianti senza terra, con la seconda elementare, ho già fatto troppo a diventare un operaio specializzato con lo stipendio puntuale tutti i mesi. Di più non ce la faccio. Imprenditori, se vogliono, ci si faranno i miei figli, e li mando a scuola per questo. Ma io la notte voglio dormire in pace, senza pensare ai debiti, alla concorrenza, le scadenze, i dipendenti da pagare. No no, non fa per me».

Così non se ne fece niente. Con l'avvocato Grifone, che ogni tanto tornava alla carica: «Allora?»

«Nooo».

«Peccato...»

Del resto zio Benassi, nei primi anni al Consorzio agrario, aveva fatto sia il pompista dei motori diesel sia il capofficina, coordinando anche quelli che riparavano le altre parti dei trattori: cingoli, telai, rettifica cilindri. Era il più esperto, conosceva ogni fase del lavoro e in ufficio gli avevano detto: «Controlla e gestisci tutto tu».

Dopo la guerra il lavoro però era aumentato, via via che nel Paese prendeva corpo la ripresa e sempre più – in campagna – aumentavano i trattori. E più la gente comprava i trattori – e li compravano tutti al Consorzio agrario, che aveva l'esclusiva Fiat, Same, Oto Melara e Om – e più i trattori ogni tanto si rompevano e gli serviva assistenza. Così, mano mano, si ingrandiva l'officina, si aggiungeva un capannone, si assumevano altri operai.

È in questo periodo che il Consorzio agrario costruisce quei tre enormi capannoni a volta per lo stoccaggio dei sacchi di grano e di sementi – tonnellate e tonnellate ogni anno – che stanno ancora in piedi tra la circonvallazione di viale XXI Aprile, davanti alle nostre vecchie case gialle, e l'ex Gil, divenuta adesso Palazzo della cultura. E stanno ancora in piedi solo perché non hanno potuto buttarli giù – come avrebbero invece voluto – per farci una schiera di palazzine.

O meglio, erano già pronti – mancava solo il timbro finale della commissione edilizia, sotto i progetti – quando all'ultimo minuto è uscito fuori che non si potevano toccare: «È monumento nazionale».

Le volte di uno di quei capannoni infatti – lei deve venire a vederli prima o poi; adesso ci fanno il mercato e non sono valorizzati come meritano, ma quelle volte a reticolo autoportante in cemento armato sembrano riprese da un alveare delle mie api – sono una grande opera d'arte del novecento italiano, firmata da Pier Luigi Nervi.

Certo non è il Palazzetto dello Sport, lo stadio Flaminio o gli hangar di Orbetello – che però questi li hanno fatti saltare i tedeschi durante la guerra, prima di ritirarsi – sono solo granai. Grandi capannoni magazzini in economia con i muri in tufo, ma in pietrame grosso informe – non blocchetti squadrati – e ogni tanto i ricorsi ripartitori in mattoni di fornace, in quella che si chiamava «muratura mista alla romana». E sopra il capannone di mezzo – capolavoro della statica – queste volte aeree gigantesche reticolari in travetti sottilissimi e copertura in laterizi.

Io me li ricordo mentre li costruivano. Noi abitavamo già lì – in quella che adesso è via Cellini – in mezzo alla palude. Iniziarono poco dopo che eravamo arrivati – quasi assieme alla circonvallazione – prima il capannone più basso, a ridosso delle case su viale XXI Aprile. Poi quello opposto più alto – a due piani – verso i giardini, e infine quello in mezzo di Nervi, elevando il muro del più basso e lanciando le volte sull'altro. Lei non ha idea di quanto legname – insieme a Otello – ci siamo andati a prendere per le capanne. Stavamo sempre lì sotto a guardare i muratori lassù in alto, in bilico sui ponti di legno. Non c'erano i ponteggi metallici di adesso, gli elmetti gialli e le cinture di sicurezza. «Chissà se quello cade?» si chiedeva ogni tanto Otello.

«Cade, cade» Silvio Di Francia.

«Non cade».

«Scommettemo?»

«Cinquanta lire» Otello.

«Andata...» tanto poi segnavano sul quadernetto.

Come dice, scusi? Se ho visto anche Nervi, per caso, sul cantiere?

Non lo so, a me pare di no – che ne sapevo io oltre tutto, di Nervi allora? – anche se Otello sostiene di sì: «Non ti ricordi quella volta che stava in giacca e cravatta con gli occhiali e i capelli bianchi all'indietro come mio padre, che tu dicesti proprio "Ahò, pare zio Benassi" e lui invece, sto stronzo, ci baccagliò "Via di qua", e gli tirasti una sassata?»

Io però non ricordo proprio di averlo visto. Ma se sassata c'è stata, l'ha tirata Otello, non io. O forse Accio?

Accio, Accio. È stato Accio.

Come dice, scusi? Se lo abbiamo preso?

Ah, sicuramente no, se la sassata l'ho tirata io. Non ero tanto bravo. Ma se è stato uno di quei due... be', allora lo hanno preso, lo hanno preso.

Fatto sta, comunque, che tra tutti questi capannoni, i trattori in aumento e l'agricoltura in sviluppo, l'officina del Consorzio agrario era cresciuta sempre più. Ogni mese c'erano assunzioni e non tutte, purtroppo, di gradimento del Benassi. Lui era preciso, un tedesco. Non si fermava mai e se dava una parola – «Il trattore è pronto domani» – l'indomani doveva essere pronto a tutti i costi, anche a lavorarci la notte: «Se no che figura facciamo? La parola è parola».

Ma sul lavoro, come lei sa, quando si è in pochi ci si controlla, quando si diventa tanti qualcuno scappa. E lui ci perdeva il sonno appresso a quelli. Andare a riferire in ufficio non ci andava – «La spia non si fa» – ma stava sempre con l'ansia che qualcuno si nascondesse: «Non ne posso più. Pare diventata stazione Termini l'officina» diceva ogni sera a zia Pace, tornato a casa.

«Tu pensa al tuo», rispondeva lei, «e degli altri non ti curare».

«Eh, non mi curo...»

Finché un giorno il direttore lo ha chiamato su in ufficio: «Allora Benassi, qui il lavoro è aumentato e tu bisogna che scegli: o fai il pompista o fai il capofficina. Tutti e due assieme no, non si può. Servono due figure a tempo pieno. Per me vai bene come capofficina, ma il pompista bisogna prenderlo nuovo».

«No no», aveva risposto mio zio: «Il pompista lo faccio io, basta che mi lasciate la paga di adesso, e come capofficina cercatevi un altro, che ci pensasse lui ai pelandroni. Io questa responsabilità non la voglio più».

Così era tornato contento ad occuparsi solo di pompe ed iniettori dei motori diesel, eccetto naturalmente quando un collega – steso magari sotto un OM 35-40 – aveva problemi con una frizione, un cingolo, un cambio o un albero di trasmissione che non voleva farsi riparare e chiamava aiuto: «Benaaa'! Viè a vedé un po' che cià stocazzo de trattore, peppiacere?»

«Annamo...» e lui partiva.

Ma tornando alla questione del Tide da cui pure eravamo partiti, mio zio come le ho detto stava tutta la giornata – o almeno dieci ore al giorno tutti i giorni: otto di lavoro ordinario e almeno altre due di straordinario – incollato sopra, sotto o di fianco a verricelli, morse, torni, frese, banconi, ingranaggi, motori, scavatrici, ruspe e trattori grondanti olio, nafta, gasolio, grassi minerali. Quando la sera arrivava l'ora di staccare, per lavarsi era l'ira di Dio, con quell'unico pezzo di sapone da bucato Scala che passava ogni mese il Consorzio. Stava bene a strofinare e strofinare, mischiando pure un po' di segatura alla schiuma.

L'unico modo per sciogliere il grasso e gli oli che gli erano rimasti addosso era la nafta – come veniva allora comunemente detto il gasolio – con cui prima di insaponarsi si sgrassava quindi per bene. Ma per quanto facesse – pure se ci si fosse buttato dentro, a un bidone di nafta – lui sempre unto e un po' grasso restava.

Mia zia sul cuscino gli metteva almeno altre due pezze

larghe e spesse – ricavate da lenzuola vecchie in disuso – a proteggere la federa: «Se no con quei capelli me la sporchi, il grasso ci passa attraverso e unge pure il cuscino e le piume di gallina dentro».

Tutta la notte a girarsi e rigirarsi su queste pezze ruvide di tela che si movevano e rimovevano – sotto la testa ed il collo – con grinze e pieghe come locuste.

«Cos'hai da muoverti?» lo rimproverava pure – lei – se per caso rigirandosi la svegliava.

«Ma come che ciò, mannaggia a te? Che modo è questo, de fà dormì un cristiano?»

«Cossa vòtu fare alora: vòtu sporcarme 'e fèdere?»

«Ah, no, benedetta la Madonna della Valle. Non vedo l'ora d'annà in pensione, pe' finì sto strazio».

Ad essere sinceri, però, mia zia non aveva tutti i torti. Lui non è che odorasse solo di nafta, ne era proprio intriso. Aveva i capelli bianchi le ho detto, pettinati all'indietro all'Umberto – gli occhi azzurri; da giovane era biondo – ma intrisi anche loro dai vapori di olii e di nafte. Faceva il meccanico ripeto e non la levatrice, come aveva tenuto a precisare lui stesso quando era nata Violetta. E insomma, a farla breve, quelle pezze che lei gli metteva sopra la federa – anche lavate di fresco o sostituite nuove nuove da appena uno o due giorni – quelle erano regolarmente scure scure, nere nere di nafta e di olii.

Fu il Tide – per mio zio – il benessere. Rinacque appena lo provò. Bastava un mucchiettino solo, da spalmarsi addosso, e quello puliva, sgrassava e portava via ogni cosa. Zio Benassi ci si faceva il bagno col Tide e la doccia, quando è apparsa la doccia. Ci si faceva lo shampoo. E anche quando sono arrivati gli shampi veri – l'Alberto VO5, L'Oréal, Baby Johnson – lui ha continuato col Tide e quando non c'è stato più il Tide, allora Ava, Persil, Kop, Olà, e alla fine Dash. Prendeva un mucchiettino di detersivo, se lo metteva in testa, bagnava con un po' d'acqua, strofinava e grattava forte: «Che rivoluzione il Tide», mentre si sciacquava.

Ma con tutto questo – lei non ci crederà – mia zia Santapace non ha mai smesso di farlo dormire con almeno due pezze di protezione, sopra la federa, non solo quando è arrivato il Tide, ma pure dopo che è andato in pensione. Fino a che è morto: «Ancora co' ste pezze», faceva mio zio, «me fai dormì? So' più de quindici anni, oramai, che non vado all'officina».

«Ah, chi lascia la strada vecchia...» mia zia irremovibile.

Ma noi stavamo a quando ancora il Tide non c'era e mio zio Benassi, alla fine del turno, si lavava col sapone e la nafta. Poi montava in bicicletta e ritornava a casa. Noi lo sentivamo dall'odore. Prima l'odore e poi il «*cìo-cìo*» della bicicletta: «*L'odore ancestrale di nafta, / l'odore che aveva mio padre*», scriverà anni dopo Accio.

«Papà mio bello» gli correva allora incontro da piccolo. Quando è cresciuto gli si è rigirato, ma da piccolo Accio adorava suo padre. Chissà che gli pareva, sopra i trattori: «Un gigante di marmo, domatore di motori».

Gli stava sempre appresso per farsi prendere in braccio e pure a lui – a mio zio – piaceva quel figlio e qualche volta se lo sarebbe preso in collo ed abbracciato forte. Ma appena ci provava: «Lascia stare il bambino», strillava mia zia, «che l'ho appena lavato e me lo sporchi di nuovo. Mettilo giù, che me lo impuzzi» e lui se lo levava dalle gambe per riporlo a terra.

«Prendimi in braccio, papà mio bello» insisteva quello.

«Mamma non vuole» e arrivederci e grazie.

Una volta gli costruì in officina – da un blocco di legno con scalpello e cesello – un trattore cingolato perfetto, squadrato. E lui per giorni e giorni è andato su e giù per casa con questo trattore di legno, passandolo sui muri, il pavimento, i mobili, le sedie, le finestre, il gabinetto: «*Brumbrumbrumbrùm! Brumbrumbrumbrùm!*»

«E basta» facevano tutti: «Non ne posso più, con questo *brumbrumbrùm*». Che lui poi – Accio – fino a quattro o cinque anni i trattori, quando li vedeva o li sentiva da lontano, li ha sempre chiamati *brumbri*: «I brumbri!»

Fatto sta, quel capolavoro d'arte ludicopaterna umbro-pontina – un totem fantasmatico che torna ciclicamente nei sogni di Accio ancora oggi, e lui ogni volta scoppia a piangere felice e commosso, e quando si risveglia dice: «Io son sicuro che, il giorno che muoio, nell'ultimo istante rivedo il trattore che m'ha fatto mio padre, e se solo ciò ancora un po' de fiato, io prima de morì, l'ultima parola che voglio dì, è *brumbrumbrumbrùm* co' sto trattore in mano» – be', fatto sta che quel trattore sparì.

Hai voglia a cercarlo per tutta casa: nell'orto, nel giardino, nelle capanne. Non si trovava più. «L'hai visto, tu?» chiedeva speranzoso a tutti.

«Chissà dove l'hai lasciato...» lo coglionavano: «Cerca bene, cerca!» quei figli di puttana.

Allora Accio dal padre: «Fammene un altro, papà mio bello. Fammene un altro, per carità».

«Guai e te se glielo fai» mia zia Santapace.

Io con questo non voglio dire che il bambino non fosse – come in effetti era – brontolone, lagnoso e rompiscatole.

Lo era, lo era. Al contrario di Manrico che – appena nato – aveva pianto e strillato solo un pochino, come tutti i bambini, per liberare dal liquido amniotico i polmoni. Ma quando la Cocco – la levatrice – glielo aveva messo in braccio e zia Pace amorevole aveva sussurrato: «Piccolo», s'era zittito all'istante, neanche più un urlo.

Aveva sollevato il visino, e con gli occhi spalancati – nonostante tutti dicano che i neonati i primi mesi non vedono, ma Manrico vedeva, vedeva, diceva mia zia – s'era messo a guardarla dritto in faccia.

«Piccolo!» gli ha rifatto allora lei.

Lui le ha sorriso, le giuro, e le ha detto – non so se già con le parole dalla bocca o solo col pensiero nel cervello, ma mia zia lo ha sentito proprio netto – le ha detto: «Orca santa sgnàcara, mama. Non pensavo ch'at fussi acsì bella».

«Ma te sì ti che te sì beo» e da lì è sbocciato un amore che è durato tutta la vita e pure oltre.

A differenza dei fratelli – Otello moro e Accio castano scuro – Manrico aveva i capelli fini d'un castano chiaro chiaro, quasi biondo, e gli occhi azzurri come il padre. E poi gentile, dolce, affabile, superintelligente – voleva sempre capire e conoscere tutto – non rispondeva mai male a nessuno; eccetto Accio, ovviamente. Con la madre era più che servizievole: certe volte le spazzava per terra, le lavava i pavimenti, le sciacquava ed asciugava col panno le stoviglie.

All'asilo – a San Marco – le bambine gli stavano tutte appresso. Se lo litigavano. Solo con lui volevano giocare, perfino quando non c'era: «Facciamo che io sono la fidanzata di Manrico».

«No, io io! La faccio io» e sempre, insomma: «Manrico di qua», «Manrico di là».

Le suore non ne parliamo – suor Teresa, suor Pia, suor Agnese, suor Maria – alle recite gli facevano regolarmente fare l'attore principale e sostenevano che avesse la scienza infusa: «Non fai in tempo a dire una cosa, che lui la sa meglio di te. Pare Gesù a dodici anni, che discute coi dottori del Tempio».

Lo hanno seguito anche dopo che è andato alle elementari. È con lui che conquistarono a Velletri per tre anni di seguito – Fiamme Bianche, Fiamme Verdi e Fiamme Rosse – la medaglia d'oro diocesana dell'Azione cattolica. La terza volta, alla premiazione, il vescovo ausiliare monsignor Primo Gasbarri disse: «Questo Manrico bisogna che venga qui da noi in seminario».

«Eh no, Eccellenza. È già prenotato dai vincenziani».

«Va be', se ci ripensi...» lo accarezzò allora, ridendo, il vescovo.

Anche alle elementari vinse per due anni il concorso provinciale della Cassa di risparmio di Roma per il tema più bello – che allora si chiamava però *Componimento* – perché scriveva, se possibile, ancora meglio di come parlava. La prima volta in premio c'era una bicicletta nuova nuova da uomo, verde brillante e tutta cromata: «Intanto la uso io», disse zio Benassi che la sua era vecchia e da donna, «fin che non ci arrivi anche tu, con i piedi».

«Certo, papà» tutto contento.

Ma la domenica dopo a messa – che l'aveva lasciata di fianco alla chiesa, dentro l'oratorio – quando è uscito non l'ha trovata più: «Benedetta la Madonna della Valle, chi la sente adesso quella?»

Lei non ha idea difatti di quante gliene disse mia zia: «Brutto macaco, come hai fatto a fartela fregare? Non ti vergogni? Che padre sei, che racconti adesso a tuo figlio?»

«Ma che ci posso fare io?» si disperava lui.

«Non ti preoccupare papà», lo tranquillizzava Manrico, «che l'anno prossimo ne vinco un'altra» e difatti la rivinse.

Quelli della Cassa di risparmio si stufarono: «Ahò, mo' basta. Tu dall'anno che viene non partecipi più. Mica è giusto che vinci sempre tu».

«Sì, vabbe'» li interruppe zia Pace: «Però stavolta dategli una bicicletta da ragazzino, non una grande da uomo che se no il padre se la fa rifregare un'altra volta» e tornarono con la biciclettina azzurra, che dopo poco lui è cresciuto e non ci è potuto neanche più andare.

«Hai visto?» provò allora a dirle zio Benassi: «Non era meglio che...»

«Zitto, sa'?» lo bloccò: «At volévito farte cucar anca questa? No te jeri stà bastansa contento de l'altra!?»

«Roba da chiodi... Non se po' nemmeno parlà».

Quando è cresciuto pure Accio però, questa biciclettina azzurra da maschio – con la stanga in mezzo – non l'ha potuta usare neanche Mimì ed è finita al ferro vecchio, a trenta lire al chilo, come le schegge della guerra che andavamo a cercare in mezzo ai campi appena arati dei poderi dei Guerra e dei Molon. Se ne trovavano a bizzeffe ed era la nostra corsa all'oro.

Ogni tanto giungeva notizia di qualcuno che a Borgo Grappa o al Sabotino era saltato per aria, magari proprio urtandole con l'aratro o cercando come noi le schegge da rivendere agli stracciaroli, arrotini, ombrellai e ferrivecchi che passavano: «Hai visto?» facevamo allarmati a Otello.

«Ahò, e che ce posso fà? Chi non rischia non rosica. Cercate, cercate...»

Manrico però a piazza Dante – alla scuola elementare chiamata dell'Orologio, per via di quello grosso che sta sulla facciata della torre – s'era studiato per bene tutti i manifesti attaccati ai muri. Lungo le scale e i corridoi, alternati alle foto incorniciate regalate dagli americani – «*The lake of Como*», «*The cathedral of Milan*», «*Sabaudia - The dunes*» – c'erano questi grandi cartelloni pedagogico-educativi contro il tetano, la tubercolosi e ogni pericolo in cui potessimo incorrere. Bisognava lavarsi sempre le mani, non toccare niente per terra; spiegavano cosa fare in caso di morsi di vipere o di insetti e soprattutto mostravano gli ordigni bellici: bombe anticarro o di mortaio, bombe a mano ananas inglesi, Balilla Srcm italiane, Stielhandgranate 24 tedesche col manico di legno, mine anticarro e antiuomo a forma pure di penna, per ingannare i bambini. Tutte disegnate a colori una per una, con un ragazzino accucciato per terra a cui scoppiava in mano – tra fuoco e fiamme – quella a forma di penna dilaniandolo senza pietà.

Manrico se li era studiati a memoria, quei manifesti, e quando andavamo a schegge in mezzo ai campi – tutti allargati su una fila – ci sorvegliava ed avvertiva: «No. Quella non la prendere».

Era il vanto della sua maestra.

Una volta che faceva il pomeriggio – c'erano i doppi turni allora a scuola e lui, già alto, stava negli ultimi banchi a fianco al finestrone che dà ad ovest sulla piazza, protetto da spesse tende di tela, vecchie e sdrucite, tagliuzzate fino a mezza altezza in tante strisce, da classi intere di ragazzini succedutisi negli anni – s'era distratto a guardare affascinato i raggi di sole che da ovest, appunto, penetravano tra le strisce delle tende illuminando gli infiniti granelli di polvere che galleggiavano per l'aere nel cosiddetto pulviscolo atmosferico.

La maestra s'è accorta che era distratto – assorto tra sé – e gli ha chiesto dolce: «A che stai pensando, Manrico? Se è una bella cosa la vuoi dire anche a noi?»

«Sì, Maestra» e s'è alzato gentile con la voce avvolgente: «Pensavo chissà, se su quei granelli del pulviscolo atmosferico ci sono mondi tali e quali ai nostri, coi mari, i monti, i fiumi, le valli, le pianure, i campi, le città, i palazzi, le scuole e i ragazzini come noi?»

«Ma no Manrico, non c'è niente là sopra. Sono così piccoli...»

«Maestra!» sempre gentile lui: «Ma se Dio può tutto ed ha creato dal nulla l'universo, non può averne creati anche tanti altri, infinitamente più grandi o più piccoli di questo? E se loro stanno nel pulviscolo nostro, noi non possiamo essere una molecola di quelli più grandi?»

«Mamma mia, Manrico... Andiamo avanti che è meglio» e s'è rimessa a spiegare. Ma appena finita la lezione è corsa a raccontarlo per filo e per segno alle altre maestre e maestri e pure al direttore, professor Tasciotti: «Chissà che mi diventa, questo, da grande».

Il professor Vincenzo Tasciotti però – che oltre che direttore di circolo era pure presidente del patronato scolastico, dell'Avis donatori di sangue, della banda musicale comunale di Latina Gioacchino Rossini, e soprattutto dell'Associazione Corale San Marco e amico stretto dell'avvocato Grifone e di mio zio Benassi – andò a ridirglielo: «Chissà che diventerà Manrico, da grande».

«Aaah, professo'» mio zio: «A me basterebbe vederlo prete».

«Prete, Benassi? Ma quello sarà almeno vescovo, se non proprio Papa».

Accio invece stava sempre a piantare grane, non gli andava bene niente, protestava in continuazione: «Perché a me così, e gli altri invece cosà? Non è giusto, non è giusto» e brontolava, alzava la voce, strillava e piangeva.

Non ascoltava nessuno. Solo al padre obbediva; ma a noi o alla madre ci volevano le botte, anche se il più delle volte non bastavano nemmeno quelle. Già alla Previdenza sociale – quando ancora non sapeva parlare – farfugliava proteste e mugugni che nessuno capiva, ma che duravano ore e tutti dicevano: «Chissà che brutta fine farà, questo da grande». Più non gli rispondevi, e più lui gridava, alzava la voce.

D'altra parte però, come sosteneva mio zio Adelchi: «Ognuno ga le so razon». Se lei per caso parla con qualunque secondo figlio di questo mondo – anche di una famiglia in cui ne hanno solo tre – questo secondo figlio le dirà: «Eh, a casa mia uno, perché era il primo e più grande, l'altro perché era l'ultimo e più piccolo, e a me che stavo in mezzo, il secondo, nessuno mi vedeva. Stavo bene a strillà, col cavolo che sentivano».

Si figuri Accio che era il sesto. Tutti a Mimì – settima ed ultima – prestavano attenzione. A lui e alla quinta – Violetta – se li scordavano. Che ci vuol fare?

Lei pensi che una volta – stavamo già a metà degli anni sessanta però, e Accio avrà avuto quindici o sedici anni – aveva chiesto alla madre: «Com'è che da un sacco di tempo non fai più il pesce di Foceverde?» le seppie in umido che lei tagliava a pezzetti e bolliva a fuoco lento, a lungo, nel sugo di pomodoro. Certe inzuppate di pane ci si faceva lui nel sugo, che nemmeno gli antichi romani a cena da Lucullo.

«Eh, lo farei», gli aveva risposto, «se ci fosse qualcuno che andasse a prenderlo. Ma non c'è mai nessuno che mi ci va».

«Vado io».

«Benon. Se ci vai te lo faccio».

Si trattava di arrivare a Foceverde dove Tosca – che abitava lì col marito e i figli – era diventata pappa e ciccia, grande amica, con la famiglia di Giovannino che da giovane, sotto il fascismo, era stato confinato a Ponza perché comunista. Non era un intellettuale Giovannino, era un operaio muratore marchigiano trapiantato a Roma, che a Ponza però, con la moglie e due figlietti dietro, s'era messo per la fame appresso ai pescatori, imparando pure quel mestiere. Quando nel 1943 è caduto il fascio e lo hanno liberato – «Mo' arrangiati e va dove ti pare» – ha caricato la famiglia su una barchetta di fortuna e via per mare: «Torniamo a casa».

Naviga naviga, com'è come non è s'è ritrovato sulla costa di Littoria a Foceverde, dove sbocca il Canale Mussolini e dove allora non c'era nessuno. Lui s'è guardato intorno. Voleva tornare a Roma – o almeno Ostia o Fiumicino – ma erano tempi di guerra e Roma, con i bombardamenti, non era un posto tanto tranquillo. Qui invece sì – «Non c'è nessuno» – e ha detto alla moglie: «Sai che c'è? Ci fermiamo qua e faccio a vita il pescatore».

Dopo neanche sei mesi però, a fine gennaio 1944, ci fu lo sbarco di Anzio con gli aerei, le bombe e i carrarmati che facevano su e giù – a Foceverde – intorno alla capanna che lui intanto s'era fatto: «Fortuna, Giovannì», disse la moglie, «che 'nce doveva venì nisuno, eh?»

Lo sbarco però passò e lui rimase padrone della spiaggia – padrone proprio per usucapione, anni dopo – con la sua barchetta rimediata, la famiglia e la capanna. Col tempo la barca divenne un gozzo o due, la famiglia più grande e la capanna via via una casetta a un piano e poi due con osteria e tabacchi sotto – non è che si fosse scordato il mestiere di muratore – due o tre cabine a fianco, diventate alla fine uno stabilimento balneare col ristorante Giovannino; che lei trova ancora a Foceverde prima di Pietro il Pescatore, e che fa però nouvelle cuisine.

Tutta la famiglia ovviamente iscritta al partito comunista – finché il partito c'è stato – grandi compagni di sezione di mia cugina Tosca, tutti sempre assieme a organizzare feste dell'*Unità*. Adesso qualche nipote o pronipote è rimasto di sinistra. Qualche altro invece è di destra, anche leghista: «Roba», dice Accio, «da rimandarci lui, al confino a Ponza».

Mia cugina Tosca era comunque di casa e prendeva col maxi-sconto tutto il pesce fresco o le seppie appena pescate che voleva.

Quel giorno quindi Accio a quindici o sedici anni – tornato da scuola – è arrivato a casa, ha mangiato e ha chiesto di nuovo conferma alla madre: «Allora ma', vado a piglià sto pesce a Foceverde?»

«Vai, vai» gli ha risposto zia Pace. Anzi: «Bravo, bravo» e lui è partito.

All'incrocio col semaforo del campo sportivo, dove inizia la nuova strada del mare, quella più diretta e corta per Capoportiere – costruita, come vedremo meglio dopo, tra il 1958 e il '59 – s'è messo a fare l'autostop. Ma era inverno – il tempo pure scuro – non è che ci fosse il viavai. Non passava nessuno.

Aspetta aspetta, finalmente ha trovato un passaggio fino a Capoportiere. Da lì in poi, nessuno nessuno e se l'è fatta a piedi sul lungomare – quattro chilometri e mezzo – fino a Foceverde.

Sali da Tosca – terzo piano senza ascensore – e gioca un po' coi ragazzini. Non è che poteva andare fin lì, dirle «Dammi il pesce» e arrivederci e grazie. Mica è educazione. Un po' con i nipoti ci doveva giocare. Scendi poi con Tosca, vai da Giovannino e piglia questi due o tre chili di seppie dentro una busta. Saluta e rimettiti sulla strada per l'autostop.

Di nuovo non passava nessuno. Riparti quindi a piedi un passo dopo l'altro. Ora è vero che il mare, d'inverno, a lui è sempre piaciuto più che d'estate. Sono buoni tutti a farselo piacere a luglio o agosto, quando il mare è calmo – una tavola da cui s'ode lieve il declinare dolce: «*Plàuffllssccc... Plàuffllssccc... Plàuffllssccc...*» della risacca – e il sole è alto, il cielo azzurro e la spiaggia piena di gente, soprattutto femminile in bikini.

Ma a parte il bikini, a Accio è sempre piaciuto più d'inverno col cielo plumbeo nuvoloso scuro, il mare nero torbido coi cavalloni furiosi – incazzati rumorosi: «*BRÒÒOUVSCHH... BRÒÒOUVSCHH... BRÒÒOUVSCHH*» che ti empiono le orecchie e non senti nient'altro, solo gli schizzi d'acqua e di sabbia che il vento ti sferza sul viso – e la strada lungomare stessa, sommersa fin nel mezzo dai cumuli di sabbia e qualche muto niveo osso solingo di seppia a-montaliana. Che ad Accio veniva anche voglia di dirgli – all'osso – nella sua estasi malinconico-depressiva, esistenziale invernale: «Che fai tu qui pensoso in disparte, osso romito e strano, fratello mio sul lungomare di Littoria?»

Ma nonostante ripeto che a lui il mare d'inverno piacesse, sempre altri quattro chilometri e mezzo a piedi fino a Capoportiere s'è dovuto fare. E se non fosse stato per un Ape prima e una Lambretta dopo – che per pura pietas si sono fermati – altri sette fino a Latina campo sportivo, se ne sarebbe dovuti macinare.

Finalmente a casa – «Tiè, ecco il pesce di Foceverde» alla madre – s'è fatto i compiti ed è riuscito: «Ahò, ma io ciò pure degli amici e un partito» (che però all'epoca, le ricordo, era il Msi dei fasci e viva il Duce).

«Me devo fà na magnata de pesce stasera» ha detto uscendo alla madre, che già stava cucinando.

«Ah, lo credo ben. Al magnarò anca mi, pel bon odore che 'l ga».

Esci, vai in federazione e in giro con gli amici, ma alle otto o otto e mezzo di sera: «Arrivederci a tutti, che ciò il pesce che m'aspetta a casa».

Arriva a via Cellini e già dalla strada – prima del cancello – sente rumori e risa dalla cucina. Entra e la trova piena: oltre a Otello, Manrico, Violetta, Mimì, zia Pace e zio Benassi, c'erano attorno al tavolo anche Carmine – il fidanzato di Violetta – con una professoressa amica sua e il fidanzato di questa.

E tutti, appena è entrato: «Accio, Accio!» con gioia – «Che gli è successo a questi?» ha pensato: «Chissà quant'hanno bevuto» – e ognuno ad alzarsi per lasciargli il posto. «Vieni qua, vieni qua».

Lui, educato: «No no, non vi preoccupate. Datemi solo la mia parte di pesce, che me la vado a mangiare in sala».

«Il pesce?» hanno fatto: «Sapessi com'era buono. Però è finito. Ne era avanzato un po', ma per non lasciarlo lì, se l'è mangiato a forza Carmine».

«È finito? Dài dài, non state a scherzà e datemi il mio pesce».

«Eh, no» ha detto spiaciuta zia Pace: «Ti metto su l'acqua, ti faccio la pasta, ti faccio quello che vuoi, ma il pesce è finito per davvero».

«Ma come, è finito? Io vado fino a Foceverde, piglio sto pesce e quando arrivo è finito?»

«Eh, mi sono scordata».

«Ti sei scordata? E io chi sono: il brutto anatroccolo, il figlio di nessuno? Ti sei scordata che ciavevi un altro figlio che doveva mangiare? E che oltretutto era quello che se lo era andato a procurare, questo mangiare?»

«E dài, basta!» sono insorti gli altri: «Non stare a fare sempre queste storie, che vuoi che sia successo? Ci siamo scordati, può capitare. Siediti e mangia quello che c'è».

«No. Io voglio il pesce mio, no che vi siete scordati. Nessuno di voi s'è chiesto, mentre lo mangiavate, da dove veniva sto pesce, chi lo aveva portato, come c'era arrivato fino qua? E che credevate, che c'era venuto da solo il pesce, a piedi, da Foceverde a via Cellini? E a quel povero coglione che se l'era andato a prendere e lo aveva portato fino qui, non gliene avete lasciato un pezzetto? Ve lo siete scordato?»

Sì, se l'erano scordato. Anzi, ce lo eravamo scordato, visto che anch'io sedevo a tavola con loro e neanche a me, lo confesso – mea culpa, mea culpa, mea maxima culpa – era venuto in mente Accio.

Noi stavamo mangiando tanto bene in compagnia, e scherzavamo e ridevamo. Il clima però era sempre più sereno, tranquillo e conviviale quando lui non c'era, che le posso fare? «Mi mette un'agitazione addosso!» diceva zia Pace.

Certo d'altra parte anche lui – «Ognuno ga le so razon» – a furia d'essere scordato doveva essersi un po' incattivito. C'è sempre una ragione, se alla fine la gente diventa ribelle.

L'unico quella sera che avesse detto qualcosa mentre mangiavamo il pesce – lei però non ha idea di cos'era quel sughetto; altro che fine del mondo: montagne di pane ci ho inzuppato – l'unico fu il padre, mio zio Benassi, che a un certo punto si sovvenne: «Ma Accio?»

«Accio? Ma Accio chissà se torna» lo abbiamo tranquillizzato: «Esce, sparisce e si rivede dopo due o tre giorni senza dire niente. Chissà dove sta adesso, Accio, a fare danni...»

«Ma se torna?» zio Benassi.

«E se torna gli cuocio la pasta» zia Pace.

«Vabbe'...» e s'è rimesso a mangiare.

Invece è tornato – mannaggia a lui – e per tutta la vita ha continuato a rinfacciarci: «Zitti voi, che vi siete mangiati il pesce mio di Foceverde, che ero andato a prendere in mezzo alla tempesta, e ve lo siete sbafato da soli alle mie spalle. M'avete lasciato olmo, ve possin'ammazzà».

«Prega prega tu», aggiungendo solo per me: «Che preghi il morto e freghi il vivo», e mentre diceva «vivo» si batteva il pollice sul petto, ad indicare il povero sé stesso.

Io ridevo e rido ancora, quando ancora risuccede. Cos'altro posso fare? Zia Pace invece non gli ha mai chiesto scusa, ma di seppie o calamari provenienti da Foceverde o da qualunque altro posto di questo mondo – fatti al sugo o in padella, interi o squartati, fritti o imbalsamati – non ne ha più voluto sapere, mangiare e cucinare: «Gnanca più védare, ciò. Am magno na merda, pitost».

Tanti anni dopo però – quando a via Cellini morirà zio Benassi, riposi in pace – c'erano Accio e Violetta di turno quel giorno, intorno al letto, insieme a zia Pace.

O meglio, nella stanza c'era un sacco di gente – tutte le sorelle Peruzzi di mia zia, e poi zio Adelchi, la signora Loreta, i vicini, i cugini e qualche vecchio corista della San Marco, tutti schierati in doppia o tripla fila addosso alle pareti – ma intorno al letto in cui zio Benassi se ne andava c'erano, chini a raccogliere ogni suo sempre più faticoso sospiro, Accio, Violetta e zia Pace.

Saranno state le cinque e mezzo o sei di un pomeriggio di giugno, quando finalmente zio Benassi – «Aaaagh...» – a un certo punto è spirato, e mentre Accio gli chiudeva gli occhi zia Pace ha rivolto lo sguardo al cielo lanciando il suo lamento: «Ah, povero Benassi che fine hai fatto... Morto da solo come un cane... Senza neanche i figli intorno».

C'erano non meno di quaranta persone in quella stanza, con Accio e Violetta che – sbigottiti – provavano a ricordare alla madre e allo stuolo di parenti amici e conoscenti: «Ma come, mamma: e noi chi siamo? Non siamo suoi figli? Noi non contiamo?»

«Ah, sì, be', ecco... Ma che avete capito? Io intendevo anche gli altri».

«E come no?» si guardavano sconsolati Accio e Violetta.

Di Violetta che le debbo dire? Aveva un anno e mezzo più di Accio, della cui apparizione non deve essere stata tanto contenta nemmeno lei, che aveva solo nove mesi quando l'intruso s'era infilato nel grembo di sua madre: «E questo chi xè? Casso vòlelo da mi?»

Tenga presente che zia Pace non s'era accorta subito di essere incinta: aveva appena sfornato questa – la quinta – si metteva a farne un sesto? «Ma gnanca par morte e morire» giurava sicura.

Violetta, come le ho già raccontato, era nata il 9 luglio del 1948 – santa Veronica Giuliani, «*Il miglior podere è un buon mestiere*» – che è tempo di mietitura, in Agro Pontino, e mia zia la mattina presto, ancora notte, aveva allertato il marito: «Vai a chiamare la levatrice e non andare a lavorare oggi, che sono arrivata». E lui, detto e fatto.

Ma quando a metà mattinata – col sole che batteva – lei era ancora alle prime doglie del parto, s'erano presentati sotto le finestre della Previdenza sociale, in mezzo alla strada, dei coloni che gli si era rotto il trattore in campagna e strillavano: «Benassi, Benassi! Vienici a aggiustare il trattore che abbiamo già la trebbia sull'aia».

Hai voglia mia zia a intimargli: «Non andare, non andare, che io sto per partorire».

«E partorisci», le ha risposto, «il lavoro è lavoro. Questi debbono trebbiare, non li posso lasciare col trattore in mezzo ai campi. La levatrice te l'ho già portata, che altro posso farti io? Il lavoro è lavoro, Pace» ed è partito.

Lei non glielo ha mai perdonato: «M'hai lasciato da sola a partorire».

«Ma roba da chiodi, Pace. Io facevo il meccanico, mica l'ostetrico».

Comunque mia zia a questa bambina nata di luglio – con i coloni che dalla strada chiamavano «Benààà! Benassi! Vien zo a giustarne 'l trator» – la riempiva di baci e di carezze, i primi mesi. Era solo la quinta le ripeto – il quarto, Manrico, aveva già tre anni, era grandino – e femminuccia. Lei se la spupazzava. Ma arrivata a marzo del '49 – neanche nove mesi – s'è accorta all'improvviso che rifiutava il latte, lo sputava. «Mangia, putina» allora, e la riattaccava alla tetta; ha sempre avuto montagne di latte zia Pace, tanto che insieme ai suoi allattava pure i figli di quelle che non ne avevano.

Violetta per un po' ciucciava, ma subito si ritraeva dalla tetta, si voltava e: «*Pwàscft!*», lo sputava. Non ne voleva più.

«Ma cossa gàla, sta fiòla?»

Prova e riprova, alla fine ha capito: era il latte che non era più buono. Era andato a male, le si era guastato, purulento – per questo la bimba lo sputava: sapeva di pus – perché era rimasta di nuovo incinta: «Porca santa sgnàcara», strillava mia zia, «nantro fiòlo ancora? Non ne voglio più».

È uscita di senno. Voleva abortire. Ma non ne ha avuto il coraggio o non è riuscita a trovare chi glielo facesse – chi lo sa? – perché la levatrice sua, la Cocco, s'era rifiutata: «Tu sei matta. Non te lo faccio».

Poi alla fine di gennaio del 1950 – che non erano passati venti giorni da che erano morti i miei nonni, il padre e la madre di zia Pace; poi dice perché, insieme al figlio, a uno gli viene pure l'esaurimento nervoso – quando è nato Accio la Cocco, la levatrice, glielo ha messo anche questo, urlante e piangente in braccio.

«Non lo voglio, non lo voglio» lo scansava zia Pace: «Tièntelo ti, che sono stanca».

«Uhàààààà!» ha cominciato a gridare ancora più forte il ragazzino. Ha aperto gli occhi stretti stretti, a guardarla fissa in viso torvo torvo, e le ha detto – o così almeno sosteneva lei, zia Pace; poi se invece ne ha sentito solo il pensiero, con la mente nel cervello, non lo so – le ha detto: «Vòtu darte una calmata, desgrassià? Xèo forse questo il modo di acòliere la zente? Ma va in malora, va'. At fasso védare, mi» e lì è cominciata una guerra che è durata anche questa tutta la vita.

«No star più a dàrmelo! Pòrtelo via, pòrtelo via», strillava quel giorno zia Pace alla Cocco, «che se ga incarnà il Dimonio indentro sto mostricio. Ciama il prete, Cocco, ciama il prete che ghe fassa un sorsismo», l'esorcismo.

Esaurimento nervoso insomma. Non riusciva più a chiudere occhio, non dormiva mai, stava sempre col pugnale tra i denti; pronta in ogni istante a perdere la bussola. Il dottor Fabiano la riempiva di Neurinase, ma a mia zia quella crisi postparto deve essere durata tutta la vita.

Oltre a Accio però – che nel bene e nel male ne era la causa più o meno diretta – chi ne fece le maggiori spese fu Violetta. «Che c'entro io?» si sarà detta la creatura: «A me prima mi baciava e accarezzava, ma dopo l'arrivo di questo è diventata una bestia anche con me, a partire dal latte che è diventato pus».

«M'hai tolto il latte di bocca!» l'ho sentita proprio dirgli una volta – da grandi, oramai – i primi tempi che andava in analisi.

Ma da piccola no. Da piccola s'è stretta a questo fratellino – «Mal comun xè mèso gàudio» – anche perché dopo altri tre anni è arrivata Mimì e a mia zia, caso strano, è tornato l'amore. Ma solo per Mimì: «La xè l'ùltima» e i quinti e i sesti se la pigliano – come i secondi – in quel posto.

Da piccoli stavano quindi sempre assieme Accio e Violetta, ogni cosa in comune, pure il bagno nella vasca; se così si può chiamare quella microscopica vaschetta a sedile della casa nuova in mezzo alla palude, senza nemmeno il rubinetto dell'acqua calda. Solo quello dell'acqua fredda.

Zia Pace una volta a settimana – il sabato pomeriggio – metteva i pentoloni pieni sulla stufa economica a legna Zoppas in cucina, col fuoco a tutta gallara sia d'inverno che d'estate. E man mano – sudata sudata – li portava in bagno stando attenta, nel tragitto, a non rovesciarsi l'acqua bollente addosso o, peggio ancora, addosso a qualche figlio che, scorrazzando di qua e di là, le attraversasse proditoriamente la strada: «Ch'at vegna un càncher sèck».

Svuotate le pentole nella vasca, apriva il rubinetto dell'acqua fredda fino a che, stemperandosi con quella calda, raggiungeva il livello voluto e sotto a chi tocca: «Fare in fretta che ghe xè anca i altri. No stì a farla rafredar troppo», mentre andava di corsa a riempire di nuovo le pentole e rimetterle sul fuoco. Eravamo – le ripeto – una caterva di persone, e con un cambio di pentole bisognava farsi il bagno almeno in due; prima uno e poi l'altro nella stessa acqua.

Quando a me o a Manrico capitava il turno insieme ad Otello, immancabilmente ci diceva, ogni volta: «Facciamo così: questo sabato me lo faccio prima io il bagno, sabato prossimo lo fai tu». Ma il sabato dopo cambiava compagno e rifregava questo: «Prima io e dopo tu».

A me e Manrico sempre secondi – sempre l'acqua già sporca di qualcun altro – poiché se ti salvavi da Otello, ti toccavano Accio e Violetta, che zia Pace metteva assieme nella vasca e contavano per uno, ma essendo in due era giusto che venissero per primi. E noi sempre secondi, come detto. Non m'è sembrato vero in seminario – oltre alla carta igienica – potermi fare da solo la doccia con l'acqua pulita. La doccia? E chi l'aveva mai vista, prima? Giusto in qualche film al cinema dei preti, forse.

Accio e Violetta sempre insieme nella vasca a giocare e giocare. Non volevano più uscire. La madre li doveva saccagnare di botte, per riuscire a tirarli fuori. A noi poi – i secondi – toccava l'acqua pure fredda, quando entravi. Ma erano proprio belli da vedere, mentre l'un l'altra si lavavano le orecchie o strofinavano i piedini. Sembravano due gemelli.

Di carattere però erano diversi. Accio strillava a più non posso, pur di segnalare la sua presenza in questo mondo. Violetta non si vedeva e non si sentiva. Dove la mettevi restava. Si nascondeva, quasi. Zitta zitta seduta in un canto su una seggiolina, si succhiava per i fatti suoi il pollice: «Forse se sto buona si accorgono di me».

Solo col fratellino si risvegliava, e giocava, correva e gli sparava – «Bang, bang» – inseguendolo pure a banditi e indiani, il gioco preferito di Accio: «Op, op!» si batteva la mano su una natica Violetta e partiva al galoppo.

«Sceriffa» la salutava zio Benassi dalla bicicletta, quando tornava dall'officina: «Non mi sparate, eh?» rivolto anche ad Accio.

Un giorno però si è presentata Emma – una delle cugine più grandi dei Dolfin, figlia di zio Melo e zia Ersilia Peruzzi – che era andata sposa dalle parti giù in fondo di Borgo Vodice, sulla riva destra del fiume Sisto.

Emma di nome vero faceva Ermengarda ed era una brava persona, come pure il marito Amilcare che – lei non ci crederà – tutti chiamavano Barca. Tanto legati alla chiesa e ai parenti, ma anche «un fià indrìo», diceva zio Adelchi.

Il loro è stato uno degli ultimi poderi dell'Agro Pontino ad allacciarsi alla corrente elettrica. Ancora negli anni sessanta, quando tutti gli altri avevano oramai il flit, la luce e la radio – se non anche la televisione – da loro c'era il lume a petrolio e la carta moschicida a pendere dal soffitto. Però si amavano tanto – pregavano e si amavano – ma non gli venivano figli.

Li volevano a tutti i costi, si raccomandavano a sant'Anna e gli altri santi, andavano ai santuari: alla Sorresca, al Divino Amore, alla Madonna del Soccorso di Cori, alla Civita di Itri, alla Santissima Trinità di Vallecorsa – «Dacci un figlio, dacci un figlio» – ma non gli venivano. Erano stati pure dai dottori a Roma, finché un grande professore gli aveva tolto ogni illusione: «Ghe xè gninte da far. Rasegnève a ciaparne calcun in adosion».

«Andiamo all'orfanotrofio di Sabaudia» aveva allora proposto Amilcare, detto il Barca.

«No no, spèta un fià» Emma: «Parché andarlo a tore là, che non si sa chi sia, quando mi agò tanti de quei parenti del sangue mio, tuti massa pien de fiòi fin sopra i capelli, che no i sa dove métarli e cossa darghe da manzar? Vòtu che non ne troveremo qualcuno, che ci dia volintiera un putino a nantri?» e s'era messa a fare e rifare il suo sacro giro di supplica e petula per tutti i Peruzzi e rami collegati.

Io adesso quindi non so da quanto tempo durasse e quando fosse cominciato questo tiremmolla pure con zia Pace che – essendo Emma una delle prime nipoti femmine, figlia della sorella più grande Ersilia – le era molto affezionata.

Fatto sta quel giorno – capitata lì per caso o con premeditazione da zia Pace – a un certo punto Emma s'era seduta su una sedia in cucina, aveva preso in braccio Violetta lì vicino, che zitta zitta contenta si ciucciava il dito, e aveva ridetto: «Zia, voi ne avete tanti, io non ne ho nessuno, datemi questa a me che le faccio da madre e non le mancherà mai niente. Anzi, quando ch'al moro, la devegnerà parona del poder» che doveva essere di sedici o diciassette ettari, tutta terra sabbiosa della duna quaternaria che oggi – chi lo avrebbe mai detto? – tra serre e orticoltura è diventata oro, capace di sfornare anche quattro raccolti l'anno, di roba pregiata.

Allora invece non veniva niente di niente, di tutto quello che pure si piantava a quel tempo. Né erba da foraggio né tantomeno grano. Solo bagigi – le arachidi – e patate americane. E per questo i fratelli del Barca – nostro cugino Amilcare – se ne erano andati via: chi in Venezuela, in Canada, in Brasile e alle femmine niente, come di norma, e la terra era rimasta tutta al Barca e sua moglie Emma.

Io adesso le ripeto non so da quanto durasse questo pellegrinaggio ma, detto e fatto, messe dentro una sporta le quattro cose di Violetta – due mutande, una maglietta, un vestitino – quel giorno l'hanno caricata sulla stecca della bicicletta e, pedala pedala, se la sono portata a Borgo Vodice. Anzi, più in là del Vodice – sul Sisto – a trenta chilometri da casa, spersa in mezzo alla campagna.

Certo Violetta, quando sua madre mia zia Santapace – prima di consegnarla ad Emma ed Amilcare e spedirla con loro in fondo a via Lungosisto, Borgo Vodice – le aveva chiesto: «Ci vuoi andare?», non è che avesse risposto «No».

O meglio, lei avrebbe pure voluto, ma come faceva? Si metta nei suoi panni.

Innanzitutto zia Pace le aveva anche detto: «Lì stai bene, ci sono gli animali, c'è il fiume, potrai avere anche un cane».

«Sì sì, un cagnolino. Tutti i cagnolini che vuoi» le assicurava Emma.

«Un cagnolino?» deve avere pensato Violetta, che lei ed Accio ne avevano già avuto uno, appena arrivati nella casa nuova in mezzo alla palude.

Si chiamava Dik, un cuccioletto scuro capitato quando zio Benassi non aveva ancora fatto portare la terra buona. C'era solo il fondo originario d'argilla mai arata, con qualche filo di cicoria selvatica e tanta gramigna. Non c'era neanche il mattonato, dal cancello al pianerottolo, ma solo il raspon o raschin, la staffa raspafanghe di ferro piantata per terra all'incontrario – davanti agli scalini – per strusciarci sopra le scarpe e togliere il grosso del fango, prima di entrare.

Solo dopo arrivarono i camion con la terra scura dello Scalo – tutta torba nera fertilissima – e vennero i cugini Peruzzi dalla parte di zio Temistocle, a spanderla con le pale e i rastrelli, rasa rasa, nel giardino davanti e nell'orto dietro. Ai vicini che venivano a vedere – «Ah, che bel lavoro» – zia Pace orgogliosa dichiarava: «Sono stati i miei nipoti».

Il mattonato invece – dal cancello agli scalini – lo fece Michelin con suo fratello, tutti e due cantori della Corale. In realtà il cognome vero era Michelino, ma – in quanto friulani – tutti li chiamavano Michelin e basta, lasciando per strada l'ultima vocale.

Zio Benassi piantò un mare d'alberi da frutta – fichi, cachi, pere, mele, aranci, mandarini, limoni – ma soprattutto viti americane, sia davanti che dietro, inattaccabili dalla peronospera. Lui era umbro, nella vigna era maestro e solo l'anno dopo – attecchite per bene le radici e spuntate le barbatelle – ci innestò le uve da tavola: la fragola, l'Italia, la Regina, Cardinale, pizzutella ed ogni qualità: «Di' che viene la peronospera, mo'» tutto orgoglioso con quel suo sorrisino di sghembo.

«Ma un po' di fiori?» zia Pace.

«E mettiti i fiori» e lungo le sponde del mattonato nel giardino davanti, lei mise rose e garofani, gerani, calle e tutto quello che voleva. Ma lui ogni volta che vangava o zappava per seminare le patate i pomodori i fagiolini i piselli e l'insalata – in quella poca terra che pure restava tra gli alberi e le viti – a lui ogni volta, com'è come non è, gli scappava un colpo di zappa o di vanga sopra o sotto i fiori, per fare inconsapevolmente posto all'orto.

Lei diventava una bestia: «Mi hai fatto fuori i fiori, fiòl d'un can».

«Ma che stai a dì? Non l'ho manco toccati...»

«Bugiardo. Anca busiaro te sì deventà?»

«Ma roba da chiodi... Non so' mica boni da magnà, li fiori» e così pensò di mettere a frutto e lavorare ad orto anche la terra incolta dei campi di là dal fosso, davanti casa. Per un paio d'anni – quando la Coldiretti e il Consorzio agrario organizzavano i corsi di addestramento dei giovani coltivatori alle nuove tecniche di lavorazione – lui per istruirli all'aratura meccanizzata li portava sempre qua, e col trattore a cingoli gli faceva arare avanti e indietro tutto il campo. Gli insegnava pure l'erpice. E quelli imparavano bene, perché era tutta argilla che si spaccava solo a blocchi – calcestruzzo quasi, d'estate – e una terra così brutta non l'avrebbero più trovata in vita loro. Imparati qua, erano buoni dappertutto, dopo.

Ma quando quelli se ne andavano, toccava a lui zappare, seminare, innaffiare col tubo di gomma lungo lungo dal rubinetto della cucina fino in mezzo al campo e poi rizappare l'erba infestante che man mano ricresceva fra i pomodori, cetrioli, melanzane e fagiolini che aveva piantato. E solo l'erba infestante – oltre tutto – cresceva e ricresceva più rigogliosa che pria, via via che la zappava, a differenza dei pomodori cetrioli melanzane e fagiolini, che invece non crescevano per niente. Appassivano striminziti e poi crepavano.

Era argilla le ripeto, e pure il vecchio Molon disse a mio zio: «Ghe xè gninte da far, Benassi. Aghemo provà anca nantri, ma qua ghe nasse sol che scoa (scopeto) e gramegna». Loro ci mandavano giusto le vacche a pascolare, ma più che le vacche erano contenti i figli – quando venivano – perché giocavano con noi.

Alla fine zio Benassi lasciò stare: «Qua me costa de più la bolletta dell'acqua, che comprà l'ortaggi al mercato. Basta. Se la pijàsse nderculo, l'orto 'n mezzo ar campo. Non ce vòjo mette più piede».

L'unica che continuò a mettercelo invece – oltre ovviamente a noi ragazzi – fu zia Pace, che sfruttò per le sue galline il campo di là dal fosso finché negli anni sessanta, all'arrivo del benessere, costruirono pure lì.

Opera di Otello – prima in legno e poi in muratura, con Accio manovale – il pollaio stava nell'orto dietro casa. Davanti al pollaio e fino in fondo all'orto – parallelo alla rete divisoria con la signora Loreta – un piccolo recinto con una pianta di fico in mezzo e, per terra, uno stuolo di calcinacci per far scorrazzare le galline, che beccando tra la calce sfornavano uova con certi gusci che parevano d'acciaio.

Tutte di razza padovana erano. Ogni tanto anche qualche tacchina. Mai meno di quindici o venti ne aveva mia zia, e chiocce a covare e pulcini e pollastri o galletti che come crescevano sparivano. Solo così riusciva a portare in tavola tutte quelle uova e un pollo ogni domenica. Pollo che – sia chiaro – lei prima bolliva per farci i cappelletti, tagliatelle o quadrucci in brodo ma, a metà cottura, lo tirava fuori e lo metteva in forno per farlo arrosto o meglio ancora, imbrogliandoci alla grande, lo tagliava a pezzetti e cucinava bello condito in padella alla cacciatora. Tu manco t'accorgevi che era mezzo lesso.

Quando faceva troppo freddo, le chiocce gli ultimi giorni le metteva a covare dentro un cesto di vimini in cucina, al caldo, a fianco alla stufa a legna Zoppas. I pulcini nascevano lì, e la mattina presto che si sentivano i primi «*Pìo, pìo, pìo*», subito noi ragazzini intorno: «Questo è mio», «No, è mio».

Per il primo svezzamento di pulcini e pollastrini ci spediva al Consorzio – o da Galanti – a comprare il mangime e il granturco spezzettato fino fino. Ma il resto di tutta quella gente volatile gallinacea, il mangiare se lo doveva andare a cercare da sola – «Mica posso darghe mi 'l formenton a tute quante, ch'agh vegna un càncher. Quanto 'e vegnarìa a costarme?» – in mezzo al campo al pascolo, di là dal fosso, davanti casa: «Sètu quanti vermi, sèrpole, insèti, bisse e bìssoli che 'e trova là?»

Il pollaio però stava nell'orto dietro casa, mentre il campo in cui mandare le galline a razzolare stava invece davanti. Così ogni mattina bisognava farle uscire dal recinto. In fila una per una s'incamminavano starnazzando verso gli scalini della porta-finestra posteriore. Li salivano, attraversavano la sala da pranzo e poi l'ingresso. Uscivano dal portoncino sul pianerottolo. Scendevano gli scalini e percorrevano in gruppo il mattonato – sotto la pergola – fino al cancello. Dopodiché raggiungevano il fosso, lo oltrepassavano e finalmente dilagavano ognuna per suo conto a cercarsi in mezzo al campo e fra le nostre capanne il lauto pasto.

A sera – all'imbrunire – zia Pace si metteva sul cancello, le chiamava da lontano: «*Chiò-chiò-chiò-chiò-chiò-chiocchiò!*» e quelle una ad una accorrevano da ogni parte, sentito l'appello, a radunarsi sotto le sue còtole.

«Dentro!» ordinava lei, e dal cancello si rifacevano il mattonato, salivano gli scalini, entravano in casa, attraversavano l'ingresso e la sala, uscivano dalla porta-finestra, scendevano gli scalini e finalmente nel pollaio loro per la notte: «Al rivedersi e grassie».

La questione però non è che andasse così tranquilla – in automatico – come gliel'ho raccontata. Sempre galline erano – non si dice infatti: «Cervello di gallina»? – mica cristiani; pure se i cristiani molto spesso ne hanno anche meno. Ma ogni volta – mattina e sera – che quelle dovevano attraversare casa, scattava lo stato d'allarme generale, codice rosso: tutte le porte chiuse sbarrate di camere, bagno e cucina, e noi schierati ognuno lungo il percorso, soprattutto in sala, onde evitare che qualcuna s'andasse a infilare sotto le sedie o i mobili o dentro le camere e pisciasse o cagasse da qualche parte.

«*Sciò, sciò!*» gli facevamo quando ci provavano, sbattendo pure con forza – «*Pàh! Pàh!*» – per terra i piedi. Ma non c'era niente da fare, ogni tanto ti fregavano e la facevano – «*Splash*» – sul pavimento. Zia Pace diventava una bestia – con noi, non con loro – «Parché non sì stà atento?»

«E mica je comandi, alle galline» si difendeva Otello: «Mica so' il mago Ugolì» che era un mago che veniva ogni tanto al cinema teatro dei preti e riusciva a far fumare le Esportazioni senza filtro ai polli e ai conigli. Lui una volta gli portò il porcellino d'India suo – dentro una scatola da scarpe con i buchi per farlo respirare – e quello sul palco lo fece sì fumare, e tutti ad applaudire, ma quando glielo ha rimesso nella scatola e lui è tornato a casa, il porcellino d'India era bello che morto: «Mannaggia il mago Ugolì».

Il peggio era quando andavano a cagare – le galline nostre, non il mago Ugolì – sotto i letti nelle camere o facevano magari l'uovo che, con il guscio non ancora ben formato soprattutto la sera al ritorno a pancia piena, si spiaccicava sul pavimento della sala. Allora sì che mia zia si arrabbiava davvero, non so se più per l'uovo sprecato o per il pavimento da pulire. Ma quello che so è che mi fanno ridere, adesso, tutti quei quattro spignibècco in tv che si stracciano le vesti – «Eh no, cribbio! Non si fa così» – perché i cinesi starebbero, secondo loro, troppo a contatto con gli animali. E noi con chi stavamo a contatto in Italia – fino all'altro giorno – coi purissimi spiriti?

Lei non ha idea di quante volte zio Adelchi abbia provato: «Guarda, Pace, che tu non le puoi tenere tutte queste galline. Il regolamento comunale vieta i pollai in città».

«E ti 'a ciàmito sità? Ma qua xè palude, in mona a ti e 'l regolamento comunal».

«Ma mi son vìzile urban, no posso far finta da non védare. Prima o poi agò da scrìvare qualcosa».

«E scrivi quel càncaro ch'at vòl. Scrivi al comune che venga lui, a dar da mangiare a tutta la gente ch'agò qua. Che me le porti lui, le uova e i pollastri, e allora sì, che vi chiudo il pollaio.»

Era pura sopravvivenza per lei, altro che i cinesi.

Noi però stavamo ad Accio e Violetta che avevano questo cagnetto nero Dik, e non vedevano l'ora di tornare a casa dall'asilo per chiamarlo da lontano: «Dik! Dik!» e scappare e mettersi a correre. Quello scattava come neanche Ben Johnson a cercare di raggiungerli – ora l'uno, ora l'altra – e strufolarsi alle gambette e piedini loro, che se lo pigliavano in braccio, accarezzavano, baciavano, pelusciavano e via discorrendo.

Mia zia non è che fosse tanto contenta, anzi. E quando è arrivata la terra di riporto – che i figli di zio Temistocle avevano steso tanto bene – allora sì che non ci ha visto più. Un conto era infatti che il cane e i ragazzini scorrazzassero sul terreno argilloso vergine e sodo, un altro conto sulla terra smossa: «Tuti infangà, sia 'l can che quei desgrassià?». Così un giorno, tornati dall'asilo, non lo hanno trovato più.

Era passato di là il figlio grande di Scapin: «Ah, che bel cagnolin».

«Lo vòtu?» zia Pace.

«Be', lì da noi il can xè morto. Ghe ne vorìa nantro...»

«Tóltelo» prendilo, e il figlio di Scapin se l'è portato via.

Lei non ha idea i pianti, Accio e Violetta: «Andiamolo a riprendere, povero Dik».

«Zitti», faceva lei, «che se no vi meno pure. Ma non ciò da fare abbastanza, qui dentro, con tutte le bestie che siete voi? Non ne voglio vedere nessun'altra in questa casa. Anzi, la prossima volta che viene Scapin, vi do via pure a voi».

Accio e Violetta però non li ha mai dati agli Scapin, ma ogni volta che quello ripassava, subito lo mettevano in croce: «Come sta Dik? Raccontaci di Dik».

«Sta bene, è cresciuto, xè deventà un cagnon acsì grando» – e alzava la mano a più di un metro – «perfetto can da guardia, guai a chi passa de là».

«Salutacelo, salutacelo» facevano i tosi.

«Non mancarò» sorrideva carezzandoli il fiòlo de Scapin.

Finché una volta – ripassato per di là, e loro di nuovo: «Come sta Dik?» – «Eh...» gli ha dato la ferale notizia: «Se ga dovesto coparlo».

«Come?» strillavano disperati: «Povero Dik, era tanto buono. Perché lo avete ammazzato?»

«Bon? Magneva tuti i polastri».

«Ma mica era il vostro. Era il nostro. Ve lo avevamo solo prestato».

«Ma jèra nostri i polastri, parò. Invece di far la guardia alle volpi, quello s'era imparato a correre dietro alle galline, coparle e mangiarle. E nantri ghemo copà lu».

Violetta quindi – che quando le avevano chiesto se voleva andare con Emma a Borgo Vodice era entrata nel panico alla sola idea di poter dare un dispiacere a sua mamma e a sua cugina, che sembrava ci tenessero tanto – appena ha sentito che avrebbe potuto tenere tutti i cagnolini che voleva ha accettato: «Vabbe', andiamo a Borgo Vodice». Anche se dentro di sé si sarebbe mangiata davvero, poverina, una merda piuttosto. Lei non era proprio capace di dire di no a chicchessia. Non era Accio.

E «*cìo, cìo, cìo*» in bicicletta l'hanno portata fin là. La sera al lume di candela l'hanno messa in un lettino e a lei veniva da piangere, a pensare al lettone suo grande a via Cellini dove dormiva, ruzzava e giocava anche nel buio – quando spegnevano la lampadina – col suo fratellino Accio.

Ma pure lui ogni giorno, a via Cellini, chiedeva e richiedeva: «Quando torna Violetta?»

«Domai, domai» gli rispondevano.

Lui si tranquillizzava pensando «domani». Invece no. «Domai, domai» nel senso di mai, perché comunque in quella casa non era ammesso mentire – «La lealtà! La lealtà prima di tutto. Non si dicono le bugie, perché la menzogna è peccato grave e nemmeno si fanno promesse che non si è sicuri di poter mantenere» – anche se loro però, sostiene Accio: «Quando gli conveniva le dicevano, hai voglia se dicevano bugie. Solo quando lo facevo io, mi gonfiavano di botte».

Allora domai domai, per dirgli mai. Ma dimmelo chiaro e tondo – insiste lui – così mi metto il cuore in pace: «Che fai se no: basta che cambi le parole, per non dire le bugie?»

Se la sono tenuta lì per un anno. Emma ed il Barca li chiamava mamma e papà. E qualche volta che in bicicletta i genitori veri l'andavano a trovare, a loro si rivolgeva con «mamma-Pace» e «papà-Benassi»; che tanti anni dopo – quando s'è interessata di letteratura francese – neanche lei capirà perché, studiando Balzac, il libro che più l'avesse affascinata fosse stato *Papà Goriot*. Poi dice le ossessioni dell'infanzia.

A ottobre l'hanno iscritta a scuola in prima elementare al borgo, tre chilometri a andare e altrettanti a tornare, dal podere sulla Lungosisto. Per due o tre giorni l'hanno accompagnata loro, poi via da sola e pedalare: «Oramai la strada l'hai vista e l'hai imparata».

Poteva dire di no? «Sì che la go inparà» e ogni mattina si ramenava a cavallo di una biciclettaccia vecchia, dritta in piedi di qua e di là – perché seduta non arrivava ai pedali; che peraltro nemmeno c'erano i pedali veri, rotti chissà da quando, ma solo il mozzetto di ferro che usciva dalla leva – col grembiulino bianco, la cartella legata dietro la schiena, un fiocco in testa e una mantellina incerata militare americana sulle spalle, quando pioveva.

La strada era bianca e piena di buche della guerra; l'hanno asfaltata nel 1980, mi sa, la Lungosisto. E tutte le mattine – sola soletta i primi tempi, poi insieme a qualche amichetta nuova dei poderi vicini – partiva per la scuola, tre chilometri a andare ed altri tre a tornare. Ma quando tornava, via in campagna appresso alle vacche, e appena buio a letto. E pregare, pregare, pregare.

Quelli, le ripeto, erano cattolicissimi – «Anca massa» diceva zio Adelchi: «El tropo strupia. Tropo poco e tropo tanto rovina tuto quanto» – avevano perfino l'inginocchiatoio in camera da letto e santini e madonnine dappertutto. Preghiere e rosari ad ogni ora del giorno e della notte: «*Ora pro nobis... Ora pro nobis*».

Neanche incominciato a leggere e scrivere, l'hanno segnata al catechismo in parrocchia e due o tre pomeriggi a settimana – dopo la scuola – doveva ripartire per il Borgo ad ascoltare le lezioni e imparare la dottrina a memoria:

Chi ci ha creati?
Dio.
Chi è Dio?
Dio è l'Essere perfettissimo, Creatore e Signore del
cielo e della terra,
eccetera eccetera eccetera.

Quando è stata primavera ha fatto la prima comunione e cresima, col vescovo venuto da Terracina, dentro la chiesa rotonda di Borgo Vodice – non so se l'ha mai vista – capolavoro dell'architettura razionalista anche questa, preclara opera di Piccinato, Cancellotti, Montuori e Scalpelli, progettisti di Sabaudia. Che però durante la guerra gli aerei americani l'avevano bombardata più volte, perché dall'alto – rotonda com'era – l'avevano scambiata per un deposito di benzina e carburante dei tedeschi. Mio zio Adelchi invece – «Ma quà capoavoro?» – ha sempre detto che a lui pareva: «Na scatoéta de tóno sot'ògio», tonno sott'olio.

Violetta aveva un vestitino bianco di pizzo e di ricami come i vestiti da sposa, lungo lungo fino ai piedi e una cuffietta uguale in testa. C'è ancora in giro una fotografia di lei quel giorno, in mezzo ai suoi fratelli e al padre e madre veri, sull'aiuola davanti alla chiesa del Vodice. E lei in quella foto ha tutta l'aria fintofelice di chi ha i suoi cari intorno, ma già sa che fra poco se ne andranno: «Al riverdersi e grassie: valtri a Litoria, pardon Latina, e mi in stala; ch'av vegna un càncher» perché oramai parlava pure lei soltanto in veneto. Adesso no – se l'è scordato – ma allora sì.

Non so se le ho mai raccontato di quell'altro nostro parente, che partito dall'Agro Pontino per andare a lavorare in fabbrica a Milano è stato tanti anni senza più venire giù. Finalmente tra gli anni ottanta e novanta – dopo essersi impiantato un'attività in proprio – un'estate è venuto con la famiglia e un macchinone ed ha affittato una casa al mare a Capoportiere per le ferie. La mattina in spiaggia e il pomeriggio a salutare i parenti e far vedere a moglie e figli le ex Paludi Pontine, ora redente.

Gira di qua, gira di là, al podere 516 chiede a un certo punto a nostro cugino Arnaldo, che è invece sempre rimasto sulla terra: «Fammi un po' vedere qui com'è». Ma in perfetta lingua italiana, con leggero accento milanese.

«Ndemo» fa Arnaldo, e vanno.

Guarda di qua, guarda di là: «E questo cos'è», chiede il milanese, «cos'è questo attrezzo?»

«Xè un rastreo, rastrello. Serve par tore su l'erba».

«Ah, rastrello, rastrello! Interessante».

Fanno un altro po' di passi e riparte: «Quest'altro invece che cos'è, per cortesia, come lo chiamate?»

Arnaldo, paziente: «Fórcia, forcone, forcon».

«Ah, forcone, forcone...»

Riprendono a camminare nella corte dietro il podere, tra l'orto il fienile e i pagliai, dove per terra in mezzo all'erba qualcuno aveva lasciato una zappa. Cammina cammina, il milanese non se ne è accorto e chiacchierando chiacchierando – sempre in perfetto italiano – a un certo punto ha messo inavvertitamente il piede sul filo della lama rivolta verso l'alto.

Istantaneamente il manico s'è alzato e come un lampo lo ha colpito – «*BÈNG!*» – dritto in mezzo alla fronte.

«Orcocàn desgrassià de la sapa» ha fatto allora il neomilanese: «Ch'at vegna la pelagra a ti e ai Zorzi Vila».

Mio zio Benassi comunque, quel giorno della prima comunione e cresima di Violetta, aveva noleggiato una macchina di piazza con autista – un Fiat 1100B Musone, versione taxi – per andare fin là, perché non c'erano biciclette a sufficienza e la corriera fermava a Borgo Vodice e basta, non arrivava al podere sulla Lungosisto, dove Emma e il Barca avevano preparato per tutti i parenti il pranzo e la festa della prima comunione di Violetta.

Lei era tanto contenta pei regali, e dopo mangiato via a giocare coi fratelli e cugini, e di qua e di là a far vedere a Accio le mille meraviglie di questo suo paradiso, fin sull'argine del Sisto a rimirare il fiume – «Stà atento, parò, non starti a spórgere ch'at ròdoli e anneghi» – cercando di convincerlo: «Guarda qui quanto è bello, qua si sta bene, vieni pure tu, di' a mamma che ti mandi».

«Sì sì, glielo dico subito».

«No adesso. A casa, glielo devi dire».

«Va bene», quel fesso di Accio.

Ma quando è stata l'ora di partire – dopo i saluti baci abbracci ai suoi fratelli che ad uno ad uno rimontavano dentro la macchina a noleggio, e poi anche sua madre e padre veri – Violetta s'è messa a piangere.

Il suo non era però un pianto come quelli di Accio, a strilli che spaccavano i vetri. No, lei piangeva piano piano senza farsi sentire; se le mangiava le sue lagrime, le rimandava tutte indietro. Tu capivi che piangeva solo dagli occhietti semichiusi, dalle labbra piegate in giù e dal dito che si ciucciava nella bocca.

Accio è sceso di corsa come una serpe dalla macchina, e l'abbracciava e le chiedeva: «Ma non hai detto che stavi bene qua? È tutto quanto bello, non sei contenta?»

«Sì, sono contenta, sono contenta» e piangeva Violetta, piangeva.

«Va' indentro e no star far la stupida» le ha detto Emma.

Zia Pace s'è ripresa Accio e siamo partiti. Noi a dir la verità non ci eravamo quasi accorti di niente e in macchina, nei doppi sedili dietro – era a sei posti il 1100 Musone taxi, ma noi ci stavamo in dieci – giocavamo e scherzavamo.

Zio Benassi invece muto e scuro.

Solo sulla Mediana – che allora non era larga e con i jersey, strada statale Pontina di oggi; ma provinciale stretta, anche se asfaltata già dal fascio, tutta ancora però rattoppata dalla guerra – zia Pace ha provato a sondare l'aria che tirava: «Be', le ha fatto una gran bella festa Emma, no? Tutta quella gente e quel mangiare, non sei contento?»

«No che non so' contento» è esploso: «I patti erano chiari, Pace. Te l'ho detto un sacco de volte: nessuna differenza tra i figli dovevamo fà».

«E che differenze ho fatto?» ha provato a rispondere: «Quelli stanno meglio di noi, che campiamo con un solo stipendio. Lei, là, sta meglio di tutti gli altri, non le manca niente e le vogliono un bene da pazzi».

«Nooo. Lei sta bene a casa sua coi suoi fratelli, altro che stipendio o non stipendio. Poco o tanto che sia, per tutti uguale deve essere, hai capito? Io quella figlia mia in mezzo alle vacche col lume a petrolio, e che me chiama papà-Benassi, non la voglio più vedé. Deve ritornà a casa coi suoi fratelli».

«Va be'» ha detto piano piano mia zia, che da una parte si vergognava dell'autista e dall'altra però s'era pure intimorita dai toni, dall'umore e dallo sguardo cupo di zio Benassi. Lo stesso sguardo cupo – se lei ricorda – di quella volta a Napoli da giovani, quando zia Pace era andata a fargli una scenata di gelosia sul lavoro e lui, tornato a casa, era diventato una bestia e s'era trasformato fino al punto di mollarle l'unico schiaffo della loro vita assieme. «Ah, no. Fino a quel punto non ce lo porto più» deve avere pensato zia Pace, e gli ha detto: «Ne riparliamo».

«C'è poco da parlà».

«Ma almeno a finire l'anno?»

«Vabbe'» e quando a giugno del 1955 Violetta ha terminato a Borgo Vodice la prima elementare, sono andati in bicicletta a riprendersela ed è tornata a casa.

Emma era disperata. Era davvero come se le stessero strappando una figlia. Anzi, quella oramai era proprio sua figlia, secondo lei – povera bestia – anche se faceva la nonscialan e sorrideva, mentre zia Pace tentava di consolarla: «Vedrai che ti verrà a trovare».

«Certo che mi verrà a trovare. Ti aspetto, sai?»

«Verrà ogni anno, ogni estate da te».

«Quando vuole, quando vuole...»

Ma prima di mollargliela del tutto l'ha riportata dentro casa con una scusa – «Abbiamo dimenticato una cosa, vieni, vieni» – s'è chinata alta e grossa su di lei viso contro viso, e però il viso di Emma era tutto scuro, nero nero cattivo, e gli occhi stretti stretti e le ha sibilato: «Guarda che se te ne vai adesso, qui non metterai più piede. Me ne vado a prendere un altro a Sabaudia all'orfanatrofio, e te non ti voglio vedere mai più. Hai capito?»

Violetta era terrorizzata. Bene o male s'era affezionata anche lei a mamma-Emma e papà-Barca, e quando sono tornate fuori, pronta oramai per salire sulla stecca della bicicletta e partire, ha implorato la sua mamma vera: «No mamma-Pace, lasciami qua, ti prego».

«Via, via!» l'ha presa di forza zio Benassi, caricata sulla

stecca e cominciato a pedalare: «Torniamo a casa», mentre lei piangeva.

Piangeva pure Emma però. E piangeva piangeva – anche se da solo in stalla, per non farsi vedere – mio cugino Amilcare detto il Barca. È difficile per tutti la vita a questo mondo, c'è poco da fare.

Così Violetta è tornata a casa e ha ricominciato a giocare a banditi e indiani con Accio. È allora che hanno fatto il patto di sangue come avevano visto al cinema dei preti. Con un coccio rotto di bottiglia – e non mi ritiri fuori un'altra volta Montale, per piacere – si sono tagliati i polpastrelli, e appena rossi se li sono strusciati e mischiati ben bene: «Ecco, adesso siamo davvero fratelli di sangue».

A ottobre lei ha iniziato la seconda elementare a Latina a piazza Dante – all'Orologio – e lui l'ultimo anno di asilo a San Marco dalle suore.

Dopo capodanno del 1956 fece abbastanza freddo, e a metà febbraio tanta di quella neve – la nevicata del '56 cantata pure da Mia Martini a Sanremo nel 1990: «*Le canzoni alla radio, / le partite allo stadio / sulle spalle di mio padre / la fontana cantava / quell'aria era chiara / e zitta zitta poi / la nevicata del 56*» – che a loro arrivava a mezza gamba. Nevicò per tre o quattro giorni; a sprazzi ovviamente, non di seguito. Ma così non lo ha più fatto: scesero pure i lupi quell'anno – giù in pianura – dai monti Lepini.

Zio Adelchi – una mattina presto che era rimasto a dormire al podere 517 – mentre stava per mettere in moto il Gilera 125 e venire a Latina a prendere servizio ne vide una coppia, maschio e femmina, che caracollava sui campi bianchi, seminati a grano: «Questi i ne fa fora 'l galinaro».

Ha tirato fuori la pistola e: «*Pam, pam, pam!*» gli ha svuotato il caricatore dietro.

«Cossa sìto drìo fare, desgrassià?» gli strillava da dentro zio Adrasto: «Vòtu sveliarne tuti?»

Ma non li ha presi – «Casso de mira gàlo» diceva del resto il Rossoni ai bei tempi: «Spàrelo senpre ae farfàe, l'Adelchi?» – e i lupi, tranquilli tranquilli, via di nuovo sui monti Lepini.

Zio Benassi invece ne riconobbe le orme – lasciate evidentemente nella notte – sulla coltre bianca che ricopriva lo stradone nostro e larga parte della sacra circonvallazione di viale XXI Aprile. C'erano i lupi in giro per Latina – quella volta – caro lei. Anche se solo quando calava il buio.

Per Accio, Violetta e gli altri ragazzini del vicinato fu una settimana di Paradiso, senza dover andare a scuola. Otello aveva costruito al volo uno slittino di legno e li trainava su e giù. Poi i pupazzi grandi e grossi – con la sciarpa al collo e i cappelli vecchi di zio Benassi in testa – e battaglie su battaglie a palle di neve. Accio ogni tanto nelle sue ci metteva un sasso dentro, per dargli – secondo lui – maggiore consistenza.

«Ma che ho fatto di male?» chiedeva mentre la madre, dopo che gli altri se ne erano accorti, lo menava: «È come il bottone dentro i cappelletti a Natale. È uno scherzo, che male c'è?»

«Ah, sì?» e giù legnate: «Non lo sai che la gente ci muore?» perché s'era sparsa la voce che un ragazzino – non so dove – fosse proprio morto, a causa di una palla di neve tiratagli da un amichetto per scherzo con un sasso dentro. Lui per schivarla s'era piegato e il sasso – *tòk!* – lo aveva colpito secco alla tempia. Morto lì. Chissà se era vero.

L'unico che non fece nessun salto di gioia per la neve fu Manrico, che non uscì di casa quei giorni, chiuso dentro a leggere e rileggere *Kim*. Ma anche *Molokai l'isola dei lebbrosi*, dopo che oramai aveva deciso – con grande gioia di zio Benassi – che a settembre sarebbe partito anche lui, per il seminario a Siena dai vincenziani. Zia Pace gli stava preparando il corredo. Ma per la neve non mise un piede fuori di casa. Hai voglia i fratelli a chiamarlo e la madre stessa a dirgli: «Vai fuori a giocare pure tu».

«No, non la voglio più vedere» perché l'anno prima Otello se lo era trascinato a Campo Catino – quello di Guarcino in provincia di Frosinone, non quello in Garfagnana – in gita coi preti e i boyscout: «Vie' co' me, che te porto sulla neve». E lui sia pure col prevedibile fastidio delle curve e delle ore di corriera, ci era andato felice e contento: «Così vedo la neve» che non l'aveva mai vista. E quando sono stati là, la veduta gli è piaciuta.

Ma appena sono scesi e ha cominciato a calpestarla sul serio, la neve non gli è piaciuta più. Voleva tornare indietro – «Riportami a casa»; «Seeeh, mo' te porto a Zero Branco» Otello – perché Manrico stava con i sandali ai piedi e le calze di lana. Dopo nemmeno due passi, le calze si erano infradiciate. I piedi tutti bagnati – intirizziti dal freddo – i geloni che strillavano al cielo: «Maladeti i Zorzi Vila».

Tutti in quella casa – da zia Pace – eravamo pieni di geloni sulle mani e sui piedi. Non c'era il riscaldamento e la sera d'inverno col freddo, quando andavi a dormire, le lenzuola erano ghiacciate. C'era una borsa per l'acqua calda in tutto – di gomma, col tappo che però perdeva pure – e un solo scaldaletto, un baldacchino di legno chiamato «il prete», con dentro un braciere ardente. Prima di coricarsi, lo si metteva sotto le coperte e lui – col calore delle «bronze» – le scaldava.

Ma tra il *prete* e la borsa di gomma – un pochino difettosa, peraltro – giusto due letti si potevano apprestare. Agli altri toccava una bottiglia d'acqua calda – «Ringrazia Dio» – col tappo di sughero che il più delle volte, durante la notte, si sfilava e ti saluto scuffia. L'acqua nel letto.

Rispetto ai sandali che le debbo dire? Lì si stava coi sandali pure d'inverno. Non è che ci fossero i soldi per comprare scarpe nuove a tutti. Solo scarpacce vecchie scalcagnate dal più grande al più piccolo, e la domenica o per andare a scuola, a messa a San Marco o all'oratorio, i sandali e basta – che costavano meno – anche se con i calzettoni di lana che faceva zia Pace coi ferri a maglia: «To', meglio dei francescani, poareti, che le calze non ce l'hanno e vanno scalzi. Ringrazia un'altra volta Dio, che tu invece ce l'hai. Che vuoi di più delle calze?»

«Le scarpe, avrei voluto» diceva Manrico quando lo raccontava.

Otello ce le aveva, quella volta. Zia Pace gliene aveva comprate da poco un paio nuove invernali – di una misura più grande ovviamente: in crescenza – e man mano che fosse appunto cresciuto sarebbero toccate, come anche i vestiti, ai fratelli più piccoli: «Dopo passano a te» aveva detto mia zia a Manrico.

«E io a Accio».

«Bravo» e intanto gli aveva infilato i sandali – «Per non mandarti con le scarpe rotte come gli straccioni» – ma con due paia di calzettoni grossi grossi e i calzoncini corti: «Vai, che sei un signore». Così Manrico a Campo Catino – sulla neve – c'era andato coi sandali e c'era dovuto restare per ore.

«Te potevi fà mette le scarpe vecchie, da mamma» lo aveva consolato il fratello: «Che ve credevate, che annavamo ar mare? Io adesso mica posso fà tornà indietro tutta sta gente pe' te. Batti i piedi, Manri', che te scaldi» e via a ridere e schiamazzare con l'Atlante, l'Abruzzese e Di Francia, su e giù sullo slittino e gli sci di legno dei preti.

Manrico in mezzo a Campo Catino non sapeva cosa fare – batti e ribatti i piedi; leva le calze, rimetti le calze all'infinito – per alleviare il freddo e il dolore dei geloni. Solo una cosa sapeva con certezza: «Mai più la neve. Per tutta la vita, fino che muoio, mai più con la neve. Io questo strazio non lo voglio più passare».

S'affacciava quindi ogni tanto sul terrazzino col libro in mano – alla neve del '56 – a dare una sbirciata ai fratelli, ma poi subito dentro, di nuovo al caldo: «No, mamma», a zia Pace che insisteva, «mi si gelano i piedi solo a vederla. Mi pare d'essere ancora a Campo Catino».

E mentre tutti – specie i più piccoli – pregavano ogni sera il Signore perché nella notte facesse rinevicare, Manrico tirò un sospiro di sollievo solo quando anche l'ultimo chicco di neve si sciolse a un pur tepido sole.

Fu subito primavera – di lì a poco – e con grande dolore dei fratelli più piccoli non nevicò più. Addio neve del '56, che in quel modo non l'ha proprio più fatta – «*Tu mi dici di sì, / l'hai rivista così?*» – sino a tutt'oggi che lo stiamo raccontando.

II

La primavera man mano si inoltrò – già si vedeva il lento profilarsi dell'estate – quando un giorno passò per caso, da zia Pace, nostra cugina Selinda, figlia di zio Iseo, con il Motom.

Lei ricorderà sicuramente quei primi Motom di una volta tutti grigi, con telaio a X, le ruote alte e le pancette del serbatoino sul montante obliquo, che pedalando a motore spento – un monocilindro a quattro tempi 48 cc – si riuscivano pure a far muovere, anche se faticosamente, come biciclette.

È arrivata insomma Selinda, che a luglio dell'anno prima s'era diplomata all'istituto magistrale. E appena ha visto Accio che sul tavolo della cucina faceva tutto serio e compunto le aste ed i tondi con la matita su un quadernetto dell'asilo, ha proposto a mia zia: «Ma guarda quanto è bravo. Perché non lo dai a me, che lo porto giù da noi in campagna e gli faccio scuola io? Lo preparo per bene, così a settembre dà l'esame da privatista a Borgo Carso e salta un anno. Quando è ottobre, lo iscrivi direttamente in seconda elementare».

«Benon» ha detto mia zia.

Ha preparato alla svelta un fagotto per il bambino, lo ha caricato lei stessa sul sellino di dietro del Motom e arrivederci e grazie: «Fai il bravo».

Lì da loro a dire il vero – da zio Iseo – non era esattamente come da Violetta a Borgo Vodice sulla Lungosisto, senza luce senza speranza, solo pregare e pregare dalla mattina alla sera. Ci aveva già passato un mese d'estate anche Manrico – da zio Iseo, non a Borgo Vodice – e ci si era trovato più che bene.

Lei non ha idea però mio zio Benassi quando è tornato a casa dal lavoro e – conta e riconta – gli mancava un'altra volta un figlio.

«Che fine ha fatto?» e s'è messo ad invocare la Madonna della Valle, che fra tutte le grazie che faceva c'era pure quella di far ritrovare le persone o le cose scomparse. Era una Madonna importante delle parti sue in Umbria. Adesso il santuario è abbandonato, diruto e sbarrato al pubblico – dopo il terremoto del 1997 – ma la gente continua ad andarci. Si mette lì fuori, prega, chiede le grazie e Lei pare continui a farle, a dispetto del comune di Bevagna che non trova i soldi per ripararLe il santuario.

Mio zio Benassi disse quindi alla moglie: «Benedetta la Madonna della Valle. Non abbiamo fatto in tempo a riportare a casa Violetta, che tu mandi subito via Accio?»

«Ma è per il bene suo che l'ho fatto. Così salta un anno».

«Eh?»

«Salta un anno di scuola».

«Ah, be'...» pur non capendo bene dove fosse il guadagno. Ma in quella casa la scuola era la scuola – il comandamento di zio Pericle – e pronunciata la parola ti dovevi stare zitto. Anatema su di te, se non capivi al volo l'aria.

Accio non so se si fosse reso bene conto del gran privilegio che gli era toccato – «Saltare un anno? Chissà cosa vuol dire, io non so neanche saltare i fossi come i miei fratelli» – ma seduto sul sellino di dietro del Motom, stretto stretto con le mani alla vita di Selinda per paura di cadere, non doveva essere per niente preoccupato: «Ahò, peggio che a casa mia non mi possono trattare».

Il patto era però che Selinda lo avrebbe riaccompagnato indietro spesso, a trovare la sua mamma: «Almeno una volta a settimana, zia, te lo riporto: stai sicura. Che ci metto col Motom?»

«Ma non serve Selinda, non serve...» zia Pace.

«Ma sì, ma a che casso serve?» anche Accio, dentro di sé.

Lei difatti non ci crederà, ma appena arrivati lì e odorata l'aria che c'era nella casina nuova di zio Iseo sul podere 517, tutte le volte che la cugina lo chiamava – «Lavati per bene e cambiati, che andiamo a Latina da tua mamma» – quello si inventava le peggio scuse per potersi sottrarre all'indicibile bisogna: «Ma agò da finire i cónpiti, agò da andare al Borgo con me zio e 'l musso, agò le bestie che le me speta in stala».

Selinda diventava una furia, a sentirlo parlare in dialetto: «Come? Io faccio tanto per insegnarti a leggere e scrivere in italiano» – che non le era più uscita dalla bocca una sola parola in veneto, dalla prima volta che alle magistrali, a Latina, quelle di città l'avevano presa in giro: «Colona, colona» – «Ah, ci rinuncio. Ti riporto da tua mamma e rimani là».

«Nooo» strillava Accio: «Voglio restar qua».

Sì, bisogna dire le cose come stanno: non era proprio come Violetta a Borgo Vodice. Da zio Iseo c'era la luce e pure la radio. Certo la luce era fioca fioca come da noi a Latina, perché sempre a corrente Laziale-Sre a 125 volt. Mica 220 Enel. Però c'era.

S'erano consorziati tutti i coloni della Parallela Sinistra e se l'erano fatta portare a spese loro. I lumi a carburo e petrolio li avevano buttati: «Va in malora, va'». Giusto qualche candela di riserva s'erano tenuti, per quando la luce pure a loro – of course – ogni tanto se ne andava.

E c'era anche la radio da zio Iseo – sulla credenza della cucina – tra le foto incorniciate di zio Pericle e zio Turati da una parte e dei nonni dall'altra; mentre quella più grossa in divisa d'onore di Benito, il figlio maschio di zio Iseo partito in polizia, campeggiava sulla parete di fronte. Ma questa radio, da loro, restava accesa tutto il giorno – pause e sbalzi di tensione permettendo – e non soltanto la sera come da zia Pace: «Perché se no sprechiamo troppo. Tutta sta corrente la Laziale non la regala mica».

Da zio Iseo invece no. Laziale o non Laziale – ma meglio sarìa stà anca de la Spal o romanista – dalla mattina alla sera le mie cugine a sentire canzoni. «*Dalla voce di Giorgio Consolini: Tutte le mamme!*» diceva l'annunciatore, e Consolini partiva:

Son tutte belle le mamme del mondo
quando un bambino si stringono al cuor,
son le bellezze di un bene profondo
fatto di sogni, rinunce e d'amor.

Zio Iseo l'aveva comprata nuova appena s'erano trasferiti dal podere 517 in questa casina fresca ancora di calce di via della Sorgente. Era una CGE francese di plastica e lamiera verdino-celestina – come mi pare d'averle già raccontato in un altro filò – che a vederla adesso sembrerebbe una scatola da scarpe, ma allora pareva piccolina, abituati come eravamo a certe specie di armadi.

Quando zio Iseo l'aveva portata a casa – «Sposa, agò catà l'aradio» – zia Antinesca se l'era guardata e le era piaciuta: «Che belo che xè».

Ma appena vista la marca e la targhetta sotto – «*Made in France*» – s'era sbiancata: «Dove 'o ghetu catà? Dove l'hai comprato quest'aradio?»

«Da l'aradiaro. Parché?» zio Iseo: «Cos'ha che non va?»

«Ma xèo stranier».

«E alora?»

«Le sansion. Come ghetu fato coe sansion?» poiché nessuno l'aveva avvisata che le *inique sanzioni* comminateci nel 1935 – dopo che avevamo invaso l'Abissinia – ci erano state tolte già l'anno dopo, nel 1936. Il fascio non lo aveva detto e mia zia, nel 1956, era convinta che fossero ancora in vigore. C'è voluta la radio CGE, per metterla al passo coi tempi.

Con questo non deve però credere che fosse un po' indietro. Zia Antinesca era – al contrario – intelligenza e carisma puro. Alta, bionda, scattante. Capelli ricci e magra magra, anche se zio Iseo sosteneva fosse in realtà una falsa-magra: «La sostansa ghe xè, indove che la serve».

Era un'aggiustaossi. Curava le fratture, slogature, distorsioni, lussazioni, ernie del disco e artrosi cervicali. Ci venivano da tutto l'Agro Pontino. Mica andavano all'ospedale. Correvano da lei, al podere 517, perché non si faceva pagare – non c'era ancora la riforma sanitaria aggratis per tutti; pure quella, come l'Enel, la fece il centrosinistra: Dc e socialisti assieme – giusto il prezzo delle uova si faceva rimborsare.

Ne rompeva un paio e con la chiara – solo chiara, senza tuorlo – massaggiava con perizia e con vigore, facendoli strillare finché proprio non guarivano: «Basta così che m'è passato tutto. Son resussità, Antinesca». I fratturati invece li fasciava con le stecche e le bende intrise sempre di chiara d'uovo, ma soprattutto di formule magiche e preghiere strane a sant'Antonio da Padova o altri santi.

Ogni tanto sputava per terra – «*Pftù! Pftù! Pftù!*» – mentre macinava queste giaculatorie miste di latino mal storpiato e veneto arcaico, pieno di «*jòd*» e di «*schwà*» risalenti con tutta certezza alla grande madrelingua indoeuropea, oramai scomparsa. Sosteneva che le guarigioni non fossero dovute alla chiara e ai massaggi – che faceva solo per dare nell'occhio e tranquillizzare i malati – bensì alle forze positive che gli sputi e le formule da lei recitate riuscivano a mettere in campo. «Ti te sì na zigagna» diceva zio Iseo: «La me bela zigagna».

Era una stròlega – come si suole dire – che prevedeva il tempo, i raccolti e le cattive annate, oltre ai parti di bestie e di cristiani. Leggeva il futuro coi chicchi di granturco – rovesciandone un pugno sul tavolo – oppure negli ossicini di pollo e di coniglio che teneva dentro una scatola vecchia di latta, di Biscotti Mellin colorata. Di notte ogni tanto capitava che all'improvviso zio Iseo non la trovasse nel letto. Allora si alzava e l'andava a raggiungere sull'aia, vicino l'albio, o nell'orto – «Viento, Antinesca» – abbracciandola dolce; e lei subito smetteva di parlare con le ombre.

Quando litigavano però – poiché qualche volta litigavano anche loro, come tutti quelli che si vogliono bene – zio Iseo si zittiva all'istante, appena lei dal veneto passava agli *jòd* e agli *schwà*, e la rabboniva: «Sì sì, te ghè razon ti. Basta ch'al tasi, va'», perché non c'era tanto da scherzare.

Una volta che era scappata una vacca dalla stalla e non riuscivano a prenderla, lei le era corsa a lungo dietro, chiamandola ripetutamente: «Vien chì, vien chì Bianchina». Ma quella invece sempre più lontano caracollava.

Corri e rincorri, alla fine zia Antinesca s'è stufata: «Ch'at vegna un colpo» le ha strillato. Ma non ha neanche finito di dirlo, che quella ha fatto un salto, ha stirato le quattro zampe ed è rimasta secca su due piedi – anzi, quattro – lì per terra.

Per un pezzo zio Iseo non s'è dato pace. Con chiunque parlasse – pure al bar Lodi a Borgo Carso, mentre giocava a carte – ogni tanto se ne usciva: «La me ga copà la vaca...»

Noi però stavamo alla casina nuova che zio Iseo s'era fabbricato sulla terra del podere 517, discosta però dal casale vecchio di famiglia sulla Parallela Sinistra: «Ognun par sé, ca stemo ben». L'aveva costruita un paio d'anni prima che ci venisse Accio – subito dopo che con zio Adrasto avevano fatto le divisioni – sull'altro lato del podere, su via della Sorgente a metà strada tra il Canale Mussolini e l'incrocio della Madonnina; che non è ovviamente la Madonna della Valle di mio zio Benassi, che sta invece in Umbria.

Queste edicole con una Madonnina di gesso dentro, che stanno a tutti gli incroci – anche se sulle Congiunte Destre, di fronte ai Cremonese, ce n'è una con sant'Antonio da Padova – le abbiamo costruite noi veneti, in Agro Pontino.

Quando siamo arrivati non c'era niente: solo le strade nuove tracciate dall'Opera combattenti e gli eucalypti a fianco. Ma col tempo abbiamo cominciato a tagliare gli eucalypti – succhiavano tutta l'acqua con cui irrigavamo il trifoglio, sti maladeti, e allora: «Va' in mona» e giù col fuoco, la sega, l'accetta – e agli incroci abbiamo costruito, come tutti gli altri esseri umani prima di noi, le edicole con le Madonnine perché proteggessero le strade. Che eravamo se no, più stupidi degli antichi? Non ce lo mettevamo – alle nostre – un Sant'Antonio o una Madonnina?

L'uso è antichissimo, come lei sa. Già prima dei romani agli incroci di strade, tratturi e sentieri – ma pure sui ponti e corsi d'acqua – abbiamo da sempre depositato stipi votive, o eretto statuine e santuari agli dèi, ninfe et similia, affinché proteggessero gli itinerari e soprattutto i viandanti che li dovevano percorrere. E li mettevamo sugli incroci dove la gente lasciava la strada vecchia per imboccarne una nuova, non sapendo però – a volte – se fosse pure quella giusta.

Era paganesimo, che si chiamava così perché gli ultimi a persistere in quella falsa religione erano stati proprio gli abitanti della campagna – i cui villaggi in latino erano i «pagus», e «paganus» quindi il campagnolo che ci abitava – mentre dopo Costantino, «*In hoc signo vinces*», nelle città s'erano convertiti al volo già da un pezzo. Fu una cosa tipo il 25 luglio 1943 – tutti antifascisti da noi – e là tutti cristiani. Solo nelle campagne – «Indove sticasso de pagani jèra ancora pagani» diceva zio Adelchi – ci volle più tempo e più di qualche tortorata per portare anche loro, per il bene loro, sulla giusta strada. «Altroché persecuzioni dei pagani a danno dei cristiani» sostengono certi storici del tardoantico. Ma fu così che agli incroci delle strade – al posto dei falsi idoli loro – sono sorte via via le Madonnine e i crocifissi nostri.

Su queste edicole dell'Agro Pontino però, lei trova scritto «*Anno Mariano 1954*» anche se non tutte risalgono a quel periodo – qualcuna prima, altre dopo – ma cosa vuole che importi? Ciò che conta è che ancora adesso nel mese di maggio – mese mariano, appunto – se lei viene in Agro trova ogni sera all'angolo della Parallela Sinistra, incrocio con via della Sorgente, gran parte del vicinato intento a recitare il rosario: «*Sancta Maria! Ora pro nobis. Sancta Dei Genitrix! Ora pro nobis. Sancta Virgo Virginum! Ora pro nobis*».

È un fatto religioso. Ma soprattutto demo-etno-antropologico. Con la scusa di pregare assieme, la gente si ri-unisce all'angolo delle strade e nella preghiera corale rammemora l'esodo di novant'anni fa, lo sradicamento dal Veneto d'origine ed il rifarsi popolo, finalmente, qui. Integrazione sociale, si chiama.

A metà strada quindi tra la Madonnina e il Canale Mussolini – su via della Sorgente – c'era la casina di zio Iseo con un cortile davanti, un po' più piccolo dell'aia del podere vecchio 517, ma bello e spazioso anch'esso e, subito a destra dopo il ponticello d'accesso, il pozzo con la pompa a mano e l'albio per abbeverare le bestie. Il gabinetto – il prìvy – stava dietro casa, alla regolamentare sessantina di metri dal pozzo dell'acqua bianca. Acqua così buona che lei non ha idea: «Ci si cuociono i fagioli in gnanca mezora» diceva zio Iseo; ma forse esagerava.

Non era un edificio a due piani come il vecchio casale, ma un piano solo – per questo, «casina» – sollevato sul nudo terreno da un vespaio di pietra con due gradini per salire. Copertura a tetto a due spioventi.

A sinistra – appena entrati – c'era la cucina grande, spaziosa e soleggiata. In fondo le due camere da letto – una per le mie tre cugine e l'altra per zio Iseo e zia Antinesca – divise da un ripostiglio che diverrà un giorno il bagno.

Di fronte alla cucina – a destra dell'ingresso – c'era un'altra porta. Doveva essere la camera di mio cugino Benito, che però era partito in polizia ed era rimasta da ultimare. «Casso la finisso a fare?» aveva detto zio Iseo: «Intanto ghe fasso l'offisina». Dalla porta, dopo due scalini, sul terreno battuto stavano immagazzinati i ferri e strumenti, i sacchi di concime chimico, di grano e di granturco. Accostato al muro a ridosso del corridoio – a fianco alla porta – il bancone grosso di legno con la morsa, le chiavi, le falci, la mola per arrotare.

Attigua alla casina, sul retro, c'era la stalla e davanti invece un piccolo portico per i carretti – uno vecchio per i lavori di campagna e l'altro nuovo per la domenica a messa al borgo o in città, a due sole ruote ognuno, ma alte alte, con le stanghe per il musso – e il ranchinatore del fieno. Sempre pieno però dappertutto – questo portico – di gallinelle faraone bianche e nere che zia Antinesca allevava in quantità, oltre a qualche oca, anatra, tacchino, gallina padovana, ma soprattutto queste galline faraone bianche e nere, svolazzanti di qua e di là. Lei non ha idea – appena zia Antinesca metteva il muso fuori – tutte queste faraone come le correvano incontro, la chiamavano, le strillavano di gioia. E lei non ha soprattutto idea di quanto fossero buone – povere bestie – quando mia zia le cucinava alla brace sul fuoco, o alla cacciatora in padella.

Sì lo so che non è forse giusto. Anche zia Antinesca lo diceva ed ogni volta – prima d'ammazzarle – aveva sempre gli occhi tristi e mentre lo faceva pregava con quelle sue giaculatorie strane, a colpi di *jòd* e di *schwà*, per sé e per loro.

«No se gavarìa da coparle» spiegava, perché se c'è scintilla divina negli esseri umani, diceva, non può non esserci anche negli animali e perfino negli insetti, microbi, alberi, erbe, vegetali ed ogni altra forma di vita. Anzi, forse pure nei sassi, nella materia. Ma nelle forme della vita – *zoè* si dice in greco, principio ed essenza di tutti gli esseri viventi – proprio non si discute. Perché l'urlo di dolore di una scolopendra, schiacciata da noi addosso a un muro, dovrebbe arrivare più attutito o restare inascoltato – all'orecchio di

Dio – dell'urlo di dolore mio o suo? Chi ci crediamo di essere? Dio, se c'è, è in tutte le cose.

Vede, mia zia Antinesca era cattolica apostolica e romana. Non ha mai mancato una messa la domenica e le feste comandate. Sempre elargita la questua ai frati che passavano e sempre rispettato don Federico, don Orlando e don Giuseppe – che è venuto dopo – da cui s'è sempre regolarmente confessata e comunicata. Ma l'oltremondo che aveva in mente lei era un po' diverso da quello dei teologi: c'erano Dio e la Madonna, ma non l'inferno e il purgatorio come li intendiamo noi, con il fuoco e le fiamme. Il suo era un miscuglio di cattolicesimo e idee bislacche di certe filosofie orientali che doveva avere attinto – di fòla in fòla, attraverso la catena delle stròleghe – dal sostrato indoeuropeo della cultura popolare.

Per lei i morti non se ne andavano mai. Restavano a lungo in giro, perché nessuna forma di vita – a questo mondo – sarebbe nata per caso o accidente, ma è sempre stata la sua specifica anima ad avere a un certo punto avuto voglia di nascere, per poter giocare alla realtà: «Fame 'ndare a védare anca mi». Quelle all'inizio erano tutte particelle della Luce di Dio – «L'àneme nol xè che i so tocheti» – parti del Tutto, cellule con la Sua stessa impronta, calate nella materia.

Ma una volta che l'anima s'è staccata dalla Luce generale, per mischiarsi alla materia e dare così inizio al suo gioco nel reale – nel ciclo della vita – appena ci si affaccia s'accorge costernata che non è per niente il bel gioco che lei si aspettava. Anzi, è l'esatto contrario.

«Ma è proprio questo allora – il reale? – il famoso inferno di cui tutti parlavano» e vorrebbe di corsa tornare indietro: «Verzì le porte, ch'av vegna un càncher. Fasìme rentrar».

Pare però non sia possibile interrompere il gioco a piacimento: «At ga volesto zogar? Desso te zoghi fint'el fondo, mona». Come il giro dell'oca, una volta cominciato bisogna farlo tutto, per purificarsi ben bene. Fare tutta la trafila per liberare – da ogni contaminazione con la materia e col fango del reale – la particola di Luce che è in te e farla tornare in quella Unica del Dio che è Tutto. Ma chi sbaglia fa un passo indietro e ricomincia da capo: virus, batterio, microbo, pianta, pesce, gatto, uomo – ma anche donna – e così via.

Come dice lei, scusi? Che questi non sono discorsi da prete e che io sarei un eretico?

Be', in effetti c'è già stato un altro che me lo ha detto – un vescovo in Brasile – ma si sbagliava e si sbaglia pure lei. Mica sono io a sostenere queste cose. Era mia zia.

Io che le posso fare? In questo cosmo la vita si ciba d'altra vita e la vera «città di Dio», forse, a questo punto Gliela possiamo costruire solamente noi – gli uomini – in un continuo processo di civilizzazione che ci porti, da qui a qualche millennio, a superare del tutto ogni forma di violenza e a non cibarci più d'altra vita.

Ma per l'intanto, zia Antinesca mi perdonerà, *humanus sum* e per me non c'è niente di più buono a questo mondo – mea culpa, mea culpa – della faraona alla cacciatora come la faceva lei. Ma pure le salsicce coi fagioli – o la polenta con salsicce – ma tutte e due condite bene bene col sugo rosso al pomodoro. Assolutamente non come dice Steinbeck ahimè – i fagioli *senza pomodoro* – che il Signore lo perdoni.

I rapporti con zio Adrasto – a cui era toccata gran parte del podere, compreso il vecchio casale 517 – erano buoni come erano sempre stati nella famiglia Peruzzi, almeno formalmente.

Ci si prestavano gli attrezzi, ci si scambiavano le bestie e tutta una serie di lavori – mietitura e trebbiatura del grano o del granturco, il formenton; raccolta dei cocomeri e barbabietole e financo cottura ogni quindici giorni del pane nel grande forno al podere 517 – venivano fatti ancora in comune. Poi ognuno ovviamente tratteneva la parte sua. Anche a caccia nei campi o fin nel bosco di là dell'Appia, zio Adrasto e zio Iseo ci andavano assieme. Così pure a giocare a bocce o a briscola al bar Lodi a Borgo Carso. Però oramai si erano divisi – ognun per sé e Dio per tutti – anche se da fuori sembravano uniti e volersi bene come prima.

In realtà – lei lo sa – tanto uniti e volersi bene per davvero tutti quanti, non lo siamo stati mai. Certo se qualcuno dall'esterno, o le avversità dei tempi e la natura ci attaccavano, noi Peruzzi abbiamo sempre fatto fronte unito, tutti stretti in un sol pugno a rispondere colpo su colpo – e preferibilmente qualche colpo in più – a qualsivoglia minaccia, da qualunque parte ci arrivasse.

Ma fra tutti i fratelli e sorelle, non è che ci si volesse proprio lo stesso bene. C'erano quelli più e quelli meno, ma gliel'ho già raccontato chissà quante volte. Zio Pericle, Temistocle e l'Iseo – sempre uniti fin da ragazzini – si capivano al volo. Bastava un cenno e partivano o spartivano all'istante ogni cosa o destinazione. Ma con zio Adelchi per esempio non si erano mai intesi. Quello guardava storto; magari non diceva niente ma si defilava, disertava e di dietro mugugnava, quando proprio non si ribellava.

Zio Treves e il Turati – il grande Can del Turati, airone dei Peruzzi, come lo chiamavano i fratelli – parteggiavano per Pericle Temistocle e l'Iseo, come anche zio Cesio, l'ultimo maschio, dopo che il più piccolo di tutti, il povero zio Benito, era morto piccolino lassù in Veneto prima che partissimo. È rimasto lì in un fornetto – polvere d'ossa, oramai – e ogni volta che qualcuno di noi va da quelle parti, passa sempre a Taglio di Po a portargli un fiore. Fu l'ultimo comandamento di mia nonna, prima di morire: «Andè a trovare Benitin». Chi lo può disobbedire?

Ma con tutto che loro stavano con Pericle Temistocle e l'Iseo – quasi agli ordini, diciamo – zio Treves e il Turati erano davvero, fra di loro, un'anima sola. Non c'era paragone con gli altri, tanto è vero che al momento di morire – nella ritirata di Russia dove erano, anche lì, andati assieme – l'ultimo fiato che tirò il mio povero zio Can del Turati fu: «Pènsaghe ti a me fiòi e me mojèr».

«Stai pur sicuro che ghe pensarò, Canetto mio» piangendo, zio Treves.

«Giuralo!» il Turati. E poi è morto.

«T'el zuro e t'el rizuro» e appena tornato a casa nel '45 dalla Russia ed altri fronti, dopo mille stenti, zio Treves – che per fortuna era ancora celibe – s'è sposato la cognata e insieme ai figli nuovi suoi s'è tenuto giustamente anche quelli del fratello.

Come dice, scusi? Che a lei sembra un po' incestuoso?

Ma vada a spazzare il mare: incesto è padre e figlia, fratello e sorella, zia e nipote; anche se quest'ultimo non tanto però, specie nel caso nostro del Paride e l'Armida che non erano consanguinei. Certo non fu una bella cosa – «Agò sbalià» ha ammesso sempre mia mamma fino all'ultimo suo giorno – ma incesto no, anche se i Peruzzi non gliel'hanno perdonata: «A me fradèo? La ga fato quel afronto a me fradeò disperso 'n guera?»

Ma cognato celibe e cognata rimasta vedova no. Non solo non è incesto, ma è ancora un diritto-dovere preciso in tutte le società cosiddette arcaiche o primitive dell'Australia, Papuasia e Siberia, fino all'Amazzonia. Nella Bibbia è Dio che lo comanda. È il «levirato» – da «levir», cognato – l'obbligo di sposare la vedova del proprio fratello, sia per garantire assistenza e protezione ai superstiti, sia per evitare che la madre ed i figli vadano a finire in un altro gruppo familiare, disperdendo magari pure la dote, beni e proprietà. È per questo che Dio punisce Onan figlio di Giuda – che non piacendogli evidentemente la cognata Tamar, vedova di suo fratello Er, preferiva spargere il suo seme per terra, piuttosto che metterla incinta – facendolo morire: «Va in malora va', così t'impari».

Se però non c'era più al mondo nessun fratello libero, allora toccava al parente più prossimo, come nel caso di Rut, che insieme alla suocera Noemi si mise per strada a raccogliere spighe e chiedere l'elemosina, finché non riuscì a trovare il lontano cugino Root di suo marito, che la sposò e diede inizio – pensi lei – alla stirpe di David. Poi dice il levirato e i miei zii Treves e Can del Turati.

Zio Adelchi invece gli è sempre piaciuto comandare. Già da bambino imperava sulle sorelle, anche più grandi. Sui maschi no. Temistocle e Pericle lo facevano correre – se solo alzava la voce – e lui se l'intendeva solo con Adrasto, l'unico dei fratelli più piccoli che parteggiasse per lui.

Lui era moro moro, le ho detto, zio Adelchi. Zio Adrasto invece biondo, occhi azzurri e una decina d'anni in meno. Alti però uguale ed asciutti. Come tutti i Peruzzi, un fascio di nervi ognuno e muscoli di pietra con, dentro l'anima, la furia sempre pronta ad esplodere; ma – in loro – temperata da maggiore intelligenza, forse; sicuramente da freddezza e capacità di calcolo che gli altri non avevano. Tutto impulso gli altri. Loro no. Ti aspettavano al varco, se serviva.

Passa un giorno, passa un altro però – come le ho raccontato – uno alla volta se ne erano andati tutti. Zio Temistocle stava già per conto suo sul podere 516, mentre zio Pericle e zio Iseo s'erano trasferiti prima al di là dell'Appia, dal conte Cerisano-Caratelli, e poi – per la rottura dell'argine e straripamento del Canale Mussolini, con raccolti andati a male e debiti e cambiali da pagare – s'erano arruolati e partiti volontari in guerra per l'Africa, da dove purtroppo il Pericle non era più tornato e i conseguenti guai miei, dopo, e di mia mamma Armida.

Com'è come non è, in tutto questo tourbillon zio Adelchi si era ritrovato all'improvviso, finalmente, ad essere lui il primo maschio più grande della sacra famiglia, a cui dopo il padre e la madre toccava il diritto di comandarla tutta – sia le sorelle femmine che i restanti maschi – anche se lui in realtà lo faceva pesare come il più gravoso dei doveri: «Mi non voria. Parò...»

Fatto sta, quando nel 1945 zio Iseo era tornato per sua fortuna dalla guerra o, meglio, dalla prigionia in Kenia dopo essere stato ferito in battaglia, non è che zio Adelchi e zio Adrasto fossero stati tanto contenti di riaccoglierlo e farlo rientrare a pieno diritto nel podere 517: «Eh no, lori jèra fora, oramà. Chi parte 'l parte, nisun te varda 'l posto», si dicevano tra loro. «Chi va a Roma desperde 'a poltrona».

Quando l'Opera combattenti ci aveva infatti portato giù ed assegnato i poderi, nel contratto era previsto che dopo un certo periodo – e dietro il puntuale pagamento ogni anno della quota di riscatto – sarebbero diventati di nostra proprietà. Ma c'era pure scritto chiaro e tondo che i poderi sarebbero stati per sempre indivisibili, come nel «maso» che c'è ancora adesso lassù in montagna in Trentino-Alto Adige.

È un istituto giuridico di origine austro-ungarica, introdotto a suo tempo dagli Asburgo nel Tirolo – quando il Trentino era Austria – e nella Stiria per evitare l'eccessivo frazionamento dei terreni e il conseguente spopolamento della montagna. Dividi infatti oggi, dividi poi domani in porzioni sempre più piccole, nessuno sarebbe più riuscito a sopravviverci. L'unico modo per garantire la permanenza di almeno un po' di gente, era garantire in primo luogo l'economicità delle conduzioni agricole.

Si inventarono perciò il «maso chiuso»: casa, stalle, fienili e fabbricati con attorno i campi per le coltivazioni, il bosco e i prati da pascolo per il bestiame. Maso chiuso indivisibile ed autosufficiente, la cui proprietà si poteva trasmettere solo per atto di vendita o successione a causa di morte – dal capofamiglia al figlio più grande o equivalente – ma sempre proprietà comune tutta indivisa, di generazione in generazione.

Come dice, scusi? Come facevano quando a un certo punto diventavano in troppi, dentro casa?

E come vuole che facessero? Nasci tu che nasco io, quando

finivano per ritrovarsi intorno al tavolo la sera che – sparti e risparti – pure di polenta non ce n'era quasi più per nessuno, qualcuno pigliava e se ne andava. Scendeva in valle ed emigrava. Lasciava ogni suo diritto – che era rimasto a quel punto solo quello di morire insieme agli altri di fame – e andava a cercare fortuna da un'altra parte, se la trovava.

Se invece non la trovava, arrivederci e grazie: «Chi ha avuto ha avuto, chi ha dato ha dato». Ma i suoi congiunti almeno ripigliavano a respirare, mentre il maso restava soprattutto intatto, fedele nei secoli a produrre in qualche modo – se ben lavorato – popolamento alla montagna e reddito all'umana nazione. Così va il mondo – pare – e così ha fatto anche l'Opera combattenti in Agro Pontino.

Cosa crede – se no – che quelli avessero per caso prosciugato le Paludi, costruito case villaggi e strade, e tolto le terre ai latifondisti solo per poterle dare a noi, contadini poveri ma belli, in un sublime e disinteressato atto di amore, carità e beneficenza? Ma lei è matto.

«Mica son la Càritas mi» disse l'Opera: «Tuta sta roba coi schèi de lo Stato e de la Coletività, non l'ho mica fatta per voi, ma per l'economia nazionale, ch'av vegna un càncher. Valtri sìo solo soldà, soldati. Sotto a lavorare, desgrassià, e guai a chi ghe vien intension da spartir un poder o smanedar un confin. Ghe tajo le man».

Era una logica produttivistica, punto e basta. Da oltre settantamila ettari infruttuosi di deserto mortifero paludoso malarico, loro – dopo secoli e secoli – avevano disegnato, suddiviso e realizzato l'intero Agro Pontino come un'unica grande *farm*.

Ogni podere non era che la singola macchina, e ogni Borgo un reparto, di una sola gigantesca fabbrica che – «*tic-tac, tic-tac*» come un orologio – doveva far crescere ogni giorno il Pil della nazione e fornire i sacri sacchi di cereale alla «*battaglia del grano*». Oltre ovviamente al latte, lo zucchero, le uova, i polli, galline, anatre, tacchini, salsicce, conigli, manzo, maiale, fettine di cavallo o di vitello, cavoli, insalata, pomodori e tutte le altre derrate alimentari necessarie a sfamare Roma ladrona – come la chiamano quelli che appena ci arrivano si mettono a razzolare come e peggio degli altri – che sta qui vicino.

E Latina – o meglio, Littoria – la costruirono apposta, dal niente che c'era prima, al centro esatto delle vecchie Paludi: a sette chilometri dal mare e a otto dalla ferrovia «direttissima» Roma-Napoli, che al di là dell'Appia scorre lambendo i piedi delle montagne. A metà strada tra il mare e i monti – equidistante – anche se adesso salta fuori ogni tanto la gente come lei, che arriva e si stupisce: «Perché non l'hanno fatta sul mare, che sarebbe venuta una bellezza, o più vicina alla ferrovia? Può essere che non si siano resi conto che sarebbero diventati troppo scomodi, otto chilometri in corriera dalla città alla stazione? Perché non l'hanno messa proprio lì?»

«Parché no jèra cojoni come valtri, ciò» rispondeva mio zio Adelchi: «Mica questo trambusto di bonifiche e città lo ga fato 'l Touring Club, ch'av vegna un càncher».

Lo avesse fatto il Touring con i soldi suoi, allora sì che si sarebbe forse potuto pensare a un eventuale viaggiatore Roma-Napoli che da sopra il treno – affacciato al finestrino – gli fosse venuto in mente: «Mo' scendo e vado a vedé che capolavoro hanno fatto qua».

«Ma a l'Opera combatenti», diceva giustamente zio Adelchi, «cossa vòl che gh'in fregava d'un mona de viazator?»

Oppure lei ha il sospetto che i coloni littoriano-latinesi – portati giù a quel tempo dal Friuli, Veneto e Ferrarese per coltivare l'Agro Pontino – dovessero andare tutti i giorni, non si sa perché, avanti e indietro per la direttissima Roma-Napoli e gli servisse quindi come il pane una stazione attaccata alla città?

«Casso ghévimo d'andarghe a fare a Nappoli o Roma?» le spiegherebbe mio zio: «Nantri aghévimo solo che star in canpagna e laorar, non bagolare destra e manca su e zo, par i treni a sbrindolar».

Come dice? Che adesso però ci servirebbe, con tutti i pendolari che ogni giorno – a migliaia – da Latina vanno a Roma a lavorare o viceversa?

Ah, certo. Sicuramente ha ragione.

Ma non sarà mica colpa dell'Opera – e diciamo la verità: neanche del fascismo – se lei poi, a un certo punto, ha cambiato idea, ha manomesso tutto quanto e ribaltato dalla a alla zeta l'assetto e pianificazione di un intero territorio. Che vuole adesso da loro?

Latina Littoria era nata come città agricola. Posta all'esatto centro della maglia poderale, doveva servire solo e soltanto a questo: fulcro e cerniera di una colossale macchina di produzione, di tipo quasi collettivistico. «Ma questa è l'Unione Sovietica, è bolscevizzazione» si misero a strillare quelli del *fascismo bianco* vicini alla grande agraria latifondista, che più tardi – quando cambierà il vento – passeranno in massa alla Democrazia cristiana.

Proprio come operai di fabbrica noi – in ogni podere – rispondevamo al fattore dell'Opera e lui, di rimando, al caporeparto suo d'azienda in ogni singolo Borgo, e questi a Littoria. Lì si decideva tutto: cosa dovevamo piantare e cosa no, quando e come raccogliere, i concimi da dare, le bestie e gli attrezzi da attribuire. Ci controllavano giorno per giorno – sempre col fiato sul collo – se lavoravamo per bene, se pulivamo le scoline e i fronti strada, se tenevamo l'intero podere a puntino e se, soprattutto, rispettavamo i «calìps», gli eucalypti delle sacre fasce frangivento. L'Opera combattenti – sia chiaro – non era affatto bolscevica. «Ma un fià fassiocomunista sì, parò» diceva mio zio Adelchi.

Gli errori certo ci furono, ma in ogni caso Littoria – da noi – funzionò da centro, cuore e cervello di una sola gigantesca fabbrica agricola, chiamata «Agro Pontino». Quello era e quello doveva restare, secondo loro.

Se lei poi invece l'ha smembrata quella fabbrica, l'ha disarticolata dalle fondamenta spezzettando all'infinito la proprietà dei terreni, e Latina l'ha trasformata prima in città industriale, poi terziaria e infine deindustrializzata – mentre la campagna oramai non la lavora più nessuno, addio agricoltura e allevamento del bestiame, e noi siamo diventati una specie di quartiere dormitorio di Roma, tutti a lavorare lì e la sera a letto qua – cosa vuole da me o dall'Opera? «Ch'al se mòrsega i gomi» direbbe mio zio. I gomiti.

È per questo che da un certo punto di vista – «Ognuno ga le so razon» – zio Adelchi e zio Adrasto non avevano neanche tutti i torti a lamentarsi nel 1945 del rientro di zio Iseo, dopo il ritorno dalla prigionia in Kenia, nel podere 517. Dopo tutto, insieme a zio Pericle lo aveva lasciato di sua volontà – nel 1936 o '37 – per andarsene ad enfiteusi sulle terre del conte Cerisano-Caratelli dalle parti di Doganella. Ma quella volta – nel 1945 – erano ancora al mondo mio nonno e mia nonna, la quale disse solamente: «L'Iseo resta qua» e tutti zitti e mosca. Anche se col tossico in gola.

Zio Adelchi – che pur abitando a Latina alla Previdenza sociale conservava a tutti gli effetti, secondo lui, lo scettro di comandante in capo della famiglia – aveva in mente da un pezzo il suo piano: alle femmine, non si discute, non sarebbe toccato niente perché le campavano i mariti. I maschi, invece, chi era fuori era fuori, compreso il più piccolo – Cesio – che aveva studiato da geometra e al ritorno dalla prigionia in India andò a lavorare come impiegato all'Inps. Sul podere quindi – alla fine – secondo zio Adelchi doveva restare zio Adrasto con la sua famiglia. Così aveva deciso: «Tuti i altri fòra, sia fémene che mas-ci».

Secondo la logica dell'Opera combattenti – che aveva fatto la bonifica – era giusto così. Zio Adelchi non era nel torto: se il podere fosse rimasto indiviso, tutti insieme non ci si sarebbe potuto più vivere. Qualcuno per forza se ne doveva andare. Ma quando la nonna ha detto: «L'Iseo resta qua», nessuno ha osato protestare. Si sono stretti e amen.

Le cose sono peggiorate quando è tornato anche zio Treves – che dopo la campagna di Russia aveva fatto non so quanti giri per tutta Europa, finché dopo l'8 settembre era stato preso dai tedeschi, chiuso in un campo di concentramento ai lavori forzati e liberato nel 1945 dalle truppe dell'Armata Rossa, che però per rimandarlo a casa gli avevano fatto rifare tutto il giro dal mar Caspio al mar Nero, alla Grecia – e appena arrivato ha sposato la zia Galinzia, vedova del Turati. E oltre ai cinque figli che aveva già lei del Can del Turati, gliene ha fatti fare subito altri tre pure lui, a distanza di un anno uno dall'altro.

«Più ghe xè fame, qua, e più fasì fiòi?» s'incazzava zio Adelchi.

«I fasso anca par ti» rispondeva fumino zio Treves – colpendo basso – perché l'altro non ne aveva e non ne avrà purtroppo, come lei sa, nemmeno uno.

Se lei poi aggiunge il nonno e la nonna, la sorella più piccola Silvia ancora in casa che studiava da maestra, la moglie e i quattro figli di zio Iseo – Benito e le tre femmine – e quelli di zio Adrasto e zia Nazzarena stessi, che ne avevano già tre e ne faranno altri quattro, lei capisce come non ci fosse tanto da scialare la sera, quando provavano a sedersi, se ci riuscivano, tutti attorno alla polenta che mia nonna, dal paiolo, rovesciava sulla tavola.

«Qui bisogna che qualcuno se ne va...» si levava una voce ogni tanto.

«Eh sì, bisogna proprio» rispondevano gli altri. Ma nessuno se ne andava.

Lei però lo sa come vanno le cose: appresso alla fame arriva la discordia. Finché c'è abbondanza, non costa niente volersi bene. Ma quando a tutti tocca poco, ognuno si macera dentro finché pure sul lavoro – oltre che in casa e nella vita domestica – nascono le discussioni.

Fino allora, del resto, zio Treves sul podere 517 a lavorare la terra c'era stato sì e no quattro anni: dalla fine del

1932 – che era novembre, quando eravamo arrivati nel Pontino – al 1937 che era partito per la guerra di Spagna e da lì in Francia, in Russia e tutto il resto. Zio Iseo idem – se non addirittura meno – dal '32 a quando è andato a Doganella prima e in Abissinia e Kenia poi.

Zio Adrasto invece era l'unico dei Peruzzi del 517 che non fosse andato in guerra, perché esentato apposta per condurre il podere. Si figuri quindi come lo conosceva. Quasi quindici anni oramai che voltava e rivoltava quella terra, zolla dopo zolla. Sapeva qual era il campo migliore per la vigna, quale per la medica, la spagna, le bietole, il grano, i cocomeri, il formenton. Riconosceva da lontano, dal muggito – «*Mèuuuh!*» – le vacche: «Questa xè 'a Venessia, gàla calcossa che non va. Che non sia la mastite?» e correva a vedere.

Così quei due – zio Treves e zio Iseo – quando sono tornati dalla guerra si sono ritrovati garzoni di bottega: «Femo questo, femo quello. Ti va là, mi vago qua» disponeva tutto Adrasto.

A loro non restava che eseguire. Non c'era niente da ribattere perché nel merito aveva sempre ragione, essendo più pratico di ogni piega ed ogni ruga del podere, della terra, della stalla, del concime, le sementi, i fattori, i mediatori, i commercianti. Toccava obbedire per forza.

Era il modo, però, che li infastidiva – «Ma tu varda s'agò da farme comandar acsì da sta pétola mocagioso mocaion de fradèo minor» – perché quello era altero e gli piaceva comandare come zio Adelchi. Non per niente erano affiatati e fin da piccolo zio Adrasto gli si era legato, gli andava dietro servizievole obbediente – solo a lui si chinava – emulandolo in ogni mossa o intonazione che facesse inconsapevolmente incazzare gli altri.

Erano baruffe sotterranee e continue. In stalla, sui campi, a caricare il fieno sul carro grande a quattro ruote: «Sto mi de sora».

«No. At stà de soto, agh vago mi de sora!»
«E va in malora».
Il primo a mollare è stato zio Treves che – le ripeto – era fumino. A un certo punto ha detto: «Basta. Vago via mi».
Hai voglia la madre – mia nonna – a tentare di distoglierlo e la moglie zia Galinzia ad implorarlo: «Porta passiensa, restemo qua». Grande donna oltre tutto la moglie, che non aveva neanche sedici anni quando aveva messo al mondo la prima dei cinque figli di zio Can del Turati, l'Adelina, e nel 1948 – che ne aveva trentasei e aspettava oramai il terzo di zio Treves, che chiamarono appunto Ottavio – era anche nonna del bambino un po' scuro che l'Adelina aveva fatto a sedici anni come lei, ma con un soldato nero americano di quelli che stavano nel 1944-45 all'aeroporto, che poi era ripartito per casa sua in Arkansas: «Mi ha giurato che ritorna a prendermi» diceva l'Adelina.
«Spèta ti, baùca...» la madre, che era ancora bella come il sole, bianca come la luna, neanche un filo di pancia nonostante fosse incinta. Una dea guerriera senza paura di niente zia Galinzia – proprio come zio Treves e il povero Can del Turati, airone dei Peruzzi – andava su e giù a cavallo sopra i mussi meglio di un'amazzone: «Porta passiensa Treves, restemo qua» insisteva.
«No. Ai comandi de 'n fradèo minor, mi no ghe resto».
«E mi?» che le ripeto era incinta.
«Intanto vado io, poi verrai anche tu con i figli».
«E tutti questi che lasci a noi qua», s'allarmarono zio Adelchi e zio Adrasto, «chi ghe darà da magnar?»
«No stì afanarve, ciò. Agh mandarò mi i schèi».
Come dice lei, scusi, però? Che con tutta questa gente non riesce più a seguirmi? Fa confusione con i nomi e non ricorda più chi è l'uno e chi l'altro?
E che le posso fare io? Eravamo troppi i Peruzzi – «anca massa» diceva zio Adelchi – a questo mondo. Non è colpa mia o del racconto. È andata così. Si figuri che a volte – lei

non ci crederà – mi sbaglio pure io, li confondo uno con l'altro, non ricordo più chi è venuto prima e chi dopo, chi c'era quella volta e chi quell'altra no. Del resto non esiste pure il detto: «Si sbaglia anche il prete sull'altare, qualche volta, a dire messa»? E io che sono prete non mi posso sbagliare con i miei parenti? Cosa vuole che sia? Lei quello che deve guardare è al racconto in generale, la storia nel suo complesso: «È l'alveare che conta» – diceva mia mamma Armida – «non la singola ape».

Zio Treves partì così per il Belgio insieme a zio Torello Lucchetti – cognato di zio Benassi, avendone sposato la sorella più piccola Riquinta – lasciando la moglie con sette figli e un altro da partorire; oltre al nipote nero, fiòlo dell'Adelina.

Era il 1948 e partivano tutti per ogni angolo del mondo. L'Italia aveva stretto accordi con un sacco di Paesi per spedire emigranti dappertutto. I Bruscagin – qui da noi – andarono in Brasile. I Falzago in Venezuela. I Busatto in Argentina. Non le dico poi in Europa.

E loro – zio Torello Lucchetti e mio zio Treves – partirono per il Belgio, per scendere sotto terra a scavare il carbone. Zio Torello Lucchetti in miniera c'era già stato dalle sue parti in Umbria a Ponte di Ferro, nella valle del Puglia tra Marcellano e Gualdo Cattaneo. Era una miniera di lignite aperta dai tedeschi – ci aveva lavorato pure zio Benassi, per un breve periodo prima di venire in Agro Pontino – e chiusa dopo la guerra, perché poco redditizia. La lignite è un carbone che non scalda e non vale granché, al contrario di quello belga. Per questo il governo mandò i minatori nostri in Belgio.

Insieme a zio Treves e zio Torello furono più di cinquantamila gli italiani – duemila al mese ogni mese, fino al raggiungimento della quota – spediti nelle miniere belghe con il biglietto del treno a spese dello Stato. Erano i termini dell'accordo firmato il 23 giugno 1946 tra il nostro governo – di cui oltre a De Gasperi e alla Dc facevano parte anche i ministri socialisti e comunisti guidati da Nenni e Togliatti – e quello belga.

In cambio della forza-lavoro – in cambio dei minatori – il Belgio ci dava 125.000 tonnellate al mese di carbone a prezzo di favore. Tolga le domeniche e tragga il conto: fa un quintale al giorno per ogni minatore. Cinquantamila ripeto, sistemati di regola – i primi tempi – in grandi camerate comuni vicino ai pozzi estrattivi. Lunghe baracche di legno e lamiera tali e quali, diceva zio Treves: «Al Stàlag de consentramento indove son stà mi in tenpo de guera, sot ai SS». Poi loro si misero a cercare casa e in un anno o due la trovarono.

Provarono a portarsi anche zio Iseo – «Ma sì» lo consigliava suadente zio Adelchi: «Vai anca ti, Iseo. Cossa stètu a fare qua? Sètu quanti schèi che ammucchi?» – ma lui non volle: «Mi son contadin e vogio star in stala e in meso ai canpi, col musso e le me bestie. No soto tera coi rati, che n'agò magnà anca massa in Kenia», che per la fame se li facevano arrosto.

«Vògio star a l'aria averta, fiòi» e lui e zio Adrasto, ruminando ruminando e più volte altercando, hanno bene o male resistito – finché ci sono stati al mondo i genitori a sorvegliarne ogni mossa – continuando a fare insieme tutto, compreso il mangiare e cucinare. Solo zia Galinzia – la moglie di zio Treves – faceva la spesa e cucinava a parte per i figli suoi, con i franchi che le mandava mese per mese il marito dal Belgio.

Poi però – tra la metà di dicembre del 1949 e gli inizi di gennaio del 1950 – in neanche venti giorni mio nonno e mia nonna se ne sono andati, riposino in pace, e all'Opera combattenti, nell'atto di successione del contratto di affidamento del podere 517 inizialmente intestato a mio nonno, hanno trascritto come nuovi e unici cointestatari i due capifamiglia Adrasto e Iseo Peruzzi, conduttori a quel momento del podere che restava, comunque, indiviso e indivisibile.

Non è però che avessero deciso da soli e di nascosto – loro e l'Opera – senza dire niente a nessuno. Ci mancherebbe altro. Zio Adelchi s'era fatto il giro del clan ad avvertire, sentire ed eventualmente persuadere: «Non abbiamo detto sempre, fiòi, che la tera gàla da andare a chi la lavora? E acsì aghemo da fare, ciò».

«At ga razon, Adelchi. Xè zusto acsì» convennero tutti lì per lì – chi più contento e chi meno – compreso zio Treves, che arrivato per la morte del padre era dovuto restare, dopo Natale, anche per quella della madre.

Al momento di ripartire però – essendo finalmente riuscito a trovare a La Louvière una casetta in affitto con l'orto davanti – s'è caricato come promesso armi e bagagli, valigie e scatoloni, moglie e figli suoi e del Turati, e tutti in Belgio se li è portati. O meglio, tutti eccetto Adelina e il suo bambino. Questi no. Gli è toccato lasciarli qua.

All'inizio s'era deciso che sarebbe partita anche lei, che tutta contenta faceva già progetti con il figlio piccolino – cinque anni e qualcosa, tutti lo chiamavano «Moro»; che in veneto significa nero o anche negro – «Vedrai come è bello il treno, vedrai come staremo bene là, lì c'è la civiltà, le macchine, il lavoro». Tutto fissato, tutto deciso.

Ma neanche due o tre giorni prima che arrivasse il momento, a lei la notte in sogno è venuto suo padre – il povero mio zio Can del Turati – a scongiurarla: «No stare a 'ndare fiòla, no stare a 'ndare! Resta qua sulla tua terra, non la mollare, non la lassiare, che 'a xè roba tua, roba mia, roba del tuo sangue».

«Come fasso popà?» e Adelina piangeva nel sogno: «Xè già tutto deciso, il treno pagà, i va tuti quanti, come fasso non andar?»

«Lassia che i vaga, ti at resti qua, fiòla mia bela ch'at vògio tanto ben» e piangeva nel sogno anche zio Turati, le lagrime a torrenti gli cadevano dal viso.

«No star piànzere, popà mio belo, no star piànzere» e con

le mani provava a asciugarle e fermargliele lei, le lagrime sugli occhi del padre, mentre piangeva a dirotto più di lui: «Popà mio belo, popà mio caro».

«No star a 'ndare, fiòla mia fiòla, resta sulla mia terra» e Adelina s'è svegliata.

«Popà, popà!» singhiozzava nel letto, stringendosi al figlio, pensando a suo padre.

Lei non ha idea la mattina dopo, quando ha detto a tutti: «Mi no vegno, mi resto qua».

«Ma cosa resti a fare?» la madre, i fratelli, le sorelle, zio Treves: «Vieni con noi, là è un mondo straniero, nessuno fa caso al bambino nero, noi gli vogliamo tutti bene, non è come qua, che i lo ciama Negro o Moro».

Lei niente: «Agò insonià 'l popà, agò da restar qua».

«Ah, be'!» convenne subito zia Antinesca col marito, zio Iseo: «Se la ga insonià so pare...»

«Ma qualo so pare?» strillò invece con la voce aguzza zio Adelchi: «L'insulsa la vòl restar solo parché la crede ancora che debba venire a prenderla quel maladeto sporco negro che la ga ingravidà».

«E se anche fosse?» Adelina: «Se viene e non mi trova?»

«Bruta senpia, insulsa, insimunìa. Te ne devi andare anche te».

«Ma gnanca par morte e morire» Adelina, che non per niente nelle vene aveva il sangue di sua madre Galinzia e suo padre Can del Turati: «Mi no vago da nissuna parte. Qui c'è anche il lavoro e sudore mio e di mio papà. Io resto qua, e vògio proprio védare chi xè bon da butarme fora».

«Mi! Son bono mi» zio Adelchi allungando le mani.

«Basta» fece allora zio Iseo: «Casso ne costa, a nantri, darghe na stanseta, un buso, la staleta del cavalo?»

«Tasi, ti!» zio Adelchi: «Che no te gavaressi dirito gnanca ti, da restar qua».

«Orco!» diventò una bestia zio Iseo, cercando prima con la mano sul tavolo il coltellaccio grande – che per fortuna aveva già scansato la moglie, zia Antinesca – e lanciandosi poi con le mani tese a pigliarlo per il collo.

Zio Adelchi ha fatto un balzo indietro: «Va', va'...» scandalizzato.

Zia Antinesca ne ha fatti invece due avanti, a frapporsi tra i due, di fronte al marito: «Fermo, Iseo. No star conprométarte, no star far ste robe davanti ai fiòi» che c'erano tutti i ragazzini, in cucina, spaventati.

Zio Iseo allora si fermò e con la moglie che, le mani al petto, ancora lo reggeva – mentre l'altro, distante, continuava a scandalizzarsi: «Va' va', va' che modi...» – gli disse incazzato nero: «Casso c'entri tu, piuttosto, ancora qua? Chi teo ga mai dà, 'l dirito da comandar? Bruto scansafatighe che no te ga mai laorà in vita tua, maladeti per sempre i Zorzi Vila maledetti che ci hanno mandato qua, maledetto quel giorno che semo rivà, ch'agh vegna un càncher a ti e a lori».

«Va' che modi, va'...» distante.

Zio Adrasto non fiatava. Per lui aveva parlato Adelchi.

Il giorno dopo ovviamente è tornata la pace – o almeno hanno fatto finta che fosse tornata: «Nol xè sussesso gninte, vòtu schersare? Xè stà solo ciàcole, parole» – e zio Treves con la moglie Galinzia e gli altri fiòi è ripartito per il Belgio: «Stì ben».

«Stì ben anca valtri» e Adelina si sistemò con il suo figlietto in quella che era stata una volta la stallina del cavallo di mio nonno – divenuta poi deposito del grano – una stanzetta piccolina a piano terra, contigua alla grande cucina, ma con affaccio sul retro del podere.

Lei aiutava in stalla, nei campi e lavorava come gli altri, ma cucinava con la bombola del gas per conto suo – con quel po' che le mandavano dal Belgio – mentre zio Iseo e zio Adrasto, nella cucina grande, sempre ancora tutti insieme a dover spartire ogni cosa, il mangiare il vestire e tutto quanto, nella stessa identica qualità e quantità: «Ma se a me oggi l'uovo non mi va?»

«Magna l'ovo, parché altro no ghe sta. Chi crédito d'èsere, il Prìnsipe dee Fiandre?»

Così il vestire: serviva un vestito nuovo per Benito – il primo figlio di zio Iseo – che era oramai grande, diciotto o vent'anni? Non si poteva fare, perché non c'erano i soldi per pagare anche quello del maschio di zio Adrasto.

«Ma il tuo xè ancora un putin» cercava di convincerlo zio Iseo: «Nol ga gnanca diese o óndese ani».

«E cossa vòlelo dir? Tuti uguali i ga da èsere: o tuti o nissun».

Finché Benito si stufò – «Andè a cagare» – e si arruolò in polizia: «La divisa almanco i me la paga là».

«Porca putana» disse col fiele in gola zio Iseo alla moglie, la sera che Benito partì per la scuola allievi guardie di pubblica sicurezza, *Sub lege libertas*, di Alessandria: «Nol xè un bel stare, lo star insieme inmucià, tutti attaccati. Mèjo soli, che mal inconpagnà».

Lei zitta – zia Antinesca – che la pensava tale e quale.

Adelina intanto, appena aperto a Latina il Calzificio del Mezzogiorno – uno dei primi interventi dell'omonima Cassa per lo sviluppo a Campo Boario, produceva calze da uomo e da donna – aveva iniziato a lavorare lì come operaia.

Il bambino – il Moro – andava a scuola da solo in bicicletta e quando tornava glielo guardava zia Antinesca. Lei al Calzificio invece ci arrivava con il Paperino che s'era comprata coi primi stipendi; non so se ricorda quei Mosquito 38 cc Paperino bianchi a due tempi della Garelli – andavano a «miscela», di olio e benzina – con trasmissione direttamente a rullo, sul copertone della ruota posteriore.

I primi tempi zio Treves e la madre venivano a trovarla una volta l'anno – da soli o con qualche figlio – d'estate, per una settimana. Quasi più il tempo di andare e ritornare – con i treni lenti popolari di una volta – che quello di stare lì, ospiti dei fratelli al podere, tutti stretti coi materassi di fortuna e i pagliericci per terra. Aiutavano nei lavori, zio Treves andava in stalla, cavava le bietole e la sera a Littoria – pardon, Latina – a trovare i parenti e a giocare a carte con le sorelle. Prima di ripartire, però, almeno una gita al mare – «Sto tuto l'ano soto tera... fasìme védare un fià de mar» – con le biciclette, i Paperini, i Motom e il carretto, tutti insieme per la strada lunga fino a Borgo Sabotino e Foceverde, perché ancora non c'era quella diretta e corta da Latina al mare.

Poi ripartivano per il Belgio, salvo tornare per le elezioni. Zio Treves votava comunista – «A mi i me ga liberà i russi, quea volta in canpo de consentramento SS» – come mio fratello Onesto e il cugino Statilio; zio Iseo, zio Cesio, Temistocle e l'Adelchi invece votavano Msi; zio Adrasto Dc.

Zio Treves e la moglie tornavano anche, però, perché lo Stato pagava i biglietti aggratis del treno, andata e ritorno, per gli emigranti che volessero esercitare il diritto-dovere di voto. Era un dovere sacro – a quel tempo – il voto. Chi non lo adempiva era un reietto: «Ma come, dopo tanta ditatura gnanca ti va a votare? Casso d'omo lìbero sìto? Ma alora davero no tea mèriti ti, la libertà e democrazia che aghemo conquistà».

Ammucchiati un fià di schèi, Adelina dopo un po' di mesi di Calzificio chiamò i muratori e dietro al podere 517, attaccato alla sua ex stalletta del cavallo, si fece costruire un tirabasso – una superfetazione, direbbero gli architetti di adesso – grosso quanto la stalletta: tre pareti in foratoni, una porta, una finestra e il tetto con le tegole che spioveva dal muro che c'era già: «Infinalmente starem larghi» disse orgogliosa al figlio.

«Orca» fece il Moro: «Aghemo parfin cusina e tinèlo».

Chi invece non fu molto contento – quando vide i muratori all'opera – fu zio Adelchi: «Ma sìto mata? A chi 'o garéssito chiesto 'l parmesso? Non è mica roba tua, qua, che fai da padrona e at ciàmi i murador».

«Ma gnanca la vostra la xè, zio. Xè roba de tuti e dunque anche mia e de me pà. E mi agh costruisso quel che vògio».

«Orca santasgnàcara, xè roba da non crédare. Mi 'a copo questa, la copo» strillava zio Adelchi venendo via. Ma Adelina si tenne il suo tirabasso. Superfetazione, ridirebbero gli architetti.

In quel tempo però – man mano che con il pagamento delle ultime quote annuali s'avvicinava il momento dell'affrancazione dei poderi dall'Opera e il loro passaggio in proprietà diretta ai coloni – s'alzava ogni giorno più forte, in Agro Pontino, l'indignazione e protesta contro il permanere del vincolo di indivisibilità e di ulteriori subordinazioni agli indirizzi tecnico-produttivi dell'Opera: «Perché dobbiamo restare per forza tutti insieme sui poderi, e tutti sotto gli ordini dell'Opera? Mica c'è più il fascismo, e neanche è arrivato per fortuna il comunismo. Se il podere adesso è mio e non me lo hai regalato tu, ma l'ho pagato rata per rata fino all'ultima lira o chicco di grano, tu permetti che adesso ne faccio e ci comando come dico io, e non come dici tu? Se no dov'è la libertà e democrazia? Oppure è davvero arrivato, solo in Agro Pontino però, il comunismo?»

«Ma pure in Trentino-Alto Adige», obiettava qualcuno, «col maso è così».

«Ah, sì? E che i fassa quel che i vòle in Trentino, casso m'in frega a mi?» ed ogni giorno si incazzavano sempre più.

Tenga presente che i coloni – appena caduto il fascio e finita la guerra – pur se cattolicissimi non è che fossero passati immediatamente alla Democrazia cristiana. Parecchi – tra cui pure zio Benassi – votarono l'Uomo Qualunque di Giannini e alle prime elezioni libere, che si tennero nel 1946 per l'amministrazione comunale di Latina già Littoria, vinse per ampio sorpasso una giunta di sinistra: sindaco repubblicano Bassoli con socialisti e comunisti dentro. Dc all'opposizione.

Poi da Gaeta si trasferì a Latina Vittorio Cervone – un grande organizzatore; professore di filosofia molto vicino ad Andreotti, aveva partecipato alla resistenza in Toscana, nel 1944, come dirigente cattolico a Pitigliano nel grossetano – che nel giro di pochi anni ribaltò ogni rapporto di forza, conquistando in massa il voto dei coloni.

Alle successive elezioni amministrative, l'ex sindaco repubblicano Bassoli – che con la sola lista Pri aveva preso nel 1946 il 37 per cento dei voti – nel 1951 si ritrovò liscio liscio al 7. Altro che Waterloo: Vittorio Cervone nuovo sindaco, con tutti i partiti di sinistra relegati in minoranza all'opposizione e la Democrazia cristiana di Andreotti, invece, al dominio incontrastato della città, da lì fino a più di quarant'anni dopo, fino alla Tangentopoli del 1993.

Gli storici locali ancora si interrogano su come sia stata possibile una tale débâcle: «Come casso gàlo fato, 'l Bàsoli, a pèrdare tuti quei voti in così poco tempo?»

Certo avrà governato male, magari avrà pensato più agli interessi della sua impresa edile che a quelli del comune, o forse avrà scontentato la gente con un carattere – hai visto mai? – burbero e rude. Non glielo so dire. Ma nella conquista del consenso da parte della Dc, deve avere sicuramente pesato anche l'azione di Cervone, che passò in primo luogo per l'acquisizione di dirigenti e tecnici provenienti dalle file e gerarchie del passato regime.

Il dottor Vincenzo Rossetti per esempio – primo medico in assoluto di Littoria; presente in palude al Quadrato fin dal 1926 s'era fatto tutta la bonifica e la lotta antimalarica, riempiendo personalmente di chinino per anni e anni gli ammalati visitandoli uno per uno a cavallo; ricevendone quindi per sempre la riconoscenza, affetto e fedeltà – che era stato anche a capo dei sindacati fascisti dell'agricoltura, passò alla Dc, portandosi dietro tutti i coloni nella Coldiretti di Paolo Bonomi. Tutti appresso a lui – nella Dc e in Coldiretti – ma tutti a chiedere a gran voce l'abolizione del vincolo di indivisibilità dei poderi e l'affrancazione più totale da ogni rapporto con l'Opera nazionale combattenti.

Che dovevano fare – secondo lei – Bonomi ed Andreotti? Risposero di sì: «Fasì quel casso che vulì, dei vostri poderi. Basta che votè par sènper par nantri».

«Orca!» giurarono i coloni. E l'indivisibilità andò a farsi benedire – «Riposi in pace. Amen» – tutti a correre a dividere, frazionare, scorporare i poderi.

Pure zio Adrasto e zio Iseo – al nostro sacro ancestrale podere 517, Parallela Sinistra, Canale Mussolini – poterono quindi mettere fine alla convivenza forzata e comunanza d'ogni singola cosa, che oramai nessuno dei due sopportava più. Si divisero – «Ognun par sé e Dio par tuti» – ma si divisero alle condizioni fissate da zio Adelchi e formalmente ratificate dagli altri fratelli e sorelle.

Dei quindici ettari di terra originari, quattro andavano a zio Iseo e undici a zio Adrasto, in considerazione non solo della sua oramai più numerosa famiglia, ma soprattutto degli anni in più di presenza e lavoro sul podere: «L'ansianità de servissio fàla grado e dirito anca soto le armi» sentenziò zio Adelchi.

Anche la stalla e il casale rimasero ad Adrasto – zio Iseo si costruì appunto la casina nuova su via della Sorgente – le bestie invece furono divise a metà, come i calessi, i carretti piccoli, gli erpici, gli aratri minori e gli attrezzi minuti: forche e forconi, falci, vanghe, zappe, rastrelli, setacci, eccetera. I carri a quattro ruote invece e tutta la roba grande – comprese le tubature e il motore dell'impianto di irrigazione, ma non i singoli irrigatori a pioggia – restarono intesi come comuni: ognuno li avrebbe usati di buon accordo ogni volta che gli fossero serviti, esattamente come il forno a legna grande sull'aia. Di buon accordo inoltre si sarebbero sempre aiutati nel lavoro e scambiati le giornate per l'aratura, erpicatura, semina e raccolta del grano, del mais, delle barbabietole.

Così fecero del resto – o pressappoco – tutti quanti nell'Agro Pontino, dividendo fra i soli maschi coltivatori, e non dando niente di niente alle sorelle femmine: «Agh pènsino i marìi».

Solo zio Temistocle al podere 516 – e pochissimi altri, che io sappia – divise in parti esattamente uguali fra tutti i figli, sia maschi che femmine, presenti o non presenti sul podere: «No vògio discusioni e diferènse, mi».

Ovviamente nessuno di loro, lei lo sa, avrebbe potuto vivere di quel suo campicello. Il primo quindi fu Statilio – quello comunista, non so se si ricorda, che aveva fatto la guerra di liberazione col 21° reggimento Cremona e, subito dopo, diciotto mesi di carcere militare a Gaeta per insubordinazione e insulti al principe Umberto di Savoia – a raccogliere in un fagotto le sue cose e partire: «Mi vago a far l'operaio in fàbrica a Torin».

Appresso a lui, un po' per volta, sciamarono gli altri: chi per Torino a fare macchine e chi a Moretta – in provincia di Cuneo – nei caseifici. Pure Paride, oramai, s'era sposato da un pezzo andando a stare – «Lontan dai Peruzzi» – a Bella Farnia. Sul podere 516 non restò quasi nessuno. Solo il maschio più piccolo Arnaldo – che col consenso dei fratelli coltivava anche la terra loro, come se fosse sua – e l'ultima sorella Doralide, che lavorava già come sarta a Roma dalle sorelle Fontana; prendeva il treno ogni mattina alla stazione di Cisterna.

I primi tempi rimasero con loro anche zia Clelia e zio Temistocle; i cui rapporti però con zio Adrasto e zio Adelchi non erano più tanto buoni, dopo le questioni del 1944 che lei ricorderà, quando sono nato io da Paride, dicono, e da mia madre Armida che loro scacciarono dal clan sottraendole i figli.

A mio zio Temistocle ancora rodeva. Così dopo qualche anno se ne andarono anche loro – zia Clelia e zio Temistocle – a Torino dagli altri figli: «Alla larga, dai Peruzzi». Solo con l'Armida e con zia Pace, zio Iseo e zia Antinesca, hanno continuato a volersi bene come prima.

Zio Adrasto e zio Iseo invece – dopo la divisione del podere: «Ognun par sé...» – lei non ci crederà, ma hanno cominciato ad andare molto più d'accordo di quando vivevano assieme. Giocavano a carte o a bocce in coppia le ho detto – loro due contro gli altri – al bar Lodi a Borgo Carso e andavano a caccia assieme nel bosco dell'Eschieto, o Eschido come lo chiama anche qualcuno.

Certo non tutto filò tranquillo, nei vari mesi che occorsero per maturare nel minimo dettaglio le divisioni. Zia Daria ad esempio – la moglie di zio Cesio – lo mise in croce: «Perché devi rinunciare ai tuoi diritti? Non sei figlio anche tu di tuo padre, non sei suo erede, non sei venuto anche tu giù dal Veneto, non hai mai lavorato con loro nel podere? I tuoi figli non hanno diritto a godere anche di quel poco che ti tocca?»

«Non ti intromettere fra me e i miei fratelli» strillava zio Cesio.

«Io difendo i diritti dei miei figli!» strillava ancora più forte zia Daria. E giù litigate.

Zio Benassi invece non disse una parola a zia Pace: «Sono i tuoi fratelli, fai come credi, non voglio sapere niente».

Fu Otello però ad arrabbiarsi con la madre: «Perché non ti opponi? Perché devi rinunciare alla parte tua, che è pure mia e dei miei fratelli, senza neanche fiatare?»

«Perché è giusto così. La terra deve andare a chi la lavora, abbiamo sempre detto fin da quando sono nata».

«Embe'? Digli che mi danno il pezzo mio, che poi lo lavoro io e mi ci faccio la casa quando so' grande».

«Tasi, va'!» e giù botte.

La questione più spinosa fu però con l'Adelina, che zio Adelchi voleva a tutti i costi mandare via dal podere: «Xè tuta roba d'Adrasto adesso qua. Ti te ga da 'ndar fora».

«Ma gnanca coe bonbe, mòlo mi l'osso. Aghì da coparme, pitost».

Zio Iseo aveva provato a dirle: «Vien con mi, tosa, vien con nantri. Femo una stanseta in più, ti ci metti tu».

«No grassie zio, grassie mile. Ma mi agò da restar sulla mia terra, ha detto mio padre. Gnanca a s-ciopetà, i sirà boni lori, a pararme via de qua».

Ora si dà difatti il caso che fin dal 1950 – quando zio Treves s'era portato il resto della famiglia in Belgio e lei sola era rimasta qui, dentro la stalletta del cavallo, sotto i colpi dell'assedio di zio Adelchi e zio Adrasto – Adelina non era rimasta con le mani in mano, ad aspettare che la tempesta s'addensasse su di lei. Anzi, era andata subito a cercare e confidarsi con Maria Teresa Grifone – che a quel tempo studiava anche lei da avvocato – che aveva conosciuto e fatto amicizia quando ogni tanto andava a trovare, alla Previdenza sociale, zia Pace e la povera zia Alfea.

Cattolicissima come il resto della famiglia, sempre a messa la mattina presto – alle sei e mezzo, insieme a zia Pace e zio Benassi a San Marco – esile esile dolce e mansueta, mai uno scatto d'ira o una parola fuori posto, Maria Teresa Grifone dentro era fatta d'acciaio inossidabile.

Prima a scuola, prima al liceo – dove aveva saltato pure un anno, dando la maturità da privatista che certi professori nemmeno volevano: «No, non può essere che una donna salti il terzo liceo davanti ai maschi» – prima pure all'università, con tutti trenta e trenta e lode. Era l'unica donna o quasi, iscritta a giurisprudenza. Fu una femminista ante litteram, più dura assai delle femministe di adesso. Per tutta la vita si occuperà esclusivamente di diritto di famiglia, in difesa delle donne. I giudici scappavano, quando la vedevano arrivare. «Chi c'è?» chiedevano alle segretarie: «La Grifone? Porca puttana...» e si nascondevano sotto le scrivanie.

Maria Teresa era oramai quasi vicina alla laurea – fatti tutti gli esami, le mancava giusto la tesi – quando Adelina era venuta a cercarla a gennaio o febbraio del 1950. Appena sentita la faccenda del podere, l'acciaio Inox entrò in tensione: «Non mollare, non cedere, non fare un passo, non ti muovere da lì» si raccomandò in tutti i modi.

Prese poi la corriera per Latina Scalo, montò sul treno e di corsa dal professore a farsi cambiare la tesi. Quindi subito in giro per il mare magnum delle biblioteche di Roma e Vaticano per mesi, a cercare e collazionare tutta la giurisprudenza non solo dello Stato italiano, ma anche di quello Pontificio e degli altri pre-unitari. Si laureò nello stesso 1950, a soli ventun anni e 110 e lode con diritto di pubblicazione della tesi, che non a caso si intitolava: «*Comunità tacite familiari*».

La discussione fu un trionfo. Lei dimostrò – *ope codicum* davanti ai professori – che la vita e l'organizzazione interna di ogni singolo podere dell'Opera combattenti in Agro Pontino vertevano attorno ad una *comunità tacita familiare* i cui componenti erano, di fatto, tutti soci con eguali diritti e doveri. Ivi comprese le donne che del resto – come lei sa – nei poderi hanno sempre lavorato come i maschi. Non è che i maschi lavorassero e loro stessero a pancia all'aria. Oltre all'orto ai conigli al pollame, oltre a far figli e lavare cucire cucinare e fare il pane, sa quanti ettari di grano hanno zappato, quante volte in stalla a mungere e rigovernare le bestie sono andate e quanti quintali di bietole hanno cavato dalla terra? «Fu un trionfo», ripete Maria Teresa.

«Adesso però», disse quella volta uscendo dalla facoltà al suo relatore, il professore avvocato Cinquegranelli, «bisognerebbe portarla davanti alla Cassazione».

Il professore all'inizio tentennò: «Ho un sacco di cause ancora in corso... Goditi la tesi, Mariatere'!»

Lei lì per lì stette zitta. Rientrò a casa a Latina, festeggiò la laurea in famiglia e la mattina dopo risalì sul treno e tornò a Roma: «Allora, Professo'?»

«Mamma mia» fece quello appena la vide: «Ancora qua? Ma te ne vuoi andare o no?»

Lei ritornò il giorno appresso, quello successivo, l'altro

ancora e tutti gli altri che vennero finché il professore disse: «Basta, mi arrendo. Facciamo questa cosa».

Partendo quindi dalla questione di Adelina, andarono davanti alla Corte di Cassazione e ottennero una sentenza che fece storia: «Una rivoluzione!»

Da quel momento nessuno poté ignorare i diritti delle donne in Agro Pontino. Anche se in realtà – almeno per i primi anni – la rivoluzione fu solamente culturale.

La maggior parte – condizionate esse stesse da una forma mentis secolare e dalla riluttanza a guastare i rapporti e gli affetti con parenti e fratelli – continuarono a soggiacere all'uso corrente, rinunciando ad esercitare quel diritto che Maria Teresa Grifone aveva conquistato per tutte. Solo in poche famiglie le donne ottennero – nella divisione e scorporo dei poderi – la giusta parte che loro spettava. Le altre rinunciarono.

La sentenza però c'era – oramai – e aveva fatto scuola.

Per evitare ogni possibile questione o rivalsa anche futura, si rese necessario – al momento delle divisioni – che chiunque intendesse spontaneamente rinunciare in favore di altri alla parte a cui aveva diritto, comparisse davanti a un notaio a firmarne pubblicamente l'atto ufficiale.

Zio Adelchi fece il giro di tutti – pure i figli orfani eredi del Turati fece venire apposta dal Belgio – ci venne a prendere uno per uno e ci portò a firmare.

Quando ci andò zia Pace allegra e ridente – perché vedeva i suoi fratelli e sorelle e dopo sarebbero andati a giocare a carte – Otello si rincazzò come una bestia, a vederla uscire agghindata: «Non ciandà! Ma che te rinunci, mannaggia a te? Tu vai a rinuncià alla robba mia, lo capisci o no?»

«La terra deve andare a chi la lavora».

«E dìje che me lo danno a me 'r pezzo mio, che me lo lavoro e me ce faccio na casa».

Niente da fare. Quella partì tutta contenta – «I miei fratelli!» – ma se ancora oggi a lei capitasse per caso di passare in macchina con Otello per la Parallela Sinistra, stia pur sicuro che davanti al podere 517 le dirà: «Eh, lì ce starebbe pure la terra mia, se non me l'avessero fregata, li mortacci loro. Me ce potevo fà la casa».

L'unica che non gli riuscì di portare dal notaio per la rinuncia – «Fora de qua!» strillò col manico della scopa in mano, appena vide zio Adelchi sulla porta del suo tirabasso – fu l'Adelina: «A mi, valtri aghì da darme tuto quel che me speta, fin 'ntel ultimo metro. Quanto sarebbe toccato a mio padre: un sedicesimo, visto che 'l zio Benitin jèra già morto lassù, in Altitalia? Bon. E a me che sono una dei suoi cinque figli, quanto mi tocca: un quinto di un sedicesimo? E quanto fa un quinto di sedici: un ottantesimo? Benon. Dème tuto 'l me otantèsimo: quanto fàlo par quìndese ètari: milleottocentosettantacinque metri quadrati? Benon d'un benon. I vògio tuti fin 'ntel ultimo metro e vògio pure, firmà dal notaro, i muri dea staleta del poder, che i xè mii anca quei».

E rodendo rodendo, zio Adrasto e zio Adelchi glieli dovettero dare.

«Vòtu mina che ghe i daga mi», chiese sbalordito zio Iseo, «che agò già preso di meno?»

Così pressappoco andarono, in Agro Pontino, le divisioni di quasi tutti i poderi, susseguenti la rimozione del vincolo di indivisibilità. Rimozione voluta le ripeto – per conquistare il voto dei coloni – da Andreotti, Bonomi e la Democrazia cristiana, Dc.

Completezza e correttezza dell'informazione, però, non consentono di omettere che secondo Peppe Manconi – l'avvocato Giuseppe Manconi – le cose non sarebbero andate affatto come gliele ho raccontate io finora.

«Quale Andreotti? Quale Dc e Bonomi?» dice lui: «È stato tutto merito mio, solo mio, se è caduta l'indivisibilità. L'ho fatta saltare io». E se ne vanta orgoglioso: «Era un vincolo antistorico che ingessava l'economia, lo sviluppo, l'imprenditorialità, l'iniziativa privata».

Lui s'era appena laureato, nel 1952, e non andava tanto d'accordo con lo zio – avvocato anche lui – che abitava con loro, anche se non era propriamente uno zio. Era primo cugino di suo padre, ambedue figli unici di due sorelle, di cui una era andata sposa a Minturno e l'altra a Terracina. Ma stavano sempre assieme, davvero quasi due fratelli. Poi il padre di Manconi s'era trasferito con la famiglia – moglie e tre figli – a Littoria nel 1936 a fare il vicesegretario comunale.

Tre anni dopo, nel 1939, era venuto anche questo zio avvocato – sempre al comune, come direttore dell'anagrafe – ed essendo celibe, senza famiglia, era andato ad abitare con loro al IV lotto Incis di via Luigi Razza, attuale via Don Morosini, dove aveva la sua stanza. E sempre con loro è rimasto, anche quando hanno cambiato casa.

La madre invece di Manconi faceva la maestra, ma era una bersagliera, un maresciallo dei carabinieri. Era il cervello e la colonna dell'intera famiglia, e menava quasi peggio di mia zia Pace.

Peppe Manconi cercava sempre di evitarla, specie nel corridoio perché – se le passava vicino – era capace di menarlo pure senza motivo: «Intanto meno e poi si vede...». Lui credeva pure che gli portasse iella, e quando usciva di casa per andare a scuola s'avvicinava di soppiatto piano piano al portoncino d'ingresso, finché al volo apriva e si lanciava fuori richiudendo di corsa: «Arrivederci» e – *sblam!* – prima che lei potesse dirgli «Stai attento a scuola». Perché se gli diceva: «Stai attento a scuola», per lui quel giorno non c'era scampo. Gli sarebbe andato tutto storto.

«È stata una vita dura» dice ancora adesso Peppe Manconi: «Sono quelle donne che non ti lasciano vivere».

Però era una potenza della natura, la madre. Quando nel 1944 gli angloamericani sbarcarono ad Anzio, Peppe a Littoria frequentava il quinto ginnasio con Nino Tasciotti, il figlio del professore amico di zio Benassi e presidente della Corale San Marco. Poi i tedeschi decretarono lo sfollamento e loro ripararono a Roma. Scuola interrotta quindi per lui, ma la madre lo manda a dare l'esame lì al Tasso – uno dei primi e più importanti licei italiani – dove gli danno due materie da riparare a settembre. Finalmente il 4 giugno arrivano gli americani – «La guera par valtri xè finìa» – e loro tornano a Littoria, dove il liceo nostro organizza un mese di finta scuola, a cui insieme a Nino Tasciotti partecipa anche Peppe, e per meriti diciamo bellici promuovono tutti: belli e brutti, bravi o somari. Tutti eccetto Manconi, però: «Tu no, perché hai dato l'esame a Roma e risulti rimandato in due materie. Torna a settembre e facciamo l'esame».

La madre di Peppe andò allora dal preside. A Latina dicono tutti che fosse una bella donna, ma pure alta, forte e robusta. Un pezzo di donna. Il preside invece era piccolino e stava seduto dietro una cattedra. Lei gli disse, decisa e incazzata: «Qui avete promosso tutti. Ma pure noi abbiamo avuto la guerra e lo sfollamento. Per cui adesso, se non viene promosso anche mio figlio, io ti scasso la cattedra in testa» stringendone già con le mani i bordi ed iniziando a sollevarla.

«Ferma ferma, per carità» strillava quello.

Io ora non so come abbiano fatto, se hanno cambiato i verbali degli scrutini o che cos'altro. Ma quello che so, è che pure Peppe Manconi venne promosso. Quando si dice: «La parola giusta al momento giusto».

Sotto il passato regime anche il padre e lo zio erano stati iscritti al partito fascista – «Come tutti del resto» dice Peppe: «Se non avevi la tessera non lavoravi» – ma al ritorno dallo sfollamento lo zio fu tra i fondatori a Littoria del Partito d'Azione, che rappresentò in seno al Cln. Si licenziò dal comune per fare l'avvocato, e quando poi per i catastrofici insuccessi elettorali il partito d'Azione si sciolse, lui entrò nel Partito socialista di Nenni, con cui divenne amico stretto di famiglia perché Nenni aveva una casa a Formia, i Manconi invece a Gaeta – a portata di voce – e passavano le estati assieme.

Questo zio era però uno che lavorava letteralmente venti ore al giorno. Non dormiva mai. Giusto tre o quattro ore. Si batteva a macchina ogni cosa da solo, senza bisogno di segretarie. Integerrimo, severo, morigeratissimo. Non fumava, non beveva. Educato nei convitti nazionali di Napoli e Sessa Aurunca – in cui per pagarsi le spese universitarie aveva poi fatto l'educatore – era un asceta e pretendeva che il nipote fosse come lui. Non lo menava – a quello ci pensava la madre – però lo tallonava stretto.

Solo il padre in quella casa fumava e beveva – vino, solo vino, ma fumava e beveva pure per gli altri, oltre a giocare a carte il pomeriggio al bar o al Circolo cittadino – e lasciava soprattutto in pace i figli. «Ah!» gli si illumina radioso ancora adesso il viso, a Peppe Manconi: «A mio padre non gli fregava un cazzo di niente».

Morì purtroppo giovane, nel 1957 – «Era asmatico cronico, ma fumava due pacchetti di sigarette al giorno» – e a quel punto l'avvocato zio disse: «Forse sarà il caso che io cerchi un'altra sistemazione...»

«E perché?» ribatté la madre di Peppe d'accordo con i figli: «Abbiamo sempre vissuto tutti assieme» ed esattamente come mio zio Treves e mia zia Galinzia – e tutti quelli che nel corso delle generazioni li hanno preceduti fin dai tempi in cui la Bibbia ha stabilito il levirato – si sono sposati e tutto è proseguito come prima.

Poi un giorno questa madre di Peppe Manconi – quando lui s'era appena laureato – vede da sopra le scale all'uscita da scuola in piazza Dante un grosso dirigente dell'Opera nazionale combattenti di Latina, che era il padre di un suo scolaro. Va lì e gli dice, senza tanti complimenti: «Senta un po'! Sono tanto preoccupata per mio figlio, perché ha bisogno di lavoro ma non va d'accordo con lo zio» – che, le ripeto, lo voleva far diventare santo; anche se lui in realtà aveva preso più dal padre – «sa per caso a chi si può rivolgere?»

«Guardi, Signora, noi all'Opera combattenti stiamo appunto cercando un giovane avvocato, che venga a sistemare la stipula dei contratti senza però costarci troppo. Me lo mandi domani».

E Peppe il giorno dopo stava lì. Gli davano un tanto al mese, ma non era dipendente dell'Opera, era libero avvocato: «Non ci sarebbe andato nessuno, a quelle condizioni». Qualcos'altro però rimediava di traverso: «Stavo dentro un buco ricavato in un terrazzo, un tirabasso senza riscaldamento, una stufa a legna che manco accendevo, i contadini in fila che aspettavano sul terrazzo all'aperto, e io lì dentro. I migliori amici miei erano i parroci dei borghi che me li portavano» e tira fuori dal cassetto le foto dei parroci. «Ho sistemato tutti i poderi» dice orgoglioso.

C'erano pure i miei zii e parenti a fare la fila su quel terrazzino, anche se non accompagnati però dal parroco, ma da zio Adelchi in divisa, che conosceva bene suo padre, sua madre e suo zio: «Lui po' ne ga fato 'l rebasso», lo sconto, «ne ga fato sparanbiar dei schèi».

La situazione giurisprudenziale era confusa. Ogni podere aveva la sua storia ed esistevano diversi tipi di contratto, stratificati nel corso del tempo. C'era quello del 1941 – quando era venuto Mussolini a Littoria, a consegnare personalmente la promessa di vendita ai primi cinquecento coloni tra cui mio nonno, podere 517, e zio Temistocle 516 – con un prezzo di riscatto prefissato che dopo la guerra, con la svalutazione che c'era stata, «regalò» di fatto i poderi a quei primi cinquecento fortunati.

Per i restanti duemilaseicento circa – tra cui gli altri nostri parenti, dai Mantovani di Pontinia a quelli di Borgo Vodice, Borgo Hermada, Borgo Montenero ed Aprilia – furono stipulati altri due tipi di contratto nel 1946/47, con il prezzo d'affrancazione ovviamente rivalutato. Ai coloni fu data però la possibilità di scegliere tra pagare le quote annuali in lire o pagarle in grano: tot lire tot quintali, a valore anche questo prefissato. Furono in pochi a scegliere il pagamento in lire: «Non sia mai che con la fine della guerra la lira si rivaluta ancora e resto fregato un'altra volta come a quota 90, ch'agh vegna un càncher. Mejo il formento, son mina senpio mi».

Ma la lira continuò a svalutarsi, l'inflazione a galoppare e – alla fine – quelli che avevano scelto il pagamento in lire si ritrovarono ad avere fatto anche loro un ottimo affare. Quelli del grano invece – che il prezzo al quintale era salito alle stelle, ma il quantitativo da consegnare era rimasto quello fissato ai prezzi del 1946 – si mangiarono le mani: «Porca putana, che casso go combinà». Ci furono proteste, mugugnamenti e la Coldiretti riuscì, dopo qualche anno, a ricontrattare il prezzo; ma sempre una fregatura rimase.

La questione cruciale ed ancora irrisolta era però quella dell'indivisibilità dei poderi, a cui l'Opera combattenti o quel che ne era rimasto – dopo la caduta del fascismo – non avrebbe voluto derogare. Ma nei primi contratti del 1941 – compresi quindi i nostri 516 e 517 – secondo Peppe Manconi il vincolo non era espresso così chiaramente come nei contratti successivi. C'era disparità, ed è così che lui sarebbe riuscito a farlo togliere a tutti: «La legge 1078 del 3 giugno 1940 che lo istituiva, era una legge fatta male: scritta coi piedi perché ammetteva già, in pratica, l'eventualità di scorpori. Diceva infatti che se un podere poteva essere suddiviso in due unità poderali autonome, sufficienti ognuna a far vivere una famiglia, il vincolo veniva a cadere. Si cancellava».

Ci furono cause e contro cause. La Corte dei Conti bacchettò l'Opera combattenti: «Tu hai fatto le scritture private con questo vincolo, lo devi rimettere negli atti pubblici» dove invece non c'era. Insomma: tra chi aveva il vincolo e chi non lo aveva, più che un casino era proprio un ginepraio.

Come se ne uscì? Coi ricorsi in tribunale, che fece quasi tutti Peppe Manconi al costo complessivo – per ogni ricorso – di centotrentamila lire dell'epoca. Che non era un gran prezzo, se lei calcola che tra gli atti e le spese – tra cui l'accesso del tribunale sul posto: almeno quattro persone, tra giudici e cancellieri – se ne andavano ottantamila lire. A lui ne restavano cinquanta. Che se le moltiplica però per tutti i ricorsi, lei vedrà che viene una bella sommetta.

«A mi parò», raccontava zio Adelchi, «l'avocà me ga fato un presso de favor. Sentomila franchi e basta par poder, a nantri».

«Sì», precisava zio Adrasto, «ma mettici pure i polastri che agò dovesto portarghe mi a Natale, per parecchi anni».

Fatto sta, Peppe Manconi presentava il ricorso al tribunale, che in prima istanza chiedeva il parere all'Ispettorato agrario. Questo veniva, guardava e riferiva. Se il parere era positivo, non c'era più problema. Se invece era negativo – come quasi sempre era – lui chiedeva l'accesso diretto del tribunale perché prendesse atto e visione che sul podere vivevano di fatto, autonomamente, due o tre famiglie.

Dal tribunale venivano in quattro, le ho detto. Il più delle volte li andava a prendere e scarrozzare lui – Peppe Manconi – col Fiat 1100/103, a coda corta tondeggiante; che nel 1957 cambierà con la Lancia Flaminia appena uscita. Quando vennero da noi al podere 517, zia Antinesca e zia Nazzarena – la moglie di zio Adrasto – prepararono un gran mangiare e bere per tutti quanti. Al momento di riandarsene, poi, un cappone enorme vivo a testa legato per i piè – da portare a casa – ai quattro del tribunale: «E pure a l'avocà».

Quelli insomma venivano, guardavano, assentivano e rimuovevano il vincolo. Non potevano fare altrimenti: «Glielo ho fatto togliere io», dice Manconi, «perché non ero dipendente dell'Opera, ma solo un consulente che doveva predisporre gli atti pubblici, le stipule, le successioni, le liquidazioni. Per il resto ero un avvocato libero di esercitare la professione, e sono orgoglioso di aver fatto cadere il vincolo di indivisibilità dei poderi, perché così ho prodotto iniziativa e progresso, ho fatto crescere la città».

Io non le so dire se le cose siano andate esattamente come le racconta lui, o se la questione vada tutta ricondotta – come sostengono i più – all'azione della Democrazia cristiana di Andreotti e della Coldiretti di Bonomi.

Certo la legge del 1940 era scritta male e non si discute. Ma si sarebbe anche potuto riscriverla meglio e soprattutto – fatti i primi scorpori – trasferire almeno il vincolo di indivisibilità sulle singole porzioni poderali scorporate e dire chiaro e tondo: «Va bene, avete diviso, ma da adesso in poi non si divide più». Invece no.

Da quel momento l'indivisibilità sparì non solo dai contratti, ma dall'immaginario stesso dell'Agro Pontino e – muori uno, muori l'altro – nel giro di una o due generazioni ogni proprietà è stata spezzettata infinite volte: fazzoletti di terra per ogni nipote o pronipote, che ci si è costruito, spesso abusivamente, la villa o la casa.

È così che si è prodotta la dissoluzione della rete poderale – la grande *farm* ideata e messa in piedi dall'Opera combattenti – con l'urbanizzazione di fatto dell'intera piana pontina. Non c'è strada ex poderale che lei oggi percorra, che non sia tutta piena di case. È sparito il punteggiamento di stalle, di vacche e poderi ogni duecentocinquanta metri, e al loro posto sono sorte come funghi schiere continue di case e villette, in gran parte abusive ripeto. Pure Accio se l'è fatta. Abusiva of course.

Questi fatti storici oggettivi però – la massima divisibilità e il frazionamento successivo degli scorpori; non la casa di Accio – non sono stati determinati e non sono dipesi da Peppe Manconi. Lui stava nel tirabasso sul terrazzino dell'Onc di Latina a redigere i contratti o in tribunale – a fare eventualmente i ricorsi e a disputare sull'interpretazione delle leggi – ma non stava certo a lui decidere di fare o non fare, scrivere o non scrivere e nemmeno riscrivere le leggi. Questo stava ai politici e a chi comandava: Bonomi, Andreotti, la Democrazia cristiana. Ai quali pure tendevano a quel tempo assai ossequiente orecchio – come avevano imparato a fare durante il ventennio fascista, da cui in massima parte provenivano – tutti i funzionari dell'apparato statale e i magistrati stessi. Non era come adesso – che non comanda più nessuno e anche i giudici fanno ognuno quello che gli pare – allora comandava la politica. Poi se fosse giusto o meno non lo so.

La cosa più probabile quindi – senza nulla togliere a Peppe Manconi – è che in quel particolare frangente storico si sia verificato, in Agro Pontino, lo spontaneo convergere di fattori anche isolati e forze tra loro diverse, in un comune «sentimento del tempo» che oramai cambiava.

Quel vincolo non lo voleva più nessuno: «Facciamo, una volta per tutte, che ognuno con la roba sua ci fa quello che gli pare», dimenticando però che quella roba – sia in termini di schèi che di sudore e sangue, e morti di malaria e sul lavoro – era stata fatta a spese della collettività.

In ogni caso lui – l'avvocato Manconi – si percepisce tuttora come grande facitore di progresso, esattamente come Piermario Sinibardo, che con mio cugino Diomede della Banca d'Italia, non so se si ricorda, farà i nuovi quartieri Q4, Q5, Latina Fiori, i centri commerciali e quel grattacielo monstre chiamato impunemente «Torre pontina»: 37 piani per 127 metri d'altezza. Un cazzotto in un occhio per chiunque lo guardi.

Questo Piermario Sinibardo era avvocato pure lui, coetaneo quasi di Manconi e a volte suo amico ed alleato; altre invece rivale e concorrente: «*Business is business*» dicevano i Soprano. Erano un po' d'anni oramai – da dopo la guerra – che ogni tanto a Latina qualcuno lanciava la proposta: «Costruiamo una buona volta la strada del mare» che sarebbe stata la più diretta e corta da Latina a Capoportiere. Tutti: «Sì, sì», ma non se ne faceva niente.

Fu lui, Sinibardo giovane giovane, laureato da poco, che nei primi mesi del 1956 o '57 – scorgendo una sera al Circolo cittadino Cervone e Diomede che ne confabulavano tra loro a un tavolino d'angolo, e a un certo punto a Diomede, volendo o non volendo, era scappato: «Bon! Fémola» – ebbe l'idea per primo di andarsi a comprare i poderi su cui avrebbe dovuto per forza passare la strada.

«Io m'ero fatto i conti» dice: «La gente non ne poteva più di stare in tanti, famiglie numerose, dentro gli appartamenti piccoli dei palazzi di Latina. Tutti sognavano una casetta per conto loro col giardino intorno. E poi sulla strada che andava verso il mare? Sarebbero venuti di corsa. La gente, dal mare, è attratta come una calamita».

In effetti in Italia, nel corso dei secoli, noi abbiamo man mano abbandonato le pianure costiere e ci siamo rifugiati sui monti – arroccati fra le mura e le torri – perché le pianure erano divenute insicure a causa delle invasioni barbariche, dei saraceni, delle continue guerre che hanno attraversato la penisola fino all'Unità, e dulcis in fundo la malaria. Per questo siamo scappati in alto lassù, «fora dai rompicojon» avrebbe detto mio zio. Ma quando il pericolo è cessato e perfino la malaria è scomparsa, chi poteva ancora tenerci là sopra? «Sono i fattori inerziali» dice Sinibardo: «Tutto spinge verso il mare, il suo fascino la vince su ogni cosa. Da qui a cento anni, Latina sarà arrivata fin là, sarà una città di mare».

Mise quindi insieme tutto quello che gli aveva lasciato il padre – già imprenditore al paese suo d'origine nel reatino, Rocca Sinibalda mi sa; morto purtroppo giovane – un altro po' se lo fece prestare dagli zii e cugini, e si lanciò nell'intrapresa. Si giocò il tutto per tutto – «O la va o la spacca» – e ne comprò quanti più poté.

Dal nostro lontano parente Gariazzo – che avevano venti ettari di terra tutta argilla, su cui non nasceva una spiga di grano neanche a gonfiarla di botte, la terra – si presentò una sera con cinque milioni di lire in contanti e altri cento in cambiali: «Te le pago in tre anni. Trentasei mesi», cinquecento lire al metro quadro di argilla.

Francesco Gariazzo prese il pacco di cambiali – «Ostia che culo go avesto, a catar sto cojon» – le andò a scontare in banca e comprò tre poderi di terra nera fertilissima tra Latina Scalo e Sermoneta: uno per lui, uno per il fratello e l'altro a metà per i figli.

Sinibardo invece lottizzò. Allora si poteva costruire liberamente – almeno fino al 1968, quando la «legge ponte» lo vietò – bastava essere proprietari del terreno. Ma la gente non è che potesse acquistare un podere per farsi la casa, chi li aveva tutti quei soldi? A un lotto di mille metri quadri invece sì, che ci sarebbe potuta arrivare: «Verranno di corsa a comprare» pensava speranzoso Sinibardo.

Divisi i poderi in tanti lotti di mille metri quadri l'uno, previde ovviamente anche le strade in mezzo. Pure quelle si potevano fare liberamente, bastava dotarle delle opere di urbanizzazione. Ma lui s'era fatto le ripeto i conti: «Cinquecento lire al metro per la terra, altre cinquecento per l'acqua potabile, le fogne, la luce, il gas e fanno mille, ma poi li rivendo almeno a tremila o tremilacinquecento al metro».

Invece vendette a quel prezzo – lei non ci crederà – solo i primissimi lotti. Gli altri era tale la ressa di gente che faceva a botte per accaparrarseli – «A me, a me, dammelo a me» – che li vendette a cinquemila lire al metro quadro. Gli ultimi a settemila, addirittura. Si faccia lei i conti adesso – su tutti i poderi – quanto può avere guadagnato. Dopo hanno imparato anche altri a fare le lottizzazioni, ma come lui non c'è stato più nessuno. Quello fu l'inizio della sua fortuna, ed ogni volta che passa di là si commuove: «Vedi qua? Prima era tutta campagna... Poi so' arrivato io».

A Piermario Sinibardo non passerebbe mai per la testa, però, di poter essere considerato uno speculatore, bieco capitalista. Lui si percepisce a tutti gli effetti come imprenditore innovatore, facitore di progresso: «Mi dovrebbero fare un monumento. E non è detto che dopo morto non me lo facciano perché, senza di me, tutta quella gente non se la sarebbe mai potuta costruire una casa. Latina stessa, non sarebbe la grande città che è. Sarebbe rimasta, per sempre, il piccolo borgo che era agli inizi».

Come dice lei, scusi? Che a questo punto vuol sapere perché non l'abbiano fatta prima la strada del mare o, meglio ancora, perché non abbiano costruito direttamente la città, in riva al mare? Lei dice che sarebbe venuta più bella?

Allora non ci siamo capiti. Come le ho già detto e ridetto, quando hanno fondato Littoria l'hanno messa al centro della piana – equidistante fra i monti e il mare – perché doveva essere il fulcro e cerniera della *farm*, fulcro e cerniera della rete dei poderi.

Cosa vuole che interessasse a loro il mare? Lei crede per caso che negli anni trenta quando l'hanno fatta – con la fame che c'era in giro – la gente stesse a pensare alle ferie, alle vacanze e al mare azzurro d'estate? Alle Maldive, magari, con le braghe corte e i costumi da bagno a prendere il sole col cornetto Algida in mano: «*Un cuore di panna per noi*»?

Ma la gente non sapeva neanche cosa volesse dire la parola «ferie» o «vacanze». Non sapeva come sbarcare il lunario – altro che i gelati al mare – e giusto per educazione e rispetto del mio ruolo non le riferisco chiaramente dove mio zio Adelchi le avrebbe consigliato di mettersi il sessantottesco mitico cornetto: «Un cuore di panna 'ntel cul», diceva ogni volta che appariva a Carosello.

Ancora negli anni cinquanta – e si figuri nei trenta – giusto il padre e la madre di Giorgio Maulucci, in tutta Latina, andavano in ferie in Tirolo. Ma gli altri niente, caro lei. Solo a lavorare o a cercare lavoro, chi purtroppo non lo aveva. Neanche i ricchi, neanche Diomede andava in ferie. Anzi, a parte già la singolarità del mestiere del padre giornalista e pure socialista per di più, e delle manie teatrali del figlio Giorgio – «Ahia, mo' attacca la *Traviata*» – a Latina i Maulucci, che andavano in ferie, sembravano a tutti un po' strambi: «Va' che mona che i xè, i ga schèi da desfar. Che casso ghe sirà intel Tirol, che no ghe xè a Litoria? Parfin el maso chiuso, se i vòl, i pòl catarlo qua da nantri».

Certo il fascio s'era anche inventato – con l'Opera Balilla, la Maternità-infanzia, i campi Dux, la Gil – le colonie al mare e in montagna. Ma non era «vacanza», era pura igiene e profilassi, assistenza ai bambini per dargli da mangiare e fargli prendere una pausa di sole, aria pura e amen, in mezzo a tutta la scarsa pulizia e sanità in cui vivevamo allora. Le malattie infantili, la poliomielite, la tbc e la malnutrizione hanno imperversato, purtroppo, sia prima che dopo la seconda guerra mondiale. Poi infatti – quando il fascio è caduto e le colonie non le ha più fatte – hanno proseguito i preti, le monache e le altre organizzazioni assistenziali.

Ma pure queste soltanto ai bambini – mica gli adulti – e non per farli divertire o svagare tipo Gardaland, ma assisterli e basta: pastasciutta a volontà, anche se scotta, e qualche medicina. Anche a noi a Rio Martino, come le ho già detto, il bagno a mare – il divertimento – durava al massimo un quarticino d'ora, con il padre di Aldo Mannarelli che ci sorvegliava dalla barca. Poi il prete fischiava e tutti fuori: «Sotto la tettoia! Raus». E guai a chi tardava un attimo. Il giorno dopo non facevi neanche quello di bagno: «In punision».

Le famiglie a casa ovviamente respiravano: «Che pace inquò, con qualche boca de manco da sfamar» ed erano quindi sicuramente pure ferie – «I tosati fora d'i cojon» – ma noi non sapevamo ancora che si chiamassero così.

I bagni per nuotare, vuol sapere lei?

Il sole?

Nuotavamo nell'Acque Medie, nel Mussolini, nei canali d'irrigazione. E pigliavamo tanto di quel sole in campagna d'estate noi coloni, a cavare le bietole, che lei non se l'immagina. I colpi di sole ci venivano – «Le insolasion» – che bisogno vuole che avessimo noi di andare al mare, che non c'era quella volta neanche la strada? Noi in Agro Pontino – ma credo in tutta Italia – avevamo da lavorare.

La strada, le ho detto, nemmeno c'era diretta, da Latina al mare che sono in tutto, in linea d'aria, neanche sette chilometri: sei chilometri e settecento metri per la precisione, dal semaforo del campo sportivo alla rotonda di Capoportiere. La strada l'Opera non l'aveva fatta. A che le serviva? Aveva costruito solo il piccolo tratto dalla via Lunga alla Nascosa, quella che costeggia il margine meridionale della duna quaternaria, alta mediamente ventidue metri sul livello del mare.

Da lì in poi no. Da quella che oggi è la grande «discesa» che porta al lido – da dove cioè finisce la duna quaternaria e si scende di colpo di ben dodici metri nel vallone del fosso Rio Torto-Cicerchia – e da lì fino ai laghi costieri ed ai prati prospicienti che solo il tumuleto o duna recente divide e protegge dal mare, lì l'Opera la strada non l'aveva fatta per il semplice motivo che non c'era nessun podere Onc da servire. Mica era roba o competenza sua. Tutto ai privati era rimasto.

Non che la bonifica non sia stata fatta anche là. Anzi, lì è costata pure di più. L'intera zona tra la duna quaternaria e il tumuleto era la più impaludata di tutte. I laghi costieri – Fogliano, Monaci e Caprolace – avevano solo un metro e mezzo al massimo d'acqua in superficie, e sotto quel metro e mezzo d'acqua uno strato di limo e di melma profondo dai venti ai quaranta metri. Se ci cadevi sprofondavi. Altro che sabbie mobili dei film di Tarzan.

I vecchi raccontavano di uno che a cavallo camminava sul filo della duna quando quel mona di quadrupede ha avuto uno scarto e ha cominciato a scivolare sempre più, dal colmo, sulla ripa di sabbia. Lui ha provato a fermarlo, strattonarlo, governarlo. Macché. Il cavallo ha preso più furia, paura e s'è ribaltato. Il cavaliere non è riuscito a scendere, a divincolarsi. Finché tutti e due sono rotolati assieme dentro il lago.

C'erano dei butteri del principe Caetani lì nei pressi, che tentarono d'allungargli pertiche, lazos o funi, a cui il povero disgraziato potesse attaccarsi. Ma niente da fare. Affondarono tutti e due – cavallo e cavaliere, riposino in pace – negli oltre venti, trenta o quaranta metri di limo del lago di Fogliano.

Ma anche i prati e le terre emerse vicino ai laghi – dal tumuleto fino alla duna quaternaria – erano costantemente impaludate e piene di limo e sabbie mobili. Stavano del resto a uno o due metri sotto il livello del mare – solo il tumuleto appunto, come una diga, impediva che il mare se le rimangiasse – quando mai l'acqua, che lì ristagnava, avrebbe potuto defluire?

I lavori di bonifica idraulica furono quindi poderosi. Con le draghe e le chiatte galleggianti con gli escavatori Ruston Bucyrus sopra – quelli col traliccio che dalla cabina si impennava in alto come il collo di una gru, e dalla cima del traliccio la benna di ferro a bocca di tigre veniva scagliata dalle funi d'acciaio a raspare su e giù – bonificarono dal limo e dalla melma i laghi.

Lo stesso lavoro con draghe – e soprattutto escavatori – lo fecero per i pantani costieri lì intorno, anche se ogni tanto la chiatta o il pontone di legno si inclinavano un po' troppo e arrivederci e grazie: il Ruston pigliava l'abbrivio, si ribaltava e affondava lui nelle sabbie mobili. Non c'era più verso di tirarlo fuori. Li coprivano e lasciavano là – «Vai con un altro Ruston» – proprio come il camion 18BL sprofondato in piazza del Popolo a Littoria, insieme al gattino dell'autista, la notte prima che la città venisse inaugurata dal Duce il 18 dicembre 1932 e che sta ancora lì, col povero gatto, sotto la fontana della palla. O almeno questo raccontava mio zio Benassi che era presente.

Vennero poi fatte le «colmate» – si chiamano proprio così – da migliaia e migliaia di operai venuti da ogni parte d'Italia per guadagnare qualcosa; guadagnando quasi tutti, però, pure la malaria. Con i vagoni decauville, i carri, carretti, camion e soprattutto le carriole a mano – piene di terra presa da altre parti – alzarono il livello medio del terreno di almeno un paio di metri su quello del mare. «Colmarono», cioè, il dislivello di tutta la zona, che era il maggiore responsabile dei ristagni. Ma se non avessero pure costruito i quattro impianti idrovori del Montorio, Capoportiere, Bufalara e Caterattino – che continuano tutt'oggi, per fortuna, a succhiare e sollevare l'acqua dai canali per buttarla a mare – noi staremmo ancora impaludati fino sotto la duna quaternaria.

La bonifica della fascia costiera si poté dire finalmente conclusa – anche se al Montorio, in realtà, andò avanti fino a dopo la guerra – solo nel 1935. E fu lì però che Cencelli – il conte Valentino Orsolini Cencelli fondatore già di Littoria, di Sabaudia e di Pontinia, proconsole del Duce e capo incontrastato, fino a quel momento, della bonifica e colonizzazione dell'Agro Pontino – ci rimise il posto.

Certo tutti gli operai che tra quelle migliaia e migliaia di scarriolanti s'erano qui presi la malaria e poi – tornati al paese – s'erano morti in almeno ventimila a casa loro, ci hanno rimesso la pelle; riposino in pace, Signore: se lo sono guadagnati.

Lui solo il posto, Cencelli. Però ce lo rimise.

I lavori di bonifica idraulica erano stati condotti dal consorzio di bonifica di Piscinara a totali spese dello Stato. Era la collettività, che li aveva pagati. Ma la proprietà – sia dei laghi che dei campi e prati intorno, miracolosamente e di bel bello risanati – fu deciso di lasciarla tutta intatta in mano ai vecchi proprietari.

«Orcocan», disse invece Cencelli, «ma mi li esproprio tutti». E perse il posto.

Lui – diciamo la verità – già per forma e carattere non era uno a cui mancassero i nemici. Fin da ragazzo era sempre stato di poche parole – «Poche ciàcole e 'ndemo al sodo» – e abbastanza scarso di complimenti.

«Bisogna fà sempre quello che vòle lui» dicevano i compagni di scuola a Magliano Sabina, che adesso è in provincia di Rieti ma una volta – prima che il fascio rivoluzionasse i confini provinciali e regionali – era sempre stata sotto l'Umbria, in provincia di Terni e prima ancora di Perugia. Poi il Duce – per ampliare il Lazio perché se no, striminzito com'era: «Acsì picinin?» faceva sfigurare Roma, come grande capitale imperiale e fascista – lo ridisegnò togliendo a sud i pezzi alla Campania e, a nordest, all'Umbria ed agli Abruzzi.

Arrivato quindi in Agro Pontino con carta bianca e pieni poteri – «Vai lì», gli aveva detto il Duce, «sei mio proconsole, mettiti l'elmetto e dalli di santa ragione. Espropria i latifondi» – quello non ci aveva pensato due volte, e di nemici nuovi se ne era fatti a bizzeffe.

Prima, appunto, i grandi proprietari delle ex Paludi Pontine, i loro consorzi di bonifica e i relativi sponsor e referenti nel governo fascista: Giacomo Acerbo in primis, ministro agricoltura e foreste, e Arrigo Serpieri, suo sottosegretario alle bonifiche e grandissimo tecnico – ad essere onesti – padre stesso del concetto di *bonifica integrale* ed estensore delle relative leggi. Questo era il *fascismo bianco* che stava con gli agrari, convinto che l'agricoltura moderna si potesse sviluppare solo attraverso grandi aziende capitalistiche. Secondo loro, la piccola proprietà contadina – che voleva invece introdurre l'Opera combattenti – sarebbe stata deleteria, avrebbe ammazzato l'agricoltura italiana e perciò furono i primi e più acerrimi nemici di Cencelli nel Pontino.

Subito dopo questi, Cencelli partì all'assalto delle imprese appaltatrici, dai dirigenti ai tecnici alle maestranze di tutti i lavori. Non ammetteva ritardi o modifiche di sorta ai contratti firmati. E nemmeno ammetteva intromissioni. Litigò pure col Rossoni, che gli aveva caldeggiato la ditta di un suo amico, di Tresigallo mi pare, che fabbricava macchine e attrezzi agricoli: «Con tutti quei coloni avrete ben bisogno di macchine come queste, di mia completa fiducia».

«Come vi permettete?» lo freddò lui, che era uno rigoroso e rigido, e saldo di principi quasi come mio cugino Manrico. Non ammetteva trasgressioni; a parte forse qualcuna delle sue. «Qui non c'è nessuno spazio per bustarelle e raccomandazioni» lo liquidò.

«Ch'at tòle un càncher sèk» sibilò il Rossoni: «At ga da vegnèrme soto anca ti».

Come dice, scusi? A lei non risulta che già a quel tempo girassero tangenti o bustarelle in Italia?

E cosa crede allora, che fossero più stupidi di adesso? Giravano, giravano. Dai massimi gerarchi alla famiglia del Duce, all'ultimo podestà di campagna. È sempre stato così nella storia umana fin dalla più remota antichità. Pure quelli che a scuola ci hanno sempre insegnato fossero i migliori tra i migliori.

Guardi Pericle, ad esempio. Non mio zio – o padre che fosse – Pericle Peruzzi. Ma il più grande e famoso Pericle di Atene dell'antica Grecia, sommo stratega democratico che ancora tutti dicono «l'età di Pericle», come fosse stata davvero l'età dell'oro, del buon governo e della più giusta e santa democrazia.

Be', in ogni caso la sua giusta e santa democrazia valeva solo per i trentamila cittadini ateniesi, ritenuti tali nel V secolo a.C. Ma per il milione circa di schiavi che lavoravano per i suddetti trentamila no, la democrazia non valeva. A questi altro che l'Opera nazionale combattenti: bastonate davvero tutti i giorni sopra i denti. E in ogni caso pure Pericle – sempre quello di Atene, non quello dei Peruzzi – arrivato alla fine della sua avventura, se non si sbriga a morire di peste lo arrestano anche lui, sospettato di essersi rubato insieme a Fidia, il grande scultore amico suo, gran parte dell'oro, dell'argento e delle pietre preziose che la città gli aveva fornito per la monumentale statua di Atena sul Partenone.

Quello – Fidia – con la grande arte sua era riuscito a fare delle leghe false, mischiate con lo zinco, lo stagno ed altra roba, mentre l'oro e gli argenti buoni se li era tenuti per spartirli con Pericle. Fidia alla fine lo hanno beccato e schiaffato in galera dove poi è morto. Pericle invece – le ripeto – per sua fortuna è spirato proprio qualche momento prima che arrivassero i carabinieri a prelevarlo. Carabinieri di quel tempo, ovviamente.

Ciò non toglie però che sia stato il massimo e più illuminato dirigente che l'antica Grecia abbia mai avuto. Sempre Pericle – appunto – rimane.

E così pure Publio Cornelio Scipione detto l'Africano, una delle più importanti figure della storia di Roma. Tutti in giro per il Foro e la Suburra sostenevano che parlasse a tu per tu, nel privato, direttamente con Giove e gli altri dèi. È lui che salvò Roma – dopo vent'anni e passa di batoste, umiliazioni e pene subìte da parte dei cartaginesi – sconfiggendo finalmente a Zama sul campo, a casa sua, quel gran figlio di buona donna di Annibale.

Be', pure Scipione a un certo punto, in fine di sua vita, dovette scappare da Roma: «Ingrata patria non avrai le mie ossa» e andare a morire a Hammamet – pardon, a Liternum – perché era uscito fuori che qualche anno prima, quando aveva accompagnato in un'altra guerra suo fratello Lucio Cornelio, detto Asiatico per questa guerra vinta appunto in Asia Minore, s'erano presi e fumati una tangente di cinquecento talenti dal re del Ponto. A dire il vero non s'è mai saputo se lo avessero fatto assieme – ai mezzi come si suole dire – o uno solo di nascosto dall'altro: «Io non so' stato», diceva ognuno dei due, «chiedete a mi' fratello. Perché se pure è stato, è stato di sicuro a mia insaputa».

Ciò però non toglie che Scipione l'Africano rimanga uno dei più grandi e illuminati capi che l'antica Roma abbia avuto.

L'essere umano – per stare insieme agli altri e divenire bene o male società – ha bisogno per forza di dividere i compiti, i mestieri, le funzioni. Ci deve essere chi fa le scarpe, chi va a caccia o lavora i campi, e chi organizza e amministra. E chi amministra amminestra, diceva mia zia Pace: «È lui che fa le parti e qualche cosa, di quello che taglia e che spartisce, gli resta per forza attaccata fra le mani».

Quando mio cugino Accio lavorava in Fulgorcavi e coi suoi compagni del Consiglio di Fabbrica andò dal Padrone, ragionier Aldo Dapelo genovese, a denunciare che quelli dell'ufficio acquisti facevano la cresta su tutto – dai bulloni più piccoli al sapone o carta igienica dei cessi: «Non può essere. Noi lavoriamo e quelli rubano?» – ci restò male nel vedere il Padrone che quasi gli rideva in faccia: «Ma che ci piglia, per il culo?» chiese Accio incazzato.

«No, no» lo placò Dapelo: «Però lo sapevo già. È più che normale, anzi. L'importante, vedete» – assumendo paternalisticamente il tono da maestro di vita oramai, più che da semplice Padrone – «l'importante è che questi la cresta la facciano a scorno del fornitore, non mio o dell'azienda. A me, basta che ci facciano comprare il meglio sul mercato al prezzo più basso, poi se riescono a togliere qualche altra lira pure a lui, meglio per loro. Aiuta la creatività. Lavorano di più e con passione. Ma pure voi del resto, giù in reparto, non dovete controllare continuamente e aggiungere, quando serve, un po' di grasso a tutti gli ingranaggi, se no le macchine grippano, si bloccano e si fermano? E io d'altronde non debbo pagare pure io le tangenti, per vincere le gare in giro per il mondo e riuscire a vendere i cavi che voi fabbricate? Se no a chi li vendo? Me li tengo in magazzino? E poi chi è che a fine mese paga a voi lo stipendio? È tutta l'economia italiana e l'industria del mondo intero, che funzionano così: senza ungere ogni tanto le ruote e i macchinari si grippa tutto e addio benessere, sviluppo e progresso. O voi pensate che l'Eni per esempio, o l'Agusta, possano l'una comprare il petrolio e l'altra vendere gli elicotteri, senza dover elargire qualche tangente? Ci provassero i giudici, se sono capaci. Annè a travaggià che l'è mēgiu. U l'è grassu a' ingranaggiu, belìn» era genovese, le ripeto.

Accio quella volta non riuscì a trovare niente di sensato da poter rispondere. Giusto: «Ecco perché ci vuole la rivoluzione mondiale», mentre il padrone si rimetteva a ridere.

«Eh, sì. I khmer rossi ci vogliono» asserì Dapelo. E le giuro che parlava sul serio. Mica scherzava. Anche se era un padrone lo pensava davvero.

Come dice lei scusi, però? Che così starei facendo un elogium della corruzione?

Ma lei è matto, che c'entro io? Io le ho riportato solo ciò che diceva Dapelo, il padrone della Fulgorcavi. Tutta farina sua è.

Io che le debbo dire? Io sono un prete – se lo scorda? – e per me il furto e la corruzione sono peccati, ancora prima che reati gravi, e quindi da condannare. Peccati mortali. Però questo è il mondo, non l'ho fatto io. Pare che fin dall'inizio la Storia abbia sempre funzionato così. La buona politica – intesa come management, gestione, organizzazione e amministrazione dell'intero campo delle relazioni sociali – non sembra corrispondere alle regole ed ai canoni della morale o del bene e del male, ma solo a quelli dell'efficienza e dell'efficacia nel conseguimento del bene pubblico. Questa è l'etica sua. Lo dice Schumpeter, cosa vuole da me?

Bisogna migliorarlo questo mondo – e da qui non si scappa – bisogna fare in modo che nessuno più rubi o corrompa. Questo è ciò che penso, ed io per primo vorrei che tutti i governanti, ministri, manager, funzionari ed impiegati di Stato o del più piccolo comune italiano fossero tutti santi e sante, probi e probe senza la più piccola macchia di peccato, nemmeno veniale. Santi proprio come quelli del Paradiso.

Ma se poi senza più grasso gli ingranaggi grippano, si inceppano, il giocattolo si blocca e nessuno vince o indice più appalti per paura che qualcuno li trucchi o qualcun altro lo incrimini, mentre le scale mobili dei metrò si rompono, dalle fontane non esce più acqua e nelle strade piene di immondizia si aprono sempre più buche che nessuno ripara o riempie, be', non venga a dare per cortesia la colpa a me. «Ünse e rêue, belìn! Ungi le ruote» diceva Dapelo: «Serve grasso agli ingranaggi».

Noi però stavamo al conte Cencelli che – dopo Acerbo, Serpieri, i Caetani e tutti gli altri – s'era messo a litigare pure col Rossoni.

Fu un canaccio, un cane da guardia ringhioso e cattivo – «Al servizio della nazione e del fascismo» diceva – sempre a cavallo su e giù per la piana, gli stagni, i cantieri, a controllare alla sprovvista che tutto procedesse secondo i piani. Ore e ore di cavallo ogni giorno col frustino in mano, nonostante fosse invalido – non so se gliel'ho detto – senza una gamba che aveva perso da giovane a Roma sotto un tram.

Come è successo?

E che ne so io? I nipoti sostengono che stesse accompagnando alla fermata una zia o cugina o ragazza a cui andava appresso – non si sa bene – e che a questa, salendo, fosse caduta la borsetta mentre il tram chiudeva le porte e ripartiva. Lui galante l'ha raccolta e le è corso dietro – «Tira più un pelo...» diceva zio Adelchi – e correndo è inciampato, è caduto a fianco ai binari, il tram gli è passato sopra con le ruote e gli ha tranciato la gamba. Non le so dire se la borsetta sia riuscito o meno a restituirla.

Addio gamba, però. Ne portava una ortopedica di legno, con lo snodo al ginocchio. Deve essere stata una tortura andarci pure a cavallo. Ma lui ci andava – su e giù per le Pontine – a sorvegliare de visu che nessuno lo fregasse.

Dicevano i miei zii che un paio di volte da sopra il cavallo, in mezzo alla campagna, avesse preso a frustate dei capisquadra appaltatori – o subappaltatori – che in evidente ritardo con lo scavo di un fosso o canale accampavano mille scuse e menavano, come si suole dire, il cane per l'aia: «Mo' me faccio pijà per culo da voi?» e giù col frustino.

Era di Magliano Sabina ripeto, più ternano che reatino. Quando parlava si esprimeva normalmente in perfetto italiano, con qualche inflessione romanesca. Ma quando s'incazzava lo faceva nell'umbro ternano-maglianese. Sembrava quasi zio Benassi.

Appena cominciò l'arrivo dei primi coloni in Agro Pontino si mise a litigare – dopo Acerbo, Serpieri, i grandi proprietari, Rossoni e le ditte appaltatrici – pure con Luigi Razza, che avrebbe dovuto essere il suo naturale amico ed alleato.

Fascista di sinistra – «*fascista rosso*» lo chiamavano quelli «*bianchi*» – questo Razza era stato socialista e sindacalista rivoluzionario anche lui, prima della Grande Guerra. Era quindi molto vicino al Duce, che alla fine di gennaio del 1935 lo nominerà ministro dei lavori pubblici. Non lo farà neanche per sei mesi però il ministro, perché ai primi di agosto dello stesso anno morirà – riposi in pace – in un incidente aereo in Egitto, all'età di quarantadue anni, mentre stava andando in missione in Eritrea. Tutti parlarono di un sabotaggio inglese, ma in vista dell'imminente attacco all'Etiopia il governo decise di fare finta di niente: «Xè stà un incidente. Casso ti vòl far?»

All'epoca di cui parliamo però – tra 1931 e 1934 – Luigi Razza è a capo dei sindacati fascisti dell'agricoltura e del commissariato per le migrazioni interne, che in Altitalia ha selezionato una per una le famiglie da trapiantare nel Pontino. Ma queste non fanno in tempo ad arrivarci – e l'Opera combattenti ad andarle a prendere alla stazione, portarle sui poderi, sistemarle per benino ed iniziare a farle lavorare – che subito Cencelli dà di matto: «Chi cazzo m'avete mandato? Io ho chiesto contadini provetti, mezzadri se possibile, e voi invece mi spedite sarti, barbieri, ciabattini, segretari comunali e perfino saltimbanchi che non hanno mai visto una zappa? Come faccio io adesso a mungere le bestie e seminare il grano?». Tutti i giorni a strillare con Razza e a scrivere lettere di protesta a Mussolini: «Io li ricarico sui treni e li rispedisco in Valpadana».

Ora come lei sa non è che avesse tutti i torti. In mezzo alla gran massa dei fittavoli, mezzadri e rurali veri, ci fu anche altra povera gente che fece carte false – spacciandosi per quel che non era o raccomandandosi al podestà e qualche altro gerarca – per poter scappare dalla fame e venire qui, che ti davano la terra aggratis, diciamo. In mezzo alla gran massa, però, questa sorta di imbucati impostori era una minoranza, che Cencelli non riuscì a rimandare indietro e da cui certi storici – gli stessi secondo i quali la gente sarebbe stata trascinata qui con la forza: «Deportazioni di massa» asseriscono – hanno poi desunto la generale improvvisazione e pressapochismo della bonifica e colonizzazione pontina: «Barbieri al posto di contadini? Eccola, la perfetta macchina organizzatrice del fascismo!?» senza poi spiegare, peraltro, perché la gente avrebbe fatto carte false per farsi spontaneamente «deportare».

Cencelli se li dovette quindi tenere, allestendogli dei corsi di addestramento e in breve – sotto la sferza dei fattori – pure quella minoranza si adeguò e diede il suo contributo in grano, bietole, latte e produzione di carne. Del resto anche zio Dolfin – lei ricorderà – faceva il ciabattino in Veneto, e il Lanzidei vendeva mutandoni per le strade. Mai lavorata la terra, prima. Furono i cognati – i miei zii Peruzzi – a fargli avere i poderi a Aprilia e Borgo Hermada, e a insegnargli il mestiere.

Ma appena iniziato a lavorare, subito i coloni s'accesero anche loro – come e più di Razza, Serpieri e Acerbo, e perfino più del consorzio di bonifica, del principe Caetani e dei vecchi proprietari – contro Cencelli e le mille angherie dell'Opera combattenti e dei suoi fattori: «Ma còssa xèla, na galera questa qua?»

Tutti infuriati: chi a protestare ai sindacati contadini – quelli di Razza – chi a minacciare scioperi come zio Pericle e chi invece ad arrangiarsi in qualche modo rivendendo sottocosto ai commercianti il fertilizzante ricevuto in consegna dall'Opera; oltre, ovviamente, a sottrarre tutti, ad ogni trebbiatura, qualche sacco di grano destinato all'ammasso. Lo abbiamo fatto anche noi Peruzzi.

Mentre una femmina nostra offriva un bicchiere di vino al fattore e quello si distraeva un attimo, al volo i miei zii facevano sparire da sotto la trebbia i sacchi di frumento – un quintale l'uno – nascondendoli dietro il prìvy o la letamaia: «Un tanto a l'Opera, un tanto a nantri» ridevano i miei zii.

Non so se le ho mai detto di quella volta che zia Pace ad agosto si sarebbe dovuta sposare col Benassi ed era piena di pensieri per il pranzo di nozze – «N'agò schèi» – e la casa da avviare, quando zio Pericle ne rubò un sacco in più. E facendolo volare con zio Iseo dietro il prìvy, le disse sogghignando: «Questo xè par ti, sposa. O credévito ch'am ghessi desmentegà?»

«Grassie, fradèo...» e zia Pace scoppiò a piangere.

Come dice, scusi? Che gliel'avevo già raccontata?

Fa niente. Certe cose è meglio ripeterle, piuttosto che desmentegarle; riposino in pace tuti dó – finalmente – me zio e me zia. Che piangeva di nuovo ogni volta, quando lo riraccontava.

Se però i fattori se ne accorgevano, ti cacciavano. Ti caricavano sui camion con tutta la famiglia e via di corsa al treno: «Alé, tornè in malora in Altitalia. Non si ruba all'Opera, e nemmeno si disobbedisce». Furono un centinaio circa le famiglie coloniche disdettate per questa od altra manchevolezza, e rimpatriate a forza al Nord.

«Rubare?» s'arrabbiava mio zio Adelchi: «Ma nantri

rubàvimo del nostro, ciò. Jèrimo stà nantri a farlo créssare, 'l gran».

In ogni caso i coloni non lo potevano vedere Cencelli: «Xè un negrier». L'archivio generale dello Stato conserva ancora i pacchi di lettere di protesta, soprattutto anonime ma anche firmate, che arrivavano ogni giorno a Mussolini: «*Questo i ne copa, Ducce. Sàlvane ti*».

È per questo – per il centinaio circa di famiglie disdettate e rispedite indietro, oltre che per il forte malanimo nei confronti dell'Opera espresso nelle lettere al Duce – che quei certi storici decretano, secondo loro, il «fallimento» della bonifica pontina fatta dal fascismo.

Io che le posso dire? Certo quelle cose sono tutte vere, nessuno lo nega, ma – se lei permette – cento o poco più famiglie rimpatriate, rapportate alle tremilacinquanta portate giù e qui più o meno soddisfacentemente rimaste, fa poco più del tre per cento: 3,3 per la precisione. A lei sembra una percentuale che consenta di poter considerare fallita non dico una bonifica, ma qualunque altro progetto o azione umana? Siamo seri, per cortesia.

Resta però – e su questo non c'è dubbio – che pure i coloni, oltre a Acerbo, Razza, Rossoni, Serpieri, i Caetani e i vecchi proprietari, Cencelli non lo potessero vedere. Ma con tutto questo lui dal 1933 – fondazione di Sabaudia – si è messo a litigare di brutto pure con la Milizia Forestale e il generale Agostini che la comandava.

La storia di Sabaudia – lo «scàndolo», diceva zio Adelchi – è però un tantino complessa. Quando l'anno prima, nel 1932, Cencelli aveva fondato Littoria, per riuscire a trovare un architetto che desse una sistematina artistica ai progetti tecnici dell'Opera combattenti s'era dovuto scapicollare. Non ce n'era uno in giro – a partire dai giovani modernisti neolaureati – disposto a inzaccherarsi di fango e rischiare di pigliarsi la malaria. Quelli volevano progettare palazzi, chiese, villini e case del fascio nelle grandi città, roba che desse lustro e illuminasse la carriera: «Mo' me vado a ficcà in palude? Ma vaffallippavà».

Così Cencelli s'era dovuto arrangiare con Frezzotti: «Il primo can ch'agò trovà».

Ma appena Littoria – che ancora non era nemmeno in costruzione – è andata a finire sui giornali d'Europa e del mondo, allora sì che ai giovani architetti gli è preso un colpo: «Casso! Chi xèo sto Fresotti?». Ma ancora di più all'inaugurazione di Littoria, quando dal balcone del municipio Mussolini ha annunciato che presto se ne sarebbe costruita un'altra, Sabaudia appunto, e chissà quante ancora, dopo.

«Ciamè nantri, ch'av vegna un càncher» si misero a strillare i giovani architetti sui giornali e giornaletti dei Guf e del partito: «Ciamè nantri, ca sem le nove speranse de l'Italia fasista».

Il Duce allora convoca Cencelli che giustamente abbozza: «Obbedisco, Duce: stavolta per il piano regolatore bandiremo un concorso nazionale» e intanto va a cercare di persona il posto migliore, dove poter piazzare degnamente la nuova città.

Lo trova nei primi giorni di aprile del 1933 sopra il lago di Paola – che poi diventerà di Sabaudia – a ridosso della selva di Terracina, con davanti al lago la duna, il mare e il promontorio del Circeo: «Ah, questo sì che xè un bel posto».

Il 21 dello stesso mese, pochi giorni dopo, esce quindi il bando di concorso – «Fasìme védare, desso, mona d'architeti» – mentre lui sta portando avanti la trattativa col comune di Terracina per la cessione in enfiteusi perpetua della selva all'Opera combattenti, che la disboscherà appoderandola ed insediando anche qui i suoi coloni. Il relativo contratto viene firmato agli inizi di giugno 1933; faccia attenzione alle date, che qui sono importanti.

Intanto iniziano a arrivare i primi progetti. Partecipano al concorso ben tredici gruppi di giovani ingegneri e architetti, tra i più moderni e promettenti. Partecipò pure Frezzotti – «Bono Frezzotti» diceva tra sé Cencelli – classificandosi però soltanto terzo.

Alla fine di luglio viene proclamato vincitore il progetto del gruppo Piccinato – tenga bene a mente questo nome, «Piccinato», e non lo scordi più; non so se in questo o in un altro filò, ma è un nome che tornerà – gruppo composto appunto da Luigi Piccinato e da Gino Cancellotti, Eugenio Montuori e Alfredo Scalpelli. «Bono Frezzotti...» continuerà a dire Cencelli.

Se la prima s'era chiamata Littoria come il *fascio littorio,* questa doveva chiamarsi Sabaudia in onore dei Savoia – «Che Dio i stramaledissa» diceva mio zio – e il re volle che venisse pure bella: «Spendì quel che vulì». Ma sempre città rurale doveva essere: il piccolo centro direzionale a servizio di un comune di cinquemila abitanti, insediati quasi tutti a case sparse nella campagna circostante. Punto quindi di raccordo e servizi della rete di borghi e poderi, Sabaudia doveva servire ai contadini e alla nazione nella diuturna battaglia del grano e della produzione di carne, latte e formaggi. Nient'altro. Né turistica, né militare e tanto meno balneare, come era stato spiegato chiaro e tondo fin dal bando di concorso.

Approvato quindi il progetto Piccinato, il 5 agosto 1933 il Duce e Cencelli posano la prima pietra, fondano la città e danno inizio ai lavori: «Andè col tango, ostia, che il tempo stringe» e già dal giorno dopo si cominciano a vedere i muri.

Quando siamo a ottobre però – 11 ottobre 1933, con i muri di Sabaudia già spiccati e pure alti, oramai – si sveglia il senatore Bastianelli, la cui famiglia secondo alcuni era di Terracina. Si sveglia e scrive al Duce che è un peccato eradicare la selva (un «ecocidio» dice oggi in tv Mario Tozzi, ch'agh vegna la pelagra), bisogna lasciarla almeno com'è, dal Circeo fino a Sabaudia; anzi, bisogna proprio farne un Parco nazionale. Io adesso non so se il senatore Bastianelli fosse già un verde d'antan o avesse qualche interesse di parte proprietaria. Fatto sta, mentre a Roma si alza la canizza, a Sabaudia crescono e s'alzano sempre più i muri.

Il ministro dell'agricoltura, Acerbo, all'inizio è contrario: «No, non scherziamo, per piacere. Se si fa il Parco, bisogna espropriare i proprietari», che a lui proprio gli faceva male al cuore.

«Ma se il Parco non lo fai» eccepisce Serpieri, suo sottosegretario, «non li espropria ugualmente Cencelli?»

«Sììì... non ciavevo pensato».

«Famo il Parco, famo il Parco!» quindi Serpieri, a cui si aggiungono l'intera cittadella aristocratica dei poteri forti, il notabilato pontino, l'agraria, i consorzi e – dulcis in fundo – il generale Agostini della Milizia Forestale, più assatanato di tutti: «Il Parco, il Parco, agh vole par forsa un Parco».

Cencelli ha provato in tutti i modi a spiegare che oltre al monte Circeo – che lui voleva espropriare per inciso pure quello – si sarebbero così sottratti all'economia e alla vita della nascente città oltre 3500 ettari di terreno pianeggiante; corrispondente a 350 poderi da 10 ettari ognuno, da assegnare a famiglie di dieci componenti, per un totale di 3500 nuovi contadini.

Non c'è stato niente da fare. Lo hanno messo in mezzo. E tanto hanno fatto, tanto hanno detto, che a fine dicembre 1933 il Duce s'è pronunciato: «Basta. Agò deciso» e il 25 gennaio 1934 – mentre Sabaudia era in costruzione da ben cinque mesi oramai – veniva promulgata la legge istitutiva del Parco Nazionale del Circeo.

Attorno alla città, e per oltre 3500 ettari di bosco, non si sarebbe più potuto costruire – per omnia saecula saeculorum – una sola casa o un podere e tanto meno seminare il grano. Ma solo alberi, selva e guai a chi ci fosse entrato dentro – la Milizia Forestale, come le guardie del principe Caetani d'una volta, t'avrebbe sparato addosso se ti ci avesse visto a caccia o a pesca – e invece dei 5000 residenti nel comune, previsti in fase di progetto, gliene hanno eliminati subito subito, sul nascere, 3500. Con l'aggravante che i superstiti 1500 contadini non si sarebbero più insediati vicino alla città, bensì al di là del Parco.

Con tutto questo a Sabaudia si continuava tranquillamente, anzi, fascisticamente a lavorare – tracciare le strade, scavare le fogne, tirare su i muri, gettare in opera il cemento armato delle travi e dei solai – senza che a Piccinato e ai suoi amici e colleghi architetti venisse alla mente o nel cuore la minima ombra del dubbio: «Ma che cazzo stamo a fà? A chi e a che cosa servirà questa città, senza più un podere o un colono attorno?»

Cencelli infuriato si faceva reggere: «Non si può fare un Parco con dentro una città. Parco e città sono un ossimoro, l'esatto contrario uno dell'altra. O l'uno, o l'altra, benedett'Iddio, perché alla lunga, se no, uno dei due non riesce a sopravvivere: muore» e intanto s'era fatto nominare lui, podestà di Sabaudia, e battagliava come poteva, soprattutto col generale Agostini e la Milizia Forestale.

Appena quelli stendevano il filo spinato dei recinti e piantavano ogni tanti metri il cartello «*Parco Nazionale. Divieto di caccia e di pesca*», lui subito mandava gli operai suoi a metterne un altro davanti – più grosso e attaccato proprio a quello, a nasconderlo totalmente – con scritto: «*Opera Nazionale Combattenti. Bonifica integrale*». Lei non ha idea le lettere e i reclami della milizia al Duce.

Poi a un certo punto, guardando bene i disegni e i progetti, s'accorse pure che la torre comunale di Sabaudia sarebbe venuta più alta di quella di Littoria: 42 metri contro 32. «Eh no, eh?» s'arrabbiò Cencelli: «Sta cosa proprio no. Abbassate la torre, levàteje almeno dieci metri» ordinò agli architetti.

Ma questi – che non s'erano minimamente risentiti del singolare fatto che alla città da loro partorita come agricola fosse stata tolta l'agricoltura, e con l'agricoltura la popolazione – per qualche metro di torre minacciarono di tagliarsi le vene: «Femo arakìri, ciò». Strillarono e baccagliarono, e alla fine scrissero al Duce che la torre non si poteva assolutamente abbassare. I muri erano già stati spiccati dalle fondamenta, e se davvero la si fosse voluta rimpicciolire, bisognava cambiare anche la base, perché se no sarebbe venuta brutta e tozza. L'unica era – per poterne ridurre dignitosamente l'altezza – demolire tutto e ripartire da capo. Altrimenti no, non si può fare: «*L'errore a noi sembra evidente e ripugnerebbe alle nostre responsabilità di architetti*».

«Hai capito?» strillava Cencelli sbattendo i pugni e la testa addosso ai muri, per le stanze, le scale e gli uffici dell'Opera nazionale combattenti in piazza del Quadrato a Littoria: «Tre metri de torre je ripugnano, a sti boia d'architetti. Una città invece che dentro a un Parco non serve più a niente, no che non gli ripugna: non gliene frega un cazzo».

Il Duce, al contrario, restò colpito dal grido di dolore di Piccinato&C: «Orcocane, ghe ripunia». E il 21 febbraio 1934 – neanche un mese dopo avere decretato il Parco – viene a Sabaudia per rendersi conto di persona. Gira di qua, gira di là, col petto in fuori, le mani congiunte dietro la schiena, il volto levato a osservare e rimirare i muri che crescono – «Architeto de stocasso anca ti» pensava Cencelli – il Duce finisce per dare ragione a quei cancheri malnà: «No no. La torre deve venire più alta e più bella che pria».

Il 15 aprile 1934 – due mesi dopo – Sabaudia era finita, ma a inaugurarla venne il re: «Xèla mia, questa». Il Duce però – con la scusa di dover rintuzzare le proteste contro il modernismo che Farinacci aveva sollevato in parlamento – convocò con tutti gli onori i progettisti di Sabaudia, insieme a quelli della stazione di Firenze, e li ricoprì di elogi: «*Ho chiamato proprio voi per dirvi che non abbiate timore. Sabaudia mi va benissimo ed è bella. Non si doveva né si deve fare diversamente. Dite ai giovani architetti che escono dalle scuole di architettura di non aver paura, di avere coraggio*».

«Ah, certo» deve avere ripensato Cencelli: «Ci vuole proprio un gran coraggio, per fare una città agricola senza un contadino intorno per tremilacinquecento ettari» e difatti, per farla vivere di qualcosa e darle un po' d'abitanti – povera bestia oramai di una nuova città – l'hanno riempita di caserme.

Non era la città del re? E ci ha pensato il re coi soldi nostri: giù caserme della forestale, della marina militare, della guardia di finanza, collegio dei marinaretti, artiglieria contraerea, eccetera. Una città militare. Una specie di Cecchignola a cento chilometri da Roma e venti dalla ferrovia che anche adesso – se le tolgono all'improvviso le caserme – Sabaudia muore di fame. Altro che turismo o seconde case al mare dei romani.

Come dice lei, scusi? Che però il Parco nazionale del Circeo è una gran bella cosa ed hanno fatto bene a farlo?

Guardi, i miei zii in verità dicevano «Quel gran Porco del Sirsèo»; ma io sono d'accordo con lei: il Parco è sicuramente una gran cosa. Però non dovevano fare la città.

Erano ancora in tempo – tra il dicembre 1933 e il gennaio 1934 – a fermarsi dove stavano: tiravano giù i muri grezzi che avevano eretto e andavano a costruirla da un'altra parte. Non ostinarsi – per la ubris del Duce, del re e degli architetti – a farla lì. Ha idea, lei, di quanto è costata alla nazione – tra caserme, torri e travertini – Sabaudia?

Cinquantatré milioni di lire dell'epoca, quasi il doppio di Littoria, che in quanto capoluogo di provincia doveva per forza essere provvista anche di Intendenza di finanza, Questura, Tribunale, Distretto militare, Genio civile, scuole superiori eccetera, e che in tutto costò trentacinque milioni.

Sabaudia invece cinquantatré, contro i dodici di Pontinia, i quattordici di Aprilia e i quindici di Pomezia che però – a differenza sua – iniziarono subito ed hanno proseguito per tutti questi anni, insieme a Latina, a restituire alla nazione fior fiore di produzione agricola, industriale e prodotto interno lordo in genere.

Perché non si fermarono?

«Eh, caro» rispondeva mio zio Adelchi: «Xè stà 'l scàndol de Sabaudia. Chissà quanti ghe ga magnà de sora».

«Bono Frezzotti...» ripeteva tra sé Cencelli e difatti – quando si trattò di fondare di lì a poco Pontinia – richiamò direttamente lui: «No stì più a ronparne i cojoni coi concorsi, par favor».

Pure Pontinia risentì però gravemente, a cascata, di quel misfatto urbanistico-territoriale. Inizialmente era previsto che dovesse sorgere non dove sta adesso al di qua dell'Appia – all'immediato ridosso del Sisto che è anche linea di confine comunale con Sabaudia – ma al di là della via Appia e più vicina ai monti, al centro del territorio assegnatole e della relativa maglia poderale.

L'istituzione del Parco aveva lasciato di fatto completamente privi di servizi i restanti millecinquecento contadini di Sabaudia, dislocati attorno ai Borghi San Donato, Vodice e Montenero – tutti extra-Parco, extra-moenia, extra-urbem – abbandonati oramai da Dio e dagli uomini, per colpa di quello «scandalo».

Eravamo negli anni trenta – le ricordo – non c'erano telefoni o telefonini, luce elettrica e illuminazione delle vie; non c'erano macchine in ogni casa o motorini e lambrette. Quando serviva una cosa bisognava partire a piedi o col mulo e il carretto. Anche le biciclette erano un capitale. E secondo lei o secondo Piccinato la gente poteva, per ogni urgenza – chiamare l'ostetrica di corsa magari, o il dottore o il veterinario perché stava sgravando la vacca, o il prete per un'estrema unzione – poteva attraversare di notte al buio, a piedi o in bicicletta, otto chilometri di foresta nera impenetrabile?

Lei pensi a quella volta che Violetta – sulla Lungosisto – ebbe di notte una febbre alta che mia cugina Emma non sapeva come fare, con gli impacchi d'acqua fredda sulla fronte e Violetta, sotto il lume a petrolio, che tremava convulsiva dentro il letto. «Va' a ciamare 'l dotor» strillò allora Emma al marito Amilcare, che inforcò la bicicletta e partì per Pontinia. Ritornò con il dottore e tutto, per fortuna, finì bene. Ma lei pensi solo se Amilcare avesse dovuto attraversare il bosco – come voleva Piccinato – per andare a Sabaudia. Va bene che in mezzo c'era e c'è una strada, ma sempre notte fonda era, con la foresta scura scura piena di urla animali – gufi, civette, «*Quìu-quìu*», «*Gu-ù, gu-ù*» e bestie di tutte le specie che si squartavano: «*Guàuuuu!*» – di qua e di là della carreggiata e il rischio, ogni tanto, che mentre lui pedalava nel buio «*cìo-cìo-cìo*» gli saltasse all'improvviso di fianco, ad aggredirlo, magari un puma, una lince, una tigre, un cinghiale arrabbiato.

Ma che, scherziamo? E chi eravamo noi, Hansel e Gretel? Ma davvero ci sarebbe convenuto restare allora in Veneto a fare la fame.

Per poterci mettere una pezza, l'Opera dovette spostare Pontinia. Invece di farla vicino ai monti – come s'era pensato in origine – il 19 dicembre 1934 Cencelli la dovette fondare sul Sisto, totalmente eccentrica al suo territorio ma in posizione mediana, rispetto al suo e a quello di Sabaudia messi assieme. In questo modo andò sprecato anche Borgo Pasubio, che proprio lì a fianco – nella stessa identica strategica posizione – era stato costruito solo due anni prima, nel 1932: «Tanto paga Pantalone» s'incazzava Cencelli.

È così però che i coloni di Borgo Vodice e Borgo San Donato, virtualmente nel comune di Sabaudia – ma pure a volte quelli di Borgo Hermada e Borgo Montenero – per il mercato settimanale ed ogni più quotidiana bisogna, hanno avuto finalmente Pontinia a cui fare riferimento: la sala da ballo, la fiera del bestiame, la festa di Sant'Anna, il cinema la domenica, la farmacia, la morosa, la partita di pallone. Pure adesso – quando serve una vanga o una semente, o c'è da far riparare il trattore – la gente non va a Sabaudia, va a Pontinia.

Sabaudia invece – nata in origine per supportare oltre cinquecento poderi – alla fine dei giochi s'è ritrovata a poterne servire solo i quarantadue della fascia di Sacramento, tra i laghi costieri e il Parco. Venendo però a costare quasi cinque volte più di Pontinia.

Come dice lei, scusi? Che però adesso è turistica, è bella – tanto bella – e che Piccinato ha lasciato scritto che lui lo aveva sempre saputo e che fin dall'inizio con i suoi amici era consapevole che il destino della città era turistico-balneare, e l'hanno fatta apposta così?

Eh no, sono tutte palle. È vero che Piccinato ha scritto quello che dice lei, ma nel 1971: quando Sabaudia aveva quasi già quarant'anni, il fascismo era caduto da trenta e non era più fascista nemmeno lui. Sempre architetto urbanista – il più grande urbanista d'Italia, secondo i suoi estimatori – ma socialista oramai.

E soprattutto lo ha scritto dopo che in Italia – con l'arrivo del boom e del benessere – il jet-set romano s'era appropriato della duna, lottizzandola e costruendocisi le ville sul mare. Pure gli intellettuali di sinistra parteciparono allo scempio – pure Moravia e Pasolini, purtroppo – con ville più o meno di lusso, e tanto di recinti e cancelli per non fare entrare in spiaggia la gente comune: «E che facciamo qua, sennò, il turismo di massa? Fora dai piè, che ne copè le bùbole». Le lucciole. O anche batissèsole, se preferisce.

Ma sono tutte palle, le ripeto, che Piccinato s'è inventato dopo. Nel 1934 invece, proprio sulla rivista *Urbanistica*, aveva testualmente scritto: «*Il centro comunale di Sabaudia non è pensabile all'infuori della organizzazione del suo territorio agricolo dal quale esso dipende... Con Sabaudia la vita agricola della Nazione fa un altro passo gigantesco verso una nuova realtà*».

Questo era difatti ciò che il committente, l'Opera nazionale combattenti di Cencelli che pagava, aveva espressamente chiesto – e lui e gli amici suoi avevano controfirmato – nel bando di concorso per il piano regolatore di Sabaudia che avrebbero poi vinto: «*È lasciata ai concorrenti ampia libertà d'iniziativa, purché il piano regolatore corrisponda alle esigenze pratiche di un centro eminentemente rurale»*. Non si è mai parlato all'epoca di turismo, né di massa né d'élite. S'è parlato solo di zappe e di vanghe, non di bagni.

Del resto, quelli erano fasci e non ci piove, ma non erano del tutto coglioni, o lei magari pensa che proprio non sapessero come era fatta una città balneare?

«Quando i ghea da farla», diceva mio zio, «quei i la fasea coi controcassi», non una cosina come Sabaudia con un solo alberghetto striminzito di trenta camere. Lei trenta camere le chiama città balneare? Che il mare oltre tutto stava al di là del lago – mica c'era il ponte, allora; si doveva girare intorno al lago per tre o quattro chilometri, prima di raggiungere il mare – e quando poi finalmente ci arrivava, non ci trovava però nemmeno l'ombra di uno stabilimento, una cabina, un ombrellone. «Casso de balneare xèo?» avrebbe detto anche lei.

Quelli non solo lo sapevano – cosa volesse dire «città turistica» – ma l'avevano inventata loro, di fatto, in Italia. Tirrenia, Calambrone e Milano Marittima, ad esempio, sono città di fondazione fascista come Littoria e le altre. Prima non c'erano. Le hanno fondate allora. Ma con migliaia e migliaia di posti letto fin dall'inizio, e colonie e colonie piene di ragazzini e alberghi, villette e l'ira di Dio. Vada a vedere pure Ostia, Cervinia o Marina di Massa, dove la colonia Balilla della Fiat è un grattacielo di Bonadè Bottino – una torre gigantesca rotonda di sedici piani, costruita nello stesso 1933 – quasi uguale a quella del Sestriere, sempre Balilla Fiat e Bonadè Bottino. Altro che Sabaudia, dove non ci si facevano il bagno neanche i sabaudiesi.

Lei pensi che pure l'Opera combattenti s'era dotata di una sua colonia elioterapica al mare, per i figli dei coloni dell'Agro Pontino. Non un grattacielo tondo come a Massa o al Sestriere, ma semplici baracche – dignitose e fatte ad arte, ma sempre baracche di legno – con tanto di dormitori e refettorio dove i ragazzini mangiavano e dormivano meglio che a casa loro.

L'Opera combattenti, però, la colonia sua non andò a farla – come magari penserebbe lei – a Sabaudia. Macché. La impiantò dall'altra parte del monte Circeo – tra il Circeo e Terracina – a Colonia Elena, vicino Borgo Montenero. E lì – insieme agli altri figli di coloni dell'Agro Pontino – ci dovettero andare pure quelli di Sabaudia, se volevano davvero farsi qualche bagno a mare. Altro che «turistico-balneare». Lo andasse a raccontare a qualcun altro, Piccinato.

Come dice lei? Che però è bella?

Ma mi faccia il piacere. Una città che non serve a niente – che non ha una sua precipua funzione umana e sociale – non può dirsi bella. Può essere al massimo estetizzante – puro esercizio retorico – scenario di cartone come Cinecittà: marmi, mosaici e travertini a profusione, con addirittura un battistero rotondo esterno alla chiesa, di travertino anche quello, neanche fossimo a Parma nel 1200. «E chi gheva da batezarne là», diceva mio zio Adelchi, «che no ghe nasse un can a Sabaudia, int la foresta?»

Bella è Pontinia – creda a me – e il merito è tutto di Oriolo Frezzotti e dell'ingegner Alfredo Pappalardo che la disegnarono; anche se loro non li trova, come invece purtroppo Piccinato, sui manuali di storia dell'urbanistica o dell'architettura.

La geometria a due dimensioni di Pontinia, le strade larghe e piene di sole, i portici, le case basse, le prospettive sulle torri del comune, la chiesa, la mole dell'acquedotto – vero *monumentum perenne* alla bonifica – ne fanno un paesaggio padano. Sembra davvero di stare a Goro o Codigoro, anche se non c'è il Po. Però c'è il Sisto che la lambisce e certe volte di sera, tra le canne e gli eucalypti lungo gli argini, sembra di intravedere l'ombra di Ligabue – il pittore, non il cantante – intenta a disegnare tigri tremolanti.

I coloni di Pontinia erano in gran parte ferraresi, mischiati però anche con famiglie qui dei monti Lepini o della Ciociaria; ex pastori transumanti a cui l'Opera dovette a un certo punto dare qualche podere. Oggi c'è una marea di indiani e pakistani – sia induisti che musulmani – e sikh col turbante, in giro in bicicletta, al bar dopo il lavoro, di giorno in mezzo ai campi sui trattori, appresso alle bestie o a smontare e rimontare irrigatori.

Pontinia è per davvero città rurale – terra nera torbosa fertilissima – con il più alto Pil in agricoltura di tutti i comuni di Italia. Ha 14.000 abitanti e 28.000 capi di bestiame soprattutto bufalino. La mozzarella di bufala la esportano ogni giorno in tutta Europa ed è per questo, forse, che è piena di sikh, indiani e pakistani. Li portano avanti oramai loro gli allevamenti, poiché – da una parte – ai giovani nostri la stalla è un lavoro che non piace più tanto: mattina e sera, di notte e di giorno, sabato e domenica, feste festività e ferie comprese senza mai una pausa, perché le bestie debbono essere rigovernate, bisogna dar loro da mangiare e mungerle due volte al giorno tutti i giorni. Ma d'altra parte – diciamo la verità – come le trattano indiani pakistani e sikh le bestie, non le tratta più nessuno qui da noi. «Par lori 'e xè sacre, xè sante» diceva zio Adelchi: «Non puzzano mica». E crescono meglio.

Ma pure i sikh oramai – come i lepini e gli ex transumanti ciociari – sono pontiniani a tutti gli effetti e la sera, dentro i bar, lei può ascoltare anche loro, che mischiati agli altri narrano mitiche storie d'amori, di sport e di motori, intercalate ogni tanto da un: «Ch'at vegna un càncher». È colpa del vento, che a sera dal Sisto e dagli eucalypti esala filtri e misture magiche.

Un nostro parente di Pontinia – nipote di una cugina Mantovani; una specie di genio dell'informatica, sempre in giro per il mondo – racconta spesso che una volta, a Parigi, ha incontrato per caso un vecchio amico, suo compagno di scuola alle medie e elementari, che non vedeva da anni. Questo adesso vive a Parigi, fa il professore alla Sorbona e pare abbia sposato la più grande architetta di paesaggio francese.

Fatto sta, ritrovandosi quel giorno tutti e due liberi e non sapendo ognuno come passare il tempo – «Che faccio, che non faccio? Mo' vado al Louvre...» – si sono incrociati, ripeto per caso, a fare la fila davanti alla biglietteria del museo: «Varda chi ghe xè?»

«Casso! Come stètu, come no stètu?»

Pagano il ticket ed entrano. Ma poi – lei non ci crederà – non guardano un quadro. Ci passano davanti e via, intenti a ripetersi l'un l'altro: «Pontinia di qua, Pontinia di là».

«Ti ricordi quella volta in piazza Bruno Finotti?»

«E Vittorio Crociara al campo?» e via di questo passo.

Finiscono il Louvre a vanno a Notre-Dame – prima ancora che pigliasse fuoco – ma pure lì non guardano una finestra, una statua, una colonna: «Pontinia di qua e Sant'Anna di là».

E di nuovo: «Ti ricordi quella volta il farmacista?»

«Come no? E quell'altra il parroco?»

Escono da Notre-Dame e vanno Aux Invalides, sempre: «Pontinia di qua, Pontinia di là, Mauro Denardis, Giovanni Raponi».

Insomma girano tutta Parigi; ma senza vedere niente, solo con Pontinia in mente. Alla fine si fa sera e vanno a cena a Pigalle, al Moulin Rouge. Fiumi di champagne in giro e spogliarelli. Donne ignude che passano accanto al tavolino, ma loro niente, neanche una smorfia. Solo mangiare, bere e ciacolare.

A un certo punto però, mentre dal palco suonano il *Cancan*, uno dei due – non so dirle purtroppo con precisione se il nostro parente informatico, o invece il suo amico professore alla Sorbona – se ne esce: «Chissà adesso, a quest'ora, che stanno a fà a Pontinia?»

«E che vuoi che stanno a fà? Avranno appena cenato, mo' escono a vanno a cazzarare al bar».

Dopodiché, il silenzio più assoluto. Solo a guardarsi negli occhi l'un l'altro.

Finché, con un sospiro: «E noi, come due stronzi, qua a Parigi».

Pontinia è stata fondata il 19 dicembre 1934 – solo otto mesi dopo avere inaugurato il 15 aprile Sabaudia – e c'erano anche i miei zii. Aveva piovuto tutta la notte e pioveva ancora la mattina quel giorno – era un mercoledì, santa Fausta e san Dario: «*Sbagliando s'impara*» – quando arrivò la macchina del duce Mussolini.

Solo allora il cielo smise di piovere e – tra le nuvole che di botto sparivano – apparve finalmente il sole. Che le posso fare io? Così la raccontavano i miei zii, anche se più del sole appresso alla pioggia, coup de théâtre a cui erano oramai abituati, ciò che più li colpì quella volta fu proprio Cencelli – «Porca putana, còssa gàlo fato?» – che a fondare Pontinia, insieme al Duce e al vescovo di Terracina, aveva seriamente rischiato di non esserci.

Solo pochi giorni prima gli era occorso un brutto incidente di macchina. Lui andava un po' forte – si sentiva padrone, da queste parti – quando su una strada poderale gli è sbucata fuori all'improvviso, dalla fascia frangivento, una vacca maremmana. Non ha fatto in tempo a frenare, l'ha presa in pieno e «*Sbam!*»

La vacca sbalzata ferita riversa in mezzo alla strada, a due o tre metri di distanza – «*Mùùùùù!*» – i contadini accorsi l'hanno ammazzata e fatta a bistecche: «Xè un fià che no magnemo carne».

Lui invece – carambolato con la macchina addosso alla spalletta di un ponte, demolita anche questa e finito nel fosso – lo hanno tirato fuori che smadonnava tra mille dolori: «Fate piano, ve possin'ammazzà. Fate piano, se no ve rispedisco in Veneto».

Deposto su un carretto lo hanno portato al borgo più vicino, trasbordato su una macchina e via di corsa all'ospedale di Velletri. Fratture scomposte di mento, mandibola e un paio di costole. Ma pur fra tutti i dolori, l'unico pensiero suo – il cruccio che lo avvelenava – era la fondazione di Pontinia uno o due giorni dopo: «Come cazzo faccio adesso? Rimandare non si può rimandare, gliela faccio fondare solo a loro? Ma gnanca s'al mòrono, ostia».

Mise in croce l'intero ospedale – lo sentivano strillare, da quei corridoi, per tutto il circondario di Velletri fino a Lariano, Cori, Giulianello e Cisterna di Littoria – finché non gli hanno trovato una lettiga: «Vaffanculovà» e lo hanno portato in barella a Pontinia.

Ci sono ancora in giro le foto del vescovo che benedice la calce – mentre il Duce con la cucchiara la spalma sulla prima pietra della torre comunale di Pontinia – e a fianco a lui Cencelli che pare una mummia, dentro la divisa della milizia con la camicia nera, ma con tutte le fasce e le garze bianche a fasciargli il collo, il mento, metà della faccia e la capoccia tutta intera, sotto il fez nero. Pare davvero Tutankhamon – come dicevano i miei zii – però c'era, alla fondazione di Pontinia il 19 dicembre 1934.

L'anno dopo invece – alla sua inaugurazione il 18 dicembre 1935, che avrebbe preferito intrupparne altre dieci di vacche e fratturarsi venti mandibole – lui non c'era più. Ci saranno – insieme al Duce e al vescovo – il nostro caro amico di famiglia Rossoni e Araldo di Crollalanza. «Ch'agh vegna un càncher» avrà pensato Cencelli quando a Magliano Sabina li ha visti nelle foto sui giornali.

In quei famosi otto mesi intercorsi nel 1934 tra l'inaugurazione di Sabaudia e la fondazione di Pontinia, lui difatti non è che si fosse messo l'anima in pace: «Va ben, tachemo 'l musso indove che vòle 'l paron». Macché. Aveva ripreso a dare battaglia sempre più forte sui laghi e gli stagni della fascia costiera. «Almeno questi no» andava a dire ogni giorno al Duce a Palazzo Venezia: «Questi se ga da espropriarli e farne poderi per i miei coloni».

«Stai sereno Cencelli, stai sereno» gli rispondeva quello.

Ma appena uscito lui arrivavano gli altri: Rossoni in primis; Razza e i sindacati fascisti dei lavoratori agricoli in secundis e, a ruota, Acerbo e Serpieri con gli emissari del senato, del re e della corte in difesa dei grandi proprietari – poi dice che la corruzione e i poteri forti non c'erano anche prima – e tutti a dirgli: «Quello ha rotto i coglioni... Xè un bolscevico».

«Stì sereni anca valtri... Agh penso mi». E quando è stato il 1935 – con la bonifica pontina oramai quasi completata; le città di Littoria e Sabaudia a posto; Pontinia in avanzata fase; borghi e poderi tutti finiti e soprattutto l'incipiente grande impresa all'orizzonte, secondo lui, dell'Abissinia: «El massa grando Impero che agò infinalmente da costruir» – Mussolini ha detto basta: «Adesso faccio il cambio della guardia».

Alla fine di gennaio cacciò Acerbo e Serpieri dal ministero dell'agricoltura: «Andè in malora».

Quando lo venne a sapere per telefono Cencelli fece i salti dalla gioia – «Porca putana» – sulla sedia. Ma appena gli dissero che – al posto di Acerbo – il nuovo ministro dell'agricoltura era Rossoni: «Ahi ahi ahi...»

Ma passa un giorno e passa un altro – senza che arrivassero ulteriori sommovimenti – piano piano ha ripreso coraggio e ripreso pure, però, ad andare alla carica sia del Duce che del nuovo ministro Rossoni con questa sua fissa dei grandi proprietari dei laghi e della fascia costiera: «Eh no. Quei i se ga da espropriarli, ciò».

Così quando a marzo del 1935 – neanche due mesi dallo sbolognamento di Acerbo e Serpieri – il Duce lo ha fatto convocare a Palazzo Venezia, lui era tutto contento: «Ah, oggi mi sfogo».

Mai si sarebbe aspettato che invece quello, appena entrato, gli dicesse: «Camerata Cencelli! Grazie a nome di tutto il popolo italiano per la meritoria opera da voi prestata nel bonificamento e redenzione delle ex Paludi Pontine. Opera che resterà iscritta per sempre nella storia d'Italia. È con infinita gratitudine, quindi, che vi comunico di avere accettato le vostre dimissioni da presidente dell'Opera nazionale combattenti. Passerete con rigorosa e fascista celerità le consegne al nuovo presidente, il camerata Araldo di Crollalanza».

«Dimissioni?» faceva il tapino: «Ma mi n'agò presentà gnancuna dimision, Duce».

«Sono queste Cencelli, sono queste!» tirando fuori dal cassetto un foglio scritto a macchina – mancava solo la firma – sbattendoglielo davanti, sul piano della scrivania: «Firmè qua e 'ndè fora d'i maron».

E quello firmò: «Saluto al Duce».

Arrivederci, grazie – dietro-front – e di corsa al suo paese, Magliano Sabina: «Addio Agro Pontino».

Non lo si vide più da queste parti. Anzi, in giro per Littoria tutti dicevano – soprattutto i suoi nemici, nei bar – che il Duce gli avesse comminato il confino: «Guai a te se ti muovi da Magliano».

Io non so se sia vera o no, questa storia del confino. Ma certo Cencelli in Agro non scese più, e al suo posto – come podestà di Sabaudia – il Duce, il re, la corona, i poteri forti o chi vuole lei, nominarono guarda caso il grande proprietario del lago di Paola, chiamato oramai di Sabaudia, Alfredo Scalfati di Sperlonga.

Anzi, qualche anno più tardi – dal 1939 fino al 1944, quando dopo avere perso la guerra il fascismo finalmente cadde – questo Scalfati padrone di laghi lo fecero anche podestà di Littoria. Altro che espropriarlo come avrebbe voluto Cencelli. Le terre, i laghi e gli stagni della fascia costiera – bonificati col sudore e sangue della povera gente e con i soldi dello Stato o collettività – restarono in mano ai privati.

È così che si chiude la prima fase della colonizzazione del Pontino, che sotto i colpi dei *fascisti rossi* dell'Opera combattenti aveva visto soccombere il cosiddetto fascismo bianco degli agrari latifondisti e del variegato ceto dei notabili lepino-ausoni, annidati sui monti che circondavano la palude e storicamente incapaci – dopo secoli di feudalesimo pontificio – di qualunque iniziativa o spirito imprenditoriale innovativo.

Dopo il cambio della guardia del 1935, tutte le gerarchie locali del partito fascista avranno estrazione maròco-lepina e le masse di coloni veneto-friulano-ferraresi – portate quaggiù con le vanghe e le pezze al culo – verranno governate, amministrate e dirette dai medici, notai, maestri ed avvocati di Velletri, Cori, Norma, Sermoneta, Sezze, Priverno, Sonnino, Castelforte, Fondi, Monte S. Biagio e Terracina, calati nell'Agro a dominare Littoria.

Giusto i preti nei borghi, zio Pericle e zio Iseo riuscirono a farsi mandare dal patriarca di Venezia. Ma i vescovi no. Anche questi, da Velletri e Terracina «a comandar sui cispadani», come diceva zio Adelchi.

Poi verrà la guerra, il fascismo cadrà, arriverà con la Liberazione la democrazia. Ma tutti i quadri dirigenti del nuovo e sospirato regime democratico saranno inaspettatamente gli stessi di quello vecchio fascista appena caduto. Le stesse persone che comandavano prima – trasmigrate in massa nella Dc e negli altri partiti, anche di sinistra – comanderanno pure dopo.

Così quel blocco sociale, pur battuto dall'Opera combattenti nel 1931-35, riconquista e perpetua senza interruzione sino ad oggi – attraverso la cooptazione delle nuove élite, anche di ultima immigrazione – la sua egemonia e il dominio incontrastato sul territorio.

Caduta poi la Dc e la cosiddetta «prima repubblica», quello stesso blocco di derivazione ex fascista bianca confluirà maggioritariamente nel Polo di destra, ma senza trascurare Ulivo e sinistre. Sta sempre dappertutto, ogni volta cade in piedi e continua a dominare a suo modo – nell'unico che conosce, da vecchio, familistico ed anti-imprenditoriale notabilato lepino – le di nuovo disastrate ex-Paludi Pontine.

Come dice lei, scusi? Vorrebbe sapere che fine abbiano fatto Cencelli e gli altri due, Acerbo e Serpieri?

Be', gli ultimi due – dopo il «cambio della guardia» – continuarono ad avere più o meno qualche incarico, oltre a proseguire l'insegnamento universitario. Acerbo fu rinominato ministro delle finanze nei primi mesi del 1943 – agli ultimi fiati, diciamo, del regime – ma aveva continuato a fare parte del Gran Consiglio del fascismo. Quando erano state promulgate le leggi razziali si era dichiarato – anche se cautamente: «Non si sa mai» – contrario. Ma il Gran Consiglio esisteva oramai solo di nome: «Fasso tuto mi, valtri contè un casso» aveva deciso il Duce.

L'unica volta che contò, lei lo sa, fu il 25 luglio 1943, quando anche Acerbo – «Ah, t'al dago mi stavolta» – votò insieme a Ciano, al Rossoni e agli altri, l'ordine del giorno Grandi che defenestrò il Duce e fece cadere il regime: «Va' in malora ti adesso, ch'at vegna un càncher». Dopo l'8 settembre – armistizio di Cassibile – si andò quindi a nascondere, non sia mai lo pigliassero e sbattessero anche lui al muro a Verona.

Serpieri invece – divenuto nel frattempo rettore magnifico dell'università di Firenze da cui, dopo le leggi razziali, cacciò quarantadue docenti colpevoli di essere ebrei, tra cui il grande storico Attilio Momigliano, il filosofo Ludovico Limentani e l'economista Riccardo Dalla Volta, che morirà ad Auschwitz nel 1944 – Serpieri fu nominato senatore del regno e dopo l'armistizio dell'8 settembre 1943 aderì alla Repubblica sociale di Salò, Rsi.

Dopo la guerra però – e dopo un breve periodo a bagnomaria di cosiddetta «epurazione» – Acerbo e Serpieri ripresero l'insegnamento universitario e si avvicinarono alla Democrazia cristiana di Medici e Fanfani.

Cencelli invece rimase al suo paese Magliano Sabina ad archiviare meticolosamente le carte e i documenti della sua attività di bonifica – l'avventura che più ha contraddistinto la sua vita – e a curare le terre di famiglia, l'azienda agraria, il frantoio, la cantina, il mulino, i mezzadri. Un *grand commis de l'État* come dicono i francesi – grande manager servitore dello Stato – messo da parte a nemmeno trentotto anni: «Vai a vita privata, vai». Non ebbe più incarichi pubblici, nonostante pure avesse tentato di ottenerli. Anzi, dopo le leggi razziali cercò di proporsi – «*Chi è senza peccato eccetera*» diceva Nostro Signore – per la presidenza dell'ente che avrebbe dovuto amministrare i beni espropriati agli ebrei: «Almanco questo, ciò». Ma il Duce e il regime gli avevano messo oramai la croce sopra: «Chi? Cencelli? Lasciate stà, è un rompicojoni».

Quando s'è fatto il 25 luglio 1943 – che il Duce del fascismo era caduto e il re al suo posto aveva nominato Badoglio, come presidente del consiglio – lui s'è messo a disposizione del nuovo governo: «Son qua, se mi volete».

Quelli hanno preferito farne a meno anche loro. «Lasci stà, Bado'» deve avere detto il re: «De rompicojoni ce n'avemo già abbastanza».

Così dopo l'armistizio dell'8 settembre – appena costituita la Repubblica sociale di Salò – i fascisti repubblichini o repubblicani che dir si voglia lo arrestarono per avere appoggiato dopo il 25 luglio l'infame governo Badoglio. Lo accusavano di avere capeggiato e messo in piedi in Sabina nuclei di forze a garanzia dell'ordine pubblico, escludendone però chiunque fosse stato prima iscritto al partito fascista. Lo chiusero per accertamenti a Regina Coeli e poi a San Gregorio, finché a dicembre lo scarcerarono: «Resti a disposizione, però».

Lui invece appena uscito – «Non sia mai che i ghe rinpensa» – con la sua gamba di legno appresso andò a nascondersi dai Gesuiti in Vaticano. Ad aprile del '44 quindi – quando i fascisti Rsi tornarono a cercarlo – non lo trovarono più: «Chissà 'ndò è annato mo'?». In ogni caso, per non saper né leggere né scrivere a settembre lo processarono in contumacia a Genova – tribunale speciale Rsi – condannandolo a morte: «Come che 'o ciapè, subito al muro ciò».

Nel frattempo però – l'8 luglio 1944, liberata da poco Roma dagli alleati e uscito lui dai Gesuiti – era stato risbattuto a Regina Coeli, ma dagli americani questa volta, ed internato poi nel campo di concentramento alleato *criminal fascists* a Padula. E mentre con la gamba di legno stava sotto le sgrinfie degli americani, a casa sua intanto – al tribunale di Rieti, oramai liberata – lo mettevano sotto processo, in contumacia anche loro, non solo per gli atti di squadrismo del 1921-22, ma pure per avere organizzato dopo l'8 settembre, secondo loro, quel famoso-famigerato corpo di forze d'ordine armato alle dipendenze dei tedeschi.

«Casso de male gavarò mai fato, mi?» pensava Cencelli in galera, afflitto oltre tutto – come racconta nel suo diario – da dolorosissime piaghe che in quel periodo l'arto ortopedico di legno infliggeva al povero moncherino della sua gamba: «Quelli mi condannano a morte parché gavaria brigà contra de lori, e invece questi mi condannano parché gavarìa brigà a favore? Ha proprio ragione Dante: a Dio spiacendo e a li nimici sui. Pòvaro Cencelli, ch'agò fato solo del ben, in vita mia».

Finita la guerra, dal *fascist criminal camp* di Padula uscì solo il 23 luglio 1945, per entrare però subito nel carcere di Rieti fino all'amnistia Togliatti del novembre 1946. Da lì in poi – «Annatevene affanculo tutti quanti» – di nuovo e finalmente tra i suoi campi e i suoi mezzadri.

Solo nel 1963, ad Ajmone Finestra segretario provinciale del Msi – il federale di Littoria del Movimento sociale italiano dei neofasci – verrà in mente di andarlo a cercare per proporgli la candidatura al Senato a Latina: «Sai i voti che pigliamo?»

«Ma tu sei matto» aveva detto Francesio, l'oppositore interno, a quel tempo, di Finestra: «I coloni non lo potevano vedere».

«Ma sarai matto tu, ecco è vero» (ripeteva sempre «ecco è vero» Finestra). «Quello è il fondatore della città, il bonificatore massimo dell'Agro Pontino. Prenderemo una barca di voti, ecco è vero».

Cencelli venne di corsa con la sua gamba di legno – ma forse anche già di plastica oramai, nel 1963 – a fare su e giù col Millecento D colore grigio topo di Finestra, o il 1500 Fiat celestino metallizzato di Tullio Cinto, per tutte le strade, borghi e città dell'Agro Pontino. Due o tre comizi al giorno, pomeriggio e sera. La mattina invece per i poderi, casa per casa: «Buongiorno, sono Cencelli».

«Orcocan» facevano i coloni: «El conte Senseli! Qual bon vento ne porta?» e via a chiamare il resto della famiglia – uomini, donne, putele e puteleti – sia che stessero in stalla o perfino in mezzo ai campi: «Vegnì qua, ghe xè 'l Senseli».

E quelli come arrivavano – ancora trafelati – si sdilinquivano a fargli feste e profferte d'ogni maniera: «Vulìo qualcossa: un toco de pan, de salam, un goto de vin? Vulìo riposar?»

E tutti a giurare e rigiurare: «Ah, se non era per voi, quando mai l'avremmo avuta noi la terra in proprietà? Un santo, un benefatore sìo stà. Votarem tuti per voi».

«Alla faccia di Francesio, ecco è vero» diceva ogni volta Finestra a Cinto, quando rimontavano in macchina.

«Porca puttana, Federa'» gli rispondeva Cinto mentre aggiornava sui fogli a quadretti del grande block notes che portava sempre appresso il conto dei voti garantiti: «Qua stavolta sbanchiamo».

Al comizio di chiusura della campagna elettorale – l'ultimo venerdì prima delle elezioni, in piazza del Popolo a Littoria, pardon Latina, alle dieci di sera – non ci si entrava quasi nella piazza.

Il palco non era grosso, enorme e sgargiante come quelli di adesso, che sembra ogni volta debba arrivare chissà quale rock star e poi invece sotto, a sentirli, non c'è un cane. Era un palchetto piccolo di legno – tre metri per quattro, alto uno e venti, non di più – messo a disposizione di tutti i partiti dal comune, che lo montava a sue spese all'inizio della campagna elettorale per toglierlo alla fine.

Stava fisso al centro della piazza, dove finiscono i giardini della fontana con la palla – sotto cui è ancora sotterrato, le ho detto prima, il camion 18BL che con il gattino dell'autista dentro, «*Miàhou! Miàhouuu!*», s'era affondato la notte precedente l'inaugurazione di Littoria il 18 dicembre 1932 – e comincia l'agorà vera, lo spiazzo grande fino al portico dell'Intendenza.

Lì non ci si entrava, ripeto. Cencelli sul palco, o meglio: palchetto – stretto stretto fra gli altoparlanti e Ajmone Finestra, il geometra Della Valle, Annibale e Benito Berna, Drudi, Palliccia, Tullio Cinto, Bompressi e gli altri più fidi camerati di Littoria, oltre a quell'infingardo oppositore interno di Giovanni Francesio, che s'era però infilato anche lui – e tutta la gente sotto, stretta stretta più di loro, fino appunto al portico dell'Intendenza.

C'erano pure Accio e Manrico, stretti là sotto. Accio – tredici anni soli, ma alto come Manrico oramai, anche se un po' più secco – appena la domenica prima era andato in federazione a iscriversi alla Giovane Italia, l'associazione studentesca del Msi. Finestra lo aveva riconosciuto – «Ah, tu sei figlio di Benassi, ecco è vero» – ci si conosceva tutti a Latina a quel tempo, e poi Finestra era di Todi, quasi paesano di mio zio che ai tempi della bonifica, con la Motomeccanica, aveva lavorato insieme al padre.

«Sangue Peruzzi allora» aveva fatto Cinto: «Grand'uomo tuo zio Pericle, poverino».

«Pure Cesio e l'Adelchi però», Finestra.

«Eh, sì».

Manrico invece aveva diciotto anni ed appena tornato dal seminario s'era iscritto alla Fgs – Federazione giovanile socialista – anche se di nascosto, senza dire niente a nessuno, in casa.

Avevano chiesto il permesso a zia Pace per poter uscire quella sera e lei lo aveva dato. «Sei matta?» aveva protestato zio Benassi: «Li mandi in mezzo alla politica?»

«È meglio che crescano informati» s'era spiegata mia zia, e adesso stavano quindi lì sotto, stretti stretti insieme agli altri.

Ma quando Cencelli dal palco cominciò a parlare – con la voce alta, stentorea e roboante, amplificata pure dagli altoparlanti a palla – gli si fece immediatamente spazio attorno, sia per rispetto del carisma, sia perché si scaldò quasi subito, infervorato nel discorso, e più si infervorava e più gesticolava col bastone.

«*Schwiss-schwisss!*» si sentirono più volte fischiare le orecchie il geometra Della Valle, Annibale Berna e Tullio Cinto, come neanche le pallottole partigiane quando stavano su al Nord con la Guardia nazionale repubblicana, Gnr, della Rsi. E – se lei permette – questa volta si scansarono: «Porca putana».

Cencelli era una furia: «Ho voluto rivedere e perlustrare palmo a palmo quell'Agro Pontino che avevo dovuto lasciare con dolore qualche anno fa, dopo averlo bonificato di sana pianta. Non c'era una riga fuori posto allora, un eucalyptus che mancasse, una sola buca per le strade, quando me ne andai».

«È vero, è vero» gridava la gente sotto. E poi anche: «Viva Cencelli», ma pure «Du-ce! Du-ce! Du-ce!», più di qualcuno.

E lui: «Era un Eden, un Giardino Terrestre che ho popolato insieme a voi di case, di borghi e di città».

«È vero, è vero. Ma anca 'l Duce parò, anca 'l Duce» e via coi «Du-ce, Du-ce, Du-ce», mentre lui con le mani faceva segno di placarsi, di stare zitti – specie ai «Duce, Duce, Duce» – e di lasciarlo parlare in santa pace. «Se no che casso son vegnesto a fare?» pensava tra sé.

Si avviò quindi a concludere: «Italiane ed italiani! Uomini e donne di Latina già Littoria! Ho lasciato l'Agro Pontino che era un fiore. Una rete gigantesca di fossi e canali splendenti d'acque chiare, puliti puliti senza un solo ciuffo d'erba... tutti pieni ingolfati di canne adesso però, e rovi e flora palustre che nessuno spurga e pulisce. Ho lasciato tutte le strade, centinaia e centinaia di chilometri di strade non solo provinciali e comunali, ma anche rurali ed interpoderali, tutte lisce e perfette, un tappeto da biliardo. Non ne ho trovata più una sola, così: tutte dissestate disastrate piene di buche. Uomini e donne di Latina già Littoria. Io non voglio più vedere l'Agro Pontino ridotto così. Io lo rivoglio come allora. Se lo volete anche voi, sapete adesso come votare».

«Sì, sì. Votarem tuti par ti» giurava la gente da sotto il palco fino all'Intendenza di finanza, e dal Circolo cittadino alla rosticceria di Benedetti sotto i portici davanti al bar Poeta. Ma mentre Cinto accendeva il giradischi che a tutto volume rispediva dagli altoparlanti le squillanti epiche note dell'*Inno a Roma* – «*Sole che sorgi libero e giocondo, / sui colli nostri i tuoi cavalli doma. / Tu non vedrai nessuna cosa al mondo, / maggior di Roma, maggior di Roma*» – e Finestra gongolante gli ridiceva «Alla faccia di Francesio, ecco è vero», la suddetta gente invece nella piazza cominciava sempre più pericolosamente a convergere sul palco, assieparsi, assediarlo e premere, nella foga ognuno di voler andare a stringere la mano al grande Cencelli, ricominciando ovviamente tutti insieme: «Du-ce, Du-ce, Du-ce».

«State boni!» urlava Cinto da sopra lo scosso oramai e traballante palchetto: «State boni che ce buttate giù, ve possin'ammazzà». E poi, piano piano, a Finestra: «Madonna quanti voti pigliamo stavolta, Federa'».

Anche Accio – mannaggia a lui – voleva andare a stringergli la mano, col fratello Manrico che però lo tratteneva: «Dove vai, imbecille, che là in mezzo ti schiacciano? Torniamo a casa, dài».

Macché. Gli è sgusciato e via. S'è infilato nella calca a spingere e spintonare, schiacciare e strattonare finché non è sbucato radioso e impetuoso – come partorito dal magma compatto della massa – addosso a Cencelli, atterrandogli però di brutto sull'anca e la gamba ortopedica di legno.

«Porca putana» ha fatto Cencelli ridendo, ma reggendosi forte al bastone e soprattutto a Cinto e agli altri che per sua fortuna gli stavano dietro e lo hanno sorretto; se no davvero cadeva per terra. «Ecco le nuove generazioni» ha esclamato: «Le nostre speranze» e sempre ridendo gli ha stretto la mano.

«È un Peruzzi, questo qua» gli ha comunicato allora orgoglioso Tullio Cinto.

«Orcocan d'un piantagrane!» Cencelli: «Come stàlo 'l Pèricle, come stàlo?»

«Eeeh! È morto in guerra...» Cinto: «Disperso in Africa Orientale».

«Am dispiase» ha fatto contrito Cencelli ad Accio, e dopo avergli ristretto la mano gli ha sorriso, mentre lui veniva via.

Sorridendo contento anche lui, Accio si è messo in cerca di Manrico e appena lo ha visto – che sornione sornione lo aspettava all'angolo di Benedetti – ha esultato: «Gliel'ho stretta la mano, gliel'ho stretta due volte. Si ricorda pure di zio Pericle», sempre sorridente.

«Ma che ti ridi, cretino... Ricordatelo tu, piuttosto, tuo zio. Non ti rendi conto a chi hai stretto la mano?» lo ha freddato il fratello.

«Al fondatore della città l'ho stretta», alzando la voce, «a quello che ha bonificato le paludi».

«Ma tu sei scemo! Le paludi le ha bonificate tuo padre, insieme agli altri operai ed ai tuoi zii. Questi qua sono fascisti! Hanno affamato il popolo e gli hanno fatto fare le guerre, dove sono morti tuo zio Pericle e il Can del Turati, imbecille!»

«Però cianno dato le terre, i poderi».

«Cosa hanno dato a te? Sta ceppa t'hanno dato, che la terra nostra se l'è presa tutta zio Adrasto. È a tuo padre che devi stringere la mano appena torniamo a casa. È lui che ha scavato la fanga dalle paludi, mica Cencelli o Mussolini».

«Ma che ragionamenti sono?» e arrivati a piazza San Marco – sotto i portici della Previdenza sociale – dalle parole sono passati ai fatti: «Così mi spiego meglio». Non ci voleva niente, in quella famiglia. Sempre sangue Peruzzi era – come diceva Cinto – pure se mischiato col Benassi.

La gente che per fortuna tornava anche lei dai comizi di chiusura dei vari partiti, li ha divisi. Ha posto fine alle spiegazioni: «Fate pace». Se no stavano ancora ai cazzotti.

Come dice, scusi? Vuol sapere come sono andate poi quelle elezioni?

Ma che glielo dico a fare? Non lo immagina da solo?

Mentre alla camera dei deputati il Msi o Movimento sociale italiano riprese quella volta gli stessi suoi voti di sempre, al senato invece – dove era appunto candidato il conte Valentino Orsolini Cencelli, già commissario presidente dell'Opera nazionale combattenti, bonificatore delle Paludi Pontine, Padre dell'Agro Redento e fondatore di Littoria, Sabaudia e Pontinia – al senato fu una Caporetto. Una débâcle. Un bagno di sangue. Un pianto completo.

Tutti i coloni che qualche giorno prima gli avevano fatto un mare di feste – quando era andato a cercarli uno per uno per i poderi con Cinto e Finestra, ed erano poi venuti il venerdì sera in gran massa al comizio di chiusura riempiendo come un uovo piazza del Popolo ed assaltando il palco o palchetto che fosse, per potergli stringere come Accio la mano – poi però, tornando a casa, nel 1963 debbono avere pensato e ripensato anche ad Andreotti, alle cooperative agricole, agli scorpori, la Federconsorzi, la Coldiretti. Ma soprattutto – se lei permette – a quei cancheri di fattori dell'Opera e alle tante angherie subite: «Al grano nostro che aghévimo da rubar come ladri, par poderlo magnar».

La domenica mattina votarono quindi compatti il senatore Dc, che al comizio suo invece non c'era nessuno. Non sempre chi riempie le piazze – come dirà più tardi un altro gran senatore – riempie pure le *gabine* elettorali. Fu un plebiscito quel voto: un plebiscito contro Cencelli. Piuttosto che votare lui, i coloni avrebbero votato pure comunista, quella volta.

Giovanni Francesio – che Finestra però chiamava «Giuva'» alla tudertina – si morì per mesi e mesi, se non un anno e più, dalla voglia di riuscire a trovare Ajmone Finestra per dirgli finalmente: «Che t'avevo detto io? Non mi hai voluto dare retta? Guarda mo', quanti voti che hai perso».

Ma gira di qua gira di là – di sotto e di sopra – non lo trovava. Nonostante Latina fosse ancora piccola nel 1963, neanche coi cani da caccia o da tartufo riusciva a stanarlo o a stargli dietro. Quello pur di non dargli la soddisfazione – «So' fascistoni so'» diceva zio Benassi – come lo annusava da lontano svicolava e cambiava strada.

Stava bene Francesio a strillargli: «Ajmo'! Ajmooo'!»

«Pìjatela nderculo Giuva', ecco è vero...» voltava l'angolo Finestra e – *Puff!* – come mago Merlino si eclissava.

Cencelli morirà nella sua casa romana nel 1971 all'età di settantatré anni, quando il primo nipote maschio – Valentino Orsolini Cencelli pure lui, of course – ne aveva solo otto. A questo nipotino tutti, fino a quel momento, avevano sempre detto – specie gli estranei che ogni tanto capitavano per casa – che si chiamava così in onore del nonno, mettendolo poi subito alla prova: «Ma tu lo sai che ha fondato tre città?»

«Lo so, lo so... Sì che lo so» ma dentro di sé non aveva mai capito bene cosa significasse. Per lui suo nonno era solo quello che gli dava le caramelle, lo lasciava furegare sulla scrivania e soprattutto lo consolava, quando il padre o la madre lo riprendevano: «Ma lasciatelo sta', sto ragazzino. Vie' qua, bello de nonno, vie'» e se lo caricava in braccio sulle gambe, seduto in poltrona. O meglio, metà sulla gamba vera e metà su quella di legno, o di plastica oramai.

Il nipote ha avuto contezza di chi fosse davvero suo nonno

solo il giorno del funerale, quando s'è trovato all'improvviso, piccolino piccolino, dentro quel po' po' di chiesa di San Roberto Bellarmino ai Parioli in piazza Ungheria – retta dai Gesuiti ovviamente, ed opus magnum peraltro di Clemente Busiri Vici – colma stracolma di folla e di gente che lui non conosceva.

Sovrastato rintronato dall'onde rombanti di un organo suonato a tutta gallara, lui stava piccolo piccolo lì in mezzo, davanti alla bara con dentro suo nonno e la gamba di legno, sotto gli alti enormi gonfaloni comunali, dorati e ricamati, delle città di Latina, Sabaudia e Pontinia, sorretti ciascuno da due vigiloni urbani in alta uniforme. Lui tra le gambe di questi vigiloni, con le nappe dei gonfaloni a lambirgli le orecchie. E quando finalmente suo padre Alberto s'è chinato per spiegargli che quei gonfaloni – insieme ai vigiloni – li avevano mandati le tre città che il nonno aveva fondato, solo allora Valentino Orsolini Cencelli jr, dell'età di anni otto, si è reso conto per la prima volta di chi fosse lui il nipote: «Orca santasgnàcara, casso 'l jèra me nono».

Il problema però – poi uno dice la gratitudine della gente – è che finito il funerale in chiesa, accompagnato il morto a Magliano Sabina ed aspettato che venisse tumulato nella tomba di famiglia, i vigili urbani hanno ripiegato i gonfaloni, sono tornati chi a Littoria pardon Latina, chi a Sabaudia o a Pontinia e morta lì. «Riponi il gonfalone nell'armadio», gli deve avere detto il sindaco nostro, «e 'nzene parli più de Cencelli. Anzi, ringraziasse Dio che ve ciavemo mandati».

Si dà difatti il caso che a Latina – per tutto il corso degli anni cinquanta-sessanta e fino agli ottanta ed oltre – come veniva purtroppo a mancare, per l'età o malattia, qualche esponente o tecnico del consorzio di bonifica o del vecchio *fascismo bianco* passato alla Dc, gli intitolavano di corsa qualche piazza o vialone principale: piazzale Prampolini, viale Rossetti, viale Romagnoli eccetera. Non facevano in tempo – come si suole dire – a scaricarne la cassa al cimitero, che subito gli attaccavano le tabelle sopra i muri, o agli angoli delle strade.

Quando però è morto Cencelli – o tiravano le cuoia quelli dell'ex Opera combattenti – a loro niente: «S'attaccassero al tram», possibilmente quello che gli aveva portato via tant'anni prima la gamba.

Rimossi, obnubilati, omessi. Desmentegà. Altro che piazze, vie o viali. Neanche un pollaio gli hanno dedicato: «Chi xè morto?! Quel de l'Opera? Ch'agh vegna un càncher anca de là».

Ognuno ovviamente – come diceva zio Adelchi – «ga le so razon», e pure quelli del consorzio di bonifica debbono quindi averle avute. «I gheva 'l dente invelenà» – sempre mio zio – e su questo non ci piove: Cencelli e l'Opera non erano stati teneri, con loro. Ma nella Bibbia tra i dieci comandamenti – considerando pure che erano tutti buoni cristiani, essendo passati alla Dc – nella Bibbia sta scritto: «*Onora il padre*». E tu non puoi rimuovere, obnubilare, omettere e perfin desmentegare il padre della tua città. È peccato mortale. Pater Patriae lo chiamavano i latini: il padre della Patria.

Già gli antichi greci, quando moriva l'eroe eponimo – colui che aveva fondato la città – gli erigevano un tempio al centro della città stessa e ci seppellivano il corpo, per andarlo a venerare ed adorare: «O Patrìdos Patèr! Pater Patriae! Pater Patriae!»

Io adesso non dico che a Cencelli bisogna erigere un tempio in piazza del Popolo; anche se lo spazio ci sarebbe in abbondanza, magari proprio al centro della piazza dove stava – quella volta – il palco o palchetto dell'ultimo suo comizio nel 1963. L'ultima volta – che io sappia – che è passato per Littoria. Latina, pardon.

Ma almeno un monumento, in quella piazza, lo vuoi mettere? L'hanno riempita di cazzabbubbi Latina, in questi anni: all'Alpino, al Bersagliere, all'Aviatore; per non parlare della cosiddetta «*clessidra astrale*» che è invece, in realtà, un vero e proprio «*fascio a strale*». Uno più brutto dell'altro, mi creda. Roba davvero da istituire di nuovo non dico il Minculpop, ma proprio un Ministero Ždanov che spedisca – per gravi delitti estetici – i committenti e relativi presunti artisti ai lavori forzati nei gulag in Siberia: «Guai a te se tocchi ancora un pennello, una matita, uno scalpello. Pala e picco a vita, ch'at vegna la pelagra».

A Cencelli invece niente. Neanche una via, un vicolo, un cortile, che lo ricordi. A Sabaudia – «Ch'agh vegna un càncher anca a lori» – a Sabaudia un viale glielo hanno intitolato. A Pontinia e Littoria – pardon, Latina – invece nisba.

Ma almeno un monumento in piazza, non sarebbe giusto metterlo? Un bel Cencelli a cavallo col suo frustino a fianco e il Borsalino in testa come quando da sparviero s'aggirava notte e giorno per gli stagni, i cantieri, le foreste, gli acquitrini, le paludi, a sorvegliare i lavori dell'Agro Pontino in via di redenzione? E se di bronzo costa troppo – ma non credo – lo facessero di plastica riciclata, che diventa pop-art. Ma lo facessero, e nel frattempo gli dedicassero una via.

Quello ha fatto una bonifica ed ha fondato tre città. Non so chi altro in Italia abbia fatto tanto. Se lei cerca in tutta la nostra storia un solo manager di Stato – un *grand commis* appunto – che gli possa stare a fianco, be', l'unico è forse Enrico Mattei, quello dell'Eni ammazzato probabilmente da Cosa Nostra, su commissione dei petrolieri americani, facendolo precipitare insieme al suo aereo.

Io ogni volta che qualche politico o amministratore locale passa per il mio piccolo Borgo, provo sempre a convincerlo: «Intitoliamogli almeno via del Lido», che è oggi la strada più importante di Latina, la più diretta e corta per arrivare al mare. Notte e giorno – d'estate e d'inverno – i latinensi fanno su e giù, a guardare i cavalloni che si frangono per poi tornare a casa in città, su questo vialone largo alberato, la pista ciclabile e ville, villette, villini e palazzine con giardini pieni di alberi e di verde da ogni lato.

Certo non è una strada tracciata da Cencelli. Lui non la fece perché non c'erano poderi Onc da raggiungere, nella fascia costiera: «Casso agò da farla a fare?»

È stata realizzata dopo – tra la fine degli anni cinquanta e l'inizio dei sessanta – dalla Dc diciamo, anche se il merito vero, secondo mio cugino Otello, sarebbe in realtà tutto suo: «L'ho fatta io con le mani mie, la strada del mare. Me ce so' spezzato la schiena, pe' falla».

Prima, le ripeto, per andare da Latina al mare c'erano solo due vie: una che faceva il giro a sudest della città – per Borgo Isonzo e Borgo Grappa fino a Rio Martino – e l'altra che a nordovest arrivava a Borgo Piave, dove poi girava per Borgo Sabotino e Foceverde. Tutte e due, però, di dodici chilometri ognuna. Se lei voleva andare a Capoportiere – che a sudovest, diretto diretto, non sono neanche sette chilometri in linea d'aria e appena finita la guerra Marzullo, un pescatore terracinese, ci aveva aperto il Miramare, una specie di locanda a due piani celeste con bar tabacchi e due cabine, a destra della foce del canale Idrovoro; e subito appresso a lui un altro terracinese ne aveva aperta una a sinistra – se lei voleva andare a Capoportiere in macchina o in corriera o in carrozza, doveva prima per forza andare a Rio Martino o a Foceverde, e poi farsi sopra la duna, costeggiando il mare, la strada costruita durante la bonifica ma tutta dissestata dalla guerra aggiungendo, agli iniziali dodici, più di altri quattro chilometri per un totale di almeno sedici. Per farne, le ripeto, neanche sette – o meglio: sei chilometri e settecento metri, per la precisione – in linea d'aria.

Questo non significa che i ragazzi di Latina – almeno i più grandi – non ci andassero mai, a Capoportiere. Va bene che eravamo tutti coloni immigrati un fià indrìo, ma tra la fine della guerra e i primi anni cinquanta il fascino del mare ha cominciato a prendere anche noi, senza parlare dei figli degli impiegati, professori, medici e avvocati calati da Roma o dai monti Lepini.

L'estate la gente ha cominciato a volerci andare, al mare. E mentre a noi ragazzini poveri i preti e le monache ci portavano in colonia a Rio Martino, i figli degli impiegati, professori e medici andavano in corriera a Foceverde, dove pure lì c'erano due locande celesti con bar tabacchi e cabine; una era di quel Giovannino che le ho detto prima, compagno comunista già confinato durante il fascismo a Ponza, dove poi Accio andrà – negli anni sessanta – a prendere il pesce e, tornato a casa la sera, se lo erano mangiato tutto gli altri e a lui niente. Se lo erano scordato.

In spiaggia quindi a farsi il bagno si andava solo a Rio Martino in colonia o – gli studenti figli di impiegati eccetera – a Foceverde da Giovannino. Ma il lido predestinato di Latina – il più vicino e diretto – era da sempre Capoportiere. È da lì – come dice la canzone – che «*il vento, a sera, / ci porta la salsedine del mare*» e da lì è partita la fascinazione che ha avvolto, dagli anni cinquanta in poi, tutti i ragazzi di Latina. I più grandi – pure Otello coi suoi amici – ci andavano già quando non c'era ancora la strada, specie quando bucavano la scuola.

Via Volturno – che costeggiando il campo sportivo parte in quella direzione, dal sacro cerchio della circonvallazione – finiva a quel tempo all'incrocio con via Aspromonte, appena terminato lo stadio. Da lì in poi – verso l'Agora ed il mare – niente più strada, solo i campi coltivati e i filari di viti e di eucalypti. C'erano però – tra i campi ed i filari – degli stradoni di campagna tracciati dai carri di servizio dei poderi su cui, in alcuni tratti, si riusciva anche a andare in bicicletta. Su questi tratti, o anche in mezzo ai campi a piedi, spingendo a mano le biciclette e facendo finta di non sentire le urla e le proteste dei coloni – «Desgrassià! Am sassinè 'l trifolio» – si attraversava via dell'Agora e dritto dritto per i campi fino all'innesto della Persicara sulla via Lunga.

Lì si rimontava in bicicletta perché c'era un chilometro di

strada bianca – sgarrupata dalla guerra, con i sassi del macadam (come dice, scusi? Cos'è il macadam? Ma gliel'ho già detto l'altra volta, abbia pazienza, al primo filò: è lo strato di sabbia, ghiaia, pietre, ciotoli e massi di cui è fatto il nerbo vero della strada, sotto il manto d'asfalto) divelti e piena di buche – fino all'incrocio sulla via Nascosa, che costeggia tutto il crinale della duna quaternaria.

Qui la strada bianca cessava ed aveva inizio la discesa del vallone della Cicerchia. Tutta macchia e bosco fitto con un sentiero tortuoso in mezzo, che pur tra gli spini di rovo consentiva però di passarci con la bicicletta in spalla o a traino. Si guadava la Cicerchia e sempre a piedi – in salita – nella macchia. Arrivati in cima si costeggiava su un vecchio tratturo a fondo naturale il bosco dei Prati di Coppola, fino ad attraversare la Litoranea, che parallela alla costa collega Borgo Sabotino a Borgo Grappa. Da lì ancora il tratturo in mezzo ai campi di fianco al lago di Fogliano e finalmente il tumuleto – la duna sabbiosa recente, costiera – ed il mare di Capoportiere, con tutti di corsa, a quel punto, a chi man mano spogliandosi arrivasse a tuffarsi per primo, dagli scogli di calcestruzzo della foce del canale Idrovoro.

Pure Otello c'era andato più volte con gli amici suoi – l'Atlante, Di Francia, l'Abruzzese – anche d'inverno che il Cicerchia era pieno, e bisognava superarlo su una passerella stretta stretta di legno barcollante. A piedi ci voleva più di un'ora ad andare ed altrettanto a tornare. Ma bastava che la mattina, davanti a scuola, ci fosse un sole splendido in cielo e nessuna nuvola in giro – come accade spesso d'inverno da noi – che subito qualcuno proponeva: «Madonna che giornata, regà. Famo sega?»

«De corsa» e bucavano la scuola o bigiavano, come dite voi al Nord. Lui poi era bravissimo a fare le firme false sui diari. Ci venivano anche dalle altre classi: «Famme la giustificazione, va'».

«Le sigarette?»

«Eccole qua».

«E che me fumo, le Nazionali? Per stavolta passi, ma la prossima, americane». Lo pagavano non so se tre o quattro sigarette a firma. Gli bastava vederla, quella vera, e subito la rifaceva uguale. Un artista. Lei non ha idea a zia Pace quante volte – riordinando e mettendo a posto le camere, i tavoli, i cassetti – sono passate e ripassate sotto gli occhi queste firme false, senza mai accorgersi di nulla. Meglio e più autentiche delle sue, erano.

Ma noi stavamo però all'estate del 1956 che Accio era andato in campagna da zio Iseo per – come diceva sua madre – «saltare» la prima elementare, e intanto però saltava dalla gioia tutti i giorni, felice come una Pasqua il pomeriggio appresso a zio Iseo in giro per i campi a rastrellare il fieno, a governare le bestie in stalla, a portare con la carriola le merde di vacca miste alla paglia, lo stallatico, nella concimaia. Altro che puzza, per lui quello della stalla e delle vacche era profumo. Le amava proprio e sognava – da grande – di diventare lui il padrone unico del podere 517: «Agò da farme na stala imensa, con sento e sento vache».

E poi a pascolarle coi cugini e giocare insieme a loro; il bagno alla cascatella del Canale Mussolini, in bicicletta al borgo, sempre di qua e di là – liberi e giocondi – dall'argine ai campi, dai campi a Borgo Carso o Borgo Podgora. Poi dice perché – quando Selinda lo chiamava per andare col Motom a trovare la madre – quello si sentisse male: «Ma agò da fare, nol posso proprio vegnère». Anche se al ritorno – che passavano per l'Appia – gli si riempiva il cuore a vedere il laghetto pieno alla chiusa del canale delle Acque Medie, poco prima di Casal delle Palme: «Mama che belo che 'l xè».

Lei non ci crederà, ma ancora adesso ogni tanto – quando di notte gli capitano i sogni più belli – lui sogna il laghetto dell'Acque Medie e, subito dopo, di stare di nuovo e per sempre nella casina di zio Iseo: «È l'età d'oro della mia infanzia, che ci posso fare? È l'isola felice».

Sarebbe stato sempre lì, con zio Iseo che solo dalle parti del Leone Alato – quello che s'era portato via da Venezia quando con zio Pericle era andato dal Patriarca a farsi dare un po' di preti veneti per l'Agro Pontino, dopo che mia nonna s'era stufata di doversi confessare dai preti marocchini; e lo aveva messo, diceva lui, nella baracchetta in fianco alla vigna, ben discosta da casa, in cui teneva i fusti della nafta o gasolio, per il motore dell'irrigazione – non lo lasciava avvicinare: «No star a 'ndare là, sètu? Varda che 'l lion at sbrana, at copa, at magna».

Ma per il resto poteva fare quello che voleva. Se lo portava sempre dietro sul carretto nuovo – tutti puliti come per la festa – quando doveva andare al Borgo o anche a Littoria, pardon Latina, in ferramenta o per qualche concime o semente, e gli metteva le briglie in mano: «Pàrala ti, la mussa». Lui tutto orgoglioso, Accio, in giro per Latina col carretto, che ancora ci si poteva andare allora. Solo attorno a piazza 23 Marzo – adesso della Libertà o Prefettura – c'erano i cartelli rotondi col divieto d'accesso per i camion e i veicoli a trazione animale. Non so perché. Forse al prefetto non piacevano i somari: «Anca se là drento agà da èserghene tanti» diceva zio Iseo.

A lui lo chiamava «macaco», gli insegnava le canzoni fasciste – *Faccetta nera*, *Giovinezza*, *La preghiera del legionario* – e gli raccontava un sacco di storie e avventure di guerra. Specie il sabato sera – *sera del dì di festa* – che lui era un po' triste, dopo che in casa era rimasto solo con gli zii.

Le cugine gli avevano fatto il bagno dentro la tinozza sull'aia – vicino all'albio – con l'acqua calda portata dalla stufa con le pentole. Ma poi s'erano messe a farsi belle loro, col pettine, il rossetto, la matita e i vestiti, le scarpe, le calze della festa. Avevano mangiato di corsa un boccone, prima che facesse buio, e ridenti e schiamazzanti – in Motom e biciclette – erano partite alla volta di Sessano, come era chiamato in antico Borgo Podgora, per andare a ballare. Ci venivano anche da Velletri e Cisterna a ballare in sala al Podgora; che tutti per questo chiamavano, in Agro Pontino, «la piccola Parigi».

Lui restava da solo in cucina, con zia Antinesca che preparando la cena tentava di rallegrarlo, mentre la radio dalla credenza mandava per soprammercato il reuccio Claudio Villa – «*Buongiorno tristezza, / amica della mia malinconia. / La strada la sai, / facciamoci ancor oggi compagnia*» – finché dalla stalla rientrava zio Iseo. Si toglieva i panni sporchi ed in cucina davanti alla finestra – a fianco al lavello su cui c'era il secchio e il mestolino per bere – preparava il trespolo, lo specchio, gli asciugamani, la caraffa grossa che aveva riempito alla pompa a mano sull'albio, e a torso nudo cominciava a lavarsi.

Accio si sedeva lì vicino a guardarlo ammirato – mossa per mossa – mentre versava l'acqua dalla caraffa nel bacile sopra il trespolo, si insaponava e con grandi manate sollevava a flutti l'acqua dal bacile, a spruzzarsi e strofinare le ascelle, il collo ed il petto. Ogni tanto spruzzava anche lui – «Macaco!» – o col pennello, al momento della barba, gli imbiancava il viso: «At vedarà, quan che vegnarà grando».

Accio allora gli scorreva col dito il fianco, lungo la piega della cicatrice, chiedendogli da capo, ogni volta, della ferita di guerra e dei topi che s'era mangiato dopo, in Kenia, durante la prigionia. Non vivi però – come sostiene qualcuno – ma accoppati e arrostiti per bene alla brace: «Jèra anca boni, ciò. Forse perché no ghévimo gnintaltro».

Tutta la sera così, a cena e anche dopo – mentre zia Antinesca, finito di sparecchiare, si risedeva al tavolo a cucire e rammendare – Accio in continuazione: «Conta, zio, conta!»

«Ma cossa go da contarte, ch'at go già detto tutto?»

«Conta del Veneto zio, del pajaro che i ve ga bruzà, dei Zorzi Vila maladeti, del treno che v'ha portato qua, del Benitino dei Mambrin e il suo coniglio, del zio Pèricle, zio Turati, Litoria, 'l Canale Musolin, il podere nostro 517».

Allora zio Iseo – «Stùa l'aradio!» gridava quasi a zia Antinesca: «Spegni quel coso» – e cominciava a raccontare.

Lei ogni tanto però lo interrompeva: «No, ti t'arcòrdito mal: la xè andà acsì, acsì, acsì...»

«E conta tì, alora, ch'at sétu tuto ti».

«Ma va a cagare».

Accio rideva e ripartivano da capo, per ore e ore. Certe volte le mie cugine, tornando finalmente dal ballo a Sessano, li trovavano lì in cucina a mezzanotte passata – «Ancora in piè!?» – intenti a raccontare. Accio con gli occhi spalancati svegli – ad assorbire tutto – e loro invece, quando contavano del dolore, specie di zio Pericle e zio Can del Turati, gli occhi umidi di pianto. Ogni volta però, alla fine del cunto, zia Antinesca si raccomandava: «Inpara ben a lèzare e scrìvare, toso! No star desmentegarte gninte e così, se Dio vorrà, tea scrivarà ti, la istoria de nantri». Il comandamento di zio Iseo e zia Antinesca.

La mattina invece – tutti i giorni esclusa la domenica – cinque ore di scuola dura con Selinda. Dura ma piacevole, sul bancone addossato al muro con la morsa, la mola e gli attrezzi, in quella specie di officina-magazzino senza pavimento, in cui si scendeva con due scalini dal corridoio.

Zio Iseo aveva ripulito e liberato il bancone apposta per loro ed è lì – tra l'odore del mais e del frumento, e di un po' di nafta impregnata nel bancone – che Accio ha imparato a leggere e scrivere. Prima con la matita – passando subito dalle aste e i quadretti alle a e alle bi – poi col pennino intinto nel calamaio. Certe macchie e sconquassi i primi tempi, sempre con la carta assorbente e le mani impiastrate. Ma quando è partito, non lo ha fermato più nessuno.

Gli piaceva proprio stare lì dentro, seduto al bancone. E non solo per gli odori del magazzino – il grano, il granturco, l'aroma di nafta – ma anche imparare, apprendere, scoprire e capire ogni giorno nuove cose. Non gli bastavano mai, non si sarebbe mai alzato da lì. Doveva essere Selinda ogni volta, a un certo punto, a dire: «Per oggi basta». O zia Antinesca, spalancando la porta: «Vegnì a magnare fiòi, che l'è pronto. Ma non lo farai ammalare ciò», alla figlia, «sto putino?»

«Maria Vergine!» confidò Selinda a zia Pace – senza farsi sentire da lui – una delle poche volte che le riuscì di riportarglielo in visita: «Quanto è bravo e intelligente, zia».

«Ma chi, Accio?» zia Pace dubbiosa. «Sarà...» pensando dentro di sé: «Ma che maestra e maestra... Questa no 'a capisse na mona».

Appena ha cominciato a mettere assieme le singole lettere – a compitarle e leggere le prime parole – Accio non ha più smesso. Sempre a leggere e leggere, peggio di sua madre; anche se nessuno dei due – né lui né lei – lo sospettava, allora. Leggeva tutto quello che gli capitava e quando andava al bagno – al prìvy fuori, la latrina; che a lui pure l'odore del prìvy e del pozzo nero, della casina di zio Iseo, piaceva quasi come quello della stalla – ci stava le ore. Non usciva più. Sempre a leggere e rileggere i ritagli di giornale attaccati al chiodo e i fotoromanzi, i *Bolero* e *Grand Hotel* delle cugine, lasciati lì per terra.

«Vien fora o molémo 'l lion!» strillavano ridendo zio Iseo e zia Antinesca: «Casso sìto drìo fare?»

«Lèzare».

«Lèzare e cagare nol xè bel andare. At mala i oci».

L'8 agosto però – mercoledì, san Domenico confessore: «*Chi dorme d'agosto, dorme a suo costo*» – s'addormentarono per sempre purtroppo, e non per loro colpa ma tra le fiamme e i gas, in mezzo a mille spasimi, duecentosessantadue minatori, tra cui centotrentasei emigrati italiani, nel pozzo estrattivo di carbone del Bois du Cazier, a Marcinelle in Belgio.

Tutti costernati – «Mariavèrzine» – appena la radio diede la notizia, preoccupati soprattutto per zio Treves e zio Torello Lucchetti, il cognato di zio Benassi: «Chisà lori che fine i ga fato? Speremo ben, Signore, che almanco lori i sia salvi».

Poi per fortuna Adelina del zio Can del Turati ricordò: «No, lori no i sta mina a Marsinel. Lori i sta a Laluvièr», La Louvière, a neanche venti chilometri da Marcinelle; e zio Treves e zio Torello Lucchetti racconteranno poi di avere fatto parte delle squadre di soccorso – ma c'era poco da soccorrere – e di recupero delle povere salme per riportarle in superficie.

Fu in una di quelle sere, però, che a La Louvière mia zia Galinzia – la moglie di zio Treves – prese da parte il marito, tornato per il turno di riposo, e gli disse una volta per tutte: «Desso basta. Mi agò perdùo con massa strussia e patimento già un marito, non voglio perderne un altro», anche perché i maschi Peruzzi erano finiti, almeno quelli liberi; zio Cesio s'era infatti sposato anche lui. «A costo di morire di fame, tu là in miniera, a rumar sototera come i rati, tu non ci devi andare più. Intesi?»

«Intesi» assentì zio Treves che – come il povero suo fratello e mio zio, Can del Turati, prima di lui – l'amava oramai anche lui. Fu così che scrissero ai parenti Mantovani e Peruzzi che rimasti in Altitalia – quando noi eravamo venuti giù nel 1932 – erano poi dovuti emigrare nel 1951 a Torino, a lavorare in Fiat, dopo l'alluvione del Polesine: «*Vegnaréssimo anca nantri, se lì ghe xè posto*» gli scrissero.

«*Vegnì. Mal che va, ne strinzarem*» risposero quelli.

Così zio Treves, la moglie e tutti i figli sia del Treves che del Turati – eccetto Adelina e il suo figlietto nero, che erano rimasti al podere 517 – fecero le valigie e con gli scatoloni di cartone legati con lo spago approdarono a Torino, in un ricovero di fortuna all'inizio, uno scantinato, trovato dai Peruzzi e Mantovani dell'Altitalia. I primi tempi zio Treves fece il muratore e manovale nei cantieri, poi sempre grazie ai parenti riuscì a entrare anche lui in Fiat, a fare l'operaio, e si sistemarono man mano anche loro.

Noi però eravamo al giorno stesso del disastro, quando Adelina aveva appena detto che i nostri non stavano – per fortuna – a Marcinelle: «Lori i xè a Laluvièr», radiosa quasi.

Ci fu un sospiro di sollievo: «Ndemo in canpagna alora ciò, che ghe xè da laorar» e pur stupiti annichiliti dalla disgrazia e con tutto il dolore per le duecentosessantadue vittime – specie le centotrentasei italiane perché l'uomo è così, inteso come essere umano e non solo maschio o femmina: soffre di più per quelli che ritiene a sé vicini; per i più lontani soffre meno o non soffre per niente; «Va' che rassa d'animalo che 'l xè» diceva zio Adelchi – andarono in campagna appresso alle bietole, le barbabietole da zucchero.

Era agosto le ripeto e bisognava cavarle – mica si potevano lasciare là – e tutti insieme con i vicinanti Ruzza, con quelli di zio Adrasto del podere 517 e quelli rimasti da zio Temistocle al 516 sui campi prima di uno e dopo dell'altro, tutti insieme a tirarle fuori coi rampini dalla terra, e accatastarle nei mucchi pronte per essere caricate coi forconi sui camion. C'era anche Accio ovviamente, che insieme ai suoi cugini e soprattutto a uno dei Ruzza dell'età sua con cui aveva stretto amicizia – Santino, biondo coi capelli a spazzola, svelto come una trottola – coi falcetti o le roncole piccoline tagliavano i ciuffi delle foglie in cima alle bietole. Solo la mattina successiva zio Iseo mandò Selinda a Sessano, col Motom, a comprare *Il Tempo* – il giornale – per leggere bene cosa e come era successo.

Dopo pochi giorni – letto e riletto più volte – *Il Tempo* finì piegato, ripiegato e tagliato a rettangoli, con il coltello, da zia Antinesca. Finì – come è nell'ordine delle cose – attaccato al chiodo dentro il prìvy. Dove venne di nuovo letto e riletto – anche se a tocchi e pezzetti, saltando da un argomento all'altro – pure da Accio finché non terminò.

Terminato *Il Tempo*, finite le bietole e finito pure tutto quel che c'era ancora da finire, Accio ai primi di settembre ha dato l'esame da privatista a Borgo Carso e lo hanno promosso:

«Saltato l'anno». Volevano iscriverlo lì – per la seconda elementare – sia le maestre che lo avevano esaminato, sia mia cugina Selinda. Non le dico zia Antinesca e zio Iseo, a chiedergli in coro: «Ti va di restare un altro anno qui da noi?»

«Orca!» Accio come una Pasqua.

«Ma sì...» aveva detto anche zia Pace.

Quando poi ha dovuto riferirlo al marito – che tutte le sere in cucina, copiando sui fogli a pentagramma le musiche della Corale, ogni tanto se ne usciva: «Quel figlio, Pace, che fine ha fatto, non torna più?» – zio Benassi s'è arrabbiato: «Ma non avevi detto che saltava l'anno e poi veniva? Mo' che altro je vòi fà saltà: n'accidente che te spacca?»

«Ma che te spacca a te, brutto pecoraio perugino. Mica hai fatto tutte queste storie, quando s'è trattato di Manrico».

«Che c'entra Manrico adesso? Lui lo abbiamo donato al Signore. Eri contenta e felice anche tu, sei stata un anno a preparargli le lenzuola, i fazzoletti, il corredo».

«E sì, mo' lo mandavo via nudo?»

Neanche un paio di settimane prima, infatti, Manrico era partito per il seminario. O meglio, ce lo aveva proprio portato zio Benassi in treno, fino a via Enea Silvio Piccolomini 26 a Siena, contrada di Valdimontone – «*Viva il Peoro*» c'era scritto su un muro: il pecoro – «Vai e fatti onore», lo aveva salutato sul portone.

Zia Pace però la notte s'alzava ancora dal letto, e nel buio piano piano andava a piangere in cucina, per non farsi sentire dal marito.

Ma quando tornava, lui regolarmente si voltava dalla parte sua: «Perché piangi, Pace? Non sei contenta di vederlo un giorno sacerdote? Non eravamo tutti d'accordo?»

«Ah, dovrei pure essere contenta?» diventava una bestia mia zia: «No, io soffro invece. Mica sono come te, che adesso all'improvviso non ti dispiace più che i figli vadano fuori di casa. Com'è questo fatto, eh? Com'è che adesso non debbono più stare tutti insieme, con i loro fratelli e sorelle in famiglia? Solo di Manrico sei contento e non ti dispiace?»

«Come puoi dire certe cose, Pace? Che ragionamenti fai? Certo che soffro anch'io e mi dispiace, ma è un sacrificio che faccio volentieri, poter donare un figlio al Signore. Mica a una cugina o al primo che passa».

«Eh, la sai lunga tu. A te e il Signore...»

Così Accio lo hanno dovuto riportare a casa sua – «Porca mastela» si disperava lui sul Motom, dietro Selinda – e zia Pace è andata a iscriverlo a scuola a piazza Dante, all'Orologio. Ma lì era tutto pieno, classi formate e già complete dall'anno prima – «Non c'è più spazio per chi alla sprovvista salta da Borgo Carso» – e lo hanno assegnato ad una sede distaccata, in aule di fortuna, al primo piano della vecchia Casa del contadino; che adesso non c'è più e ci hanno fatto un grattacielo.

La classe – a parte lui – era composta tutta da sfollati nelle vecchie caserme dell'82° fanteria, figli di muratori, manovali, braccianti o contadini rimasti senza casa ai paesi loro ed immigrati qua, dopo la guerra appunto, sperando di trovarsi meglio: «Questa è una città nuova, chissà quanta fortuna ci sarà». Invece dopo dieci anni stavano ancora sfollati – e ci resteranno a lungo – dentro i cameroni dell'ex 82, frazionati e divisi per ogni famiglia da tende o pareti posticce di legno, compensato e cartone.

Lunedì primo ottobre 1956 quindi – santa Teresa del Bambin Gesù: «*Ottobre bello o piovoso, beviti il vino a riposo*» – Accio ha iniziato la seconda elementare alla Casa del contadino, insieme a questi nuovi compagni con cui ha fatto subito amicizia e affiatamento. La maestra era anziana – un po' vecchia diciamo, coi capelli bianchi – vicina alla pensione e raccontava sempre di quando, da giovane, andava ad insegnare nei paesini di montagna dell'Appennino, dove non c'era neanche la strada per arrivarci. La venivano a prendere tutti i giorni i paesani a piè del monte, e a dorso di mulo o di somaro la portavano fin sopra – a fare scuola ai figli – e poi la riscendevano: «Come era bello, che nostalgia che ho» si commoveva ogni volta.

E loro affascinati: «Racconta, Maestra, racconta».

Attaccati ai muri, attorno all'aula, c'erano i quadretti colorati a stampa che riproducevano scene di vita preistorica: gli uomini con le pelli, le clave, i bastoni e le lance che andavano a caccia di animali; le grotte sui monti dove abitavano; le palafitte sulla sponda di un lago – «Sembrano quelle che fa mio fratello» diceva Accio agli altri; e quelli: «Beato te» – le famiglie riunite a mangiare nel buio della notte dentro la grotta, attorno al fuoco.

Uno dei primi giorni la maestra ha spiegato – davanti a quest'ultimo quadretto – che tutta la roba, sia carne che pesce che erbe e radici, prima la si mangiava cruda. Solo più tardi – molto più tardi – abbiamo imparato a cucinarla.

«E come abbiamo fatto?» ha chiesto qualcuno.

«Be', non si sa».

«Forse», s'è alzato Accio, «a qualcuno una volta gli è caduto un pezzo di carne nel fuoco e lo ha lasciato lì. Poi, spento il fuoco, gli è ritornata fame, non c'era nient'altro e ha provato allora a rimangiare quello. "Provemo" avrà detto. Ma appena lo ha morsicato, subito ha strillato agli altri: "Fiòi, l'è mèi acsì"».

«Sìììì, hai ragione tu. Deve essere andata così».

E lui allora è ripartito: «Pure con la ruota» – che come lei sa, ci abbiamo messo centinaia di migliaia d'anni, prima di inventarla – «pure con la ruota qualcuno deve avere visto un tronco d'albero che, colpito da un fulmine, rotolava giù da una montagna, e ha detto: "Fiòi, ma se 'o tajemo a tocheti, no ghe sorte fora le rode?" È così, secondo me, che 'a xè nassùa la ziviltà».

La maestra è rimasta a bocca aperta. Subito gli ha voluto bene. Anche i compagni gliene hanno voluto – «Accio di qua» e «Accio di là» – e lui è lì che s'è innamorato della preistoria. In terza poi – di conseguenza – pure della storia antica, appena arriverà a Orazio Coclite e i Romani.

Zia Pace però nel frattempo non s'era data pace: «In mezzo agli sfollati dell'82? Va bene che è Accio, ch'agh vegna un càncher; ma sempre mio figlio è, anca se desgrassià».

Ha cominciato a andare tutti i giorni – «Io tra gli sfollati non lo lascio» – a piazza Dante a litigare. Quella era la scuola elementare d'eccellenza, per lei. Era stata la prima ad essere costruita – nel 1932, alla fondazione – stava in centro, ed al tempo di cui parliamo era forse l'unica, ancora.

Fatto sta, metti in croce oggi metti in croce domani, dopo una decina di giorni scarsi che Accio andava già a scuola è riuscita a rifilarlo alla maestra più brava di Latina. O almeno così si diceva, perché all'inizio dei cicli si sceglieva uno per uno – li capava come la meglio frutta al mercato – i figli della gente illustre e più in vista: alti funzionari pubblici, direttori Inam Inps Genio civile, viceprefetti, avvocati, giudici, ingegneri, medici, ricchi commercianti o costruttori edili, e infine impiegati. Figli di operai, proprio quasi niente; giusto quel poco – «No ghe xè rimasto altro» – per completare la classe: «Va ben, ranzémose». Ed in quel poco ci ha infilato Accio.

Lei non ha idea il dispiacere, la maestra vecchia della Casa del contadino: «Ma perché, signora? Lei davvero crede che a piazza Dante gli insegnino qualcosa di più, di quello che potevo fare io? Il bambino è bravo e intelligente, lo avrei seguito con tutte le cure...» e manca poco piange.

«Va là», dentro di sé mia zia, «ch'at sì, sì e no, come la Selinda» e lo ha portato via che piangeva davvero, lui, per il gran dolore: «Stavo tanto bene, mi».

«Ma che bisogno c'era?» pure zio Benassi.

«Zitto, tu. Lo so io cosa è meglio per i figli: questa nuova è la più grande maestra che ci sia in giro».

Io che le debbo dire? Sarà stata pure la più brava – non discuto – ma menava come una disgraziata. Quella di prima non lo aveva mai sfiorato – se non per fargli una coccola o una carezza – questa aveva una bacchetta lunga e larga, una mezza sottomisura di castagno, verniciata di nero con lo smalto ad olio brillante che, come l'alzava per aria, rifletteva tutto il sole che entrava dalle finestre. Sembrava la spada di Lucifero, quando poi la calava sulle mani o sulle spalle; ma solo e soltanto dei figli di operai – Accio compreso – sbattuti giù in fondo negli ultimi banchi: «Siete i più alti».

«Ma quale alto?»

Per fortuna non c'è stato bisogno di cambiare il *libro di lettura* – come si chiamava allora – andava bene quello vecchio della Casa del contadino, che lui peraltro s'era già letto tutto quanto, dall'inizio alla fine. Si intitolava *Mamma*, e in copertina c'era disegnata una donna che sopra uno scoglio isolato in mezzo al mare in burrasca, stringeva tra le braccia il suo bambino con i cavalloni infuriati che si avventavano loro addosso, volendoseli quasi mangiare.

«Come ha fatto a finire lì in mezzo?» pensava Accio, e alla sorella Violetta – che quando era tornato da casa di zio Iseo lo aveva accolto felice: «Ah, sono proprio contenta che adesso hai imparato anche tu, così non rompi più le scatole a me, per farti leggere i libri» – alla sorella Violetta disse: «Perché non lo scriviamo io e te, un bel libro di lettura? Su questo ci sono solo fesserie».

«Sì sì, hai ragione. Vedrai che lo facciamo».

Ma a neanche una settimana dall'ingresso nella nuova classe a piazza Dante – settimana comunque sufficiente a fargli scordare e togliere del tutto, a furia di bacchettate sulle mani e manca poco sulla lingua, qualunque parola o inflessione in dialetto veneto – mia zia Pace si ripresentò dalla maestra nuova, per sapere che aria tirasse: «Come va?»

«E come vuole che vada?» è saltata la maestra: «Lei me lo doveva dire, però. Non si fa mica così. Il bambino è indietro, io sono andata avanti e non posso far perdere tempo al resto della classe».

«Ma perché? Che cos'ha?»

«È lento, è tardo, non so se proprio ritardato, ma testardo e non capisce. È capoccione» e voleva che lo riportasse alla Casa del contadino: «Lui dice che ci stava pure bene. È l'ambiente suo».

«No, la prego, lo meni. Lo meni quanto vuole, vedrà che poi capisce» e quando è tornata a casa lo ha giustamente menato intanto lei.

Però quella se lo è dovuto tenere. Con mia zia non c'era scampo. Era capace – le dico – di bastonare come una zampogna la maestra con la stessa sua bacchetta, se alla fine non si faceva come diceva lei. Era pure peggio della madre di Manconi.

E Accio è rimasto lì – trattato come un capoccione – a combattere con le penne nuove a biro Bic che le avevano appena inventate, e quelle stilografiche. Lui aveva imparato per benino con Selinda – dopo tanti inguacchiamenti e sporcamenti – a lavorare alla perfezione con pennino e calamaio, meglio quasi di un amanuense del Medio Evo. Ma con questa roba nuova di Bic e stilografiche non ci si sapeva adattare. Continuamente macchie di qua e di là: sui libri, sul banco, i fogli i quaderni e fin sul collo. Con quella che passava – «Pasticcione» – e randellate.

Finché un bel giorno – non so dirle bene se sia stato prima o dopo i fatti di Budapest in Ungheria; ma mi sa proprio prima; sì sì, è stato poco prima – la maestra lo ha chiamato alla cattedra, e dopo un paio di bacchettate di prammatica sulle mani gli ha ordinato: «Il quaderno!»

Ci ha scritto sopra – sui fogli bianchi – una lettera di protesta, una nota lunga una pagina e mezza, le giuro, e gli ha detto, restituendogli il quaderno: «Questa domani me la riporti firmata da tuo padre».

«Firmata da mio padre? Sai le botte che mi danno adesso?» pensava mesto Accio mentre – da piazza Dante – attraversava i giardini insieme a Michele Paolelli e agli altri che ridevano e scherzavano, scambiandosi cartellate nel tornare verso casa. L'unico era lui, che non rideva e non scherzava: «Povero me» rimuginava.

«Non ci pensare» gli ha detto Michele Paolelli: «Mica ti possono ammazzare...»

«Lo dici tu!», un altro po' e s'arrabbia con lui: «Tu manco te l'immagini come m'ammazzano. M'ammazzano, m'ammazzano. De botte, m'ammazzano».

Però quando è arrivato a casa – «Che faccio, che non faccio? Come me la cavo adesso qua?» – non ha detto nulla, non ha fatto una parola: «Vabbe', ci penso dopo».

La madre, appena entrato, gli ha pure chiesto, sbrigativa: «Come è andata?»

E lui lì per lì, altrettanto sbrigativo: «Bene. Come doveva andà?». Ma non ha finito di dirlo, che subito gli si è accesa la lampadina: «No no, io qua non dico niente a nessuno. Mica so' scemo».

Certo c'era il problema della maestra il giorno dopo: «A quella che racconto, domani? Qui bisogna che mi invento qualcosa...»

La soluzione insomma gli si è imposta da sola. Io non so se avesse già contezza di come il fratello più grande – Otello – affrontasse questo tipo di cose. Ma ne dubito. Quello non era cretino, escludo che si facesse vedere o lo andasse a raccontare a loro. No no, gli deve essere nata da sola dentro la testa – per partenogenesi – l'idea ad Accio.

Come dice lei, scusi? Che non è possibile a quell'età, a soli sei anni e mezzo?

E che le posso fare io? Sarà stato precoce. In fin dei conti – abbia pazienza – se lo chiamavano Accio, un motivo ci sarà. Una punta di cattiveria, malignità e maleficità, ce la deve pure avere avuta fin da ragazzino: «*Vox populi, vox Dei*» dicevano gli antichi.

Così ha messo una firma falsa sul quaderno, sotto la lunga e dolorosa nota della sua maestra: «Va in malora, va'».

L'unica titubanza che ha avuto – un dubbio feroce che gli ha squassato l'anima per più di mezzora – è stata sul come compilarla: «Che ci debbo mettere adesso io qua: nome e cognome, o soltanto il nome? Solo il nome, solo il nome; il cognome non serve, la maestra lo sa già, mica è imbecille: se mi chiamo Benassi io, si chiamerà Benassi anche mio padre, no? È inutile che lo metto» e sul quaderno, sotto la nota, ha scritto solo «*Giovanni*», che era il nome di zio Benassi.

La mattina dopo, andando a scuola, c'era Michele Paolelli che lo aspettava di là dalla circonvallazione di viale XXI Aprile, per fare la strada assieme. E lo aspettava preoccupato: «Non ci ho dormito tutta la notte. Che t'hanno fatto?»

«Niente, ho risolto tutto».

«Meno male, va'» e felici e tranquilli si sono incamminati in mezzo ai giardinetti verso scuola.

Lei non ha idea la maestra, quando ha visto sul quaderno «*Giovanni*», scritto peraltro – come lei intuisce – con i caratteri non già di un adulto, bensì goffi e grossi di un bambino di seconda elementare; anzi, nemmeno di seconda, ma di uno che ha appena saltato, accelerata accelerata, la prima a Borgo Carso.

«Chi è questo Giovanni, chi lo conosce Giovanni?» urlava la maestra: «Tu cosa hai intenzione di fare da grande, il criminale? Chi è Giovanni?» e giù botte.

«Mio padre».

«Tuo padre? E come faccio io a saperlo? Il cognome non lo mette? Si firma solo con il nome?»

«Ha il cognome mio, Maestra. Si chiama Benassi come me».

«Ah, sì?» e tante di quelle botte che ha smesso solo quando proprio non ce la faceva più: «*Pfffù! Pfffù!*» ansimava – poverina – per la fatica.

S'è riseduta alla cattedra, ha ripreso il quaderno, ci ha riscritto un'altra nota, molto più breve però, poche righe concise ma precise, e glielo ha rimesso in mano: «Questo, domani, me lo riporti firmato da tua madre, stavolta».

«Va bene» ha fatto Accio, ed è venuto via.

«Ma non ci penso proprio» ripeteva però dentro di sé: «Oramai mi so' imparato: basta che ci metto il cognome e sto a posto».

Tornato quindi a casa, con tutta calma, ci ha scritto sotto «*Peruzzi Santapace*» e, dopo *Santapace*, alla «*e*» ci ha fatto uno svolazzo finale – tocco d'artista – proprio come faceva mia zia quando firmava: «Va in malora, va'», alla maestra.

La mattina, a scuola, aveva però l'ansia – «Speriamo che non se ne accorge» – ed è stato tutto il tempo ad aspettare che quella gli dicesse: «Fammi vedere il quaderno».

Man mano che passavano le ore, la paura gli aumentava – «Mo' ci siamo, mo' ci siamo» – ma gli è andata bene: non lo ha chiamato.

Io non so se sia stato per l'Ungheria – che tutto il mondo, a quel tempo, stava a guardare col fiato sospeso e ci sarà quindi stata pure la maestra – ma fatto sta, quel giorno s'è scordata della nota di Accio.

Allora l'Ungheria – come lei sa – faceva parte del blocco sovietico, il Patto di Varsavia che univa i Paesi dell'Europa orientale sotto il diretto controllo dell'Urss, la Russia comunista. Prima però – durante la seconda guerra mondiale – era stata nemica dell'Urss e fedele alleata della Germania nazista. Era stata anzi l'Ungheria – col reggente filofascista Horthy – a inaugurare ancora prima della Germania, nel 1921, le discriminazioni razziali a danno degli ebrei. Le Croci Frecciate ungheresi non saranno poi seconde nemmeno alle SS, come ferocia. Alla fine del conflitto, risulteranno oltre mezzo milione – su una popolazione totale di dieci – gli ebrei e zingari ungheresi sterminati nei lager nazisti, o trucidati per mano stessa delle Croci Frecciate.

Sconfitto il nazismo e liberata quindi dall'Armata Rossa anche l'Ungheria, dopo la guerra – nel corso della quale le ricordo che l'Urss aveva subito oltre ventisei milioni di vittime – al potere erano andati i comunisti. Gli ungheresi non ne erano però molto contenti, non amavano allo spasimo i sovietici ed ogni tanto protestavano. Finché il 23 ottobre 1956 diedero inizio ad una specie di rivolta chiedendo a tutti i costi più libertà, la democrazia e soprattutto i russi fuori dai piè.

Parte della dirigenza stessa del partito comunista ungherese si schierò col movimento di protesta e tra riunioni e controriunioni, tira e molla vari, scontri di qua e di là, bombe molotov, fucilate ed esecuzioni sommarie per le strade – di agenti della polizia politica e di comunisti ungheresi rimasti fedeli ai sovietici – i rivoltosi si impadronivano via via del Paese: radio, tv, giornali, sedi del partito, istituzioni. La tensione saliva ogni giorno di più.

Il mondo guardava, ed anche a Latina le discussioni nei bar, in piazza, sui posti di lavoro, tra amici e dentro casa, erano all'ordine del giorno. La situazione era fluida e nessuno sapeva come sarebbe andata a finire. C'era un sacco di gente che diceva speranzosa: «Mo' interviene l'America» ossia gli Usa.

Altri, preoccupati: «Qua scoppia un'altra guerra mondiale».

E chi invece, tutto contento: «Se parte l'America andiamo anche noi».

Ma l'America non partì. Quelli avevano gli accordi di Yalta, il patto di sangue che s'erano fatti nel 1945 – ultimo anno di guerra – per evitare in futuro ogni possibile conflitto tra loro e garantire per sempre, speravano, la pace: «Ognuno a casa sua e nei paesi nemici che ha conquistato lui, fa quello che gli pare senza che nessuno possa dire niente».

Quello era il patto e gli Usa lo hanno rispettato. Tanto è vero che negli stessi giorni – quando tra il 29 ottobre e il 6 novembre 1956 Francia e Inghilterra invasero insieme ad Israele l'Egitto, per impadronirsi dello stretto di Suez – Nikita Kruscev che comandava adesso a Mosca poté mandare a dire al presidente Usa Dwight Eisenhower, appena rieletto: «Varda che de l'Ezito a Yalta n'aghemo mai parlà. Chiama indietro quelli o vado io, in socorso de l'Ezito» ed Eisenhower richiamò all'istante Francia ed Inghilterra a casa.

Fatto sta, in Ungheria la situazione oramai era fuori controllo, sempre più in mano ai rivoltosi, finché la notte del 4 novembre 1956 – che da noi è la festa delle forze armate e dell'Unità Nazionale, ma sul calendario è san Carlo Borromeo: «*Quando brucia la casa, tutti si scaldano*» – l'Unione Sovietica ha detto basta.

A Mosca – al Cremlino – Kruscev e i suoi compagni del Politburo debbono avere pensato: «Gnanca dieci anni che con tutto quel che ci è costato abbiamo vinto la guerra, e adesso ridemo l'Ongarìa indrìo, in man ai fasisti? Ma gnanca se i more, ciò» ed hanno dato inizio all'invasione.

Oltre alle truppe già di stanza nel Paese, altri duecentomila uomini e quattromila carri armati sovietici – più di quelli con cui la Germania nazista aveva assalito nel 1941 l'Urss – occuparono l'Ungheria. Budapest fu bombardata dal cielo e la resistenza stroncata, anche se sporadici episodi di guerriglia si registreranno fino a metà del 1957. Caddero duemilasettecento ungheresi d'ambo le parti e settecentoventi soldati sovietici.

In Italia si vociferò di gruppi di ex partigiani comunisti – tra cui mio cugino Statilio – partiti per l'Ungheria in sostegno della giusta linea filosovietica. Si parlò pure, però, di alcuni neofascisti – al comando di un certo Bava – in aiuto agli insorti. Pare che i due gruppi si siano anche scontrati sul campo – a Budapest – e sparati tra loro. O almeno così diceva Statilio: «Quei steva 'ncora coe Crosi Frezà» le croci frecciate.

Oltre duecentocinquantamila ungheresi lasceranno il Paese per rifugiarsi all'Ovest, passando in gran parte per il campo profughi «Rossi Longhi» di Latina, che il governo s'era affrettato a installare – nel 1957 – nell'area proprio dell'ex 82 che le ho detto prima, dove c'erano i compagni di Accio. Dopo gli ungheresi – che vennero poi smistati verso il Canada, l'Australia, gli Usa – arriveranno tutti gli altri: jugoslavi, ucraini, cecoslovacchi, polacchi, vietnamiti, fino al 1991 quando il campo verrà chiuso. «Uff!» farà tutta Latina: «Non se ne poteva più de sticasso de pròfughi».

Tutto il mondo – le ho detto – era rimasto col fiato sospeso. In Italia i socialisti di Nenni – il Psi – litigarono con i comunisti, con cui fino a quel momento erano stati una cosa sola, quasi come ai tempi del Fronte popolare. Poi ovviamente restarono uniti contro la Democrazia cristiana – «*partiti fratelli*» – nei sindacati dei lavoratori, nelle cooperative e nelle giunte comunali e provinciali rosse. Ma la condanna socialista dell'invasione fu netta e severa: «Avete stroncato un movimento genuinamente popolare, che voleva solamente libertà e un socialismo democratico. Basta con lo stalinismo, noi diventiamo autonomi».

Il Pci invece giustificò ed approvò in toto. Non solo mio cugino Statilio, a cui da vecchio – dopo il crollo e dissoluzione dell'Urss – scappava ancora, ogni tanto: «A vedere l'aria che tira adesso in Ungheria, mi sa che non avevano mica torto i compagni russi quella volta, ad avere paura che lì potesse tornare il fascismo».

No, no. A parte Statilio, fu proprio il partito – la segreteria, il comitato centrale, Palmiro Togliatti – a sostenere: «Quale movimento progressista e popolare, socialista democratico? Quella era solo bieca controrivoluzione ultranazionalista e reazionaria, legata alle sporche mire dell'imperialismo capitalista».

Questa linea non convinse del tutto i comunisti italiani, che in tanti – da grandi dirigenti come Antonio Giolitti, a semplici iscritti come il Luciano Restante di Latina che vedremo più avanti – lasciarono il Pci: «Eh, no. I carri armati no» e passarono ai socialisti.

Noi però eravamo rimasti che il casino in Ungheria era solo cominciato, quando Accio avrebbe dovuto far vedere la seconda nota – quella con la firma falsa di zia Pace – alla sua maestra. Non c'era ancora stata l'invasione con i carri armati. Solo agli inizi eravamo – le prime sommosse – comunque sufficienti a far passare di mente la cosa alla maestra, preoccupata come tutti: «Ancora un'altra guerra? Speriamo di no» e s'era scordata. Suonata la campanella, arrivederci e grazie.

Accio tutto contento, tornando a casa: «Menomale va', me la sono sfangata. Bisogna vedere domani, però... Madonna mia fammi la grazia, faglielo scordare un'altra volta» e l'intero giorno, col pensiero addosso, giù a pregare.

La mattina dopo – com'è, come non è – la Madonna gli ha fatto davvero la grazia e quella, un'altra volta, s'è dimenticata e non lo ha chiamato: «Benedetto il Signore Dio dell'Universo e tutti i Santi appresso a Lui» non stava nella pelle Accio.

«Domani, però? Signore, come andrà domani?» e pure l'indomani – le grazie so' grazie, quando so' grazie – la maestra a tutto ha pensato, fuori che alla nota sua.

«Porca miseria» ha detto lui: «Il pericolo è passato, questa oramai non ci pensa più» e s'è messo giustamente – «Aaaaah» – il cuore in pace.

La sera però – che era sabato 3 novembre, san Martino e santa Silvia: «*Di novembre va in montagna ed abbacchia la castagna*» – in cucina a casa, prima di cena, mia cugina Norma, la sorella più grande, ha cominciato a raccontare una strana storia. Zio Benassi non c'era, aveva un concerto della Corale a Roccamassima, mi pare, e sarebbe rientrato tardi. Ma c'erano tutti gli altri e c'era pure – con i figli – la signora Loreta, la vicina tanto amica di zia Pace.

Norma s'era diplomata maestra l'anno prima e da alcuni mesi aveva cominciato a lavorare. Faceva l'impiegata, la segretaria alla Orsal – una grande officina di carpenteria metallica e riparazione macchinari ai tempi della bonifica, riconvertita con la Cassa del Mezzogiorno a produzione di scaffalature e mobili per ufficio; stava al di là della circonvallazione, dalle parti di Campo Boario – e quella sera s'è messa a raccontare che avevano scoperto un ragioniere, uno che tutti pensavano fosse una brava persona tanto onesta, che aveva messo una firma falsa.

«Ci pensi, tu, che cosa ha fatto?» chiedeva drammatica Norma a zia Pace e a tutti gli astanti: «Una firma falsa! Uno scandalo. È venuta la polizia. Lo hanno portato in carcere. Trent'anni di galera gli daranno».

E tutti: «Che vergogna, che scandalo, che disonore. Tu pensa la famiglia, i figli, i parenti. Tutti rovinati, poveracci».

Non so quanto siano andati avanti, ma a Accio debbono essere sembrate ore.

Finito una buona volta il melodramma dell'Orsal e partita per casa sua la signora Loreta insieme ai figli, mentre zia Pace iniziava a minestrare nei piatti la pasta e patate Norma è uscita dalla cucina, diretta in camera sua.

Accio le è corso dietro e nel disimpegno davanti al bagno – richiusa accuratamente la porta – le ha chiesto piccolino, che le arrivava appena al fianco: «Ma davvero per una firma falsa gli danno trent'anni di carcere, a quel poveraccio?»

«Sì, perché? Che hai messo qualche firma falsa, tu?»

«No! Io no! Vuoi scherzare?»

«E allora che t'importa? Non ci pensare».

«Io dicevo per lui, poverino».

«Ma che poverino? È un delinquente! Non si mettono le firme false».

«Sì sì, hai ragione tu» ha detto Accio, ma invece di tornare in cucina per cenare, s'è spogliato e messo a letto.

«Non vieni a mangiare?» gli ha chiesto Norma, terminate le sue cose.

«No, ciò sonno e non ho fame».

«Buona notte, allora» e s'è richiusa la porta dietro.

È arrivata Violetta – dopo poco – a chiedergli: «Che ciài? Perché non vieni?»

«Non ciò niente, non ciò fame, lasciame dormì».

Nessun altro è più venuto. Lo hanno mollato là – dentro il letto – da solo. Quando poi hanno deciso alla buonora di andare a dormire anche loro, lo hanno trovato che scottava peggio di una stufa. Trentotto o trentotto e mezzo di febbre.

Ma non gli hanno detto niente. Solo: «Dormi, va'» e non ci hanno pensato più. Si sono messi a letto e amen.

La mattina appresso, appena svegli, gli hanno ripoggiato una mano sulla fronte: «Sei fresco, è passata. Alzati e va' a messa» che era domenica appunto – 4 novembre 1956, san Carlo Borromeo le ho detto, Festa delle Forze Armate e Invasione d'Ungheria: «*Quando brucia la casa, tutti si scaldano*» – e lui è andato con Violetta alla messa delle nove, a San Marco, la messa «dei ragazzi». Ma triste e mogio – per la strada – che Violetta giustamente richiedeva: «Che ciài?»

«Niente, niente. Fatte l'affari tua, non ciò niente» ed è stato così per l'intera giornata. Nessun altro però a casa se ne è accorto, dopo che il giornale radio la mattina presto – zio Benassi lo accendeva alle sei, appena sveglio: «*Tkiutìtu-tkiutìtu-tkiutìtu-tìtutì!*» faceva l'uccellino della sigla – aveva annunciato che nella notte, mentre Accio aveva la febbre (ma questo il giornale radio non lo poteva sapere), i carri armati russi avevano invaso l'Ungheria. Tutti quindi a pensare e parlare solo di quello.

Anche Accio, Violetta, Carletto Gava e gli altri, dopo la messa, sul muretto davanti casa, con *Famiglia Cristiana* sulle ginocchia – quella della settimana prima, con gli inizi della sommossa – spalancata sulla doppia pagina con la grande carta geografica schematica di Europa e d'Asia, dall'Atlantico al Pacifico, con ogni Stato disegnato per benino. Solo che quelli occidentali della Nato – compresi noi – erano tutti colorati in azzurro, e quelli invece del Patto di Varsavia, l'Urss la Cina eccetera, tutti in rosso e la falce e martello gialla.

«Ma sono di più loro» diceva Violetta: «Guarda qua: è tutto rosso».

«Sì, ma noi ciavemo l'America», Carletto Gava: «Se scoppia la guera, vincemo noi».

«E tu che dici?» chiedevano ad Accio.

«Boh» e dentro di sé, però: «Ma io ciò altro a cui pensà. Che me 'mporta a me della guerra? Qua, chi vince vince, io sempre in mezzo ai guai sto» e così per l'intera giornata, pure il pomeriggio al cinema dei preti e la sera a casa quando è riandato a letto. Incubi tutta la notte, con le guardie comuniste che venivano a pigliarlo e la maestra che – rossa di brace e di fuoco, con due piccoli cornetti in testa che pareva il Diavolo in persona – glielo indicava con il dito puntato, vicina al banco: «È lui, è lui».

Ora però sia chiara una cosa: lui era sinceramente pentito di ciò che aveva fatto – «Come m'è saltato per la testa?» – si sentiva morire dalla vergogna, che come lei sa è un sentimento che, quando t'arriva, s'impossessa di te e ti pervade fin nell'anima e nelle budella. Tu vorresti – a quel punto – non essere mai nato. Ed è così che dolorava in quel frangente il povero Accio, anche se – a dire il vero – lui non è che fosse esattamente pentito dell'atto in sé. A lui della firma messa sotto la nota importava poco o nulla. Non ci vedeva niente di male e fosse stato sicuro che nessuno lo avesse poi scoperto, lui di firme false ne avrebbe rimesse pure mille: «Che m'importa, a me?». No, lui la paura sua – tutta la vergogna, e da qui il pentimento – era solo che lo scoprissero. Avrebbe, davvero, preferito morire: «Zorzi Vila maladeti».

Michele Paolelli la mattina dopo – che a lui peraltro la maestra non lo aveva e non lo ha mai menato; se lo teneva anzi caro al primo banco – quando lo ha visto arrivare mogio mogio di là dalla circonvallazione per andare insieme a scuola, gli ha chiesto: «Che hai fatto, che c'è?»

«Zitto, va'», gli è scappato, «che se questa non se scorda anche oggi, oltre a un sacco de botte me fa pure dà trent'anni de galera. Esco quando so' vecchio, da là».

«Eh?»

«Niente niente, non ce fà caso, m'è uscita così...» e lemme lemme sono arrivati a piazza Dante.

Ma appena sono stati lì – sorpresa! – c'era una confusione che lei non ha idea. Davanti alla scuola le maestre respingevano i bambini, li rimandavano indietro: «Via, via! Tornate a casa».

Gruppi di studenti più grandi – delle medie e delle superiori – stazionavano sulle scale di fronte all'ingresso ed anche al cancello posteriore: «Sciopero, è sciopero e nessuno entra».

«Ma questi sono bambini» facevano maestre e bidelle.

«La libertà è la stessa, per i grandi e i piccolini» gli studenti.

«Cià ragione!» Accio, mentre una fiumana di altri studenti, sia maschi che femmine, coi libri sotto il braccio fluiva lungo viale Mazzini dall'Istituto Vittorio Veneto – dove oltre a ragionieri e geometri c'era allora pure il liceo classico con il ginnasio; magistrali e medie stavano invece al palazzo M: le medie nella prima ala rimessa a posto dai danni della guerra; le magistrali al centro, che avevano però ricostruito solo da un paio d'anni; prima stavano all'ex Teti – una fiumana che dal Vittorio Veneto calava verso la piazza della palla.

«Annamo da mi' zio a vedé i giornaletti» ha proposto allora Giampaolo Milizia. Lo zio era Camillo Sica e aveva l'edicola all'angolo di via Diaz e via Carducci, proprio di fronte al cinema Dell'Aquila – dove poi hanno fatto un palazzaccio di otto piani con sotto la Standa, oggi libreria Feltrinelli – e al mercato coperto della Coperativa; con una sola «o» perché ai tempi del fascismo, quando lo avevano fatto, si scriveva e si diceva così: coperativa.

Michele Paolelli non è però andato e con Enrico Gualdi s'è avviato verso casa. Accio invece sì, e appena sono arrivati non c'era ancora tanta confusione e Camillo Sica – lo zio di Giampaolo Milizia – gli ha regalato un quaderno nuovo: «Come lo vuoi, a righe o a quadretti?»

«A righe di seconda, grazie» – che avevano due linee più piccole per le lettere basse e la terza più distante per quelle alte – pensando contento: «Così butto quello vecchio con la nota, dico che l'ho perso o che l'ho finito, e non ne parliamo più, ch'agh vegna un càncher a tuti quanti».

Ma poi la confusione è aumentata. Una massa di studenti che lei non ha idea. Mille e più persone. E in testa a tutti Benito Berna, che all'epoca era il segretario giovanile del Msi ed era lui che aveva organizzato lo sciopero e manifestazione contro l'invasione sovietica dell'Ungheria.

In mezzo al corteo sventolavano i tricolori, insieme a due o tre bandiere ungheresi – chissà come aveva fatto Berna a rimediarle – a cui però al centro, proprio come a Budapest, avevano sforbiciato un buco tondo tondo, per togliere la stella rossa e la spiga comunista incrociata al martello. E urla e schiamazzi: «Andiamo tutti in Ungheria», «Libertà, libertà», «Abbasso il comunismo».

Davanti al cinema Dell'Aquila, nell'androne d'ingresso, ci sono stati tafferugli – piccole colluttazioni: schiaffi, spinte, spintoni, un cazzotto – con qualche comunista che passando dissentiva.

Sica allora – che sopra l'edicola di legno aveva l'insegna grossa «*l'Unità*», il giornale del Pci, Partito comunista – ha detto ai ragazzini: «Andate a casa che è meglio». E insieme all'aiutante ha cominciato a chiudere, a riportare dentro i giornali in esposizione – lei ricorderà che ogni mattina li stendevano tutti fuori, attaccati con le mollette agli spaghi; certe lenzuolate di riviste e giornali che arrivavano fino a terra – ha preso due di quelle spranghe di ferro che i distributori usavano poggiare di notte sopra i pacchi dei giornali lì di fianco all'edicola onde evitare che volassero, e se le è messe a portata di mano: «Non si sa mai».

Di lì a poco sono difatti iniziate le urla: «Dàmoje foco, dàmoje foco».

«Sì, è un comunista! Guarda *l'Unità* là sopra» e la folla ha cominciato a stringersi ed addensarsi minacciosa: «Foco, foco! Dàmoje foco co' lui dentro» mentre l'aiutante scappava e lui invece – «L'edicola non la lascio» – con la spranga in mano ci si rinserrava e chiudeva a chiave. «Che io manco so' comunista» pensava. Il nipote sì, Giampaolo Milizia, da grande è diventato comunista e anche Lotta Continua. Ma lui no – Camillo Sica – lui era solo mezzo socialista.

Comunque gli si sono fatti addosso in massa, sgrullavano l'edicola di legno come neanche il terremoto – «Porca puttana» faceva lui dentro – qualcuno armeggiava con i fiammiferi, qualcun altro pretendeva che il benzinaio della Esso lì davanti gli riempisse una bottiglia vuota di Birra Peroni: «Te la pago, te la pago. Mica la voglio gratis».

Per fortuna è arrivato Benito Berna che s'è buttato davanti a tutti, a fermarli e tirarli via: «Ma che state a fà!? Questo lo conosco, è na brava persona, un lavoratore. Venite via, venite via, che la manifestazione adesso si sposta in piazza».

E mentre quelli levavano l'assedio e l'edicola smetteva di sbattere e tremare – con Sica dentro che tirava un sospiro di sollievo: «Menomale va', pe' stavolta non me danno foco, non moro abbruciato» – sono arrivate due camionette della Celere con le sirene spiegate; «*ÀÀÈÈÈÈÈÈÈHUUUU!*» facevano allora, e non «*Pìrupìrupìru*» come adesso.

Ma lì oramai era finita. Sica salvo, anche se l'insegna dell'*Unità* gliel'hanno comunque divelta dal tettuccio e scaraventata in strada, dove hanno provato a darle fuoco. Ma non ha preso, così si sono stufati e il corteo s'è spostato in piazza del Popolo. Accio e Giampaolo Milizia – che fino a quel momento era stato in ambasce per lo zio: «Speriamo che non gli fanno niente» – tutti contenti dietro al corteo.

I poliziotti intanto – sia a piedi che dalle camionette scoperte, reggendosi con una mano al telaio e brandendo con l'altra il manganello – cominciavano a distribuire randellate: «Scioglietevi, la manifestazione non è autorizzata».

«E che stamo, in Ungheria qua? Non c'è la libertà?»

«Te la do io, la libertà» e menavano di più.

All'angolo dei portici dell'Intendenza di finanza, da sopra gli scalini, Tosca – la seconda femmina di mio zio Benassi, che era tutto pepe peggio di zia Pace e faceva il ragioneria – ha tirato un pomodoro rosso maturo grosso grosso, che aveva preso nella confusione di prima da una bancarella della Coperativa, in testa a un poliziotto, sopra il berretto grigio con la visiera. Gli si è spiaccicato: «*Plòf*». Il sugo colava dal cappello giù per il colletto della divisa.

Il questurino però, pure se da lontano, l'aveva vista e s'è buttato in mezzo alla gente, fendendola tutta, fino a pigliarla con un ruggito per il braccio – «*Àurgh!*» – e tirarla giù dagli scalini. La strattonava senza picchiarla, ma la trascinava senza pietà, per portarla in questura.

Per fortuna c'era in giro un'altra volta Benito Berna – con qualche fascio dei suoi – che è riuscito a riconquistarla, strappargliela di mano e ricondurla in salvo sotto i portici.

«Menomale va'» ha fatto Tosca appena al sicuro, ma un altro po' e le prende un colpo quando – voltandosi un attimo – ha visto Accio lì di fianco: «E tu che fai qua? Vai subito a casa, o quando torno lo dico a mamma».

«E io je dico che hai tirato un pomodoro in testa al puliziotto».

«Brutta spia! Vabbe', non diciamo niente nessuno dei due, però adesso vai a casa».

«Va bene» e invece è rimasto lì in giro a guardare le camionette che facevano i caroselli e disperdevano a manganellate la gente in piazza. Qualche migliaio di persone, ci saranno state.

Vista la mala parata, la maggior parte – «Ma chi me lo fa fare?» – si riavviarono verso i propri domicili. I più testardi invece, qualche centinaio, si rifugiarono – «Qua le camionette non vengono» – sui giardini attorno alla fontana con la palla, davanti al comune. Ma le camionette sono andate anche lì, e botte a rotta di collo.

Giorgio Maulucci in piedi sul muretto perimetrale bianco e circolare della fontana di travertino, gridava rosso indignato a squarciagola, le mani alte: «Essere o non essere! Essere o non essere!»

«Bene, bravo, bis» gli strillavano di rimando gli altri attorno, specie quelli delle medie.

E lui di nuovo: «Essere o non essere!»

Finché fendendo ragazzi e ragazzini non è sbucato: «Questo è il problema» un celerino che a tutta forza gli ha sferrato – «*Sdukf!*» – una legnata su una gamba, che ancora gli fa male.

Giorgio ha perso l'equilibrio ed è caduto di piatto – «*Splùffft!*» – sul dorso, dentro la fontana.

S'è rialzato grondante e sbigottito, tra i getti orizzontali d'acqua che dal muretto – invece di andarsi a frangere sulla palla – si frangevano addosso a lui, e fradicio fradicio, massaggiandosi la gamba, è finalmente uscito fuori: «Cosa racconto adesso a mamma?» tutto preoccupato.

«Dìje che te volevi assicurà che ce stesse ancora 'r camion, sotto la palla» gli ha consigliato l'Atlante.

«No no, di' che volevi sarvà 'r gattino», Otello, «che tu' madre forse cor gatto se commove» e sghignazzava, quando però s'è sentito tirare per un fianco da Silvio Di Francia: «Che vòi?» gli ha chiesto.

«Guarda là chi c'è» lo ha avvertito quello.

Otello s'è girato e c'era Accio: «Che cazzo stai a fà, tu qua?» e giù uno schiaffo in testa. «De corsa a casa» e a calci in culo ce l'ha riportato lui.

«Tanto il bello oramai è finito» rideva Accio lungo la strada. Ma soprattutto rideva pensando al quaderno con le note – e con le firme false – che aveva buttato dentro un bidone dell'immondizia davanti alla Coperativa.

Nessuno ne ha più fatta parola, anche perché quel giorno stesso lunedì 5 novembre 1956 san Zaccaria profeta «*Paese che vai, usanze che trovi*», mentre a Latina i fasci volevano dare fuoco a Camillo Sica per aiutare l'Ungheria – e dopo che il 29 ottobre gli israeliani avevano occupato il Sinai e la striscia di Gaza – truppe franco-inglesi invadevano, come le ho già detto, lo stretto di Suez in Egitto. La battaglia più grossa e più cruenta ci sarà il giorno dopo 6 novembre 1956, san Leonardo abate: «*Novembre gelato, addio seminato*».

Be', pure a casa della maestra di Accio avranno detto a un certo punto: «Ma non è che qua, tra uno che invade l'Ungheria e l'altro l'Egitto, davvero ci scappa la terza guerra mondiale? Dio ne scampi e liberi» e, se permette, mi sembra pure logico che poi uno si scordi di una nota – vabbe', diciamo due – che ha messo a un ragazzino. Nessuno ne ha più parlato e pure ad Accio – alla fine – gli è uscita di mente e non ci ha pensato più. Amen.

Come dice lei, scusi? Vuol sapere se era vera la storia dell'Orsal e che fine aveva fatto il ragioniere falsario disonesto?

Ecco, ci stavo appunto arrivando: non ne hanno più parlato, le ho detto. Solo trent'anni dopo – Accio oramai sposato e con due figli – ritrovandosi tutti insieme fratelli e sorelle per Natale in cucina a casa di zia Pace, gli è tornata all'improvviso in mente e ha chiesto a Norma: «Ma com'era quella storia del ragioniere dell'Orsal che aveva messo una firma falsa?»

«Quale ragioniere, quale firma falsa?» cadendo lei dalle nuvole.

«Lo scandalo che avevi detto tu. Trent'anni di galera».

«Ma quale scandalo, tu stai pazziando» – perché oramai parlava napoletano – «non è mai successa questa cosa. Mai nessuno scandalo e nessuna firma falsa, all'Orsal, finché ci sono stata io».

«Ma allora? Tu dicevi così, così, cosà...» Accio.

«No, no, tu ti stai inventando tutto».

Ha capito? Non c'era stato niente di niente all'Orsal, era una favola inventata – un messaggio trasversale e basta – senza una parola chiara e senza parlarne più, come se non fosse mai successo: «Ma tu ti rendi conto», si arrabbia ancora adesso Accio, «di come tiravano su i ragazzini? Ma gonfiami di botte piuttosto, puniscimi, dimmi qualcosa, fammi capire dove come e perché, ho sbagliato. Invece no, solo angoscia, sensi di colpa e terrore subliminale, gli venisse un colpo».

Non era accaduto solo questo però, nel 1956. Negli Usa per esempio – in America – con *Be Bop a Lula* di Gene Vincent era nato il rock 'n roll ed Elvis Presley aveva piazzato al primo posto in classifica il singolo *Heartbreak Hotel*. In Italia invece, in testa alle classifiche, c'era stata *Maruzzella* di Renato Carosone: «*Primma me dice sì, / po' doce doce me fai murì, / Maruzzella, Maruzzeee'*».

Il 13 gennaio a Venosa, in provincia di Potenza, durante uno sciopero «alla rovescia» – in cui invece di astenersi dal lavoro che evidentemente non avevano, i braccianti disoccupati, organizzati dai sindacati, si erano messi per protesta a lavorare gratis, costruendo spontaneamente strade o altre opere pubbliche che lo Stato non faceva – la polizia aveva sparato uccidendo un dimostrante, Rocco Girasole di vent'anni, e ferendone altri cinque.

Perfino *L'Osservatore Romano* criticò il ricorso troppo facile – da parte delle forze dell'ordine – all'uso delle armi nelle manifestazioni. Ma *Il Tempo* e *Il Giornale d'Italia* gli risposero pressappoco: «*Il Vaticano si faccia gli affari suoi e non si intrometta nelle questioni interne dello Stato Italiano per favorire, magari, una svolta a sinistra dell'elettorato. Le rivolte vanno represse con qualsiasi mezzo, comprese le armi, perché solo così si impediscono e dissuadono le rivoluzioni*». Kruscev – io credo – sarebbe stato perfettamente d'accordo con loro. Non si capisce però perché loro – quando quello a novembre lo ha poi fatto in Ungheria – non siano più stati d'accordo con lui.

Come dice lei, scusi? Che bisogna pure valutare i numeri, le scale, le dimensioni?

Ah, certo. Ma *principia sunt principia*, non fanno questione di numero o di scala, di grande o di piccolo, di biondo di moro o di castano. Quel che è giusto è giusto – oppure non lo è – a prescindere da chi lo compie, e come, quanto e perché lo abbia compiuto.

Il 2 febbraio comunque in Sicilia il sociologo scrittore Danilo Dolci – colpevole di essersi messo pure lui a dissodare insieme ai braccianti le terre lasciate incolte dai grandi latifondisti – viene arrestato insieme ad altre diciannove persone, processato e condannato per direttissima come agitatore politico: «Mica xè tua quea roba là».

Il 20 febbraio – sempre in Sicilia, a Comiso – la polizia carica duramente la folla di braccianti al termine di un comizio: un morto e quaranta feriti.

Il 21 aprile nasce a Milano *Il Giorno*, il primo quotidiano italiano con pagine a colori. Ci scriveranno Gianni Brera, Goffredo Parise, Camilla Cederna, Arbasino, Pasolini, Cassola, Giorgio Bocca e grandi altre firme. Se lo è inventato Enrico Mattei, quel manager di Stato che le ho detto prima, molto vicino a Fanfani e che con l'Eni, l'Agip, il gas metano e la Supercortemaggiore – «*La potente benzina italiana*» – sfida il capitalismo privato nazionale e soprattutto le «Sette Sorelle» anglo-americane padrone del petrolio mondiale, nel tentativo di costruire una sorta di indipendenza energetica del Paese. Da qui a due anni, nel 1958, si inventerà pure – come vedremo – proprio a Latina la prima centrale termonucleare italiana. Tutte sfide che pagherà care.

Nella notte del 25 luglio l'*Andrea Doria* – la più bella nave passeggeri della nostra nuova marina mercantile – veniva speronata al largo della costa di Nantucket nell'oceano Atlantico, mentre era diretta a New York, dalla nave svedese *Stockholm* che procedeva in senso quasi contrario in direzione di Göteborg. Ci furono cinquantuno vittime: cinque dello *Stockholm* e quarantasei dell'*Andrea Doria*, che restò coricata su di un fianco per undici ore, finendo per inabissarsi alle 10:15 del mattino successivo. Non si riuscì a capire di chi fosse stata la colpa. Gli svedesi dicevano gli italiani, gli italiani gli svedesi. Alla fine il tribunale la diede tutta alla nebbia e ognuno si pagò le vittime e i danni suoi: due milioni di dollari gli svedesi e trenta noi.

A Roma l'ambasciatrice americana Clare Boothe Luce – repubblicana, nominata nel 1953 da Eisenhower – dopo una brutta enterite seguita da una anemia, lascia a dicembre l'incarico al nuovo ambasciatore James David Zellerbach; lasciandogli pure però, sia a lui che ai successori, l'impronta indelebile del suo passaggio: «*Sic movebitis ibi*», faro e guida per sempre.

Da ragazzina aveva fatto l'attrice – una ventina di film – poi la giornalista di moda a *Vogue* e direttrice di *Vanity Fair*. Il secondo e definitivo marito, Henry Luce, fu il fondatore ed editore di *Time*, *Life* e *Fortune*, periodici che hanno letteralmente fatto la storia del giornalismo moderno.

Cattolica fervente – dopo la conversione dal protestantesimo – ma soprattutto anticomunista di ferro, Clare Boothe Luce a Roma mise in croce tutti i giorni sia il Vaticano che la Democrazia cristiana: «*L'unico obiettivo degli aiuti americani all'Italia è difendere il mondo libero dal comunismo*». Non si fidava di nessuno.

Secondo lei anche Scelba – quello che mandava la Celere a sciogliere e reprimere a bastonate, quando non a colpi di mitra o di fucile, le manifestazioni, moti o sommosse operaie e contadine – anche Mario Scelba non era, sotto sotto, che un pericoloso «*estremista di sinistra*».

Fu però grande nostra alleata nella questione triestina. La sua azione portò gli Usa a schierarsi in maniera determinante per la conclusione di un accordo con la Jugoslavia ed il ritorno di Trieste all'Italia.

Clare Luce frequentava via Veneto e l'alta moda – le sorelle Fontana, Gattinoni, Schuberth, Ferdinandi – ma appena arrivata a Roma aveva dichiarato ufficialmente che gli Stati Uniti non avrebbero più concesso contratti offshore ad aziende italiane che avessero avuto, nelle commissioni interne, la Cgil o sindacati rossi in maggioranza: «Mèio 'ncora, parò, se gnanca in minoransa».

Quando a Cinecittà iniziarono le riprese nel 1955 di *Guerra e pace* – coproduzione italo-americana: soldi della Paramount da una parte e Carlo Ponti e Dino De Laurentiis dall'altra; regia King Vidor, ma anche Mario Soldati per alcune scene; Audrey Hepburn nella parte di Nataša, Henry Fonda in Pierre Bezukhov, Vittorio Gassman il malefico Anatole Kuragin – lei stava tutti i giorni là, a rompere le scatole dalla mattina alla sera, dopo che i suoi servizi di informazione avevano accertato che le comparse erano tutte iscritte alla Cgil.

«Gnanca un ai sindacati liberi? Tuti quei schèi, tuti ai comunisti?» convinta che anche Ponti e De Laurentiis fossero del Pci.

Fece indagare a tutto spiano pure loro, minacciò la Paramount che non le sarebbe stata consentita la distribuzione del film negli Usa e intanto – per non saper né leggere né scrivere – bloccò sul nascere le riprese di *Ben Hur*, che la Metro Goldwin Mayer stava per far partire pure lei a Cinecittà: «Qua no se ga da mòvere più na pàja, ciò».

La soluzione pare sia stata trovata da Sophia Loren, che avrebbe suggerito all'allora fidanzato Carlo Ponti: «E facìtece nu poche 'e tessere fàuze, no?»

«O san Martin!» ringraziò Carlo Ponti il santo protettore di Magenta, dove era nato – «O pp'a Maronna!» il suo socio Dino De Laurentiis – e chiamarono i capicomparse, gli fecero fare a spese della produzione un bel pacchetto di tessere alla Cisl e alla Uil e arrivederci e grazie: il film andò in porto, ricevette cinque nomination ai Golden Globe 1957 e vinse il premio per il miglior film in lingua straniera. Ebbe pure tre nomination all'Oscar, ma non lo vinse: «Son contenta ciò, ch'av vegna un càncher» disse la Luce.

Da Giuseppe Valletta però – amministratore delegato e capo assoluto Fiat di quel tempo – pretese che da loro non ci fosse un solo tecnico, impiegato, e figuriamoci manager, sospetto di pur lontane simpatie comuniste: «E se par caso ghe xè, lo licenzi e mandi a spasso su due piè».

«Comandi, siora» rispose la Fiat che – torinese e non napoletana come Sophia Loren – non solo non fece tessere false, ma dal giorno dopo diede inizio alla schedatura sistematica dei suoi dipendenti.

Poiché le stagioni – nell'emisfero Sud – sono al contrario, le Olimpiadi estive del 1956, anno peraltro bisestile, si disputarono dal 22 novembre all'8 dicembre a Melbourne in Australia.

Nel ciclismo su strada trionfò il forlivese Ercole Baldini, di ventitré anni, chiamato «il treno di Forlì». Il maestro Casadei – non Raoul ma lo zio Secondo, autore anche di *Romagna mia* – ci fece pure la canzone: «*Viva Baldini / il treno di Forlì! / Cantate in coro battete le man, / perché l'onora il popolo italian*».

Quello stesso anno aveva intanto battuto lui al Vigorelli – con 46,394 km – il record dell'ora strappandolo a un mostro come Jacques Anquetil. Fortissimo sia su strada che su pista, era un campione completo ed assoluto – passista, scalatore, cronoman – una locomotiva appunto. Passato professionista, l'anno suo d'oro sarà il 1958, quando si aggiudicherà – a soli venticinque anni – il Giro d'Italia e il Campionato del mondo su strada a Reims. Accio stravedeva per lui e pure zio Benassi diceva: «Questo è il nuovo Coppi. Chissà che farà più avanti».

Nella primavera del 1959 si sottopose però a una banale – anche per quei tempi – operazione d'appendicite, nel corso della quale deve essere successo qualcosa. La locomotiva s'inceppò, ed Ercole Baldini non riuscì più ad andare in bicicletta come prima. «Va a fidarte dei dotor» diceva mio zio Adelchi: «Mi no ne go visto gnanca un, che a la fin no 'l sia morto anca lu».

Lui provò e riprovò – la volontà e passione ce le metteva tutte – vinse pure ancora qualche corsa, finché nel 1964 si ritirò. Resta comunque tuttora l'unico ciclista nella storia – neanche Eddy Merckx – ad avere vinto una medaglia d'oro olimpica, un Grande Giro e un campionato del mondo su strada. Onore a lui: «*Viva Baldini / il treno di Forlì, / perché l'onora il popolo italian*».

A quell'Olimpiade – a Melbourne – partecipò anche un pugile delle nostre parti, di Anzio. O meglio, di Porto d'Anzio. Si chiamava Giulio Rinaldi, faceva lo scaricatore al porto, era alto 1,80 e pesava 81 chili. La leggenda dice che il più importante allestitore romano di riunioni pugilistiche – in vacanza ad Anzio – lo abbia visto sotto il molo fare a botte con altri tre, e subito stenderli, uno alla volta, tutti e tre: «Viè qua, che te faccio fa la boxe» gli avrebbe detto questo allestitore.

In effetti si rivelerà un grande pugile e da professionista sarà campione d'Europa dei mediomassimi – con una breve interruzione per un verdetto assai discusso – dal 1962 al 1966. A Melbourne però era ancora dilettante, era giovane – ventun anni – e con gli allenamenti, gli sforzi, i sacrifici, footing e dieta ferrea, rientrava ancora nella categoria dei pesi medi, limite massimo 75 chili.

Al primo turno batté senza difficoltà il pur quotato pugile danese Jens Christian Andersen: «Va a racconta le favole, va'», senza probabilmente sapere che l'altro Andersen – danese pure lui, ma che di primo nome faceva Hans ed era dell'Ottocento – chissà per quanti e quali universi di dolore era dovuto passare, per poter arrivare a scrivere una cosa come *Il brutto anatroccolo*.

Fatto sta, Giulio Rinaldi ha battuto Andersen e dopo di

lui – ai quarti di finale – gli sarebbe toccato il russo sovietico Gennadij Šatkov di ventiquattro anni, già medaglia d'oro ai campionati europei di Berlino Ovest l'anno prima, 1955. Secondo i pronostici era lui – Šatkov – il favorito assoluto del torneo dei pesi medi alle Olimpiadi di Melbourne: «Quello ha già la medaglia d'oro in tasca» sostenevano i giornalisti italiani.

«Io questo me lo magno» disse Giulio Rinaldi invece la prima volta che lo incrociò per caso fuori dal palazzetto e si guardarono tutti e due fissi negli occhi – cattivi cattivi – finché quello a un certo punto abbassò lo sguardo e si voltò dall'altra parte.

«Sì, Giu'!» fece allora l'allenatore federale che gli stava a fianco: «Mo' so' convinto anch'io: tu quello te lo magni. Ce l'hai tu, la medaglia d'oro in tasca».

Ma la sera prima del match non so che gli è preso – era portodanzese – e a cena s'è strafogato. Spaghetti su spaghetti da un emigrante di Lanuvio che aveva aperto una trattoria a Melbourne.

Quando la mattina dopo s'è presentato alle operazioni di peso – che di prammatica precedono l'incontro – un altro po' e fa saltare la bilancia. Un chilo e mezzo in più, dei 75 al massimo previsti.

Gli imposero il forfait – «Ritorna a casa, Rina'» – Šatkov passò di diritto in semifinale senza neanche dover disputare i quarti, e da lì fu una passeggiata e la medaglia d'oro fu sua.

«Se non magnavi era tua» faceva sconsolato l'allenatore federale a Giulio Rinaldi.

Fu però incontrastato campione europeo dei mediomassimi per diversi anni – gliel'ho già detto: dal '62 al '66 – e proverà a scalare il titolo mondiale, trovando purtroppo sulla sua strada il mitico Archie Moore, che incontrò tre volte.

La prima e la terza a Roma – ma senza titolo in palio – vinse nettamente ai punti lui. La prima volta addirittura – il 29 ottobre 1960, sulla distanza di dieci riprese – al decimo ed ultimo round, strettolo alle corde, lo mise proprio groggy. L'arbitro – «Stop!» – contò per otto secondi Archie Moore, che fu messo in salvo dal gong.

Per il titolo mondiale si incontrarono invece otto mesi dopo – il 10 giugno 1961, al Madison Square Garden di New York – ma quella volta ebbe la meglio, altrettanto nettamente, l'enorme esperienza di Moore. Quello era Archie Moore – le ripeto – uno che a quarantasei anni menava ancora come un disgraziato.

Ciò non toglie che Giulio Rinaldi sia stato un grande. Abbandonò il ring a trentacinque anni nel 1970. Aprì una pescheria ad Anzio e fece pure l'attore, perché era bello, alto e popolare. Con Franco Franchi girò *I due assi del guantone* e con Ugo Tognazzi *Il marito di Attilia* – lui faceva il marito – episodio diretto da Dino Risi nel film collettaneo *I nostri mariti*.

Fu uno dei pugili più amati d'Italia: «*Il più amato dalla gente*», titolò Rino Tommasi sulla *Gazzetta dello Sport*. Solo a Latina non tanto, perché ogni volta che c'erano i derby con l'Anzio – che non era proprio come con il Frosinone, ma pure col Porto d'Anzio ogni tanto ci uscivano i cazzotti; non parliamo del Sezze e il Pro Cisterna – lui stava sempre in tribuna coi suoi amici portodanzesi e come scoppiavano le risse, ci si buttava in mezzo. I nostri tentavano giustamente di restargli alla larga: «Proprio con me te la vòi piglià? Ma cércatene un altro, va'...». Ma ha reso onore al suo paese. Se ne è andato nel 2011 a settantasei anni. Riposi in pace, Giulio Rinaldi.

E così finì il 1956, anno bisestile ripeto, con le truppe anglo-francesi che il 22 dicembre – dopo il diktat Kruscev-Eisenhower – completavano il ritiro dallo stretto di Suez e lo riconsegnavano all'Egitto. Il Sinai, invece, Israele lo restituì nei primi mesi del 1957, mentre l'Ungheria – con il nuovo capo del governo comunista Kádár – rimase con l'Urss, nel Patto di Varsavia, fino al 1989.

A noi però era stata data per sempre «la neve del 56», Accio aveva imparato a leggere e scrivere – perfino le firme false – e saltata la prima era già in seconda elementare.

Anno nuovo, vita nuova: il 6 febbraio 1957 a Venezia si apre il congresso del Psi, il partito socialista di Nenni, che dopo aver sancito la rottura con i comunisti e l'apertura ai socialdemocratici di Saragat decide l'esclusione di Sandro Pertini dalla Direzione nazionale – perché contrario a quella rottura – a cui invece accedono Francesco De Martino, Lelio Basso, Tullio Vecchietti e Guido Mazzoli. Ma ciò che più colpisce l'opinione pubblica – e getta nel più nero sconforto l'establishment cattolico – è il messaggio d'augurio ai congressisti socialisti inviato all'inizio dei lavori dal cardinale Angelo Giuseppe Roncalli, Patriarca di Venezia.

L'Osservatore Romano chiarisce subito però che la Chiesa – dove chi comanda è sempre papa Pacelli, Pio XII – è contro ogni apertura ai socialisti e ricorda a tutti i cattolici che, pure sulle questioni sociali, «*non abbiamo nulla da mutuare dai socialisti che consideriamo un partito classista marxista, pari al comunismo materialista marxista*».

Accio il 25 aprile – che a Latina a quel tempo era molto più festa del patrono San Marco che della Liberazione, e c'erano le cresime la mattina col vescovo ausiliare monsignor Primo Gasbarri, che veniva apposta da Velletri, e il pomeriggio i giochi, i fuochi artificiali e lo spettacolo d'arte varia in piazza – ha fatto la prima comunione e cresima con a fianco il suo compare Vinicio Zannella vicino di casa, gran brava persona, mutilato di guerra e impiegato in questura; lui la moglie e le figlie erano di Fondi e portavano sempre a zia Pace caterve di arance grosse e profumate. Per la comunione e cresima gli regalò – come usava allora – un orologio placcato d'oro *Record Genève*.

A giugno finalmente ha terminato la seconda elementare – sempre Accio, non il compare Zannella – e molto molto inopinatamente l'ha terminata alla grande. Sarà stata la paura passata per le firme false, saranno stati tutti i *Guerra dei mondi, Kim, Incompreso, Senza famiglia* e compagnia cantante – o saranno magari state le botte e bacchettate delle forze armate riunite di scuola e famiglia – ma alla fine è stato promosso.

«Non lo avrei mai detto...» confidò la maestra a zia Pace – «E gnanca mi ghe gavarìa credesto» pensò questa tra sé – e gli regalò per le vacanze un libro di racconti: «Bravo. Sono proprio contenta».

«Grazie Maestra, ma questo ce l'ho già».

«Quest'altro?» cambiandoglielo al volo.

«Va benissimo, grazie mille» – ma pure: «Ch'at vegna un càncher» tra sé – e venne via col libro sotto il braccio, chiedendo alla madre, arrivati ai giardinetti: «Contenta anche tu?»

«Hai fatto metà del tuo dovere» e – *ciàff!* – uno schiaffo, tante volte dovesse montarsi la testa. Pensando anche – mia zia – ma senza dirlo a lui: «A me però mi sa che no la gabia da valere granché gnanca questa, de maestra».

Dopo l'estate – un mese in colonia al mare a Rio Martino con i preti; un altro in campagna da zio Iseo a cavare le bietole e giocare con Sante Ruzza ed i cugini; un altro mese ancora dentro e fuori dalle capanne di Otello – quando è stato il primo ottobre ha iniziato la terza elementare.

Erano in quaranta – classi di una volta – gli stessi dell'anno prima: Angelucci, Catone, Checchinato, Chillemi, Ciampicacigli, Cirillo, Cucchiarelli, D'Erme Maurizio, Di Clemente, Di Micco, Drigo, Drusin, Gava Sergio, Gualdi, Lazzari, Maglionico, Maretto, Maulucci Mauro, Mazzola, Molon, Moriconi, Pagnozzi, Palumbo Egidio, Paolelli, Paparcone, Pellegrini, Picone, Polidori, Polito, Presutti, Reale, Rogo, Santinato, Stabile Gabriele, Viciconte e, naturalmente, Benassi Accio.

Come dice, scusi? Che sono solo trentasei? E va be', gli altri quattro non se li ricorda più nemmeno lui.

Anche la maestra era la stessa però: «Speriamo che quest'anno non mi mena».

Invece: «Bravo, bravo» di qua, «Bravo, bravo» di là, ogni tanto lo ribastonava ancora – Michele Paolelli mai – ma solo ogni tanto, senza più esagerare: «Meno male, va'» si fregava le mani Accio.

Una volta però che di pomeriggio stava su un banco in fondo, vicino la finestra, s'è messo a guardare – come un certo suo fratello prima di lui – i raggi di sole che filtrando tra le strisce e i brandelli delle tende illuminavano i granelli di polvere a spasso per l'aria.

«Chissà se cià ragione Manrico», si domandava, «che pure là ci stanno i mondi e su qualcuno di quei granelli ci sta anche un poro ragazzino disgraziato come me, che je tocca stà a scola il pomeriggio e guarda i raggi del sole che illuminano la polvere e pensa: chissà se là sopra ce stanno...» quando all'improvviso – «*Ciòfff!*» – uno schiaffone a mano aperta dietro il collo, tra il collo e la testa.

«A che stai a pensare, eh?» la maestra come una belva, spuntata quatta quatta da dietro.

Preso alla sprovvista e non riuscendo ad articolare qualcosa di sensato, gli è uscito: «Mi chiedevo, Maestra, se fosse possibile che i granelli di polvere che volano per aria, siano pure loro dei mondi come il nostro che...»

Non lo ha fatto nemmeno finire: «Come? Io sto a spiegare e tu pensi ai mondi nel pulviscolo?» e giù tante di quelle botte sulla testa e sulla schiena, con quella mezza palanca di bacchetta larga e nera che le ho detto, che tante botte così non le prende un pallone da football in una finale di Champions League. «Maladeta ti e me fradèo», pensava Accio sotto la gragnuola, «ch'av vegna un càncher a tuti dó».

«È sempre distratto» si lamentava con zia Pace la maestra: «E poi brontola, protesta, non è mai contento, ribatte ogni volta sgarbato e mi accusa perfino di fare ingiustizie e differenze tra gli alunni».

«E lei lo meni».
«Lo meno, lo meno».
«Lo meni di più!»
Il libro di lettura – sia pure di terza e con scritto grosso il numero 3 – si chiamava anche questo *Mamma* e aveva in copertina la stessa identica poveraccia di quello di seconda in mezzo al mare, sopra lo scoglio, con il bambino che solo per poco non viene ghermito dalle onde.

«Ma come ha fatto sta disgraziata», continuava a chiedersi lui, «a capitare lì?» e via di corsa a leggersi l'intero libro, fino all'ultima pagina, per vedere tante volte se almeno questo di terza lo spiegasse. Invece niente. Silenzio assoluto – segreto di Stato – anche questo.

«Che razza di libri di lettura sono», ridisse a Violetta, «se non ti fanno manco capire quello che c'è in copertina? Che ce l'hanno messa a fare, allora, quella imbecille lì sopra, in mezzo al mare? Basta, bisogna che lo facciamo noi un bel libro di lettura, e ci mettiamo i marziani, le storie dei mondi dello spazio e di quelli del pulviscolo. Chissà se Gesù Cristo s'è incarnato pure là? Quando mi faccio prete e missionario io, altro che India: io voglio andà su Marte, a convertì i marziani».

«Prete tu, cattivo come sei? Ma va, va'...» Violetta: «Un bel libro, poi, deve fare piangere. Non le storie che dici tu. Bisogna che mettiamo *Incompreso* e *Senza famiglia*».

«Seeeh! Mo' ce rimetto pure quella scema in mezzo al mare».

Nel frattempo il 4 ottobre venerdì, san Francesco d'Assisi, «*Caldo a ottobre, fa freddo a febbraio*» – giorno di festa a quel tempo: non si andava a scuola perché san Francesco era patrono d'Italia – l'Unione Sovietica aveva messo in orbita lo Sputnik, il primo satellite artificiale mai costruito su questo pianeta. Era solo una palla di ferro con delle antenne, ma tutta la gente stava inginocchiata davanti alle edicole, a guardare la copertina della *Domenica del Corriere* – attaccata con le mollette allo spago – col disegno di questa sfera che girava nel buio intorno alla Terra facendo: «*Bip... Bip... Bip*».

Il lancio fece crollare di colpo ogni certezza – che pure c'era stata fino allora – di presunte superiorità americane. Gli Usa erano stati i primi – e a lungo gli unici – a dotarsi di armi atomiche e a usarle in guerra nel 1945. I russi c'erano arrivati solo quattro anni dopo, nel 1949: «I xè 'ncora indrìo» dicevano tutti, e anche in campo missilistico la supremazia americana – dovuta soprattutto al reclutamento dopo la guerra dello scienziato ex nazista Wernher von Braun, ideatore delle V2 che avevano martoriato Londra e padre riconosciuto della missilistica in genere – non veniva messa in discussione da nessuno. Ma era una superiorità – fino a quel momento – di vettori che arrivavano, sì e no, a medie distanze intracontinentali.

Chissà quale potenza doveva avere invece – adesso – il razzo sovietico che aveva portato lo Sputnik là sopra: «Come casso i garà fato, i russi, a vegner acsì avanti?» si chiese zio Adelchi.

«Xè 'l comunismo», gli spiegò Statilio, «che liberandole dallo sfruttamento capitalistico e unendo tutte insieme le energie e creatività delle larghe masse popolari, consente simili balzi all'intera umanità».

«Ma va' a cagare» zio Adelchi.

Però sì, erano avanti davvero i sovietici quella volta, e se ne accorse all'improvviso tutto il mondo: neanche un mese dopo – 3 novembre 1957 – altro giro altra corsa. Lanciato da un nuovo supermissile entrò in orbita lo Sputnik-2 con un essere vivente a bordo; che anche se solamente un cane – o meglio cana, di nome Laika – era comunque il primo abitante di questo pianeta a calcare lo spazio cosmico; almeno per quanto ne sappiamo.

Tutti preoccupati però – i ragazzini – per Laika, la cagnetta che la copertina della *Domenica del Corriere* ritraeva bianca e pezzata di nero col muso intento, dentro quella palla di ferro in mezzo al buio, a guardare fuori dall'oblò.

«Poverina, lì da sola» Accio e Violetta: «Chi le dà da mangiare e da bere?»

Non le dico quando si seppe che non sarebbe più atterrata: «Oddìo, muore là sopra?»

E zio Adelchi a fargli coraggio: «Va là, che la ga da èser già s-ciopà da un pezzo, poareta».

«Nooo, Laika non deve morire. Zio, scrivi ai russi che la riportino giù».

«Sì, cari, adesso ghe scrivo. E ghe fasso anca la multa, a quei casso de russi».

Poi lei lo sa come andò. Gli americani proveranno in tutti i modi a corrergli dietro e recuperare lo svantaggio, ma il 12 aprile 1961 mercoledì – san Giulio papa: «*Avrìl, cava la vecia dal covil*» – Jurij Gagarin sulla Vostok-1, primo fra tutti gli uomini, girò per un'orbita intera intorno alla terra, per un'ora e quarantotto minuti nello spazio siderale.

«Porca putana» ridisse zio Adelchi, e con lui l'universo mondo.

Gli americani: «Cossa vòtu che sia? A sem boni anca nantri» e venti giorni dopo – 5 maggio 1961 – mettono Alan Shepard in cima ad un missile e sparano anche lui nello spazio. Ma solo per un salto a mordi e fuggi – tocco e non tocco, altro che orbita intera – e riatterra dopo quindici minuti e ventidue secondi: «Però l'aghemo fato, ciò».

«Ah, ben. Contenti valtri...» e tra il 6 e il 7 agosto i russi ci rispediscono German Stepanovič Titov, che sulla Vostok-2 ci resterà per più di un giorno – venticinque ore e diciotto minuti – girando sedici volte intorno alla terra, un'orbita ogni novanta minuti.

A partire dal primo Sputnik del 1957, ci vorranno più di dieci anni – e soprattutto «*l'esaurirsi della spinta propulsiva della Rivoluzione d'Ottobre*», come ripeteva da vecchio mio cugino Statilio – perché gli Usa possano recuperare lo svantaggio e superare l'Unione Sovietica nella corsa alla conquista dello spazio.

In Italia – invece – nel 1957 entra in produzione a Torino la nuova Fiat Cinquecento. Due anni prima, 1955, era stata la volta della Seicento – quattro posti stretti, ma quattro posti – con motore posteriore di 633 cc, velocità massima 95 kmh, prezzo di listino 590.000 lire.

La nuova Fiat Cinquecento – chiamata *nuova* per distinguerla dalla vecchia Topolino d'anteguerra, Fiat 500 A, prodotta dal 1936 al 1955 – ha anche lei motore posteriore, ma di 479 cc. Raggiunge i 90 kmh e nella versione più economica costa 465.000 lire, pari a tredici mensilità di un operaio. È però molto più piccola della Seicento: due posti soli davanti – ma stretti stretti – ed una parvenza di panchetta dietro, su cui però la gente, facendo di necessità virtù, riuscirà a ficcarcisi e viaggiare per anni a numeri, oggi, quasi inverosimili. Secondo *Il Guinness dei primati* sarebbero riusciti a entrarci almeno in dodici – tutti assieme – in una Cinquecento.

«Come casso i garà fato?» disse zio Adelchi: «Gnanca al Sirco Bagonghi».

È su queste due vetture però – Fiat Seicento e Cinquecento scomode scomode, scatole di latta strette quanto si vuole – che comincia la corsa alla motorizzazione di massa. Nel 1955 circolavano 366.000 automobili in tutta Italia. Neanche dieci anni dopo – nel 1964 – saranno più di cinque milioni.

Ma quelle macchine non è che nascessero da sole – o per partenogenesi anche loro – schiacciando il bottone della 3D che sfornava all'istante la vettura completa di motore, telaio, sedili, specchietto, pneumatici ed autoradio. Ci voleva un sacco di gente per costruire ognuna di quelle cose, montarle assieme ed assemblarle notte e giorno nei tanti capannoni – stuoli di capannoni – fabbriche e cantieri, officine e botteghe di Piemonte e Lombardia.

Ma dove l'hanno presa – secondo lei – tutta questa gente da riversare lì dentro? Dal Sud l'hanno presa, oltre che dalle campagne loro. Più di settecentomila braccianti dalla Puglia ed oltre un milione dalla Sicilia – nel solo decennio 1950-1960 – lasciarono le regioni d'origine per riversarsi nelle fabbriche del Nord, a costruire con le loro mani, sudore e sangue il «miracolo italiano».

Fu una sorta di tratta degli schiavi, un esodo in senso inverso e contrario a quello nostro – venticinque anni prima – dal Nord al Sud, dal Veneto Friuli e Ferrarese all'Agro Pontino. Fu una deportazione non solo di massa ma pure cruenta, se lei calcola che ancora nel 1978 morivano in Italia dieci persone al giorno in infortuni sul lavoro. *Omicidi bianchi*, li chiamano tutt'oggi.

«Altro che 'l Krùssiof e i crìmini de Stàlin» diceva mio cugino Statilio: «Quando s'alzerà qualchedun anche da nantri, a denunsiare i crìmini del capitalismo?»

Come dice, scusi? Che mio cugino era pazzo e che non c'è paragone fra le deportazioni staliniane – che erano indubbiamente forzose e coatte – e l'emigrazione interna italiana, in cui la gente era essa stessa a volersi imbarcare spontaneamente sui treni per il Nord?

Ah, non si discute. Pure mio zio Treves e zio Torello Lucchetti ci sono andati da soli a fare la domanda all'ufficio emigrazione e di lì nei pozzi estrattivi belgi. Mica li ha obbligati nessuno, mica è venuto qualcuno con la pistola dietro la schiena: «Molla tutto e vieni a La Louvière». No, anche se la sopravvivenza media nelle miniere di carbone in Belgio – lei lo sa – non era affatto più alta dei gulag in Siberia. Ma se non ci fossero andati si sarebbero dovuti suicidare per la fame qui – o a Marcellano zio Torello – dopo avere suicidato moglie e figli, per evitare pure a loro la stessa fine.

Certo ci sono grosse differenze tra i dirigismi statalisti coatti e i fenomeni cosiddetti *indotti*. Ma c'è anche purtroppo un'identità di fondo. Per quale altro motivo infatti sarebbero state costruite tutte quelle fabbriche a Milano e Torino, se non per metterci i pugliesi, siciliani e calabresi dentro? Che ci facevano sennò, senza i meridionali? Gli sarebbero rimasti i capannoni vuoti, senza nessuno a far camminare le presse e le trafile. Quelle fabbriche sono state fatte sapendo bene che in un modo o nell'altro sarebbero venuti loro a lavorarci – per fame o per piacere – con i treni e le valigie di cartone.

Ancora oggi non potrebbero sopravvivere senza il costante afflusso di extracomunitari che – bontà nostra – ci permettiamo ogni tanto di soccorrere senza lasciarli affogare in Mediterraneo. Chiunque emigra pur volontariamente – esattamente come noi tanti anni fa dall'Altitalia – lo fa *costretto*, poiché se stava bene a casa sua ci restava.

È così – le ripeto – che s'è fatto il miracolo economico italiano: tanti sogni, sì, ma soprattutto lagrime, sangue, sudore e sfruttamento.

Negli ultimi mesi del 1957 – quando Accio aveva oramai iniziato la terza elementare e Laika stava volando, se non era già morta, intorno alla terra – arrivò però anche a Latina l'asiatica, che nelle regioni più calde del Sud era già apparsa d'estate. Ci restò a lungo – imperversando di brutto – fino all'arrivo della primavera 1958.

Pare non ci sia mai stata un'epidemia così – adesso dicono pandemia – almeno fino dai tempi della spagnola del 1918-1919, che fece un sacco di morti: chi dice cinquanta, chi cento milioni in tutto il mondo. In Italia oltre seicentomila, lo stesso numero di caduti della prima guerra mondiale appena terminata. Lei chi sente sente, tutti le diranno che nella loro famiglia qualcuno è morto di spagnola.

Noi no. Noi Peruzzi non avemmo nessun morto e nessun ammalato di spagnola in Altitalia. Noi nel 1919 pensavamo solo a salvarci dalla fame, a non farci bruciare i pagliai e a rispondere colpo su colpo a ogni minaccia o avversità. Ma la spagnola no.

E come la spagnola – a lei sembrerà strano – così pure l'asiatica decise di non prenderci. Sarà stato il «sàngoe marso», marcio di famiglia, che diceva zio Adelchi – la ubris o furia che ci portiamo dentro – o sarà stato quello che le pare, nessuno dei Peruzzi s'ammalò e tanto meno morì, sia in Agro Pontino che in Altitalia, in tutti i nostri rami.

A me in seminario su a Brescia fecero fare un po' di riposo, ma per precauzione. Come si sparse la notizia dell'epidemia, ci misero tutti a letto – sani ed ammalati – e iniezioni di penicillina: «Male non può fare». Dopo due o tre giorni, chi aveva la febbre – ed erano i più – restava lì e chi invece era fresco e pimpante come me, giù in cortile o in un'altra camerata: «Stì in là però, larghi e lontan che non si sa mai».

Questo non significa che noi Peruzzi non moriamo o non ci ammaliamo anche noi – ci mancherebbe altro: a tutti tocca, prima o poi – ma di qualcos'altro. Spagnola ed asiatica no, almeno fino adesso. Coronavirus non so. Speriamo bene.

Lei pensi che Accio, quando la prese Michele Paolelli, i primi tempi andava ogni giorno a trovarlo – a portargli i compiti – nella segreta speranza che la attaccasse anche a lui: «Così non vado a scuola».

Finché la madre di Michele – quando a un certo punto il dottor Fabiano s'è raccomandato di tenerlo isolato e non fargli avvicinare nemmeno i fratelli – non s'è messa paura: «È meglio che non vieni più».

«Peccato».

Non so se lei ricorda il dottor Vito Fabiano, ma deve essere stato uno dei pochi in Italia – durante l'asiatica – a capire l'importanza del distanziamento fisico.

Era alto e grosso – un pezzo d'uomo – e cambiava spesso macchina. Prima della guerra aveva una Balilla, che tenne nascosta per diversi mesi in un fienile a Borgo San Michele per non farsela requisire dai tedeschi. Poi una Lancia Aprilia, un Fiat 1100B Musone, Lancia Aurelia B10 e fino al '55 o '56 un 1900 Alfa Romeo. Quando è uscita la Seicento gli è piaciuta, l'ha comprata e se l'è goduta, anche se entrando e uscendo dall'abitacolo bofonchiava ogni volta: «I' nun me vurrìa sbaglià, ma me pare ca' sia nu poco strettulella...»

Era lo stesso medico di famiglia di zia Pace e zio Benassi, medico condotto della cassa mutua Inam, che c'era prima della riforma sanitaria. Curava gratis, però, anche le famiglie povere non mutuate, a cui dava pure medicine, soldi e spesso portava le fettine di cavallo – la macelleria equina stava a via Oberdan, sotto la pensione Principe – per tutti quei bambini anemici che c'erano in giro. Del resto, chi vuole lei che mangiasse la carne allora? Giusto se te la portava Fabiano.

Quelli, a dir la verità, insistevano pure – poveri ma dignitosi – per poter pagare: «Quanto dobbiamo, dotto'?»

«Statte buone», gli dava una pacca e se ne andava.

Era il classico dottore di una volta, che curava tutto, cavava i denti, metteva i punti e – alla bisogna – era capace di operarti su due piedi di appendicite, se occorreva. Ma anche rude e di pochi complimenti, se lo facevi arrabbiare. All'università era stato allievo stretto, a Napoli, di Giuseppe Moscati – il *medico dei poveri* proclamato santo da Giovanni Paolo II nel 1987 – e la sua lezione non se l'è mai scordata. A zio Benassi voleva un gran bene. Si tenevano in considerazione.

Il suo vero e più grande amico, però, era l'avvocato Grifone. Si conoscevano da ragazzi. Lui grosso grosso, ripeto, e Grifone invece più esile e piccolino, venivano ambedue dall'Irpinia: Fabiano da San Sossio Baronia e Grifone da Ariano Irpino, a nemmeno quindici chilometri di distanza. Ma erano stati proprio al liceo assieme, in un collegio da quelle parti. Poi uno era diventato avvocato, l'altro medico e non s'erano più visti. Fabiano era venuto quasi subito a Littoria come medico condotto, Grifone invece s'era messo a studiare per il concorso in magistratura. Lui quello voleva fare: il giudice, il magistrato.

Vinto finalmente il concorso lo mandarono pretore a Sezze, nel circondario del tribunale di Velletri. Lui ambiva a quel lavoro – gli sembrava una missione – ma a Sezze conobbe e si innamorò di colei che sarebbe divenuta sua sposa. Solo che il padre della ragazza era un possidente e quando lui si presentò per chiedere – come usava allora – la mano della figlia, quello un altro po' e gli prende lo scorbuto: «Ah, no! Io mia figlia a un giudice impiegato dello Stato non la do, che oltre tutto poi vi mandano in giro per l'Italia. Qua deve stare e un professionista deve essere: medico, avvocato, ingegnere, non lo so».

«Va bene» disse Grifone. Lasciò la magistratura – «Quanto mi dispiace...» – e per amore si mise a fare l'avvocato, su e giù in corriera da Sezze a Velletri, dove stava prima il tribunale. Poi avanti e indietro Sezze-Littoria, quando lo misero anche da noi. Sempre in corriera perché lui la macchina non l'ha mai avuta. Mai presa la patente; per paura, credo.

Dopo un po' però s'è stufato di viaggiare. «Sapete che c'è?» ha detto al suocero, alla moglie e ai primi figli: «Noi andiamo tutti a Littoria» e vennero appunto ad abitare alla Previdenza sociale sullo stesso pianerottolo – proprio la porta di fronte – dove negli ultimi anni di guerra si stabilirono anche zia Pace e zio Benassi a casa di zio Adelchi. È lì che è nata la frequentazione ed amicizia stretta di zio Benassi con i Grifone. Accio da piccolo stava sempre in braccio a Maria Teresa, si può dire. Più in braccio a lei quasi – anzi, togliamo pure il quasi – che a zia Pace.

Fatto sta, il dottor Fabiano e l'avvocato Grifone si sono rincontrati per caso all'improvviso una mattina a Littoria – due irpini beneventano-avellinesi in terra straniera, vecchi compagni di scuola oltre tutto, soli soletti in mezzo a un mare magno infestato da veneti cispadani, marocchini dei Lepini e romanacci ladroni sguaiati – buttandosi le braccia al collo: «Guarda chi c'è?» e stringendosi forte forte l'uno all'altro, proprio come la *Mamma* del libro di lettura di Accio stringeva il suo bambino sullo scoglio. Non si sono lasciati più.

Si incontravano ogni mattina a piazza Dante, davanti alla scuola dell'Orologio: Grifone venendo dalla Previdenza sociale in piazza San Marco per andare in tribunale; Fabiano invece uscendo dalla cancellata dei palazzi Incis di viale Mazzini – dove al secondo piano della scala F aveva casa e ambulatorio – per iniziare il giro delle visite a domicilio, che allora ancora si facevano; tu mandavi qualcuno a lasciare la chiamata e il dottore subito arrivava.

Come si vedevano da lontano – Grifone ancora all'angolo di via Luigi Razza, oggi Don Morosini; Fabiano sul cancello dell'Incis – scattava la corsa a chi arrivasse per primo al bar-chioschetto di Scibilia in mezzo a piazza Dante a pagare il caffè. La colazione no. La colazione si faceva a casa – a quel tempo – a pane e caffellatte; il latte lo portavano direttamente dalla stalla in bicicletta, con le sporte piene di bottiglioni e il misurino, i figli dei Molon. Ma non c'era niente da fare. Comunque andasse lo sprint e se per caso qualche volta riusciva pure ad arrivare per primo Grifone – più esile e bassino – subito Fabiano lo scansava con delle erculee ditate sul petto che nemmeno ai film di Maciste, tra il petto e la spalla sinistra: «Statte buone compà, tocca a me».

«Ma hai fatto tu pure ieri».

«Embèh? Tocca a me». Non c'era verso di discutere, col dottor Fabiano. Era troppo grosso.

Una volta a settimana invece – da quando Grifone, grande proselitista, aveva fatto entrare anche lui alla Conferenza di San Vincenzo – era il dottor Fabiano ad andarlo ad aspettare sotto casa la mattina presto con l'Alfa 1900 prima e la Seicento poi.

La Conferenza di San Vincenzo de' Paoli – il corrispettivo maschile delle Dame di Carità; introdotta a Latina dopo la guerra dall'avvocato Grifone e il commendator Brustolin, segretario comunale – si riuniva ogni sabato sera, dopo cena, nella grande sagrestia di San Marco.

Dopo la preghiera iniziale si discutevano le opere di carità e assistenza – «La tale famiglia avrebbe bisogno di questo o di quest'altro» – si facevano i conti e alla fine si raccoglievano le offerte. Ne facevano parte – proselitati da Grifone e Brustolin, che abitava pure lui alla Previdenza sociale – anche zio Adelchi e zio Benassi, che si portava sempre appresso, man mano che crescevano, qualche figlio più piccolo: prima Otello, poi Manrico, infine Accio. Gli dava pure una monetina con la spiga di grano, o col delfino, da far cadere alla fine – quando passava – nella sacca delle offerte.

Una volta a settimana quindi – la mattina presto, alle sei – il dottor Fabiano andava a prendere in macchina sotto casa l'avvocato Grifone e facevano il giro di queste famiglie bisognose, a consegnare a chi la busta della spesa, la pasta la farina l'olio, a chi qualche lira o qualche vestito. Fabiano approfittava per le visite a domicilio, portando spesso come le ho detto ai pazienti la carne di cavallo e le medicine, ma soprattutto i purganti, da cui non prescindeva. Qualunque cosa tu avessi, la prima parola d'ordine era: «Statte buone e pìgliate na purghetta».

Insomma dalle sei alle nove si facevano questo giro. Fabiano non era un grande guidatore – secondo Grifone – però andava forte: «Si crede Nuvolari». Grosso grosso dentro la Seicento tagliava ogni piccola curva come fosse una chicane, con Grifone piccolino lì di fianco a tirarlo per il braccio: «Vai chiane cumpà, ca preferische arrivà tarde ca nun arrivà». Finché Fabiano rallentava.

Terminato finalmente il giro: «Jàmmece a piglià nu cafè» a piazza Dante.

E di nuovo – appena scesi dalla macchina – di corsa tutti e due a chi arrivava per primo a pagare da Scibilia, con Fabiano però, primo o non primo, sempre con sto dito addosso al petto di Grifone, tra il petto e la spalla sinistra: «Statte buone, ca tocca a me...»

«Ma statte buone tu, co' stu rite, ca me buchi 'o polmone».

Sono andati avanti così per anni e anni – tutte le mattine – finché sono stati ambedue in vita. Fabiano se ne andò per primo, riposi in pace. Grifone rimase quasi orfano, diceva lui. Erano proprio più che fratelli, come sono spesso i veri amici. Si volevano bene.

Quando toccò a Grifone – riposi pure lui in santa pace – il momento d'andarsene fu però preceduto da una brutta cosa dolorosa e neanche troppo breve ai polmoni, pur non avendo mai fumato. Ogni tanto a letto, poverino, si lamentava.

«Dov'è che ti fa male?» gli chiedevano per dargli chiacchiera la moglie e i figli – specie Maria Teresa – o i dottori di passaggio.

«Qua» rispondeva lui massaggiandosi con la mano il petto, tra il petto e la spalla.

«È la malattia» gli spiegavano comprensivi.

«Ma quale malattia?» si metteva a ridere l'avvocato Grifone: «Statte buone statte buone, queste so' tutte le ditate che m'ha dato Fabiano» e rideva rideva.

Politicamente poi non le so dire. O meglio, Grifone era sicuramente Dc, Fabiano non so. Buon cattolico anche lui, era medico pure dei salesiani di San Marco. Le figlie – tra cui quella che sarà editrice e pure professoressa di lettere al geometri di Otello e poi di Accio – erano secondo alcuni di sinistra: «Mezzo socialiste o socialdemocratiche, va'». Lei dice di no: «Ero apolitica».

Michele Paolelli comunque stette a letto due mesi, per l'asiatica. Prima con febbri altissime a trentanove e mezzo anche quaranta, che il dottor Fabiano veniva tutti i giorni a fargli certe punturone di penicillina oleosa da fare paura solo a guardarle. Lui strillava e s'agitava come un matto. Facevano fatica a tenerlo. Non riuscivano a fargliele. Il padre allora lo implorò: «Chiedimi quello che ti pare, figlio, ma noi queste iniezioni te le dobbiamo fare».

«Vorrei tanto un cagnolino».

«Mo' vediamo...»

Accio intanto – ogni volta che andava o tornava da scuola – chiedeva dal cancello alla madre: «Come sta Michele?»

«Eh, sta male, sta male...»

«Beato lui» mentre dentro quello strillava per le iniezioni.

Finalmente il padre un giorno s'è ripresentato a casa dal lavoro tirando fuori dalla Lancia Appia nuova celeste – prima avevano un'Ardea, sempre Lancia – un cagnolino piccolo piccolo, un cucciolo di pastore tedesco: «Ecco è tuo, si chiama Wolf».

«A noi niente?» i fratelli.

«Mica avete l'asiatica, voi».

«Che razza di ragionamenti» il fratello più grande, che poi infatti è diventato avvocato.

Michele no, è diventato medico.

E «Wolf!» di qua, «Wolf!» di là – a fargli le feste su e giù per il letto – s'è lasciato fare queste iniezioni senza più fiatare. In capo a un mese – venti giorni di penicillina – è guarito e le febbri gli sono passate. Ma s'è dovuto fare un altro mese coricato perché non riusciva più a muoversi, con le gambe piene di pomfi grossi pruriginosi dolorosi come e peggio delle punture velenose di insetti tipo tafani. Il dottor Fabiano disse che era un eritema nodoso, lasciato in eredità dal virus dell'asiatica.

Col tempo il cane crebbe però, e diventò una bestia enorme e cattiva: «Ch'agh vegna un càncher ancora adesso» dice Accio. Ogni volta che passava davanti al cancello – un rettangolone lungo in tubolare di ferro, con una grossa rete metallica a coprire lo spazio da un capo all'altro – quello gli si avventava addosso come una furia, alto alto tutto il corpo, con le zampe che sporgevano fuori dal tubolare superiore. «*Frìuwicìsscwscc!*» faceva la rete rimbalzando sotto sforzo. «Prima o poi la rompe e me se magna» pensava Accio.

Anche ad Enzo Paulinich – pure lui una ventina e passa di giorni a febbre molto alta, e iniezioni e iniezioni di penicillina – l'asiatica lasciò una vitiligine che gli è poi rimasta. Anzi, gli si è sempre più allargata: prima gli si erano formate delle macchie bianche sulla pelle e sui capelli – che la madre, per mascherarli, gli metteva l'acqua ossigenata, e così a lui venivano tutte ciocche un po' bianche, un po' gialle e un po' castane e preferiva tenersi sempre in testa il cappelletto estivo di cotone azzurro, con la visiera rigida, della colonia al mare a Rio Martino – adesso invece è completamente bianco, quasi albino, e non ci pensa più. S'è levato anche il cappello.

«È l'asiatica che gli ha guastato i meccanismi di produzione della melanina e quindi la pigmentazione della pelle» disse alla madre il dottor Stefancich – esule fiumano laureatosi a Vienna quando l'Istria e Fiume erano ancora sotto l'Austria-Ungheria – medico scolastico e dottore loro di famiglia.

L'arrivo di questo dottor Mario Stefancich a Latina fu quasi sicuramente dovuto all'intervento di Leo Valiani, il grande combattente antifascista pluriperseguitato che lei ricorderà di sicuro, già del Pci e poi in Giustizia e Libertà – che rappresentò al massimo livello nel CLNAI, Comitato di liberazione nazionale dell'Alta Italia – infine membro influente dell'Assemblea Costituente. Un padre della Patria e della costituzione democratica e repubblicana.

Be', anche Leo Valiani era di Fiume – dove era nato nel 1909 – il suo cognome vero d'origine era però Weiczen, non Valiani. Glielo cambiò senza tanti complimenti l'Italia fascista: «Italianizzazione» la chiamavamo. Poi dice perché da quelle parti, dopo, non ci hanno più potuto vedere. In neanche venticinque anni, dal 1919 al 1943, che abbiamo comandato noi lì – dopo oltre un secolo di *buon-*

governo austroungarico – gliene abbiamo fatte passare di cotte e di crude.

Non abbiamo avuto alcun rispetto delle altre popolazioni lì presenti – della loro dignità umana, etnica, culturale e linguistica – imponendo addirittura il cambio dei cognomi, discriminandole in ogni modo ed impedendo persino che la domenica, a messa, i preti croati o sloveni potessero predicare nella loro lingua. Pure le prediche e preghiere dovevano essere in italiano, se non volevi repressioni e bastonate dai cosiddetti *fascisti di confine*, duri e puri. Poi lei sa però gli esiti a cui questo ha portato: le foibe, le espulsioni, l'esodo e l'esilio dei giuliano-dalmati.

Leo Valiani, comunque, insieme ad altri era stato nel 1931 in galera e sotto processo a Fiume – per avere costituito e fatto attiva parte di una cellula comunista – con Martin Stefancich, suo collega di lavoro alla Banca Mobiliare e fratello più grande del dottore nostro Mario. Avrebbero affisso clandestinamente manifesti e volantini sovversivi e pare stessero organizzando un attentato quando l'Ovra – o la normale polizia politica fascista, non so – li scoprì, arrestò e mandò davanti al tribunale speciale per la difesa dello Stato.

Valiani si beccò dodici anni di carcere, altri compagni un po' meno e Stefancich venne assolto per insufficienza di prove. In galera si fece solo la detenzione preventiva. Rimase sempre sotto osservazione della polizia fascista, ma poté tornare a casa e riprendere a lavorare.

I due restarono però in contatto e nel 1947 – quando la situazione a Fiume dopo la guerra si fece critica per gli italiani, pressati pericolosamente dal revanscismo slavo – Martin Stefancich scrisse al vecchio compagno di lotta, ora deputato nazionale all'Assemblea Costituente, per far sbloccare i visti d'espatrio e portare i congiunti da Fiume in Italia. Lo cercò poi di nuovo nel 1949 per chiedergli – ove fosse possibile – di trovare una sistemazione al fratello Mario.

Grande medico peraltro – Mario Stefancich – e grande medico scolastico. Non ci vedeva molto bene; anzi, poco e niente. Portava degli occhiali enormi con lenti doppie, spesse spesse. Per farti il vaccino sulla spalla avvicinava talmente il viso – per guardare bene – che tu sentivi il freddo delle lenti sulla pelle.

«No star mòverte», ti tranquillizzava, «che go finido», quasi dolce e premuroso.

A Otello, per esempio, ogni tanto capitava – volendo o non volendo – di superare i cinque giorni consecutivi di assenza da scuola e non gli bastava quindi più, sulla giustificazione, la firma falsa di zia Pace. Gli ci voleva per forza il certificato medico e la prima volta era andato da Fabiano, che all'inizio lo aveva accolto – appena entrato – gentile e sorridente: «Uhé! Come sta tuo padre?»

Ma neanche finito di chiedere il certificato, quello s'è scurito in viso, guardandolo a lungo con gli occhi accigliati, finché gli ha detto: «Guaglio'! Tu àve da andà a scuola, hai capito? Io il certificato non te lo posso fare, non sono mica medico scolastico. Vai da Stefancich e ringrazia Dio che non lo dico a tuo padre... Vatténne mo'».

«Mannaggia la puttana» faceva Otello per le scale: «Che gli racconto mo' a Stefancich, che manco me conosce? In mezzo ar mare de regazzini che je passano sotto ogni anno, se po' stà a ricordà de me, che manco ce vede, co' quei cocci de bottiglia che tiene davanti all'occhi?»

Lui ovviamente sì che se lo ricordava Stefancich, quando da ragazzino alle elementari gli si appoggiava con le lenti sul braccio per iniettargli il vaccino con un pennino tipo quelli per intingere l'inchiostro. Due buchi in verticale ti faceva sul braccio – in alto – e quando le croste cadevano ti restavano cicatrizzate due piccole rose zigrinate. Dopo un paio d'anni – mentre pian piano le cicatrici sfumavano fino quasi a scomparire – ti faceva il richiamo sull'altro braccio. E se le prime due rosette sono difatti poi scomparse, le seconde invece stanno tutte ancora impresse – rosascuro – sulle nostre spalle sinistre. I timbri di Stefancich.

Erano vaccinazioni antitifo, antivaiolo, antidifteriche, antitubercolari. C'erano un sacco di malattie in giro a quel tempo – oltre alla fame – che attentavano alla vita di fanciulli e ragazzi. Giusto la malaria era stata da poco debellata con il Ddt. Ma tutto il resto era in agguato. Oggi stavi bene e domani eri andato. Quella che però metteva non dico paura, ma proprio terrore era la poliomielite – la paralisi infantile – che se ti pigliava restavi storpio per sempre. Era virale anche quella e il primo vaccino – il Falk – lo scoprirono in quegli anni. Stefancich lo iniettò a tutti con la siringa di vetro – non col pennino – sterilizzata ogni volta col bollitore, sia alle elementari che alle superiori. Appena uscì il Sabin per via orale – con lo zuccherino – risomministrò da capo anche questo.

Così, quella volta che a Otello serviva il certificato e il dottor Stefancich se l'era visto titubante – timoroso e preoccupato: «Chissà questo mo' che me dice» – sulla porta del suo ambulatorio nell'androne della scuola dell'Orologio a piazza Dante, gli era andato incontro sorridente, a scrutarlo bene bene da vicino con gli occhiali: «Benassi!» appena lo aveva riconosciuto.

Lo aveva spinto dentro contento: «Vieni avanti, vieni avanti. Tu sei un Benassi, sei Otello. E come stanno tuo padre e tua madre? E l'asiatica? La ga già presa l'asiatica qualcun de voi, le to sorele, i to fradèi, Accio, Violetta, Manrico? Ah già, Manrico è a Siena». Chiedeva e sapeva tutto – vita, morte e miracoli – e non stava più zitto.

«Che palle» tra sé Otello: «Famme sto certificato e me ne vado».

Finalmente glielo ha fatto. Era un pezzo di pane Stefancich: «Torna quando vuoi, vienimi a trovare e stai attento all'asiatica, speriamo che trovino presto il vaccino così vi faccio pure quello».

C'era un grande servizio medico scolastico una volta – a Latina – che oggi di fatto non esiste più. Tutto è delegato alle famiglie e ai pediatri cosiddetti *di base*, mentre di «medico scolastico» specificatamente tale ce n'è uno solo per l'intero distretto sanitario – migliaia e migliaia di studenti – che probabilmente non sa nemmeno dove stiano, una per una, le scuole a lui assegnate.

Allora invece ogni medico aveva in carico tre istituti e li seguiva dalla a alla zeta. Stefancich conosceva personalmente direttori, presidi e singoli insegnanti. Ogni due anni faceva screening completi alle elementari: peso, altezza, esame della vista e dei polmoni, udito, dentatura, test tubercolina. Di tutti conservava le schede ed era affabilissimo. Solo con l'asiatica non potette fare altro pure lui che aspettare il vaccino e provare a curare con la penicillina – o al limite a prevenire – se non i danni del virus, almeno quelli della frotta di microbi e batteri che, infilandosi dietro a lui nell'organismo, potevano portare al decesso gli ammalati.

Pare siano stati due o tre milioni i morti per asiatica in tutto il mondo. Negli Stati Uniti furono 116.000. In Italia circa 30.000, ma ne sarebbero state contagiate – anche se in forme più o meno lievi – ventisei milioni di persone, un italiano su due, e quasi l'85 per cento della fascia d'età tra i sei e i quattordici anni. Tutti quanti insomma, eccetto i Peruzzi e rami collegati. Ma non venne chiusa nessuna scuola – salvo pochi giorni al ritorno dalle vacanze estive, nelle zone più colpite del Sud – nessun bar, nessun cinema, nessuna chiesa fabbrica o ufficio in tutto il Paese.

Anzi, era un continuo minimizzare. La gente ci scherzava sopra. Un giorno che l'Abruzzese non s'era visto arrivare e Otello e gli altri due – l'Atlante e Di Francia – erano andati a chiamarlo sotto casa, quello s'affacciò tranquillo alla finestra: «Non posso venì. Sto a letto coll'asiatica».

«Ah, sporcaccione!» gli strillò Otello dalla strada: «E che je stai a fà a st'asiatica, che je stai a fà?»

«Le pippe se sta a fà» Atlante e Di Francia.

«Maleducati mascalzoni, via di qua» la madre dell'Abruzzese.

Non ci fu nessunissimo allarme. Anzi, tutti a sminuire e tranquillizzare proprio come i primi tempi – più di sessant'anni dopo, nel 2020 – del coronavirus. L'alto commissario alla sanità senatore Mott – il ministero non esisteva ancora, fu creato l'anno dopo – disse che era un'influenza come le altre, forse pure più benigna: «*Non è il caso di allarmarsi*».

La Stampa di Torino scrisse: «*Il terrore per una gentile influenza è dovuto solo al nome: "asiatica". Tutto quel che viene dall'oriente ci incute un'inconsapevole paura*».

Giusto *L'Unità* – i comunisti – attaccò il governo Dc di Adone Zoli, accusandolo di avere preso sotto gamba e trascurato colpevolmente la lotta all'epidemia: «*Si doveva e si poteva fare di più*».

A noi niente però, le ho detto. L'unico di tutti i Peruzzi e Benassi a cui l'asiatica, pur non avendola presa, ha lasciato in qualche modo un segno – ne ha cambiato la vita, la strada, il tragitto – è stato Manrico, purtroppo.

Pure lui in seminario minore a Siena – che lì chiamavano anche «scuola apostolica» – non essendosi ammalato assisteva i compagni, gli portava da bere e da mangiare, leggeva ad alta voce in camerata qualche libro, scherzava con uno, studiava con l'altro, intonava il rosario: «*Deus, in adiutorium meum intende. / Domine, ad adiuvandum me festina*».

Aveva dodici anni e mezzo oramai – seconda media – studiava e s'applicava con passione. In latino era una scheggia, in italiano non ne parliamo. Tutte le poesie a memoria e canti interi dell'*Iliade* di Vincenzo Monti: «*Cantami, o Diva, del Pelìde Achille / l'ira funesta, che infiniti addusse / lutti agli Achei*». Come e più di Accio col libro *Mamma*, neanche finito il primo mese s'era letto tutta l'antologia: i racconti di Fucini, Nicola Lisi, le novelle di Ferdinando Paolieri, le poesie di Marino Moretti. Gli bastava sentire una cosa a lezione e già la sapeva.

Pure il francese – che per i vincenziani era importantissimo, sia per le missioni all'estero sia perché la casa generalizia stava a Parigi e il fondatore stesso della congregazione, san Vincenzo de' Paoli, era francese – lo imparava al volo, sembrava quasi madrelingua: «Quelle prononciation, ce garçon» dicevano a padre Giorcelli i missionari francesi che ogni tanto capitavano a Siena.

Letto, armadietto e comodino sempre in ordine, come il banco in aula e il posto in sala studio coi suoi libri sullo scaffale. Si lavava denti e piedi tutte le sere – cosa più unica che rara a quel tempo – e le orecchie la mattina, ancora assai più rara. A servire messa in cappella quand'era il suo turno – o alla benedizione serale, il *Tantum ergo*, o a intonare il rosario e il *Veni Creator Spiritus* che era il suo preferito, come anche *O Via, Vita, Veritas* e «*O salutaris hostia / quae caeli pandis ostium, / bella premunt hostilia: / da robur, fer auxilium*» – compunto, azzimato, ieratico, sembrava lui l'officiante.

«Chissà da prete cosa sarà...» faceva padre Giorcelli.

I compagni non le dico. Con quella sua gentilezza innata, i modi aristocratico-principeschi ma senza superbia o alterigia, sempre alla mano affabile con tutti, la voce dolce, l'eloquio avvolgente e forbito, la battuta pronta, l'ironia costante – ironia e non sarcasmo però, badi bene, e rispetto per tutti – a ricreazione o in camerata era al centro d'ogni gioco ed invenzione: «Manrico!» di qua, «Manrico!» di là. I compagni gli volevano bene.

I superiori pure: «Forse è presto per dirlo, ma la vocazione c'è. Se tutto va bene e continua così, con l'aiuto di san Vincenzo riusciamo a farne un bel missionario, gran predicatore, buon lavoratore nella vigna del Signore».

Anche in matematica e fisica – che lì però, come lei immaginerà, non erano la preoccupazione principale del corpo insegnante – Manrico era una scheggia come in latino:

gli piacevano le espressioni e le formule, le risolveva al volo così come teoremi e dimostrazioni. Era logica pura il suo cervello, con il conseguente e deprecabile difetto però – di cui i superiori non s'erano ancora accorti; ma se ne accorgeranno con l'asiatica – che la logica non ammette mediazioni. Altro che Occam: aveva un rasoio – dentro la testa – Manrico. E col rasoio misurava tutto, spaccando ogni volta il capello in quattro: «O è bianco o è nero. *Est, est; non, non,* dice il Vangelo. Sì al sì, no al no».

Lui insomma assisteva i compagni ammalati, dava una mano alle suore in cucina, serviva sempre messa perché non c'era nessun altro, nel tempo libero studiava o leggeva mentre, però, arrivavano anche a Siena – in via Enea Silvio Piccolomini 26, contrada del *Pèhoro* – notizie dal mondo. La Congregazione della Missione stava, come lei sa, dappertutto. Già san Vincenzo de' Paoli ai suoi tempi – 1648 – aveva mandato i primi missionari in Madagascar. Poi tutta l'Africa, l'Asia, le Americhe, l'Oceania. E si scrivevano lettere fra loro inviandosi anche – ogni mese – un bollettino in cui ognuno raccontava le cose del posto in cui stava.

Cominciava quindi ineluttabilmente a farsi strada – almeno tra i vincenziani – la consapevolezza che l'asiatica non fosse un'influenza come le altre. La gente moriva a frotte – sembrava non esserci rimedio – e il direttore della scuola apostolica, padre Samaritani, ne parlava sempre più ossessionato: «È un flagello di Dio! È l'arma e la mano del Signore, che vuole punire questo mondo corrotto. È la sua santa vendetta contro il peccato, contro i malvagi, la gente che non va più a messa, la pornografia, la gioventù bruciata, le guerre, il comunismo, la smania del denaro, la corruzione, la lussuria». Dài e dài, non la finiva più. Tutti i giorni una solfa.

Finché «Scusi, Padre», lo interruppe una sera Manrico che più di tanto, lei lo sa – anche se con estremo tatto, dolcezza e gentilezza – più di tanto non è mai riuscito a reggersi: «Ma se Dio è, come è, infinito amore e somma giustizia, e secondo la dottrina ci ha creati proprio e solo per amore, quando mai potrebbe venirgli in mente di sterminarci tutti, buoni e cattivi, bambini innocenti che non sanno nulla del comunismo, per le colpe solo di alcuni? Non è possibile, Padre».

«Ah, sì? E Sodoma e Gomorra? E tutti i flagelli che mandò sull'Egitto, perfino l'uccisione di ogni primo figlio maschio?»

«Ma quello è il Vecchio Testamento, Padre» – che Manrico la Bibbia se l'era già letta e riletta da capo a fondo almeno tre o quattro volte, quando stava ancora a casa; gli piaceva quasi più, anche solo proprio come romanzo, di *Kim* e dell'*Isola misteriosa* – «Non è la Nuova Alleanza, fatta solo d'amore, che stabilisce con noi tramite il Figlio Gesù ed il Vangelo: "Porgi l'altra guancia. *Qui te percutit in maxillam, praebe et alteram*"».

«Maladeti i Zorzi Vila» ha detto padre Samaritani: «Vuoi spiegarmi anche il Vangelo? Che ne sai tu, presuntuoso impertinente? Stai al tuo posto. Più umiltà Manrico, più umiltà: sei troppo superbo. E adesso preghiamo: *In nomine Patris et Filii et Spiritus Sancti...*» e tremava ancora dalla rabbia, mentre pure pregava.

Manrico invece non moveva le labbra nemmeno a fare finta, rosso di vergogna e macerato fin nell'anima per il rimprovero ingiustamente ricevuto, secondo lui.

Anche dopo che il Direttore se ne è andato e i compagni uno ad uno – prima di mettersi a letto – venivano a consolarlo: «Avevi ragione tu. Non te la prendere...», lui sempre immobile e rosso, senza dire niente.

Ma più gli dicevano: «Non te la prendere» e più Manrico se la prendeva: «E chi parla più? Altro che sì sì, no no; *est est, non non*. Taca 'l birosso (il carretto) 'ndoe vòle 'l paron, dicevano i miei zii».

Io che le posso fare? «Ognuno ga le so razon» e pure padre Samaritani – poverino – se lei ci pensa bene non aveva tutti i torti. A quello il mondo – o almeno il mondo a cui era abituato – gli stava venendo giù tutt'intorno. Lasci stare l'asiatica, la Seicento, la Cinquecento, l'emigrazione, l'industrializzazione, la televisione e tutte queste cose qua. Lei pensi solo a quel rock 'n roll scoppiato in America nel 1956, che era oramai arrivato fin qui.

Già dal 1957 Tony Dallara cantava «*Come prima, / più di prima, / t'ameròòòò*» e addirittura: «*Ti dirò-ò-ò-ò / che tu mi piaci, / ti dirò / che nei tuoi baci*». Mio zio Benassi si è sentito male, la prima volta che non volendo lo ha ascoltato: «Roba da chiodi! Questa è musica sincopata zum-zum-zum-zum. Ndò sta la melodia? So' usciti pazzi alla radio? Spegnétela subito».

Non le dico l'anno dopo, quando il primo febbraio 1958 – sabato, santa Verdiana: «*Se di febbraio tuona, l'annata sarà buona*» – al festival di Sanremo vince *Nel blu dipinto di blu* di Domenico Modugno: «*Volare, / ó-ó-ó-ó! / Cantare, / ó-ó-ó-ó*».

Mio zio manca poco e la spacca, la radio. Non lo poteva proprio vedere – oltre che sentire – Modugno: «Ma che cià da strillare questo? So' urlatori so', benedetta la Madonna della Valle. Che modo di cantare è? Ó-ó-ó-ó? Ma che te piglia un colpo a te e ó-ó! Che fine ha fatto la bella musica melodica italiana, che ce la invidiava tutto il mondo? Mo' so' arrivati st'urlatori qua, e gli danno pure il premio li possin'ammazzà. In galera li devono mandà, oppure a lavorà».

È andato avanti i mesi a brontolare «Urlatori!» quando la sera, tornando dall'officina in bicicletta, sentiva Otello e gli amici suoi – l'Abruzzese, l'Atlante, Di Francia – sbraitare da sotto le capanne: «*Bi-bap-a-lula, / shi's mai bèby! / Bi-bap-a-lula, / shi's mai bèby!*» accompagnandosi «*tudùm-tudùm-tudùm*» coi bastoni sugli scatoloni di cartone o «*tedèn-tedèn-tedèn*» sui barattoli della vernice.

E appena finita *Be Bop a Lula* attaccavano *Tutti frutti*: «*Tùdi friùit! / Dedèn-dedèn-dedèn! / Òin léuli! / Tùdi friùit! / Dedèn-dedèn-dedèn! / Òòin léuli!*»

«Urlatori» le ripeto bofonchiava mio zio, finché poggiata la bicicletta al muro entrava in casa dove – come gli appariva la moglie, mia zia Santapace – storceva la bocca in una smorfia di disgusto e sentenziava anche lui, non so se dando implicitamente la colpa a lei: «Gioventù bruciata!»

«Ah, sì? E che vuoi da me? Pensa piuttosto a quello che hai fatto passare tu, a tuo padre, quand'eri giovane».

«Io? E che gli ho fatto passà, io a mio padre? Lui, piuttosto, me ne ha fatte passare un sacco a me, ma io non gli ho mai risposto e neanche mi sono ribellato una volta. Gli ho sempre obbedito».

Otello aveva poco più di quindici anni nell'inverno 1958 – quindici e qualche mese – e girava oramai con i blue-jeans lunghi, risvoltati alla grande sopra la caviglia. Li andava a comprare con gli amici suoi – «Originali americani» dicevano – al mercato degli stracci il martedì mattina. Si alzavano presto – per poter essere lì in orario pre-scolare; non è che potessero bucare la scuola e andarci dopo, col rischio di trovarci anche le madri – e si mettevano a cercare tra la marea dei banchi ricolmi di indumenti usati provenienti dagli Usa.

Lo chiamavamo proprio il «mercato americano» e ci affluivano le balle che ogni settimana le navi scaricavano a Napoli. Montagne e montagne di stracci. Ci venivano anche un sacco di romani – il martedì – a fare spesa al mercato degli stracci di Latina, per rivenderla poi, a caro prezzo, nelle boutique di Roma: «Originale americano» dicevano pure loro ai clienti.

Otello quindi sempre con questi blue-jeans addosso col risvolto sopra il piede, oramai, e un paio di Ray-Ban a goccia tipo Aviator lenti scure, trovati anche questi di seconda mano al mercato, che ogni volta che incrociava in piazza o per la strada le zingare – la madre, le sorelle o le cugine di Akim (quello dell'Acque Medie, non dei giornaletti), in giro per manghèl o mangàss, come chiamano loro l'accattonaggio, chiedere l'elemosina – subito lo accerchiavano tirandolo da ogni parte: «Marlonbra'! Come sì bellu Marlonbra'».

Ora però è anche vero che pure Akim – a quel tempo – aveva cominciato a girare coi Ray-Ban ed i jeans. Era l'unico fra tutti gli zingari – che pare lo adorassero: «Akim di qua» e «Akim di là» – a comportarsi quasi come noi: frequentare i bar della piazza e il bar Di Russo, seguire le mode e non farsi mai vedere su un carro o calesse a cavallo. Tutti gli altri suoi parenti maschi andavano vestiti di nero o coi calzoni di fustagno, e le donne con i gioielli d'oro al collo ed i gonnoni larghi larghi, lunghi lunghi, che tutti dicevano servissero per rubare e nasconderci le cose.

Lui invece, coi Ray-Ban e i blue-jeans, sembrava proprio uno di noi – solo un po' più scuro di pelle; parecchio più scuro, olivastro – e quando si incrociava per caso con Otello per la strada, o al giro di Peppe, facevano reciprocamente finta di non conoscersi. Neanche si guardavano.

Sia chiaro però che le zingare sue parenti – coi girocolli d'oro e le gonnone larghe a manghèl, a petulare l'elemosina – non è che chiamassero Marlon Brando soltanto Otello. Ci chiamavano oramai – i primi tempi – tutti i ragazzi con i jeans e soprattutto i Ray-Ban. Poi ci hanno chiamato anche gli altri, pure i vecchi alle poste o davanti all'Inps e alla mutua: «Vie' che te leggiu la manu, Marlonbra'»; «Damme quaccosa ca te porta fortuna»; «Marlonbra', Marlonbra', si' chiù bellu 'e Marlonbra'».

«E non me state a rompe li cojoni» si liberava a forza e le cacciava a manate – pure zampate, qualche volta – Otello.

«Che te puozza schiattà de sangue» allora quelle. E sputi per terra – «*Sptciù! Sptciù!*» – seguiti da una sterminata sequela di maledizioni: «*Scurutùngungùtumardó*» nella lingua loro incomprensibile.

«Tie'!» gli faceva il segno delle corna Otello da lontano: «Tie', ve possin'ammazzà».

Quando lo vedeva zio Benassi invece – in giro per casa coi jeans ed i Ray-Ban – subito ridiceva disgustato: «Gioventù bruciata». E alla moglie: «Ma che bisogno c'è, dico io, de tutta sta roba americana? Non andavano più bene i calzoni nostri alla zuava?»

«Zitto, che sono resistenti» lo redarguiva zia Pace: «Non si consumano e costano poco».

C'era un'evidente sintonia di fondo – anche se nessuno dei due lo sapeva – tra padre Samaritani a Siena e mio zio Benassi a Latina: altro che inviare i missionari nostri là, secondo loro. Erano quelli, oramai, che stavano mandando a rotta di collo i jeans e gli Elvis Presley qua.

Quella volta di Manrico, però, il giorno dopo a padre Samaritani gli era passata – o se l'era fatta passare diciamo, più o meno di buona voglia – e fin dalla mattina a messa gli aveva sorriso, trattandolo con la stessa benevolenza di sempre.

Manrico allora ha sorriso pure lui e fatto finta di niente: serviva messa, pregava, studiava, giocava, leggeva, assisteva gli ammalati con la stessa grazia, spirito e sorriso di sempre anche lui. Ma dentro gli rodeva, specie quando qualche compagno gli ridiceva piano piano un'altra volta – con fare circospetto, guardando intorno che nessuno li sentisse – «Avevi ragione tu, ieri». Lui nemmeno rispondeva; sorrideva e faceva il vago.

Padre Samaritani – facendo anche lui finta di nulla – aveva però intanto cambiato strada ed indirizzo, abbandonando nei suoi discorsi ogni più minimo riferimento all'asiatica come vendetta e flagello di Dio, punizione celeste per la corruzione del mondo ed il peccato umano. Solo inviti a pregare: «Pregate e pregate ragazzi, perché il Signore respinga e liberi il mondo da questo morbo, che troppe vittime innocenti va mietendo».

«Hai visto?» batteva sul fianco col gomito a Manrico il

suo compagno di banco Leccabue che era di Parma: «La lezione gli è servita. Neanche oggi ha più parlato di flagello».

«Stai zitto Leccabue, non dire più queste cose. Quello è il nostro Direttore, gli dobbiamo portare amore e rispetto».

«Va' là, va' là... lecchino».

Poi è successo che è morto monsignor Cavalcanti, un missionario anziano che era stato tanti anni vescovo in Cina, aveva fondato chiese, parrocchie, asili, scuole, ospedali e convertito al cristianesimo migliaia di pagani, taoisti e confuciani, finché erano arrivati i comunisti di Mao Tsetung e lo avevano bastonato, torturato, imprigionato.

Solo dopo vari anni il Vaticano era riuscito a ottenerne la liberazione e adesso stava nella Casa pia del seminario di via Piccolomini a Siena – già villa del Pavone – a smaltire la vecchiaia. Alto, magro, con la barba bianca lunga sul petto – pareva Ho Chi Minh – era affabile e dolce coi seminaristi della scuola apostolica, quando ogni tanto scendeva in cortile durante la ricreazione e loro subito gli si stringevano attorno.

Lui li carezzava sulla testa, li benediva uno per uno: «Benassi! Leccabue! Contini! Bocchi! Magnani! Spocci! Ah, Pellicelli!»

Padre Samaritani lo aveva eletto come suo confessore e padre spirituale. Lo venerava come un santo. E quando l'asiatica lo ha preso – febbre altissima, penicillina inefficace, polmonite virale interstiziale – e dopo giorni interi di spasimi e dolori monsignor Cavalcanti infine è morto, padre Samaritani non ci ha visto più.

Soffriva come avrebbe sofferto un figlio. Orfano si sentiva: «Sì lo so che adesso va in Paradiso» s'era confidato singhiozzante coi padri Giorcelli e De Benedictis – grandi amici dai tempi del noviziato – dopo avergli dato nella sua cameretta l'estrema unzione, «ma che ci posso fare?»

Pregato e ripregato tutta la notte e il giorno dopo, finalmente il funerale solenne in San Girolamo col lungo corteo di preti e pretini nelle tonache nere – lunghe fino ai piedi e la cotta bianca sul petto – la sepoltura al camposanto monumentale della Misericordia e ritorno in ordine sparso per la scorciatoia in mezzo ai campi al seminario e Casa pia vincenziana in via Piccolomini, che i senesi chiamano tuttora «il Pavone». Preghiere e preghiere, e la sera a letto.

La mattina appresso in aula a lezione – per quelli immuni o oramai guariti o convalescenti – padre Samaritani arrivò carico al galoppo come un guerriero delle Crociate, e dopo il rituale invito a pregare il Signore perché volesse liberare il mondo dal morbo, iniziò a menare fendenti contro: «Questo bastardo di un virus malefico, infame e satanico, che si infila dentro gli organismi degli uomini più santi, degli infanti innocenti, dei vecchiarelli canuti e stanchi, delle vergini immacolate, degli uomini di buona volontà e li conduce alla morte. È un killer assassino che sceglie con lucida scienza e bieca determinazione le sue vittime proprio tra quelli che hanno meno difese. Li assale, pervade e conduce alla morte, questo ignobile bastardo».

Sembrava proprio che lo avesse lì davanti in persona sopra la cattedra – questo gran figlio di buona donna infingardo inverecondo virus in persona – e lo sfidasse a tu per tu, avendogli prima chiarito per bene le idee, a singolare e risolutiva tenzone: «Vieni qua, se ne hai il coraggio, che prima ti meno e poi ti mangio il cuore con tutte le frattaglie. T'al fasso védare mi, chi 'l xè padre Samaritan».

Manrico nel suo banco all'ultima fila in fondo all'aula – con la faccia fuori impassibile impenetrabile e il sorriso sulle labbra – dentro però fremeva tutto, lo stomaco gonfio e ribollente, polmoni e intestini pure, e il ricordo della voce di zio Adelchi che gli frullava nella testa martellandolo: «Tasi, mona, tasi! No star parlare, no star fiatare, faghe segno de sì con la testa. Sènper de sì qualunque casso ca 'l diga. Xè lu 'l paron qua drento, taca 'l musso dove vuole lui, attaccagli tutto il birosso de drìo, a sto bagoti. No star parlare e di' che 'l vaga in malora».

Pure Leccabue di fianco, a vedere che fremeva e si contorceva dentro il banco – la faccia fuori, ripeto, ferma immobile impenetrabile, una maschera di bronzo col sorriso ferreo stampato; ma nel banco le gambe gli tremavano e i talloni ballonzolavano «*tòc-tòc-tòc*» sulle doghe di legno della pedana – pure Leccabue: «Zitto Manrico, zitto, per carità...». E con la mano lo tratteneva per il braccio.

Ma all'ennesimo «Virus bastardo!» non ce l'ha fatta più.

S'è scrollato di dosso la mano di Leccabue – «Stai fermo, accipicchia» – s'è alzato in piedi e con estremo self control, sereno liscio sorridente gentile persuasivo, ha detto mellifluo: «Mi scusi, Padre, ma non le sembrano un tantino eccessivi e fuori posto questi insulti?»

«Eh?» ha strillato con gli occhi fuori dalle orbite il Direttore: «Ci risiamo un'altra volta, Manri'? Che vuoi adesso? Fammi capire».

«No, Padre, dico solo che non mi pare carino questo linguaggio. Non dice lei sempre che non bisogna mai insultare nessuno a questo mondo?»

«Ma io parlo di voi, di noi, degli esseri umani. Che c'entra questo virus bastardo?»

«Padre!?» scandalizzato Manrico: «Non è pure lui una creatura di Dio?»

«Eeeeh?» ha rifatto padre Samaritani che non ci voleva credere: «Cosa dici, disgraziato?»

«Che se c'è scintilla divina in me, in lei e in tutti noi, non può non esserci anche in lui, Suo figlio come noi. È nostro fratello, Padre. Nostro fratello virus».

«Figlio di Dio? Nostro fratello?» e padre Samaritani si fece il segno della croce: «Come ti permetti, Manrico: questa è una bestemmia. Quello uccide, compie solo il male, entra in noi e ci avvelena» rosso dalla rabbia.

«Ma è nella sua natura, che proprio Dio gli ha conferito. Anche noi non uccidiamo gli animali per mangiarli? È la natura nostra, e la sua è quella di entrare in noi e cibarsi delle cellule che trova. Che colpa ne ha lui? È Dio che così lo ha creato».

«Nooo! Quello è opera di Satana, del Demonio» sempre più arrabbiato.

«No, Padre» sempre gentile dolce mansueto Manrico, ma sempre irremovibile. Lì stava e da lì non si moveva: «Se Dio è creatore e signore di tutte le cose, e prima di Lui non c'era niente, né il tempo né lo spazio la luce e la materia, create tutte da Lui una per una dal nulla assoluto di prima, come dicono la Bibbia e il catechismo nostro santo cattolico che abbiamo imparato a memoria prima della cresima e comunione, allora pure il virus ed anche Satana, a questo punto, mi sa che li ha creati tutti quanti Lui».

«Eretico! Tu sei un eretico» gridava padre Samaritani dalla cattedra con la bava alla bocca.

Tutti gli altri spaventati, annichiliti, rannicchiati dentro i banchi – «Benedetta la Madonna della Valle» facevano – mentre Leccabue di fianco a Manrico continuava a strattonarlo sempre più forte: «Vieni giù, melucco. Siediti, stai zitto». E lui invece a divincolarsi: «Lasciami stare, t'ho detto».

Padre Samaritani sbuffava ansimava come un toro infuriato minacciando fuoco e fiamme – «Adesso scoppia, adesso scoppia» pensavano tutti – quando all'improvviso ha sentito levarsi la voce, nella sua testa, del santo e perseguitato missionario vescovo di Cina monsignor Cavalcanti, grande guida e maestro: «Cosa stai facendo Samaritani? Ti metti a urlare e litigare con un ragazzino di dodici anni? Dove è finita la carità cristiana che ti abbiamo insegnato, dov'è finita la tua umiltà? *Sinite parvulos venire ad me* dice Nostro Signore, e tu invece lo vuoi umiliare? È questa, forse, la lezione di san Vincenzo de' Paoli?»

Di colpo a padre Samaritani sbollì ogni rabbia. Smise di sbuffare, d'ansimare, e da rosso che era sembrò farsi luminoso e calmo. Sorrise e risedette finalmente – placido e tranquillo – dietro la cattedra: «Non avere fretta, Manrico. Non voler precorrere tutto, capire e stare sempre un passo avanti ad ogni cosa, avanti alle lezioni e ai tuoi stessi insegnanti e superiori. Dai tempo al tempo, non ti far bruciare dalla fretta. Anche il seme di grano ha bisogno di mesi e mesi per poter germogliare. Tu sei ancora un seme, adesso. Ma verrà il giorno, ti assicuro, che ti sarà chiara ogni cosa. Vedrai e capirai tutto, quando al liceo e al noviziato studierai la teodicea di Leibniz...»

«Ma qui c'è poco da capire e leibnizzare, Padre» insistette calmo, dolce e principesco – però insistette – quel malnato di mio cugino: «O Dio è, come è e come io credo, creatore d'ogni cosa e non c'era assolutamente nulla prima di Lui, né il bene né il male e quindi neanche Satana, oppure qualcosa c'era già, prima che la creasse Lui. Nel qual caso, però, Lui non è più Dio. Sarà un Angelo, uno Spirito, un Eone o quello che le pare, ma non è più Iddio Creatore». Gliel'ho detto – credo – che aveva un rasoio dentro il cervello.

«Basta, Manrico...» lo ha pregato con un sorriso padre Samaritani: «Lucifero è un angelo che aveva creato Lui, ma a cui aveva dato, come ha dato anche a noi, il libero arbitrio. Adesso basta però, sei solo in seconda media, lo vedrai più avanti. Siediti, per cortesia...»

E Manrico s'è seduto.

«Menomale, va'» gli ha fatto piano piano Leccabue.

«... Dove eravamo rimasti?» ha chiesto allora a tutti padre Samaritani.

«A Fedro!» Leccabue: «*Superior stabat lupus*».

«Lecchino...» Manrico.

Tutto è ricominciato come prima: Manrico a studiare gentile e servizievole; padre Samaritani a guardarlo e seguirlo come tutti gli altri suoi seminaristi della scuola apostolica. Qualcosa però – sotto sotto – s'era oramai incrinata.

Padre Samaritani aveva scrupolosamente riferito tutto ai propri confratelli e superiori, aggiungendo però pure il suggerimento che – forse forse – sarebbe stato meglio rispedirlo a casa sua: «Prima che ci guasti anche gli altri».

«Come? È il migliore e lo cacciamo?» padre Giorcelli.

«Tu lo dovevi vedere! Sembrava Martin Lutero».

«Ma è il migliore. Un'intelligenza così non s'è mai vista qui dentro. E la pietas? Ce lo dobbiamo tenere a tutti i costi: plasmarlo, correggerlo, ma mettere le sue doti al servizio di Dio e della Chiesa».

«Oboedio» disse padre Samaritani e se lo tenne – con la massima cura, ripeto, e senza alcuna acrimonia – solo chiamandolo però, quando parlava di lui coi padri Giorcelli e De Benedictis: «Nostro fratello virus».

Pare che anche le suore fossero venute a saperlo e pure loro ogni tanto – scherzando con la madre superiora – si riferissero a lui come «nostro fratello virus». Oltre a Fratel Renda e Fratel Focile – i due frati laici coadiutori – nella Casa pia del Pavone c'era secondo loro oramai, ridendo, pure Fratello Virus.

Lui a quasi tredici anni era oramai alto. Biondino, gli occhi azzurri e quei modi, sembrava un quadro di Raffaello, un angelo disceso dal cielo. Quando capitava in cucina o in guardaroba – con le suore intente a pregare e cucire, ricamare o cucinare – quelle subito smettevano le orazioni e gli facevano le feste: «Manrico di qua», «Manrico di là». Chi gli incartava una fetta di torta, chi gli dava una mela, chi il piattino col budino. E tutte – volendo o non volendo – una carezza sulla testa a scompigliargli i capelli biondi fini fini: «Nostro fratello virus» ridevano.

«Dacci un bacio sulla guancia», prima che tornasse ai suoi uffici. E lui le accontentava.

Poi lei lo sa però come andrà a finire. Nell'inverno 1961 – all'età di quindici anni e pochi mesi – Manrico era oramai, alla grande, in quinto ginnasio. Eccelleva in tutto. In greco era una scheggia quasi più che in latino, ma anche in matematica e fisica passava i compiti in classe a

Leccabue, che li smistava poi agli altri. Stava imparando a suonare l'armonium e nel tempo libero – o durante le vacanze – si offriva ogni volta volontario ad aiutare padre Giorcelli nel riordino e catalogazione della grande biblioteca del Pavone.

Montagne e montagne di libri s'è letto in quel periodo – Padri della Chiesa, santi e confessori – che non dico al liceo, ma nemmeno a teologia si sarebbero sognati. Lui voleva con tutte le sue forze diventare un missionario e andare poi – se non proprio a Molokai – almeno in India a convertire gli infedeli.

Un giorno però a lezione – com'è, come non è – è riuscito fuori il discorso sulla presenza del male nel mondo e sulla sua natura ontologica: da dove cioè il male scaturisse e perché il Creatore ne accettasse o ne subisse la presenza, ancorché Egli Stesso non lo avesse generato. La teodicea insomma – l'infinita bontà e giustizia del disegno imperscrutabile di Dio – in cui l'uomo è creato in un mondo in cui oltre al bene esiste anche il male, ma con l'ampia facoltà di scegliere tra i due. Il «libero arbitrio» cioè.

Finché una parola ha tirato l'altra e a un certo punto – con Leccabue che lo reggeva di nuovo con tutte le forze: «Stai zitto, bestia! Stai giù» – si è rialzato un'altra volta Manrico: «Ma quale libero arbitrio, Padre? Se io nasco già con il peccato originale, con il male dentro di me, come posso poi essere libero di scegliere soltanto il bene? Dio questa grazia, secondo la Chiesa, la concede solo a chi pare a Lui, non la dà a tutti quanti».

«Ma a te l'ha donata col battesimo, che ti ha liberato dal peccato originale», padre Samaritani.

«Il battesimo? Ma io per sant'Agostino sono colpevole di quel peccato perché sono fatto della stessa natura di Adamo ed Eva che lo hanno commesso. E questo significa che, nelle stesse identiche condizioni loro, battesimo o non battesimo io lo ricommetterei ancora, senza nessuna possibilità di poter scegliere altrimenti o rifiutarmi. Altro che libero arbitrio».

«Ma questa è un'eresia, Manrico! Tu sei eretico».

«Eretico io? Eh no, Padre. L'eretico eventualmente è sant'Agostino, non io. E forse san Paolo. Ma è sant'Agostino che dice proprio: "*Traxit ergo reatum parvulus quia unus erat cum illo et in illo a quo traxit quando quod traxit admissum est*", ovvero "Contrasse dunque la colpa il nuovo nato perché era una cosa sola con quegli ed in quegli da cui la contrasse, quando ciò che contrasse fu commesso", poiché "in lui tutti peccarono", aggiunge san Paolo, "*in quo omnes peccaverunt*". Il che significa, in parole povere, che nelle stesse identiche condizioni avremmo fatto tutti le stesse identiche cose. Consustanzialità. Nei panni di Adamo avremmo coperto Eva e mangiato il frutto della conoscenza. Nei panni di mio zio Adelchi o di mio padre sarei andato anche io, mea culpa mea culpa mea maxima culpa, a piazza Venezia ad applaudire il Duce e in Abissinia a fucilare i preti copti. Altro che libero arbitrio. Ma questo, però, non lo dico io ripeto, bensì san Paolo e sant'Agostino».

«Fuoriii!» s'è messo a strillare come un matto padre Samaritani: «Esci subito dall'aula. Vai in camerata e non ti muovere di là» e appresso a Manrico è uscito anche lui, a cercare in quattro e quattr'otto tutti i confratelli per riunire il consiglio e decidere il da farsi.

Avvisato subito da Spocci e Leccabue, padre Giorcelli è salito di corsa in camerata ad implorarlo: «Ritratta Manrico, ritratta tutto quanto» e insieme a lui lo imploravano anche Spocci, Leccabue e padre De Benedictis.

Ma lui: «Che ritratto? Dio m'ha dato il cervello per pensare, non per ritrattare. Sì sì, no no: *Est est, non non*».

«E va in malora, allora va'» Leccabue.

Il consiglio s'è riunito ed ha deciso. Lo hanno chiamato e arrivederci e grazie: «Caro Manrico ci dispiace molto. Pregheremo tutti per te, affinché il Signore ti faccia trovare la tua strada. Ma non è questo il tuo posto, è meglio che te ne torni a casa» e la mattina dopo lo hanno rispedito indietro.

Lo ha accompagnato padre Giorcelli. In un negozio a stazione Termini a Roma – in attesa della coincidenza per Latina – gli ha comprato per ricordo una macchina da scrivere, la Antares portatile con cui tanti anni dopo stilerà quei volantini e comunicati che purtroppo lei sa. Dopodiché – insieme all'Antares e alla valigia – lo ha scortato fino a Latina. Zia Pace lo ha invitato a pranzo – pasta e fagioli coi tagliolini fatti in casa – e al momento di riandarsene, padre Giorcelli piangeva.

Pure zio Benassi – quando è tornato dal lavoro e lo ha trovato senza più tonaca nera e in abiti borghesi – un altro po' e si mette a piangere: «Come? Ma io ti avevo donato al Signore e questi invece rifiutano il dono? Che gli hai fatto, mannaggia a te, per farti cacciare?»

«Va là, va là, che è meglio così», zia Pace, «che almeno sta coi suoi fratelli e sorelle».

Va pure detto però, per completezza dell'informazione, che Accio – ma le rammento che tra i due, almeno fino a quando non è successo il peggio, non era mai corso tanto buon sangue – Accio insinuava che non potesse essere stato espulso solo per questo: «Per me deve esserci stata anche qualche altra storia, non so, tipo amicizie particolari. Bello com'era, sai quanti preti e pretini deve avere fatto innamorare? Io li ho visti, una volta, gli amici suoi Leccabue, Contini, Spocci, Pelìde Pellicelli. Non ci vorrei giurare, ma m'erano sembrati un po' frocetti».

Io non lo so. Non credo ad Accio, forse prevenuto e tendenzioso. Per me basta e avanza la versione ufficiale. Al seminario mio lo avrebbero cacciato – e pure a calci – già la prima volta, al «virus nostro fratello». Non stavano ad aspettare che gli insultasse e desse pure dell'eretico a san Paolo e sant'Agostino, mi creda.

Poi che ci posso fare? È andata così. Per colpa dell'asiatica – che neanche l'aveva presa, oltre tutto – gli è cambiata la strada. Invece di andare – come voleva davvero lui – a convertire gli infedeli in India o a Molokai, è andato dove sappiamo purtroppo che è andato, povero Manrico.

III

Noi però eravamo rimasti al 1958, quando Manrico a Siena era costantemente un passo avanti ai professori, mentre Otello a Latina – ai suoi – gli stava invece parecchi passi indietro. Neanche col Motom, li avrebbe raggiunti.

A lui non piaceva andare a scuola. Le ho detto, mi pare, che lo avevano già bocciato una volta in prima media – «Ripetere» – e un'altra volta ancora, insieme agli altri somari amici suoi, pure in terza: «Ripetere di nuovo».

«Io lo mando a lavorà, sto disgraziato» aveva detto zio Benassi.

«Ma che mandi e mandi...» zia Pace: «Deve studiare a tutti costi».

«A tutti i costi? Ma se questo ogni anno lo ripete due volte, quanto mi costa lui a me, alla fine? Benedetta la Madonna della Valle, Pace! Lo dobbiamo mantenere a scuola fin che è vecchio?»

«Deve studiare, deve studiare».

Così quello aveva ripetuto la terza media – «So' stato promosso, ma'» tutto contento poi, alla fine dell'anno: «Che me fai de regalo?»; «Anca 'l regalo vòtu ti?» e giù botte – e adesso faceva il primo geometri all'Istituto tecnico Vittorio Veneto di viale Mazzini vicino al tribunale, alla tenera età di quindici anni e mezzo quasi sedici, con due anni di ritardo sulle spalle. «C'è chi salta e c'è chi zompa» pensava certe volte suo fratello Accio.

Usciva tutte le mattine di casa – Otello intendo, non Accio – coi blue-jeans e i Ray-Ban scuri pure se pioveva. Ma se non pioveva – e magari c'era un bel sole – come incontrava gli amici di là della circonvallazione, verso i giardinetti, subito: «Regà, che famo?»

«Che famo!? Famo sega» e vai al campo sportivo fino a via Aspromonte e l'acquedotto, e da lì – prima in mezzo ai campi e poi per la macchia di spini e di rovi del vallone della Cicerchia – verso il mare cantando *Be Bop a Lula, Tutti frutti* e *Tom Dooley*: «*Òran, diurèn Tàm Dù-ùli, / òran, diurèn tu dàii, / Òran, diurèn Tàm Dù-ùli, / ù, banubàn tu dàii! Tù-dà déé-do*».

Ma l'impresa che più aveva eccitato la mente di Otello – in quell'inverno 1958 – era stata la fatidica costruzione di una barca vera, finalmente. Stavolta il cantiere non lo aveva impiantato davanti alle case gialle in mezzo alla palude, tra le capanne; ma nella sede dei boyscout – all'oratorio di San Marco – dove s'erano iscritti tutti quanti. Lui era caposquadriglia delle Pantere e l'Atlante, Di Francia e l'Abruzzese pantere semplici.

Avranno lavorato per un mese e più, e mentre lavoravano cantavano appunto *Tom Dooley*; anche se non più in lingua originale, dopo che unanimemente avevano adottato la traduzione d'autore stesa – in un mattino di sole di fervidissima ispirazione, sugli scogli di Capoportiere – da Silvio Di Francia. Che non a caso, tanti anni dopo, diverrà – roba da non credere – assessore alla cultura del comune di Latina.

E così piallavano, segavano, intagliavano, cantando in coro:

«*Eran le tue Tam Dùli,*
ora non ce le hai più,
te le han tagliate via
con la Gillette blu.

Il vecchio capo indiano,
Giuseppe Manitù,
prese le palle in mano
per non lasciarle più.

Tù-dà déé-do.

Eran le tue Tam Dùli!
Ora non ce le hai più!
Te le han tagliate via!
Con la Gillette blu!
Tù-dà déé-do!»

Ma venne davvero una gran bella barca – lui diceva: «Un gozzo» – che se non proprio davvero un gozzo, sarà stata comunque almeno un gozzino, scialuppa o canoa. Lunga tre o quattro metri, larga al centro quasi uno, aveva tanto di poppa e di prua, di chiglia, costole e fasciame curvato, timone e traverse in mezzo, per i passeggeri e rematori.

Il materiale occorrente di tavole e palanche gli era apparso un giorno, inaspettatamente, accatastato per bene dentro l'ex cinema-teatro dei preti, chiuso sbarrato da tempo, dopo che gli era crollato per la seconda volta il soffitto. La prima, a dire il vero, non era stata colpa intrinseca del teatro, bensì della guerra e delle bombe navali americane, piovutegli addosso allo sbarco di Anzio.

La seconda volta invece no. Il soffitto bombardato dalla guerra era stato appena rifatto nuovo nuovo nel 1954 o giù di lì da Diomede, quel certo mio cugino – non so se ricorda – che con le carriole di legno «*cìo-cìo-cìo*» aveva ripulito la Banca d'Italia di Littoria il 25 maggio 1944, san Beda e sant'Urbano: «*Per sant'Urbano il frumento è fatto grano*». Poi però s'era fatto costruttore, grande impresario edile, anche se non troppo coscienzioso. «Lavórelo sempre al risparmio» diceva zio Adelchi: «Ogni cantiere, nantra Banca da sgranfignar».

Fatto sta, questo soffitto del cinema dei preti, che era stato appena rifatto nuovo da Diomede, venne giù un'altra volta – senza che nessuno lo bombardasse – proprio la sera che sul palco recitavano mia cugina Tosca, la seconda femmina di zia Pace e zio Benassi, e la sua amica compagna di scuola Lina Bernardi; che poi è divenuta un'attrice talmente grande che ancora oggi in giro per l'Italia dicono: «Ahò, quella è una che fa venire giù i teatri».

Il cinema era pieno pieno – la gente pure in piedi – e noi eravamo tutti in platea, ma nelle ultime file stretti stretti, coi più piccoli in braccio. Accio sulle gambe di Otello si ramenava: «Io non vedo niente e i ginocchi tuoi mi fanno male».

«Zitto o te meno».

Tosca e Lina Bernardi recitavano – me lo ricordo come fosse adesso – una roba di zingari messa su dalle suore dell'asilo; che Giorgio Maulucci, alla Previdenza sociale, c'era pure rimasto male: «Ma come, fate fare la regia alle suore e non a me? Ah, non può finire bene questa cosa, chissà che combinerete».

Sul palco comunque c'era un carrozzone e loro due – Tosca e Lina Bernardi, vestite da zingare – di fianco al carrozzone parlavano parlavano, quando a un certo punto s'è sentito uno scricchiolio: «*Crièèèèaaach!*»

Immediatamente dopo: «*BODOBÓMMBOMMM!*» e polverone dappertutto.

Un attimo solo di completo silenzio – pure Tosca e Lina Bernardi sul palco – e l'intero teatro s'è messo a urlare e a correre da tutte le parti. In un attimo le file davanti a noi si sono svuotate e tutti riversati sull'uscita di sicurezza che dà su via Sisto V, un altro papa che tentò invano anche lui di bonificare l'Agro Pontino. Noi pure a scappare, eccetto Accio che invece – appena viste svuotarsi in un attimo tutte quelle file di sedie – è andato di corsa a sedersi davanti, in mezzo al polverone. Hai voglia, la madre e Otello, a chiamarlo: «Vieni via! Vieni via».

Macché, quello restava là: «Venite voi qua, che c'è posto. Sbrigatevi, prima che ve lo prendono».

È dovuto tornare Otello, in mezzo al polverone e i calcinacci, a riafferrarlo con la forza: «Vie' qua. Non lo vedi che è finito?»

«No. Mo' ricominciano» strillava Accio.

«Ma che te ricominciano, cretino» e giù schiaffi in testa, mentre contro la sua volontà – tra pignatte, monconi di ferro e spezzoni di solaio che continuavano a cadere – Otello lo conduceva in salvo su via Sisto V, bonificatore emerito, piena stracolma oramai di gente che si cercava, si ritrovava, chi piangeva, chi rideva, chi si dolorava e Giorgio Maulucci che gridava: «L'avevo detto io, l'avevo detto».

Non ci fu nessun morto per fortuna – non lo doveva avere fatto troppo spesso, il soffitto, Diomede – una trentina di feriti leggeri ed uno solo grave, che però si riprese.

Noi Benassi e Peruzzi intatti comunque – ognuno pensa ai suoi, come lei sa, in queste situazioni – eccetto zia Bìssola, che colpita in pieno da un calcinaccio sopra il naso se lo ritrovò fratturato: «Va' quel can de Diomede» – diceva mentre la soccorrevamo per portarla all'ospedale – «ch'agh vegna na paràlisi».

Lei non ci crederà – vada pure a controllare, se vuole, sui giornali d'epoca – ma dopo qualche mese venne giù, o almeno se ne staccò un bel pezzo di intonaco, anche il cinema Dell'Aquila vicino alla piazza, dove poi al posto suo hanno tirato su quel palazzaccio di otto piani che le ho detto, con dentro la Standa oggi Feltrinelli. Davano un film, non il teatro però, quando cadde e rimase ferito di striscio anche il padre, guardi un po', di Giorgio Maulucci: «Chisà quala maladision ci sarà», gli chiese zio Adelchi quando andò a trovarlo, «sora i sìnema de Litoria?» – lui diceva ancora Littoria – «Ti che ti fè 'l zornalista, ti te ga da saverlo, ostia».

In ogni caso va detto che dopo qualche anno Diomede lo rifece da capo un'altra volta – il soffitto del cinema dei preti – e lo fece a regola d'arte e pure gratis. Non si prese neanche una lira e tutti quanti, a partire dai preti stessi: «Bravo Diomede, che signore che 'l xè».

Sta ancora lassù il soffitto, non è più venuto giù.

Ma ancora adesso che al cinema non va più nessuno e il teatro dei preti è gestito dal comune, ogni volta che c'è uno spettacolo coi biglietti tutti esauriti, lei se ci entra vede un sacco di gente magari anche in piedi lungo i lati della platea, e tanta altra seduta nelle file davanti o in quelle dietro. Ma al centro del teatro – pure se ripeto stanno tutti stretti, sia dietro che davanti che sui due lati laterali, come diceva zio Adelchi – al centro lei vede un cerchio grosso di sedie tutte vuote. Non ci si siede nessuno lì: «Hai visto mai? Non c'è due senza tre».

Lei pensi che una volta Gigi Proietti, mentre recitava da par suo sopra il palco, si voltò un attimo di fianco verso la quinta, dove nascosto al pubblico c'era Silvio Di Francia – quello che da giovane faceva lotta giapponese e invece adesso l'assessore alla cultura, si figuri – e piano piano sussurrò: «Perché stanno tutti in piedi di lato, senza andarsi a sedere lì in mezzo?»

«Non ci faccia caso, Maestro. So' usanze de Latina» spiegò Di Francia.

«Ah, be'», il grande Proietti: «Paese che vai...»

Noi stavamo però a quando Otello era caposquadriglia delle Pantere e il cinema dei preti chiuso sbarrato da tempo, ma la sede dei boyscout gli stava attaccata dietro – dalla parte del palco, diciamo – separata solo dal muro della scala e da una porticina sul pianerottolo del terzo piano, sbarrata ben bene anche questa. Dài e dài però – a furia di vederla – quanto poteva stare, mio cugino Otello, senza tentare di aprirla?

Ha smontato i lucchetti, forzato la serratura ed è sbucato sopra il retroscena, in alto. È sceso sul palco, da lì nel teatro e – alla luce che entrava dal grande buco sul soffitto – ha girato dappertutto, finché proprio sotto il palco, tornando indietro, lì di fianco s'è trovato davanti questa catasta di tavole e palanche.

«Il tesoro! Ho trovato il tesoro, Abruzze'!» al complice che lo seguiva: «Con queste sì, che ce famo na barca».

«Na portaerei ce famo, Ote'» sempre misurato quell'altro.

Su e giù con queste tavole e palanche, la sede dei boyscout è diventata un cantiere navale e pure i non scout – gli aspiranti, l'azione cattolica, i calciatori del Cos, quelli del basket, pallavolo e bigliardini calciobalilla – tutti a vedere Otello che stava costruendo la barca.

«Ma nun ciavete gnent'altro da fa?» li cacciava. E subito – dalle Pantere al lavoro – ripartiva il coro: «*Eran le tue Tam Dùli, / ora non ce le hai più, / te le han tagliate via / con la Gillette blu*». «*Tù-dà déé-do*».

Una sera è venuto anche don Attanasio – che era il direttore dell'oratorio, mentre il parroco era don Angelo Di Cola, succeduto da poco al mitico pioniere don Carlo Torello – insieme a zio Benassi: «Andiamo a dare un'occhiata anche noi a cosa sta facendo Otello» e zio Benassi non s'era potuto rifiutare.

Ma quando sono stati lì e la barca è vero che era ancora in costruzione, ma lo scafo già tutto composto col fasciame ricurvo, la chiglia sopra i cavalletti e Otello come un artista con la sega, il seghetto, il cesello, il martello, scalpello, la pialla, la raspa, don Attanasio è andato in estasi: «Sia lodato il Signore, quanto è bravo sto ragazzo».

«Sì, ma studia poco» mio zio.

«Ma cià le mani d'oro Benassi, le mani d'oro».

Mio zio era tutto orgoglioso e appena tornato a casa deve averlo raccontato alla moglie, perché quando la barca è stata poi finita, calafatata e s'è trattato di trasferirla al mare per poterla varare, c'è andata anche lei in bicicletta – zia Pace – insieme al figlio e agli amici suoi.

non facciamo niente di male. Te lo faccio conoscere papà, vedrai pure tu quanto è bravo».

Pure Accio: «È bravo, è bravo, mi porta sempre sulla Lambretta», mentre Norma piangeva.

«Non lo devi più vedere, ho detto. Basta» zio Benassi.

«No, ti prego no!» Norma.

«Ilezìtimo, ilezìtimo!» zio Adelchi.

«Ma quanti illegittimi avete allora voi tra i Peruzzi?» Norma tra i singhiozzi. Non so dirle, però, se alludesse anche a me.

«Cossa c'éntrimo nantri, bruta svergonià? Ah, 'ndemo bene. Rispondi anche a tuo zio, adesso? E ti non disi gninte» – a zio Benassi – «denansi a sto gran scàndolo? Casso de padre sìto? Cosa dirà la gente, i preti, la Corale, il Consorzio e anca a mi, dai vìzili urban? Fatti rispettare, can d'un Benassi, ghe xè l'onor de la familia, qua».

Zio Benassi le ripeto non sapeva che fare. Stava in piedi dietro al tavolo con le mani sulla sedia – non gli avevano dato neanche il tempo di sedersi: appena entrato in casa, zio Adelchi s'era messo a strillare – e tra un «ilezìtimo» di qua, uno «scàndolo» di là e le urla ed i pianti di Norma, a un certo punto non ci vide più e per mettere paura alla figlia e farla finalmente tacere: «Zitta, sa'?» alzò minaccioso la sedia per aria.

La alzò però purtroppo mentre quella – «Ti prego papà, ti prego» – si lanciava implorante verso di lui e fu come la *Mirra* d'Alfieri: «*BEM!*»

La fronte di Norma andò a sbattere contro la sedia sollevata per aria – o viceversa, se vuole – e lei cadde a terra svenuta.

«Cosa hai fatto!?» disse subito glaciale e dura – con lo sguardo di fuoco – zia Pace al marito, ancora prima di andare a soccorrere la figlia riversa sul pavimento.

Manca poco e sviene anche zio Benassi. Seduto muto da una parte – mentre gli altri raccoglievano Norma e la portavano a letto – bianco in viso come uno straccio pensava solo:

Hanno caricato il gozzo, gozzino o canoa che fosse, insieme agli attrezzi e un po' di materiale di riserva – «Non si sa mai...» – sopra un carrettino di ferro con due stanghe davanti e due ruote a raggi di lato, gommate, che stava lì in giro dai preti. E tutti insieme in bicicletta, tirando con le mani chi una stanga e chi l'altra – mia zia, Otello, Angelo della signora Loreta, Tonino Gava, l'Atlante, l'Abruzzese, Di Francia – col carretto che faceva zig zag e la barca che ogni tanto si moveva e rischiava di cadere, e allora fermati, raddrizza, rilega forte con le corde e riparti per la strada che da Latina va prima a Borgo Isonzo, poi al lago di Fogliano gira per Borgo Grappa e da lì costeggiando il canale fino alla foce di Rio Martino, hanno portato finalmente la barca al mare, con mia zia Pace più contenta di tutti.

Mo' se adesso lei vuole sapere se zia Pace ci sia andata solo per sicurezza e tranquillità – tante volte per la strada il figlio avesse potuto avere problemi e farsi male – o ci sia andata perché era un po' matta pure lei e avventurosa, io non lo so. C'è andata e basta e hanno varato la barca.

Ma appena messa in acqua, quella si inclinava, piegandosi di qua e di là. Non reggeva dritta il mare e Otello ha fatto dietro-front. L'ha riportata in spiaggia e col legname di scorta le ha fissato due traverse di lato – con un galleggiante in fondo – trasformandola di fatto in un catamarano. Allora sì che ha retto i flutti e sali tu che scendo io, tutti quanti a turno – Otello sempre fisso: pilota armatore rematore, nocchiero e capitano – si sono fatti un giro in barca, compresa zia Pace, attorno agli scogli di Rio Martino, dentro e fuori dal mare alla foce del canale, finché non si sono spezzati i remi, che Otello aveva ricavato da due mezze palanche.

Dal mare è rientrato a riva spingendo dalla barca sull'acqua con le mani. Remava a mano. Ma sempre contento e orgoglioso come una pasqua: «Salpammo e felicemente navigammo».

La tirarono in secco fin sotto la duna, la lasciarono lì, coperta da rami strappati alle tamerici, e in bicicletta felici e contenti – senza più barca a sbilanciare il carretto – tornarono a Latina. Ci andavano ogni tanto a navigare quando il tempo era bello – Otello e le Pantere – con dei remi nuovi robusti, ricavati da due filagne di castagno sottratte ai giardinetti, ex sostegni di alberelli piantati di fresco dal comune.

Una sera però – mentre nella sede dei boyscout erano riunite in adunanza le Pantere – si sono ripresentati don Attanasio e zio Benassi. Don Attanasio scuro in volto: «Che fine hanno fatto le tavole e palanche che stavano nel cinema?»

«Ci ho fatto la barca», Otello.

«Ci hai fatto la barca? E chi ti ha dato il permesso? Mica erano tue. Quelle erano nostre, dei preti. Erano il legname di baracca e refettori della colonia estiva. Come facciamo adesso noi quest'anno? Tu le hai rubate, sei un ladro, sei un ladro».

Hai voglia Otello a giustificarsi, a spiegarsi e provare a far capire: «Ma io dovevo fà la barca».

Niente da fare. Quello insisteva con ladro di qua e ladro di là: «Non lo sai che rubare è peccato mortale? Tu sei un delinquente, andrai all'inferno, brucerai tra le fiamme del fuoco eterno» concionava guardandolo con ribrezzo, povero Otello.

Ma soprattutto don Attanasio guardava ogni tanto perplesso – ma fisso negli occhi – mio zio Benassi, come a chiedergli: «Ahò, ma tu non dici niente?»

«Ma che ti debbo dire io?» pensava dentro di sé mio zio. Quello il figlio non lo aveva mai toccato. Mai alzata una mano, dentro casa. O meglio, due volte sole: una gliel'ho già raccontata, di quando stavano a Napoli appena sposati, che lui sui Caterpillar stendeva e ristendeva la nuova pista d'atterraggio di Capodichino e zia Pace, una mattina, s'era presentata sul lavoro a fargli una piazzata di gelosia. Lui allora s'era nascosto in un capannone, ma la sera – tornato a casa – le aveva dato uno schiaffo. Niente di più. Solo uno schiaffo; anche se all'amica di zia Pace invece – l'intrigante

impicciosa che l'aveva messa su – la lanciò fuori dalla porta, insieme al suo cagnolino preso pure a calci: «*Cài, cài, càiii!*» faceva il cane giù dalle scale, appena atterrato.

L'altra invece – l'unica altra volta – stavamo alla Previdenza sociale e se la prese con la prima figlia, la più grande, Norma, per cui aveva sempre stravisto fin da piccola. Ma lì la colpa fu tutta di zio Adelchi, mica sua. Lui non lo avrebbe mai fatto.

Norma, quindici anni, faceva le magistrali e aveva un fidanzatino che si chiamava Domenico ed era tanto una personcina per bene: biondo, fine, studente liceale e pure benestante. Aveva una Lambretta 125 nuova nuova giallo-marroncina del primo tipo – quella con un tubo Innocenti per telaio, motore centrale a due tempi, carenatura davanti a mezza altezza – su cui faceva fare i giretti a me, a Otello, Manrico e pure Accio piccolino, in piedi sulle predelle e le manine sul manubrio. Ci comprava anche i gelati e noi gli volevamo bene. Però era un figlio illegittimo, il padre e la madre non erano sposati. Lui viveva a Latina con la madre. Il padre invece stava a Roma – era un pezzo grosso di non so cosa – e lo veniva ogni tanto a trovare. Erano fidanzati di nascosto, lui e Norma.

Ma cosa volevi nascondere, a quel tempo, a zio Adelchi? Li scoprì, fece la spia e una sera in cucina ad ora di cena – alla Previdenza sociale – scoppiò una tragedia. Zio Adelchi urlava come un matto: «Illegittimo, illegittimo! L'è un fiòlo ilezìtimo, capìssito?»

E urlava soprattutto al cognato, non tanto alla nipote: «Xè uno scàndolo, uno scàndolo! Che vergònia sarìa, per te e per la famiglia, sposarla a un fiòlo ilezìtimo? Che padre sìto, se sopporti questa cosa?»

Zio Benassi non sapeva cosa fare, si sentiva gli occhi di tutti addosso, pure della moglie che taceva sotto gli improperi di suo fratello Adelchi. Allora disse a Norma: «Non lo devi più vedere».

Quella scoppiò a piangere: «È tanto un bravo ragazzo,

«Mica hai detto niente prima, però, per aiutarmi... Mannaggia a te e tuo fratello».

Norma restò a letto tutto il giorno appresso con la febbre a trentotto. Ma quando poi si alzò, dovette mettersi l'anima in pace e lasciare quel ragazzo. Non lo vide più, povera Norma e povero Domenico.

Fu tutta colpa di zio Adelchi, le ripeto. Zio Benassi, per sé, non lo avrebbe mai fatto. Certo c'era pure la gelosia di padre nei confronti della figlia femmina, prima figlia oltre tutto. Ma non c'era nel ghenos dei Benassi – neanche in suo padre o suo nonno, neanche i fratelli o cugini – l'idea di poter mettere le mani addosso ai figli. Mia zia Santapace no, quella era Peruzzi e i figli li ripassava ogni giorno. Ma nella cultura dei Benassi di ogni ordine e grado non c'era. Suo cugino Elvio – quando la moglie una sera gli riferì arrabbiata che il figlio il pomeriggio aveva sfasciato il portone di casa – disse solo: «E tu che vuoi adesso da me, che lo meni io? Lo potevi menare tu, vaffanculo a te e a lui» perché parolacce invece sì, i Benassi ne dicevano quante ne voleva. Ma picchiare i ragazzi o bambini no.

Neanche il vecchio Benassi – nonno Evariste, severissimo padre di mio zio, che ti guardava sempre storto – ha mai alzato la mano sui figli, la moglie, i nipoti. Mai. Sulle nuore invece qualche volta sì – solo le nuore però, ripeto, mai figli moglie e nipoti – soprattutto quando lasciavano entrare qualche gallina in stalla. Allora sì che diventava una bestia, perché le galline – come lei sa – potevano infettare le vacche. Ma quelle – le nuore, non le galline – niente. Così una volta mandò zia Iva all'ospedale, con una botta di forcone in testa. Sei o sette punti le misero. Ma moglie e figli no.

Mio zio Benassi quindi – al contrario della moglie che gliene dava davvero quante ne volevano – mio zio Benassi non era proprio capace. Era un optional che non c'era, nell'hardware e nel software dei suoi schemi mentali, e fu don Attanasio quella volta – con la sua auctoritas sacerdotale – a fargli alzare la mano su Otello.

A furia di sentire quei «ladro» e «delinquente» al figlio e di sentirsi soprattutto addosso gli sguardi imperiosi del prete, impetranti dal pater familias sommaria giustizia, mio zio si considerò tenuto – tirato per i capelli da don Attanasio – a mollare un ceffone al figlio: «*Pàff!*» e il prete tutto contento.

Secondo Otello però, più che uno schiaffo sarebbe stato uno sganassone. Ma magari esagera. Io non so, non c'ero. Quello del resto non lo aveva mai menato. Forse per lui fu più la sorpresa – «E che è successo, mo'?» – a cui s'aggiunse, cocente, l'umiliazione davanti ai compagni. Fatto sta che non la digerì.

«Annàteven'affanculo tutti e due» comunicò: «Io qua non ci rimetto più piede».

La sera poi, tornato a casa, zio Benassi raccontò l'increscioso fatto alla moglie, aspettandosi da lei il giusto sostegno: «Ma tu hai capito, Pace, che parolaccia m'ha detto? Io non ho mai mancato così di rispetto a mio padre. Non mi sarei mai permesso».

Ma altro che sostegno. Mia zia ci mise la giunta: «È colpa tua. Te la sei cercata. Non si mettono le mani addosso ai figli».

«Ma parli tu, che li meni tutti i giorni?»

«E mo' ti vuoi paragonare a me? Da me se le fanno dare».

Ciò che è detto è detto, però, e da quel giorno Otello non lo hanno più visto all'oratorio. Il tempo libero ha cominciato a passarlo dentro i bar di Latina, nelle sale di biliardo, a guardare i più grandi e a rubare con gli occhi ogni astuzia e mestiere, sino a diventare un virtuoso assoluto – un asso – a stecca, parigina e boccette. Il sor Riziero del bar Poeta – la prima volta che lo vide accostare come una piuma una palla al boccino – proclamò a tutti: «Questo cià le mani d'oro. Mani de fata per davvero».

«Eh, me l'ha già detto un altro, li mortacci sua...»

Come dice, scusi? Che però don Attanasio non aveva tutti i torti, anzi aveva ragione, ed Otello in effetti aveva rubato, commesso un furto e, come sappiamo, non era nemmeno la prima volta?

Ah, non ci piove. È verità sacrosanta, chi lo discute? Ma lui doveva fare la barca, cosa vuole da me? Ognuno ha le sue – sia pur perverse – ragioni.

In ogni caso lei capisce però pure bene come tra una cosa e l'altra – bigiate a scuola e gite fuori porta, scontri a sassate tra bande latinesi, razzie nei cantieri, costruzioni di barche, barchette, capanne, bunker, fortini, teatrini, circhi vari e dulcis in fundo pure i bar, biliardi e boccette – dopo essere stato bocciato e avere già ripetuto la prima e la terza media, Otello quell'anno si ritrovò bocciato pure in primo geometri, presso l'Istituto tecnico Vittorio Veneto di Latina chiamato semplicemente in città, a quei tempi, l'Istituto.

«Sti fidenamignotta» disse giustamente Otello davanti ai quadri, essendosi fino all'ultimo – *Dii dementant prius quos volunt perdere* – inopinatamente illuso: «Ma no, mica me bocceranno».

Invece sì: «*Respinto*».

«Ce l'avevano con me», spiegò alla madre.

Quella però non gli credette e – giustamente pure lei – lo menò di santa ragione: «Questo è solo un assaggio. Mo' vedi quando torna tuo padre. Altroché lo schiaffetto che t'ha dato per don Attanasio».

Ma quando zio Benassi alle sette di sera è arrivato dall'officina e lo ha saputo, non ha fatto una parola. Zitto e mosca.

Ha cenato col suo solito uovo sodo, un po' di pane, l'insalata e in bicicletta è ripartito per San Marco alle prove della Corale. È tornato a casa verso le dieci e di nuovo senza una parola s'è messo a letto.

S'è alzato verso le sei, s'è lavato e – prima di uscire per andare alla messa – s'è chinato sul letto di Otello che dormiva alla grossa, lo ha sgrullato per bene, lo ha svegliato e gli ha detto: «Alzati e preparati, che appena torno dalla messa vieni con me in officina a lavorare. Da oggi, qua, non si mangia più gratis».

Era il 1958 le ho detto e la circonvallazione – viale XXI Aprile – era oramai stata costruita, anche se non ci passava quasi nessuno. Solo noi coi monopattini e i carrozzini a cuscinetti a sfera o a giocarci a pallone. Le femmine e i più piccoli invece a campana, lanciando la pietra e saltellando su un piede tra le caselle numerate, tracciate col gesso sull'asfalto.

Di là dalla circonvallazione c'erano anche già i capannoni del Consorzio agrario – quelli famosi di Nervi, che mio cugino aveva preso a sassate – e le prime villette: Cessari, Taviano, Paolelli, Giacomini. Dopo i capannoni – prima del parco cittadino, che noi a quel tempo chiamavamo «giardinetti» – l'officina del Consorzio.

Davanti casa di zia Pace la strada ancora non c'era, ma solo una pista terrosa prima del fosso, uno stradone su cui ogni tanto passavano i carri a due o quattro ruote trainati da muli o da cavalli, colmi di pietra bianca calcarea e materiale vario che andavano a scaricare più in là delle case gialle nostre, proprio dove prima c'erano degli stagni e un boschetto di eucalypti e adesso invece sembrava che dovesse venirci l'ospedale nuovo: «Una cosa enorme di almeno sei o sette piani che manco a Roma ce l'hanno», secondo l'Atlante.

«Ma che ne sai, tu de Roma?» scettico Di Francia.

«E che me chiamate allora a fà, Atlante?»

Di là dal fosso, invece, il teatro delle nostre scorribande: filari di eucalypti e prati e prati – su cui ogni tanto i Molon venivano ancora a pascolare le vacche – fino all'orizzonte, chiuso solo dalla palazzina Faggella e dagli orti delle prime case che laggiù in fondo costeggiavano la strada del Piccarello che portava a Borgo San Michele e Terracina. E in mezzo ai prati e ai ciuffi d'erica qualche cespuglio di rovi, di more e in primo piano – oltre il fosso – l'ultima capanna, un fortilizio eretto da Otello col legname di don Attanasio avanzato dalla barca.

Arrivati quel giorno in officina, zio Benassi non se lo era preso però con sé nel gabbiotto della rettifica pompe diesel, ma lo aveva affidato al capo dei fabbri e tornitori: «Mettilo sotto senza riguardi».

Quello aveva ridacchiato – «Non ti preoccupare, Bena'» – ma poi invece lo aveva trattato con i guanti: «Fai questo, fai quello, non ti conveniva studiare?» e Otello più che stancarsi s'era annoiato. Appena finita ogni incombenza – fatto questo, fatto quello – si sedeva all'istante dove capitava: su un fusto d'olio, una coppa di motore, un albero di trasmissione.

Zio Benassi ogni tanto interrompeva il lavoro al suo bancone e svagato svagato s'affacciava al bugigattolo a dare un'occhiata dove fosse il figlio e cosa facesse. Ma ogni volta lo trovava seduto: «Guarda un po' tu che voglia di lavorare che cià, questo qua. Solo barche e capanne, lo possin'ammazzà».

Quando sono state le cinque del pomeriggio – otto ore di lavoro più una di pausa a mezzogiorno – zio Benassi non se l'è sentita di rifilargli pure le due di straordinario che faceva ogni giorno lui, e lo ha rimandato a casa: «Vaffallippavà».

«Uff» ha tirato un sospiro Otello: «Per oggi è finita» ed un tantino sollevato è uscito dal gabbiotto del padre – sul retro dell'officina – proprio di fronte ai giardini. Lemme lemme s'è fatto via Nazario Sauro fino all'incrocio con viale Metastasio, e arrivato alla villa di Giacomini s'è incamminato su via Cellini: «Finalmente a casa, va'».

Ma non ha fatto in tempo ad affacciarsi sulla circonvallazione, che manca poco e gli prende un colpo: tutti gli amici suoi schierati lì, seduti in fila sul muretto di Zannella, ad aspettarlo con le lagrime agli occhi.

«E che sarà mai?» ha riso Otello: «Mica so' morto. So' solo andato a lavorà...»

«No, no» gli hanno risposto quelli in coro: «Guarda là,

guarda là» indicandogli l'angolo della rete alla fine del muretto.

Lui ci si è affacciato e – «Maladeti i Zorzi Vila!» – di là dallo stradone tutte le madri loro addosso alla capanna, estremo ed ultimo nostro fortilizio, a smontarla pezzo per pezzo, tavola per tavola, pannello per pannello. Abbarbicate pure in due o tre a divellere sradicare con la forza dal terreno le filagne di sostenimento, finché pure il soffitto è crollato: «*Scràààssccch!*». E poi raccogliere i pezzi, le travi, i brandelli e avanti e indietro – su e giù per il fosso e lo stradone, fino sotto ai muretti – a farsi ognuna il mucchietto suo di sudato ligneo bottino: «Con questa ci faccio il fuoco st'inverno. Sai come brucia bene, secca com'è, dentro la stufa?»

«Alle spalle mie però, mortacci vostra» diceva Otello seduto adesso – con tutta la banda – sul muretto di Restante.

«Perché, le spalle nostre no?» reclamavano gli altri.

«Ma che me frega a me, de voi? Ognuno pensa alle spalle sue. Ma che, per caso, venite pure voi, insieme a me domani, a lavorà come cani all'officina? Che cazzo ne sapete voi, che vòle di' la parola lavorà?»

«Eh sì, ciài raggione Ote'» Silvio Di Francia «che fine hai fatto! Mo' te tocca pure lavorà...»

C'erano tutte le madri all'assalto alla capanna: zia Pace avanti a tutte, la signora Loreta e le madri dell'Atlante, l'Abruzzese, Di Francia e gli altri. C'era pure, lei non ci crederà, la Elide del piano di sopra alla signora Loreta, l'unica in tutta la zona al di qua della circonvallazione – dalla Gil fino agli orti laggiù in fondo e da Borgo Isonzo fino al Piccarello – che avesse il telefono in casa. «A chi cazzo deve telefonà non se sa» diceva Otello. Il marito faceva l'impiegato ed erano stati pure i primi ad avere la televisione. Gli unici.

Noi andavamo tutti da loro il sabato sera, dopo cena, a vedere *Il musichiere*: «*Domenica è sempre domenica, / si sveglia la città con le campane. / Al primo din-don del Gianicolo, / Sant'An-*

gelo risponde din-don-dan». Le prime volte ci faceva pagare dieci lire a testa – quelle con sopra la spiga e l'aratro – finché una sera il marito, che era proprio un brav'uomo e pure romanista, le disse contrariato: «Ma ridàje sti soldi ai ragazzini!» e lei ce li ridiede uno per uno contrita. I più felici erano i figli: «Mo' potete venì senza pagà».

Comunque c'era scalmanata pure lei – la signora Elide del piano di sopra – ad assaltare il fortilizio e strillava come un'ossessa, pure più forte delle altre, se si può: «Basta con ste capanne! Devono studià».

«Che cazzo c'entra quella?» chiedeva Otello agli altri, poiché avendo solo una figlia femmina, grande come Violetta e brava buona e simpatica, e un figlietto maschio romanista piccolo piccolo, sempre appresso a Accio e comunque non in grado ancora di fare capanne, non si capiva quale interesse diretto potesse avere nella faccenda: «Perché se deve impiccià?»

«Pe' solidarietà», Di Francia: «Venivano tutte, lei rimaneva a casa?»

«Ma chi l'ha chiamata?»

«Ha fatto tutto tu' madre, Ote'» spiegarono gli altri: «Prima ha cominciato lei, poi so' arrivate le nostre e s'è aggregata pure Elide. Mica la potevano caccià. Chi la reggeva più? Eri bono tu, a mandalla via... Méttete il core in pace, che ne faremo una nuova, più bella e grande» mentre quelle davano fuoco alle frasche e a ciò che era rimasto – di là dal fosso – della nostra povera capanna.

«Ma che vòi che famo?» Otello: «Non ne farò mai più. La vita mia è cambiata oramai: niente più sogni, niente più gioventù. Me tocca andà a lavorà, maledetti i Zorzi Vila».

«E chi sono questi adesso?» Di Francia incuriosito, assessore alla cultura in erba.

«Niente, niente. So' usanze de famiglia».

«Ah, vabbe'» e tutti insieme, gli amici suoi: «Povero Otello, che va a lavorà».

«E povero Otello sì...» faceva lui, e mogio mogio si avviava verso casa sotto lo sguardo arcigno di quel mostro – secondo lui – di sua madre che cupa cupa lo aspettava sul cancello: «Vieni qua, vieni».

Il giorno dopo zio Benassi s'è raccomandato come a un santo, al suo amico capo dei fabbri e tornitori: «Mettilo sotto, te pigliasse un colpo. Spezzagli la schiena».

«Non te preoccupà, Benà... Ce penzo io».

E per una mezzoretta mio zio – dalle pompe diesel – ha ascoltato rinfrancato provenire dai fabbri il periodico ritmato: «*DÌN! DÌN!... DÈN! DÈN!*» d'una mazza che, a tutta forza, batteva sull'incudine certi ferri da sagomare, già scaldati evidentemente sulla forgia.

«Meno male, va'» faceva zio Benassi.

Dopo un po' però, il dolce suono non s'è sentito più. Né «*DÌN*» e né «*DÈN*».

«Be'», ha pensato zio Benassi: «Il tempo di scaldarli sulla forgia e poi riparte».

Invece no.

Allora s'è affacciato al gabbiotto e di traverso ai trattori mezzo smontati per tutta l'officina lo ha rivisto là in fondo – seduto sulla ruota dentata d'un cingolato Fiat 60c – che teneva banco e faceva il pagliaccio, a ridere e scherzare con gli altri garzoni. Anzi, rideva pure il capo dei fabbri: «Lo possin'ammazzà».

Pare avesse cominciato a chiedere – Otello naturalmente, non il capo dei fabbri – quando si sarebbe andati in ferie, quanti giorni toccavano a lui, quant'era la paga: «Così poco? Ah, no! A me, se me vogliono, me debbono dà de più».

A mio zio Benassi sono cadute le braccia: «Benedetta la Madonna della Valle. Questo bisogna che lo mando sotto padrone. A bastonate, lo devono piglià» e tanto ha detto e tanto ha fatto che il professor Tasciotti – che come le ho detto era il presidente della Corale San Marco e davvero amico suo, non come il fabbro – in meno di una settimana è riuscito a farlo assumere apprendista manovale da una delle imprese che stavano costruendo a Borgo Sabotino, tra Foceverde e Torre Astura, la prima centrale termonucleare realizzata in Italia. Doveva essere un colosso – anni di lavoro, per ultimarla – costruito dall'Eni, Ente nazionale idrocarburi.

Come dice lei, scusi? Che c'entra il petrolio – gli idrocarburi – con il nucleare?

Adesso glielo spiego: questa centrale l'aveva voluta quell'Enrico Mattei di cui abbiamo già parlato. Grande manager di Stato – già esponente di rilievo della sinistra cattolica legata a Dossetti e Fanfani – morirà purtroppo nel 1962 precipitando col suo aereo, sabotato apposta dalla mafia a nome e per conto delle Sette Sorelle petrolifere.

Il compito che secondo lui la nazione gli aveva affidato era quello di garantire – al più basso costo possibile – l'autosufficienza energetica del Paese, allora in piena espansione. Compito che lui aveva già iniziato efficacemente a svolgere – comprando direttamente il gas e il petrolio dai Paesi produttori, a quel tempo ancora sottosviluppati – in aperta sfida e concorrenza appunto con le Sette Sorelle petrolifere anglo-americane. Ma sempre all'estero, però, bisognava comprarlo: in Italia – per quanto l'Eni stessa si sia pure messa a cercarlo dappertutto – non è che ce ne fosse poi molto. Giusto qualche goccia.

La soluzione ideale era riuscire a trovare una fonte alternativa. Sotto il fascismo ci avevano provato con l'energia idroelettrica, costruendo svariate dighe e bacini. Ma anche i fiumi e torrenti da poter sbarrare erano in numero limitato – quelli e non più: a un certo punto stop – mentre il fabbisogno aumentava ogni giorno a dismisura. Adesso invece per fortuna – se si può pure dire «fortuna», al costo di Hiroshima e Nagasaki – era stata scoperta l'energia nucleare.

Con un procedimento inglese a base di uranio naturale non arricchito – che secondo l'Eni c'era in abbondanza anche in Italia in Val di Susa: bastava scavare un po' sotto le Alpi – moderato a grafite e raffreddato con anidride carbonica il nucleare prometteva anche a noi, a basso costo, grandi produzioni di elettricità inimmaginabili fino a poco prima. L'autosufficienza insomma, ed Enrico Mattei ci si tuffò a pesce: «Eureka! Ecco finalmente quello che mi serve».

Lascio a questo punto immaginare a lei però – senza starglielo a spiegare – quanto fossero contente le Sette Sorelle dei petrolieri americani e soprattutto il capitalismo privato italiano, che con quel petrolio commerciava, raffinava, lucrava: «E nantri adesso casso femo?». Poi dice perché lo hanno buttato giù con tutto l'apparecchio.

«*Dalle paludi all'atomo*» fu l'annuncio che la stampa diede nel 1958 – all'Italia e al mondo – dell'inizio dei lavori di costruzione della centrale di Latina-Borgo Sabotino. Dureranno quattro anni. La centrale fu finita ed il primo test effettuato nel dicembre 1962. Lui non c'era però – Mattei – al taglio del nastro: lo avevano fatto fuori un mese e mezzo prima, il 27 ottobre sul cielo di Bascapè, in provincia di Pavia. La centrale termonucleare di Latina sarà il suo grande cenotafio, la «tomba vuota dell'Eroe». Entrerà in funzione il 12 maggio 1963, producendo mediamente a regime tra i 160 e i 200 megawatt elettrici, che ne fecero – all'epoca – la centrale più potente d'Europa.

«Dalle Paludi all'Atomo!» ci congratulavamo pure tutti noi, in giro per Latina. Chissà che ci pareva allora – «Porca puttana, come siamo avanti» – anche se non avevamo capito tanto bene cosa fosse una centrale e dove stesse, se esisteva, la differenza tra un uso pacifico di questa energia e l'uso militare.

«Mo' ce famo la bomba atomica anche noi» diceva ad esempio Silvio Di Francia.

«E ce mettemo sopra l'aquilotto della Lazio» – l'Atlante – che quell'anno vinse la Coppa Italia. I derby di campionato li persero però tutti e due per tre pallini: 3 a 1 all'andata e 3 a 0 al ritorno.

Otello prendeva in piazza del Popolo, la mattina, la corriera della ditta insieme agli altri – tanta di quella gente e tante di quelle corriere che sembrava di stare di nuovo ai tempi della bonifica – e la sera li riportavano indietro.

La prima volta che s'è presentato al cantiere e gli hanno chiesto cosa sapesse fare, lui ha provato a dire: «Sono mezzo geometra, vi potrei essere utile. Ho studiato fino all'altro giorno».

«Bene, bene. Ce l'hai la patente, sai guidare?»

«No. La patente non ho ancora l'età. Però so guidare».

«Sicuro?» lo hanno guardato per un po' con l'occhio furbo: «Ci possiamo fidare?»

«Ma certo che so guidare, me possino cecà» che non era, tra l'altro, neanche vero: «So guidare, so guidare».

«Vabbe'. Allora guida questa» e gli hanno messo in mano, per le stanghe, una carriola: «Vai vai, fai attenzione agli stop e segui gli altri, il cemento sta là». Era una carriola modernissima – non di quelle vecchie di legno con le ruote «*cìo-cìo*» come quelle di Diomede – di ferro e lamiera lucente con le ruote gommate, ma sempre carriola a tutti gli effetti restava.

E lui via per otto ore al giorno, sabati compresi perché non c'era la settimana corta di quaranta ore. A correre in bilico con questa carriola piena di calcestruzzo sulle palanche traballanti che dal piano di cantiere – dove stavano le betoniere sotto cui andava a caricare – portavano giù giù nella fossa e poi man mano su su, verso l'impalcato da cui finalmente, quando arrivava il turno suo, scaricava il cemento tra i graticci di ferro di quello che sarebbe poi divenuto l'enorme tamburo di base del primo e superpotente reattore nucleare italiano.

Ma appena scaricata la carriola – neanche un secchiello di sabbia, in fin dei conti, a riempire il mare atomico del tamburo di base – al volo dietro-front, nel turbinoso viavai di carriole e scarriolanti su e giù per quella giungla di ferri, palanche, passerelle e sostacchine lanciate qua e là, con ogni tanto qualcuno che cadeva e si rovesciava con tutta la carriola. Ma arrangiati da solo, rimettiti in piedi e riparti a rifare il pieno alle betoniere.

Di corsa tutto il giorno come un equilibrista sulle palanche, avanti e indietro dalla betoniera al tamburo di base del reattore, sempre sporco di cemento col freddo e col caldo, le mani piene di graffi e vesciche, tutte un bruciore e mai fermarsi un attimo a respirare, che subito l'assistente da dietro gli gridava: «Correre, geometra, correre! Cosa fai lì fermo? Così ti tamponano e mi intralci il traffico» e tutti gli altri a ridere.

«Ch'av vegna un càncher» pensava Otello. Ma zitto e mosca, lui non fiatava nemmeno a mezzogiorno, durante la pausa, quando seduti sulle palanche ognuno scartava la sua merenda. Tanti avevano la gavetta – le gavette ancora militari d'alluminio della guerra – che la moglie a casa gli aveva riempito di minestra. A lui sempre pane e frittata gli metteva nella borsa la mattina mia zia, insieme a una bottiglietta di gazzosa con dentro però il vino. E tutti chiacchieravano – mentre mangiavano – e ogni tanto provavano a farlo anche con lui: «Allora Giometra, come va, come ti trovi? Le hai prese bene le misure?» e subito a ridere, per la faccia che faceva lui.

«Andate affanculo, va'».

Poi all'una – manco un'ora – ripartire: «Giometra! Sempre l'ultimo, eh?» gli strillava l'assistente. «Correre, correre».

«Te pigliasse un colpo a te e tutta la razza: padre, madre, figli, nipoti e pronipoti, te possin'ammazzà. Che Dio te fulmini e strafulmini».

Quando tornava a casa era tutto un pianto e un dolore, se non c'era il padre in giro e trovava solo la madre. Se c'era il padre no. Muto zitto compunto si lavava, rivestiva, mangiava, usciva o andava a letto senza una parola.

«Come va?» gli chiedeva qualche volta zio Benassi.

«E come deve andà?» scorbutico: «Bene, va» e zitto.

«Meglio così» zio Benassi.

Ma quando invece il padre non c'era e c'era solo la madre – ma neanche l'ombra di un fratello o sorella – allora sì che cominciavano i lamenti: «Me fanno morì, me fanno schiattà, l'assistente ce l'ha con me, ce l'hanno tutti con me...»

«Ma pure i professori, Ote', dicevi che ce l'avevano con te. Ce l'hanno tutti con te allora, a questo mondo?»

«Sì ma', ce l'hanno tutti con me. Pure tu ce l'hai con me, mannaggia quel giorno che m'hai messo al mondo e la notte che mi hai concepito maschio, per soffrire poi così. Che male ho fatto io? Perché mi hai fatto? Perché il Signore non ha chiuso la porta del tuo grembo? Perché non sono morto appena uscito? Potevo morì coi topi, col bombardamento degli americani oppure affogato in sfollamento a Pontinia dai Mantovani. Ora starei tranquillo in pace sotto terra oppure non esisterei, sarei come i feti abortiti che non videro mai luce. Povero me, povero Otello, novello Giobbe maledetto da Dio e da Lui stretto in un cerchio infernale», lei non ha idea di cosa era capace di inventarsi Otello, quando era in vena.

«Non dire così, non dire così» abboccava mia zia, ma quello era Otello ripeto, era il primo maschio. Fosse stato Accio, sa le botte che gli dava?

«Peggio de un negro me trattano, peggio d'uno schiavo» e le raccontava ogni rovesciamento di carriola sulle passerelle pericolanti. Lui provava a trattenerla, ma il peso stesso del calcestruzzo se lo trainava, tra le palanche del castello oramai disequilibrate che gli piovevano addosso insieme al cemento fuoriuscito durante il volo, mentre atterrava sul graticcio dei ferri d'armatura di quel mona di tamburo nucleare. «Guarda come so' ridotto, ma'» mostrando a zia Pace le mani screpolate, i graffi, i lividi sui fianchi le braccia le gambe e tutto il corpo: «E un male de schiena de qua e de là».

Mia zia gli faceva gli impacchi, i massaggi: «Potevi studiare, figlio mio».

«Rimandami a scuola ma', rimandami a scuola. Giuro che stavolta studio».

«Seeeh! E chi glielo dice a quello là? Porta pazienza figlio, porta pazienza».

E lui la portava. Ogni mattina si alzava e andava a lavorare. La domenica la passava a letto, a parte la messa la mattina e non perché fosse scrupoloso cattolico, ma perché in quella casa ci dovevi andare per forza. Proprio come ai tempi di mia nonna con il nonno, zia Pace – quando tornavamo dalla messa – chiedeva il resoconto di cosa avesse detto il prete nell'omelia e di cosa parlasse il Vangelo del giorno. Glielo dovevamo riferire parola per parola, lei lo aveva già sentito insieme al Benassi alle sei mezzo del mattino. E poi di nuovo a letto, Otello, le ripeto.

Ma con tutto questo – mi creda – lui alla madre raccontò per filo e per segno ogni dolore fisico e sventura naturale, dal rovesciamento di una carriola alla botta al polso subita una volta che lo avevano messo a impalare la ghiaia dentro la betoniera. Montagne e montagne di sabbia e di ghiaia – scaricate dai camion – da raccogliere con la pala e gettare al volo dentro la bocca della betoniera che rullando rullando girava girava. A un certo punto però la betoniera gli aveva rubato la pala – rimasta incastrata tra i denti – gliel'aveva strappata di mano e al volo però, girando girando, gliel'aveva risbattuta addosso dall'altra parte dall'alto, col manico, sul braccio opposto: «*Pam!*»

«Porca puttana», che se invece del braccio lo piglia in fronte lo ammazza.

Be', le ripeto, lui solo i dolori e le sventure fisiche ha raccontato alla madre. Quelle spirituali – quelle che davvero lo facevano soffrire di più di tutti i calli, le vesciche, le piaghe, le escoriazioni, le cadute, le fatiche, i mal di schiena eccetera – quelle non le ha mai rivelate. Se le teneva per sé. E non perché fosse magnanimo e forte, ma perché non era scemo Otello.

Lui lo sapeva che se avesse detto alla madre che sull'intero cantiere della centrale termonucleare di Latina-Borgo Sabotino – la prima centrale atomica italiana – tutti lo chiamavano «Giometra!», la madre allora sì che lo avrebbe riempito di botte peggio di un Accio qualunque: «Ma alora te sì propi un bagotti. Con gnanca un anno de geometri, che t'hanno pure bocciato, tu vai in giro a dire che sei geometra? Ma va a cagare, va'».

A lui però era proprio quel «Giometra!» – ancora più di tutti i dolori fisici, le ferite e la fatica – che gli pesava di più, povero Otello.

«Io mica posso fà sta vita» e appena ha visto sui manifesti in giro per Latina il bando annuale d'arruolamento nell'aeronautica militare è corso al distretto a ritirare i moduli, li ha riempiti e portati a casa per farli controfirmare da zio Benassi, poiché essendo minorenne – sedici anni soli – occorreva l'autorizzazione del padre. Glieli ha messi sul tavolo in sala una domenica, mentre quello stava copiando per i coristi, sulla carta da musica, il *Gloria in excelsis Deo* della *Missa de Angelis*: «Firma qua» gli ha detto.

«Che è sta roba?» zio Benassi.

«L'arruolamento. Vado in aeronautica e faccio carriera militare».

«Carriera militare? Ma vaffallippa, va'» e glieli ha strappati in quattro pezzi: «Mo' fanno il disarmo e tu vuoi andare militare? Va a lavorare va', che è solo così che impari un mestiere per sempre. Non il soldato, che appena arriva sto disarmo resti disoccupato».

«Ma quale disarmo, quale disoccupato. Quando vuoi che fanno il disarmo? Non lo faranno mai».

«Che ne sai tu?» s'è incazzato zio Benassi. «Me lo ha detto Andreotti, a me, che adesso lo fanno. O ne sai più di Andreotti?» e ripresi in mano i quattro brandelli rimasti, dell'intero incartamento, li ha piegati ben bene e ristracciati un'altra volta in ulteriori quattro tranche, fino ad ottenere un totale complessivo di sedici pezzi sedici dell'ex domanda di arruolamento – e se per caso non le torna il conto, faccia la prova e vediamo – che gli ha lanciato sulla faccia: «Va a lavorare va', che te fa bene».

Io adesso non le so dire se davvero mio zio credesse alla storia del disarmo. Certo allora se ne parlava dappertutto: al Consorzio agrario, al circolo cittadino, alla Corale San Marco, dai preti, dal professor Tasciotti e pure con Giulio Andreotti, quando veniva a Latina o lo andavano a trovare loro a Roma: «Eh, speriamo proprio che si faccia il disarmo nucleare».

«Lo faremo, lo faremo» Andreotti, ma il primo a non crederci mi sa che fosse lui. Se ne parla in fin dei conti già dai tempi di Caino e Abele, e poi tra l'Homo Sapiens e quello di Neandertal. Ma non se n'è mai fatto niente e lo strano è che – di norma – a proporre il disarmo agli altri è sempre il più forte e più armato: «Disarmatevi tutti, così ci assicuriamo per sempre la pace».

«Sì, vabbe'. Ma tu?»

«Io no, che c'entra? Io so' il più forte».

Subito dopo la seconda guerra mondiale – e dopo averla chiusa con le due bombe atomiche, le prime nella storia, di Hiroshima e Nagasaki – nel 1948 gli americani si presentarono all'Onu proponendo al loro competitor, l'Unione Sovietica, la messa al bando dell'arma nucleare.

«Basta così ragazzi, fermiamoci qua» dissero gli Usa. «Chi oramai ce l'ha, ce l'ha» – ed erano guarda caso loro, in quel momento, gli unici ad averla: monopolio totale; anche se i sovietici stavano cercando in fretta e furia di recuperare il ritardo – «ma nessun altro deve più costruire bombe atomiche nel mondo. Disarmo totale, se no prima o poi saltiamo in aria tutti insieme, cocuzze e cocuzzaro».

«Ostia, che idea! Come lo organizziamo però questo disarmo?»

«Be', facciamo una commissione internazionale che controlli tutti i nuovi esperimenti, emissioni e arsenali».

«Magnifico! Ma per la roba eventualmente già in magazzino, come ci regoliamo? Anche quella la distruggiamo e controlliamo insieme?» i sovietici.

«Eh, no. La roba vecchia è vecchia, chi ce l'ha se la tiene. È solo la nuova, che ci deve preoccupare» gli Usa.

«Ma siete sicuri?»

«Sicurissimi».

«Vabbe', fàtemece pensà sopra e domani ne riparliamo» rispose lì per lì il capo della delegazione sovietica all'Onu, Andrej Vyšinskij, che non era uno che andasse tanto per il sottile. Ministro degli esteri Urss dal 1949 al 1953, negli anni trenta era stato lui a mettere in piedi le cosiddette «purghe staliniane», con i processi contro Zinoviev, Kamenev e i trotzkisti. Nel settembre 1943 era però venuto anche in Italia, aveva incontrato Benedetto Croce e organizzato il rientro dall'Urss di Togliatti e la «svolta di Salerno», che portò all'unità d'azione, nella guerra di liberazione, tra cattolici e comunisti.

Comunque quella sera del 1948 alle Nazioni Unite, Vyšinskij salutò gli americani e si fece portare non so se in hotel o in ambasciata: «Mo' vado a dormì».

Il giorno dopo però – appena uscito, ripeto, non so se dall'hotel o dall'ambasciata – ai giornalisti che lo aspettavano davanti al portone disse: «Lasciàteme stà, che sono uno straccio. Dopo avere ascoltato le proposte americane, non m'è riuscito di chiudere occhio: so' stato tutta la notte, porca miseria, a sbellicarmi dalle risate fino adesso».

«Eccoli, i comunisti» insorsero gli americani: «Sono loro che non vogliono il disarmo e minacciano il mondo con la corsa agli armamenti. Sono l'Impero del Male» e lei poi sa come è andata a finire, che adesso l'America ha deciso di armare pure le navicelle spaziali.

Fino all'altro giorno lo Spazio – così come l'Antartide – era stato bandito agli armamenti: «Quella non è roba di un singolo Stato, ma appartiene all'intera umanità. Le armi non ci si portano e, se possibile, ci si lavora tutti assieme». Trump invece ha fatto la quinta forza armata: dopo la marina, l'esercito, l'aeronautica e i marines, adesso c'è pure la forza armata Usa dello spazio, alla faccia del disarmo.

Si figuri quindi se mio zio Benassi potesse davvero pensare – anche se glielo avesse detto Andreotti – che facevano il disarmo e il figlio poi restava disoccupato. Quello aveva una strategia precisa in mente – secondo me – per raddrizzarlo, il suddetto figlio: «Vai vai, che ti sistemo io».

Figlio che, di rimando, metteva in croce la madre – «Che razza de padre m'hai dato? Non m'ha neanche voluto mettere la firma. Che gli costava? Mi arruolavo a militare e stavamo finalmente in pace tutti quanti: sia io che voi. Invece no: quello me farà morì alla centrale nucleare» – pensando pure dentro di sé, ma senza dirlo a lei: «Con tutti quelli che mi pigliano in giro: Geometra de qua, Geometra de là; gli saltasse per aria sotto il culo il reattore appena lo mettono in funzione. Na bomba atomica a Borgo Sabotino, deve scoppià. No no, io là non ce rimango, piuttosto vado a Rio Martino e me vado a affogà».

«Prova a andare da Diomede» lo aveva allora consigliato zia Pace: «Può essere che ti assume».

«Proviamo» ha pensato Otello: «Almeno non mi chiameranno Geometra» e ci è andato.

«Am dispiase», gli ha risposto intristito il cugino, «ma agò fato un giuramento, tanti anni fa, e non posso proprio disfarlo, che 'l xè pecato mortal. El zuramento xè zuramento, ciò».

«Vabbe' Diome', di quale giuramento si tratta? T'ho chiesto solo lavoro, mica soldi in prestito».

«Ah, caro! Soldi te ne darìa quanti ne vuoi. Ma parenti in cantiere no, questo xè il giuramento: i parenti solo a Natale. Ma sul lavoro ognun per sé e Dio per tutti. In azienda agh basto mi, de Peruzzi. Altri non ne voglio védare, che i parenti i me fa fallir, specie se Peruzzi».

«Ma io so' Benassi».

«Fa gninte. Stessa rassa stesso sangue. Alla larga dai Peruzzi!»

«Ma alla larga da te, sto gran figlio de mignotta» venne via Otello, mentre Diomede ridendo lo accompagnava alla porta: «Rimettiti a studiare Otello, rimettiti a studiare».

«Ma fatte i cazzi tua» ed è tornato a testa bassa alla carriola della centrale nucleare, con tutti che, ogni tanto: «Giometra de qua, Giometra de là». E lui ogni volta, dentro di sé: «Ma io ce vado davero a Rio Martino, e la famo finita».

Finché una domenica pomeriggio – che la settimana prima avevano finalmente terminato quell'enorme maledetto tamburo di cemento armato e già i tecnici inglesi con i giubbotti gialli, l'elmetto in testa e l'atomo disegnato sulle spalle avevano iniziato a montare le prime strutture e a scaricare fusti, candelotti, siringhe e pilloloni di grafite da installare nel reattore, e tutti ancora a chiamarlo «Giometra! Giometra!», compresi quei mona di inglesi appena arrivati, che nemmeno sapevano cosa volesse dire Zòmetra, ma pure loro appena arrivati, subito «Zòmetra! Zòmetra!» al povero Otello – ha preso ed è partito: «Basta, non ce la faccio più».

Il tempo non era affatto bello, il cielo scuro minacciava di piovere. Ma lui: «Che me ne frega a me? Io tanto debbo morì». E pedalando pedalando «*cìo-cìo*» sulla bicicletta – «Così s'empara, mi' padre. Lo voglio proprio vedé al funerale, come piagne e se dispera. Allora sì, che se batterà il petto. Ah, te sei pentito, eh? Mo' è troppo tardi però, e te sta bene. Voglio vedé che je racconti a mi' madre. Ma che se tratta così un figlio? Te deve restà il rimorso tutta la vita, mannaggia a te. Te devo venì in sogno la notte, pel male che m'hai fatto: "Guarda", te devo dì, "come m'hai ridotto"» – pedalando pedalando, e ogni tanto piangendo e asciugandosi le lagrime agli occhi, commosso al pensiero del suo funerale in San Marco: «Chissà i pianti che se fa, povera mamma» è arrivato a Rio Martino.

Mollata sulla sabbia la bicicletta è salito sugli scogli che proteggono la foce – «Famme dà un'occhiata» – è arrivato in fondo dove adesso c'è il faro, e s'è sporto in giù: «Chissà se qua va bene pe' affogamme?»

Ma come s'è sporto ed ha guardato: «Porca puttana!» ha visto tutta la scogliera nera nera – fino al pelo dell'acqua – di una colonia sterminata di cozze attaccate strette l'una all'altra addosso agli scogli. «Porca miseria che magnata me ce faccio».

Scendi di corsa in spiaggia. Arrotola i pantaloni sopra le caviglie. Rigira la barca, buttaci dentro i sacchi di iuta con gli attrezzi che ci aveva lasciato sotto, tirala a fatica a mare, saltaci dentro e via coi remi fino sotto gli scogli: «Povere cozze, so' cazzi vostri mo'» rideva Otello mentre cominciava a cadere dal cielo scuro qualche goccia isolata, mano mano più grossa.

«Speriamo che non piove» e col coltello s'è messo a staccare le cozze dai blocchi corrosi di calcestruzzo ed a gettarle nella barca.

Il vento però tirava sempre più. La piova dal cielo cadeva a rovesci. Il mare s'alzava e le onde a cavalloni sballonzolavano di qua e di là, di sopra e di sotto, il suo gozzo, gozzino o canoa o catamarano che fosse, cercando in tutti i modi di rovesciarlo. Ma lui ad ogni colpo – «Porca puttana, qua m'affogo» – con la forza delle gambe, in ginocchio sul fondo, riusciva sempre a tenerlo incollato alla scogliera e continuava imperterrito con il coltello a strappare con forza le povere cozze che, a modo loro, opponevano giustamente resistenza: «Làsciace stà Ote', làsciace stà sul nostro amato scoglio. Che male t'avemo mai fatto?»

«Venite qua, ve possin'ammazzà a voi e ai Malavoglia» (pure quello girava dentro casa).

Ne ha fatte una quintalata. Lo ha ripulito tutto quanto, Rio Martino. Un sacco di iuta pieno pieno. Sempre sotto la pioggia ha tirato la barca in secca fino alla duna. Ha poggiato in piedi il sacco sul manubrio della bicicletta e via verso casa, con la gente che a Borgo Grappa – al riparo dei portici del bar – lo vedeva passare: «Ma ndò va sto scemo sotto l'acqua?»

A Borgo Isonzo ha smesso di piovere ed è uscito il sole: «Vaffanculovà» rideva Otello.

È arrivato a casa fradicio: «Cozze per tutti, ma'. Metti su l'acqua e fàmmece gli spaghetti stasera».

«Prima però mi devi dire perché sei andato al mare con questo brutto tempo. Uno mica può aspettare la pioggia, per andare al mare».

«Eh, dovevo fà una cosa».

«E che dovevi fare?»

«Le cozze ma', le cozze», mentre si spogliava, si lavava, s'asciugava e di nuovo fuori: «Vado a fà due passi».

«Va, va'». Dalla cucina esalavano i primi profumi di cozze sul fuoco. Povere cozze.

È andato al bar del Corso: «Famme fa du' tiri a boccette» e lì è venuto a sapere che la Provincia, in quei giorni, doveva dare inizio ai lavori di costruzione della strada del mare – quella famosa che Cencelli per dispetto ai proprietari non aveva voluto fare; ma che da Latina sarebbe finalmente andata diretta diretta a Capoportiere – e che ci avrebbe lavorato Luciano Restante.

Questo Luciano abitava vicino a noi alle case gialle, aveva dodici o tredici anni più di Otello ed era geometra per davvero. O meglio, dopo l'avviamento – che erano i tre anni di scuola postelementare di serie B per i figli degli operai, mentre quelli dei ricchi e degli impiegati andavano alla scuola media vera di serie A – dopo l'avviamento il padre lo aveva infilato al consorzio di bonifica, a lavorare come manovale nei cantieri per la riparazione dei danni di guerra.

I Restante erano di Cavarzere, provincia di Venezia. Il padre era un vecchio socialista, venuto giù con tutta la famiglia in Agro Pontino con il consorzio. Tra il 1938 e il '40 erano stati anche in Albania, per le bonifiche che il fascismo aveva avviato pure lì, e il padre se li era portati appresso: «Ah, mi da solo no ghe vago».

Loro erano quattro fratelli maschi – tutti biondi – e una sorella piccola, la più piccola, ma castano scura. Luciano era il più grande e il più alto e robusto, una specie di corazziere. Aveva giocato in difesa in serie C con il Latina nel 1950-53. Terzino destro coriaceo, più scorbutico di un Gentile o un Pasquale Bruno: «Ne ha storpiati più lui che la polio» dicevano al bar del Corso. Smise presto però di giocare, perché a quei tempi non pagavano – «Io dovevo lavorà» – ma nel Latina, pure retrocesso, continuarono a giocare i fratelli, detti a quei tempi: Restante III, mediano centrocampista, e Restante IV attaccante, il più piccolo, una furia in area, una specie di Pippo Inzaghi, capocannoniere e gloria imperitura del Latina Calcio.

Il secondo fratello invece, Nando, s'arruolò nell'esercito pilota d'elicotteri e, mano mano, sergente, sergente maggiore, maresciallo e poi ufficiale, sottotenente, tenente e capitano. Una volta atterrò davanti alle case gialle nostre – di là dal fosso vicino alle capanne di Otello – in mezzo al campo dove pascolavano le vacche di Molon. Lui scese di corsa, accucciato, sotto le pale che giravano piano piano – «*Plòff... Plòff... Plòff*» – e andò a salutare la madre. Un bacio e via, però. Con tutti i ragazzini – Accio, Carletto Gava, Giancarlo Peternich – che lo aspettavano fuori dal cancello: «Facce fà un giretto Na', facce fà un giretto».

«Nantra volta, promesso!» correndo all'elicottero.

Ma non c'è stata un'altra volta, perché ha fatto sempre più carriera – per qualche anno, non so se capitano o maggiore, lo manderanno anche in Somalia, dopo la decolonizzazione, a mettere in piedi la forza elicotteristica loro – e non s'è visto più, né a piedi né in elicottero, almeno finché Accio, Carletto Gava e Giancarlo Peternich non si sono fatti grandi.

Luciano invece faceva il manovale nei cantieri, eccezion fatta ovviamente per la domenica in cui – come le ho già detto – storpiava aggratis gli attaccanti avversari sui campi di calcio della serie C. A Siracusa ancora se lo ricordano: «Si 'u pigghiamu...»

Contrariamente al padre – che subito dopo la caduta del fascio si era giustamente riscritto al partito socialista di Nenni – lui era andato con i comunisti, il Pci, ma solo fino al 1956. Dopo i fatti di Budapest – l'invasione dell'Ungheria – aveva detto: «No, a me così non mi sta bene» e s'era iscritto pure lui al Psi.

Ogni sera però – tornato a casa dal cantiere – mangiava di corsa e via a scuola serale. Finché un po' alla volta s'è preso il diploma di geometra, e girando da un'impresa all'altra è riuscito alla fine ad entrare nelle grazie del grande ingegnere stradale Enrico Selva – «Guarda che bravo, sto giovane» – che in quel periodo lavorava in zona.

Al bar del Corso dicevano quindi che su questa nuova strada in costruzione per il mare, Luciano Restante sarebbe stato il geometra «contrario», quello cioè – come si usava una volta – che per conto della Provincia e dell'ingegnere direttore dei lavori doveva stare addosso all'impresa come un cane da guardia, possibilmente rabbioso, sempre pronto ad azzannare e ringhiare.

Il committente – ossia quello che tirava fuori i soldi – lo pagava apposta per tallonarla e seguirla passo passo in ogni fase della lavorazione, controllando che il capitolato d'appalto venisse rispettato punto per punto. Verificava dai disegni le dimensioni e soprattutto le miscele e consistenza degli spessori, quantità e qualità dei materiali, e correttezza d'ogni messa in opera. Solo così si poteva stare sicuri che i soldi del committente – in questo caso la collettività – venissero spesi bene ed i lavori fatti ad arte. Se no ti fregavano e lavoravano male, almeno a quei tempi. Adesso non so.

Anzi, a guardare come vengono fatti oramai da troppi anni i lavori pubblici a Latina – con le strade che, appena riasfaltate, già l'anno dopo sono piene di buche; oppure il manto bituminoso sempre un po' più alto o più basso dei tombini, che come ci passi sopra sembrano le montagne russe; o le rampe fuori quota per i disabili, con lo scalino invalicabile dalla carrozzella – viene il legittimo sospetto che il geometra «contrario» sia stato abolito e nessuno più controlli che le imprese lavorino *secundum regulam*. «Risparmiamo sul geometra», deve avere detto qualcuno in Provincia o in comune, «che li spendiamo a fare quei soldi? È come se non ci fidassimo delle nostre imprese. Ma che, scherziamo? Qualo casso bisogno ghe xè da controlarle?»

Oppure – se per caso invece i geometri «contrari» esistono ancora – allora pigliano le mazzette. Non ci piove: da cani da guardia si sono fatti cani da lecco. Poi lei sta bene ad aspettare i ponti che non caschino, le aule in cui non piova, gli intonaci che non si scrostino.

Fatto sta, Otello il giorno dopo – tornato dalla nucleare – è andato da Luciano Restante: «Così, così, cosà, famme venì a lavorare là».

«Va bene. Presentati domani in cantiere e te la vedi con loro».

«Ma tu prima gliene parli?»

«Certo che gli parlo Ote', anche se sarebbe meglio che ti rimettessi a studiare».

«Non toccà sto tasto Lucia', che mi' padre m'ammazza»

e il giorno dopo s'è presentato alla prima baracca all'incrocio di via dell'Agora.

Stavolta però s'era fatto furbo e appena gli hanno chiesto cosa sapesse fare, subito s'è sbrigato a dichiarare, ancora prima che quelli smettessero di parlare: «Niente! Non so fà niente. So solo guidare la carriola. Però m'adatto a tutto e imparo presto. Basta che ordinate e io obbedisco».

«Va' che bravo giovane» hanno detto quelli: «Vatti a far ridare il libretto di lavoro e domani mattina attacchi a lavorare».

«Va bene, ma come faccio io adesso, subito subito, a arrivare fin laggiù e ritornare indietro? Mica ciò la macchina».

«Ci penso io» ha fatto quello. È uscito dalla baracca e ha chiamato da lontano uno che stava ripartendo col camion vuoto, un vecchio Fiat 666N che aveva fatto la guerra: «Dove stai a andà, a caricà?»

«A Nettuno».

«Ottimo e abbondante. Porta questo al Sabotino» – che stava di strada – e gli ha rifilato Otello.

Al cantiere della centrale è sceso. S'è licenziato. Gli hanno ridato il libretto di lavoro ed è venuto via.

«Ciao, Giometra» lo hanno salutato.

«Ve pigliasse na paralisi...»

Un colono che doveva andare al borgo col carretto, lo ha lasciato al Sabotino. S'è messo all'incrocio e ha aspettato che passasse qualcuno. Aspetta aspetta, s'è fermato un Leoncino rosso dell'OM: «Io vado a Cisterna, però».

«Va bene fino a Borgo Piave, grazie».

Ma al Piave – aspetta aspetta aspetta – non passava quasi nessuno, e quei pochi che pure passavano non si fermavano: «Ve pigliasse un colpo».

Otello stava quasi pensando di farsela a piedi – «So' quattro chilometri, che vuoi che ce metto?» – quando ha visto arrivare da Aprilia, sulla 148, una Mercedes 170V nera di parecchio prima della guerra; un carcassone alto coi parafanghi enormi affiancati al musone, ma lucida brillante fin da lontano, che sembrava nuova di zecca. Lui allora ha fatto un segno con la mano e la 170V di prima della guerra s'è fermata a non più di sei o sette metri.

Otello è corso e s'è chinato al finestrino – anche se c'era poco da chinarsi, alta com'era – ma come s'è chinato gli è preso a lui, il colpo. Dentro c'era Akim – lo zingaro – che guidava a sedici anni come lui, con i Ray-Ban, ovviamente senza patente.

«Scusa scusa, non m'ero accorto che eri tu. Mi dispiace» e s'è tirato indietro.

«Monta! Non fà lo stronzo...» Akim. E mentre Otello entrava e si sedeva, ha aggiunto: «Basta che non je dici ncazzo a tu' zio, però».

«Vaffanculovà...» Otello ridendo: «A chi hai fatto piagne, pe' sto cassone?»

«Non l'ho fregato, è de mi' padre che fa il mediatore». Ha ingranato la prima e è ripartito: «Come sta il teatrino mio, ce l'hai ancora?»

«Eh? Mo' va a finì che era tuo? Te possin'ammazzà...»

Akim lo ha accompagnato – «Oramai ce sto» – fino alla baracca sull'Agora: «T'aspetto?» gli ha chiesto mentre scendeva.

«Aspettame». È corso dentro, ha consegnato il libretto: «Ecco qua. Allora a domani mattina?» – «Domani mattina!» hanno confermato quelli – ed è riuscito. Akim lo ha riportato a Latina e da quel momento hanno iniziato a salutarsi, quando si incontravano, e col tempo a diventare pure amici. Fino a quando è successo quello che è successo e che vedremo però – se tutto va bene – un'altra volta.

La mattina appresso – senza Ray-Ban e jeans, of course – Otello ha cominciato a lavorare alla strada del mare. I primi giorni lo hanno messo in appoggio a Luciano Restante, che stava facendo il rilievo topografico per il tracciamento della strada. Otello avanti con la stadia sulle spalle – l'asta graduata alta alta con i numeretti sopra – e Luciano dietro con il tacheometro, lo strumento a cannocchiale che posto su un treppiede legge da lontano i numeretti e misura così le distanze, gli angoli, le quote, i dislivelli.

E Otello avanti e Luciano dietro, in capo a una settimana l'hanno picchettata tutta – da via Aspromonte, subito dopo il campo sportivo, a Capoportiere: sei chilometri e settecento metri di lunghezza – piantando per terra prima le paline multicolori bianche e rosse, poi i picchetti di legno fissi fissi fino in fondo a delimitare l'area della strada. Undici metri e mezzo di larghezza doveva venire – sette e mezzo di carreggiata vera e propria al centro, contornata su ogni lato da altri due metri di pista ciclabile asfaltata anch'essa, per un totale appunto di undici metri e mezzo – oltre ovviamente ai due contermini fossi laterali di raccolta delle acque piovane.

«Ammazza Lucia', che stamo a fà» commentava Otello: «Ma tu te rendi conto? Da Latina ar mare come 'n tiro de schioppo. Sai come sarà sempre affollata sta strada?»

«Manco in America ce l'hanno, manco a Miami» rideva orgoglioso Luciano Restante.

«A me però Lucia', me pare na cazzata sti undici metri e mezzo soli. Che me rappresenta quel mezzo? Famo 'l conto paro, no? Fàmola de dodici, visto che ce stamo».

«Sì, mo l'allargamo io e te» rideva Luciano: «Statte zitto e cammina Ote', incòllate sta stadia».

Ma «Fàmola de dodici» oggi, «Fàmola de dodici» domani, alla fine a Luciano Restante gli è entrata la pulce nell'orecchio e quando è capitato per un sopralluogo in cantiere l'ingegner Selva gli ha detto: «Ma ha sentito, Ingegne', sto ragazzo? Mica cià torto, secondo me».

Questo ingegner Enrico Selva era il progettista e direttore dei lavori della Latina-Lido. «Era un ingegnere con i controfiocchi» dice ancora adesso Restante, e aveva – all'epoca – quaranta o quarantacinque anni. Quarantasei, va'.

Insegnava nella facoltà di ingegneria dell'università di Roma. Era abruzzese di origine e progetterà la Basentana in Lucania – dove pure lo seguirà Restante – e il tunnel sotto il Gran Sasso della A24, l'autostrada Roma-L'Aquila in cui adesso, come sa, è allocato il grande laboratorio sotterraneo del Cnr.

Da noi invece progettò e diresse negli stessi anni della strada del mare anche la Mediana – oggi Pontina – e la Flacca, non so se mi spiego: la Flacca tutta curve, tunnel e viadotti sopra i marosi, nel tratto montuoso costiero da Terracina a Sperlonga e Gaeta; un capolavoro dell'ingegneria stradale italiana paragonabile, *si parva licet* eccetera, all'Autostrada del Sole.

Era una gran testa Enrico Selva. Tre lauree in ingegneria civile, ingegneria aeronautica e matematica, parlava sei o sette lingue. Firmò un sacco di brevetti ed era cultore appassionato di mille cose, esperto di esoterismo, filosofia, studioso della Qabbālāh e di archeologia. Fu lui che lavorando alla Flacca scoprì nel 1957 la grotta di Tiberio, vicino Sperlonga. Uno scrigno di inestimabili tesori della scultura ellenistica, a partire dal gruppo di Ulisse che uccide Polifemo.

Risalente al primo secolo avanti Cristo, l'opera è firmata in calce – incisa non so se col cesello o lo scalpello – da Agesandro di Rodi e dai suoi figli Atenodoro e Polidoro; autori anche del gruppo del Laocoonte che sta ai Musei Vaticani. Anzi, la soprintendenza archeologica sosteneva all'inizio che questa di Sperlonga fosse una copia del Laocoonte vaticano.

«Ma quale copia...» cominciò a battagliare Selva. «Quello del Vaticano è Laocoonte e questo di Sperlonga invece è Ulisse che uccide Polifemo. Stop» poiché pure le altre sculture presenti nella grotta facevano parte di un unico grande ciclo di Ulisse: dal mostro Scilla che gli attacca la nave, a lui che sorregge il corpo di Achille o che con Diomede – l'eroe greco ovviamente, non mio cugino – alla conquista di Troia ruba il Palladio, il simulacro di Atena protettrice della città.

La soprintendenza era un canaccio però a quei tempi – anche se pure adesso non scherza – e lo scontro si fece subito duro. Erano stati trovati oltre quindicimila reperti nella grotta – tra grandi e piccoli – e quelli a un certo punto decisero di caricare tutto sui camion e portare baracca e burattini a Roma: «Così studiamo meglio e restauriamo per benino».

«Sì, vabbe', ma poi li riportate a Sperlonga?»

«Beh no, non si sa, si vedrà...» tutto a Roma a quel tempo portavano, e a Roma restava.

Allora Selva organizzò una rivolta. Parlò col sindaco e con gli sperlongani, che scesero in massa dal paese a circondare e presidiare a turno – notte e giorno – la grotta. Bloccarono i camion con la forza e non li fecero partire: «La roba è nostra, sta qui da secoli e rimane quindi qua».

Lotta di popolo e scontri con la Celere, ma alla fine le statue ed i marmi restarono a Sperlonga. Con la Cassa del Mezzogiorno fu costruito sul posto un nuovo Museo Nazionale che è una bellezza, con quei capolavori dentro. Se lei passa sulla Flacca ne vede l'ingresso e – se ci passa – si fermi e ci entri, dia retta a me.

Sensibilità sociale, oltre che genio rinascimentale Selva, ma – come lei sa – nessuno è perfetto.

Luciano Restante era già qualche anno che collaborava con lui alle direzioni dei lavori ed anche qui – alla strada del mare – stava sempre sul cantiere a controllare l'impresa. Andava in giro con una vecchia Vespa primo tipo che era stata del padre e ogni sera lo relazionava per telefono: «È successo questo, è successo quest'altro».

Selva impartiva istruzioni e ogni tanto veniva di persona a controllare. Gli avrebbe dovuto dare quarantamila lire al mese – così erano d'accordo – ma non lo pagava mai puntuale. Ogni mese si scordava. Glieli doveva chiedere ogni volta, più volte, insistentemente lui: «Ingegne', i soldi...»

«Domani. Domani te li porto, stai tranquillo».

Ma quando arrivava l'indomani – e Luciano speranzoso domandava: «I soldi?» – l'ingegner Selva spalancava le braccia, faceva la faccia sconcertata e si metteva contrito le mani tra i capelli scusandosi: «Per la Maiella, me so' scordato».

Poi, finito il sopralluogo, cordiale cordiale lo invitava: «Restante, andiamo a prenderci un caffè».

Montavano in macchina – un Fiat 1400 blu col lunotto bombato dietro – e via al bar più vicino. Luciano prendeva il caffè. L'ingegnere invece un Rosso Antico – qualche volta un Campari Soda – beveva al volo con un sorso solo e prima ancora che Luciano avesse cominciato a girare il suo cucchiaino di zucchero dentro la tazzina, era già fuori.

«Ingegne'...» faceva Luciano Restante.

«Paga tu, paga tu».

Luciano quindi non è che provasse molto piacere quando quello veniva sul cantiere. Gli stava tanto simpatico, ne aveva grande stima, gli si era pure affezionato, ma avrebbe preferito sbrigare ogni cosa per telefono: «Non stare a venire, te possin'ammazzà. Che poi mi tocca pagare a me».

Così però quella volta che Selva purtroppo rivenne in cantiere, Luciano Restante gli riferì la pensata di Otello.

«Sì sì, Ingegne'» insistette mio cugino: «Con dodici metri, volendo, può diventare subito una superstrada a quattro corsie: tre metri per una, due corsie per ogni senso di marcia. Con undici e mezzo no, non te ce passano in sicurezza le macchine».

«Non esageriamo, Ote'» si mise a ridere Luciano: «Atteniamoci alle biciclette. Che ce dovemo fa co' quattro corsie, che noi in tutta la provincia de Latina manco ciavemo le macchine pe' riempinne due?»

«Che ne sai?» Otello: «Dai tempo al tempo...»

«Intelligente, sto ragazzo» l'ingegnere Selva: «In effetti pure per la Qabbālāh il 12 è il numero magico perfetto, che mette in diretta relazione con Dio». E mettendo lui invece una mano sulla spalla ad Otello: «Perché non va a scuola e diventa almeno geometra?»

«Eh, glielo dico sempre pur'io» Luciano Restante.

«Lei hai talento» Selva, e rivolto a quell'altro: «Che ne dice, Restante, di andarci a prendere un bel caffè al bar?»

«Certo, Ingegne'. Vieni pure tu con noi, Ote'?»

«Sì sì. Portiamo anche lui», Selva.

Otello fiero, orgoglioso e contento è montato di dietro – sul Fiat 1400 – e al bar ha ordinato un caffè come Luciano.

Selva invece Rosso Antico, bevuto al volo, e via.

Luciano ha ingurgitato il suo caffè, e – *Whoumm!* – manca poco esce prima di Selva.

«Ahò! Mo' chi è che paga qua?»

«Paga tu, paga tu» Restante, «Paghi lei, paghi lei» all'unisono Selva.

«Vaffanculo sti du' stronzi...» e scappando di corsa senza pagare nemmeno lui, s'è lanciato come un razzo dentro il finestrino della portiera posteriore del Milleqquattro, che aveva per fortuna lasciato abbassato prima.

«Tanto te riacchiappo» gli strillava dalla porta del bar, sul marciapiede, il cameriere.

«A me?» gli ha risposto strillando anche lui, mentre quel canchero di Selva partiva: «Che c'entro io? Io 'nciò na lira. È a sti due che devi riacchiappà».

Luciano Restante rideva, sul sedile davanti.

«Vaffanculo, Lucia'» Otello imbronciato.

La strada del mare l'hanno però portata a dodici metri e a Otello – il sabato – nella busta paga gli hanno fatto trovare mille lire in più, pari a due giornate di lavoro extra, come gratifica per l'idea avuta.

«Contento?» aveva riso Restante mentre lui apriva la busta.

«Orco».

«Mo' la prossima volta però», ridendo ancora, «paghi tu al bar, eh?»

«E che m'hai preso, pel dottor Fabiano? Paga tu che sei ricco. Guadagni quarantamila lire al mese e me vòi fà pagà a me? Ma manco se me sparate, brutti sfruttatori» e rideva pure lui.

Come dice lei scusi? Che a lei però questa storia dei dodici metri non sembrerebbe un granché di pensata, perché non sono comunque sufficienti per fare quattro corsie, visto che in tutte le autostrade ogni corsia è larga tre e settantacinque, per un totale di ben quindici metri?

E che ragionamenti sono?

Lasciamo ora stare le valenze magico-escatologiche del numero 12 e della Qabbālāh, ma innanzitutto a questo mondo – oltre alle autostrade – esiste pure tutta un'altra serie di strade e superstrade. Lei inoltre – abbia pazienza – mischia il 1958 con il 2020. Non si fa così. Pure per l'epidemia d'asiatica, ad esempio, nel 1958 nessuno aveva fatto un colpo di Stato o messo il coprifuoco, leggi marziali e l'esercito per le strade come in Italia nel 2020; esautorando parlamento e democrazia per mano del semplice decreto personale di un presidente del consiglio divenuto tale – lei lo sa – solo vincendo «par bòta de cul» al Grattaevinci.

«Benedetta 'a Madonna dell'Incoronèuta» deve avere detto il foggiano quando è uscito il numeretto suo. Ma mo' mi dica lei adesso se le risulta – per caso – che nel 1958 in Italia i presidenti del consiglio venissero già sorteggiati al Bingo. Ma mi faccia il piacere, la prego.

Non c'era ancora una strada asfaltata – nel 1958 – nelle campagne nostre. Tutte bianche piene di buche e sprofondi; anche se di buche – a dire il vero – sono piene tuttora che le hanno asfaltate. Allora, però, le dimensioni minime previste dal codice della strada non erano quelle di adesso.

Sono passati sessant'anni e più – se permette – e le poche autostrade costruite prima, durante il fascismo, erano a carreggiata unica, con una sola corsia per senso di marcia. La Firenze-Mare, la Milano-Torino e la Napoli-Pompei erano larghe in tutto otto metri. La Milano-Laghi – virtualmente larga tra gli undici e i quattordici – era pavimentata in alcuni tratti per dieci, ma per tutto il resto, pure lei, otto metri e basta.

La stessa Autostrada del Sole – la più bella, più grande e più importante d'Italia – avevano iniziato a costruirla solo poco prima della nostra Latina-Lido. Fu terminata – completa completa – nel 1964 e tutte le altre verranno dopo. Tutte giustamente – come si suole dire – «a sua immagine e somiglianza».

Le assicuro però che anche l'Autostrada del Sole non era affatto – nel 1964 – come lei la vede adesso. Era tutta un'altra cosa. Molto più stretta, con due sole corsie per senso di marcia e senza jersey o protezioni di sorta, sul piccolo spartitraffico che pure c'era, in mezzo alla carreggiata. Lei poteva girare e fare inversioni ad U, come le pareva e piaceva.

Lo vada a chiedere a Accio – se non ci crede – che ci ha passato la vita sopra negli anni sessanta, a fare l'autostop avanti e indietro Latina-Milano-Latina: «Per colpa d'una fèmena» diceva mio zio Adelchi. Lui era ancora lì – a fare appunto l'autostop – quando nel 1968 iniziarono a scavare i buchi con le trivelle al centro della carreggiata, a piantarci col cemento i tronchi di putrella a doppio T per attaccarci infine i guardrail metallici ondulati. Non i jersey di calcestruzzo attuali. E l'Autostrada del Sole con molte meno macchine – e i camion che arrancavano faticosamente in fila in salita, sul tratto appenninico, a trenta o quaranta chilometri all'ora – secondo Accio era infinitamente più bella e fascinosa d'adesso.

Tutto cambia, col tempo – anche la misura delle strade – e per quei tempi là, le garantisco, dodici metri era una gran bella misura.

Cosa fa, ora: ride? Continua a insistere che tra dodici metri ed undici e mezzo non c'è quasi nessunissima differenza: «Cosa vuole che contino», dice, «cinquanta microscopici centimetri?»

Ah, sì? E mo' – secondo lei – se invece di 96-58-96, Marilyn Monroe avesse avuto 58-96-58, veniva proprio la stessa cosa? Ma mi faccia il piacere, altro che Marilyn le veniva. Le veniva la moglie di Shrek.

È il centimetro – tante volte – che fa la differenza. Come le spiegherebbe ancor meglio di me l'*ecfatus spiritus* di Dino Viola, non sia mai un giorno lo incontrasse, per una «questione di centimetri» – gol di Turone in presunto, molto presunto, fuorigioco il 10 maggio 1981 domenica, sant'Antonino e san Cataldo: «*Chi pota di maggio e zappa d'agosto, non raccoglie né pane né mosto*» – alla magica AS Roma rubarono uno scudetto, per darlo of course alla Juve. Grande presidente Dino Viola, riposi in pace.

D'altra parte è pure vero – bisogna ammetterlo – che mio cugino Otello, nonostante quello che affermavano alcuni suoi ex colleghi manovali alla centrale nucleare, non era all'epoca un tecnico titolato, particolarmente esperto della progettazione di strade. No, era stato appena bocciato in primo geometri. Nessuno lo vuol negare.

Ma non era nemmeno scemo e sapeva guardarsi intorno, fare i conti e prendere due misure. E se in ogni caso non hanno trovato niente da ridire – anzi, l'hanno colta al volo e fatta propria – Luciano Restante che era sì geometra esperto, e l'ingegner Enrico Selva che era appunto ingegnere, e professore universitario progettista stradale, mi spiega cosa va cercando lei, a rompere le scatole?

A me questa storia l'ha raccontata Otello, e come l'ho sentita, così gliela riporto. Che altro vuole da me? Se non le sta bene, vada a reclamare all'Anas.

Noi stavamo però ancora a quando il profilo della strada del mare era stato appena solo tracciato coi picchetti di legno conficcati nel terreno agricolo. Per finirla c'è voluto altro tempo e altro e ben più duro lavoro, che reggere la stadia, piantare picchetti e prendere misure su e giù a piedi, in mezzo alla campagna.

Lui sempre manovale era – Otello – le ripeto. Non è che potesse stare all'infinito come un pulcino sotto le ali protettrici della chioccia. Luciano Restante lo guardava sì da lontano, lo teneva d'occhio e ogni tanto gli diceva pure: «Ma rimettiti a studiare, mannaggia a te. Mica vorrai fare per sempre questa vita».

«Sto a studià, sto a studià... Me so' iscritto alla Scuola Radio Elettra di Torino», una scuola per corrispondenza che aveva sede a Torino. L'inserzione che lo aveva attratto sull'*Intrepido* diceva: «*Diventa Qualcuno Stupiscili Tutti*». E lui allora: «Mo' je scrivo».

Insegnavano man mano – per imparare a ripararle – a costruire dal nulla una radio spedendo a domicilio, periodicamente, i fascicoli delle lezioni, i questionari a cui si doveva rispondere prima di passare alla lezione successiva e i kit, come si dice adesso, di volta in volta con il supporto, la bobina, la valvola termoionica o quello che sia.

«Mah», storceva perplessa la bocca zia Pace, quando arrivavano i plichi.

Restante pure era dubbioso: «Che ce devi fà», chiedeva a Otello, «co' sta scola Radio Elettra?»

«Divento radiotecnico».

«Ma vaffallippavà. È da geometra che devi studià, è questo il lavoro tuo» allargando le braccia ad indicare l'orizzonte: «Strade e case devi fà, no gli aradio».

«Vabbe' vabbe', mo' ce penso...» per farlo stare zitto, e via a lavorare dove adesso noi diciamo «la discesa del mare» – subito dopo la Nascosa, dove la strada cala quasi repentina nel vallone della Cicerchia, finché risale poi il crinale dei Prati di Coppola – a sradicare con le seghe e le accette e ripulire con le roncole, per far spazio ai lavori di sterro, tutta la macchia ed il bosco fitto fitto, intricato degli spini e dei rovi dei tempi ancora delle vecchie paludi, prima della bonifica. Lì Cencelli – come le ho detto – non c'era passato.

Ma dove non era passato Cencelli passò mio cugino Otello – naturalmente non da solo, pure insieme agli altri; ma anche Cencelli però si era fatto aiutare – e mi deve credere, era proprio una selva giunglosa là in mezzo, diceva Otello, con delle serpi lunghe anche due o tre metri, serpenti colubri li chiamavano da queste parti, che lui a volte ammazzava con la roncola e portava a casa per mettere paura a Violetta, Accio e Mimì. E oltre alle serpi tornava ogni sera pieno di tagli, graffi e contusioni.

«Mariavèrzine» faceva mia zia: «Non ti conveniva, Otello, aver studiato?» anche se a dire il vero tornava pure ogni sera – non so come dire – quasi più bello, contento, radioso e più forte e robusto.

L'impresa poi ha assunto sempre più personale, e quando nel fondo finalmente ripulito del vallone hanno scavato le fondazioni e cominciato a tirare su il ponte che scavalca il Cicerchia, è arrivato una mattina – proprio mentre Otello oramai operaio provetto impalava ghiaia come un treno dentro la betoniera – è arrivato uno di questi nuovi assunti, che stava prima insieme a lui alla centrale nucleare. E come lo ha visto gli si è avvicinato ridendo: «Giometra!»

Io non credo volesse prenderlo in giro. Voleva solo salutarlo. Forse.

Fatto sta: «Non lo dire mai più» – Otello furioso con gli occhi di fuori, scuro in volto e il fumo che gli usciva dagli orecchi – «che te do na palata 'n faccia, te possin'ammazzà» col filo della pala già puntato però, oramai a contatto a spingere forte sotto la gola e il mento, lungo il collo dell'improvvido salutatore: «Hai capito?»

«Ho capito, ho capito» faceva il malcapitato, indietreggiando bianco smorto – «Ma io...» – mentre la pala d'Otello, minacciosa, restava alta a seguirlo: «Zitto!»

Quello andò di corsa dal capoccetta a farsi cambiare squadra.

E ogni volta che sul cantiere arrivava qualche altro neoassunto proveniente dalla centrale nucleare, subito s'affrettava ad avvisarlo: «Ahò! Non je dite Giometra che diventa na bestia».

Dall'incrocio di Latina via Aspromonte – dove c'è il carcere – fino al mare, lo scavo fu completato. Rifecero di sana pianta – allargando anche quella – la vecchia strada di bonifica che aveva fatto Cencelli fino alla Nascosa. E dopo lo scavo vennero le fondamenta con i massi di tufo o di pietra calcarea dei monti Lepini, e mano mano gli strati superiori di pietrame via via più piccolo, disposti e rullati a regola d'arte sino a un macadam più che perfetto.

Bisogna però dire che se quella strada poi non s'è mai mossa o fatta una piega – dura come la roccia – è anche e soprattutto perché, prima del macadam, del pietrame e dei massi calcarei o di tufo, prima di tutto venne steso sul fondo dello sterro di fondazione un manto di sabbia che nemmeno, davvero, l'Autostrada del Sole.

La linea del tracciato scorreva infatti quasi interamente su zone e strati di argilla che col tempo e le intemperie – come lei sa – crepa o si gonfia, si muove e poi cede. Ne dovettero scavare a banchi interi. La sabbia invece – sia di fiume che calcarea o anche pozzolanica – ha un sigma di sicurezza che lei neanche immagina e non solo attutisce i colpi, ma ripartisce uniformemente i carichi. In ogni strada che si rispetti, un tappetino di venti o trenta centimetri di sabbia ci si mette sempre, sotto.

Ma mentre Otello un giorno stava stendendo insieme ai suoi compagni questi trenta centimetri scarsi di sabbia, l'ingegner Selva aveva riproposto a Luciano Restante: «Ci andiamo a piglià un caffè?»

Restante con la coda dell'occhio aveva fatto segno di lato verso Otello, e ricevuto l'assenso di Selva lo aveva invitato: «Vieni pure tu con noi, Ote'?»

«Sì, basta che chiarimo prima chi paga però, sennò resto a lavorà».

«Ma non te preoccupà...» Restante.

«Paghiamo noi, paghiamo noi...» Selva ridendo.

«No no, non me fido: stavolta dovete pagà prima de ordinà. Anzi, ancora prima de entrà, ve possin'ammazzà».

Pronti via, in macchina hanno cominciato a chiacchierare – «Si rimetta a studiare» insisteva Selva; «Fa la scuola Radio Elettra» rideva Restante – finché, arrivati al bar, Otello se ne è uscito: «Ma che cazzo stamo a fà laggiù, co' trenta centimetri de sabbia? Ce ne vo' de più, ce ne vo'... secondo me».

«Ma tu sei scemo» Luciano Restante: «La sabbia costa, che te credi? Mica la regalano, alla cava».

«La cava? Ma siete scemi voi piuttosto, a regalà tutti quei soldi alla cava. Annàmola a piglià alla duna, no? Lì è tutta aggratis».

«È proibito, Ote'. Mica è roba nostra, è contro la legge».

«Ma chi vòi che te vede? Non ce passa mai nessuno e al limite ce potemo andà de notte...»

«Porca putana» s'è battuto una mano sulla testa l'ingegner Selva. E scolato in un attimo il Campari Soda è scappato di corsa un'altra volta dal bar: «Paga lei, Restante?»

«E te pareva!» Luciano a Otello: «Tu pensa che quando il cielo fuori è brutto, se frega pure gli ombrelli vicino alla porta, se li trova. Ce ne deve avé na collezione a casa. Sto figlio de...»

Dal giorno dopo però – o meglio, dalla sera – i camion tutti in fila sotto la duna, dove adesso c'è la strada Lungomare, a farsi caricare i cassoni pieni pieni di sabbia, colmi colmi con il rialzo supplementare pure delle sponde, che le balestre sotto facevano: «*Ghìo, ghìo, ghìo,* casso de mal aghemo fato nantre?»

«Chissà che fine hanno fatto» si debbono a un certo punto essere invece chiesti quelli della cava: «All'improvviso so' spariti...» mentre da noi al lido le ruspe sbancavano la duna.

«*Vrròwourrr! Vrròwourrr! Vrròwourrr!*» tutta la notte avanti e indietro, a mangiarsela a bocconi e risputarla sopra i camion. Che la mattina i branchi di cefali, spigole e orate – man mano che si incontravano dentro l'acque del lago di Fogliano – tutti a domandarsi l'un l'altro: «Ma che casso xè drìo sussèdere qua? Gnanca stanote se ga podesto dormir».

È così però che oggi, sotto la strada del mare nostra, non c'è un solo punto in cui macadam e fondazioni non poggino almeno su un metro di sabbia – altro che trenta centimetri – se non di più. Non si muove neanche se viene il terremoto.

Certo se lei lo facesse adesso – o provasse solo a disturbare un rametto o cespuglio di tamerici, che quella volta debbono avere subìto una strage – le darebbero trent'anni di galera. Se la vedono gli ambientalisti la decapitano sul posto, mentre Mario Tozzi si suicida come Mishima in diretta tv. Fa seppuko, ch'agh vegna un càncher. «Sepùko karkìro», diceva mio zio Adelchi.

Per la sabbia però la gratifica fu più alta. Il sabato in busta paga Otello si ritrovò addirittura una settimana in più – tremila lire tonde tonde – che Restante gli disse, sempre ridendo: «Be', stavolta ce pòi portà a cena fuori».

«E come no? Pure a mignotte ve porto, ve pigliasse 'n colpo».

Io non vorrei però, con tutto questo, darle l'erronea impressione che sul cantiere lui si desse arie o approfittasse in qualche modo della benevolenza che Restante e Selva gli mostravano, a volte anche davanti agli altri. No. Lui lavorava e basta. Lavorava e lavorava. Non si tirava mai indietro – ci aveva preso quasi gusto – e tutto quello che gli comandavano, lui obbediva e zitto.

Col progressivo inoltrarsi dell'inverno, e il lento ma incessante allungarsi delle giornate, faceva anche – quando glielo chiedevano – due ore al giorno di straordinario. Dieci ore di lavoro pure lui, come suo padre. Poi – quando tornava a casa – si lavava, si cambiava e mentre il padre andava alla Corale, lui invece giustamente al bar del Corso: «Un paio d'ore de biliardo me le sarò guadambiate» faceva a Silvio Di Francia e all'Atlante: «Mica come voi, che 'nfate 'ncazzo tutto 'r giorno».

Solo un paio però, non di più. E rientrato a casa presto, insieme ai fascicoli della Radio Elettra tirava pure fuori i libri del primo geometri – zia Pace i libri non li ha mai gettati, nemmeno quelli vecchi e malandati: «Roba da lèzare xè roba sacra e no se buta» – li sfogliava e sembrava ogni tanto studiare anche questi.

«Hai visto mai?» faceva lei al marito quando stavano a letto.

«Eh...» ridacchiava zio Benassi col sorrisino suo sardonico di sghembo: «Mi sa che stavolta, se la Madonna ci accompagna, la lezione gli è servita, a sto disgraziato. Staremo a vedé...» e ridacchiando si addormentava.

Quello, però, fu anche il tempo in cui Accio scappò di casa per la prima volta; pure se secondo i progetti iniziali non avrebbe dovuto essere solo. Con lui dovevano andare Violetta e Carletto Gava, sesto e penultimo figlio anche lui, con tutto quel che ne consegue. S'erano messi d'accordo – discutendone a lungo, per giorni e giorni – dentro la capanna costruita assieme a Giancarlo Paternich in una vecchia buca di quelle di Otello.

L'idea era stata di Accio – parlo della capanna adesso, non della fuga che comunque era stata sua pure quella – e quando zia Pace lo aveva visto uscire di casa con il picco e con la pala e dirigersi di là dal fosso a rifilare appunto la buca vecchia, subito lo aveva incoraggiato senza pensarci due volte: «Ma cosa vuoi fare tu... Mica sei Otello».

La stessa cosa gli ripeterà anni dopo, quando finite le medie – come lei sa – lui voleva iscriversi al classico, ma mia zia non ce lo mandò: «Tu vuoi fare il classico? Ma mica sei Manrico».

«Insomma», doveva avere evidentemente dedotto il povero Accio, «tutta la potenza creatrice e bravura manuale di mio padre è passata intera intera a Otello primo maschio; l'intelligenza astrale invece tua è andata a Manrico che è il secondo e a me, che sono il terzo, non m'è rimasto un cazzo? Io per tutta la vita non potrò fare niente, se non guardare da lontano quei due stronzi dei miei fratelli che fanno tutto loro? Ma vaffallippavà, mo' te faccio vede', se so' capace o no, a fà pure io na capanna».

Così l'aveva costruita. Non bella come quelle di Otello, ma comunque l'aveva fatta.

«Non credevo, va'...» disse mia zia, senza sapere però che lì dentro quelli non facevano che confabulare.

Volevano aggregare anche Giancarlo Paternich – una fuga di massa volevano fare – che noi all'epoca chiamavamo indistintamente Pàternik o Paternìcche e abitava sopra zia Pace; la signora Elide invece, quella che aveva il telefono e la televisione, stava sopra alla signora Loreta di fianco a noi.

Al padre di Giancarlo – che era di origini sloveno-goriziano-friulane – sotto il fascismo dovevano avergli arbitrariamente corretto o sbagliato il cognome. Dopo tanti anni di pratiche e ricorsi, finalmente riuscì a farselo ricorreggere in Peternich come da secoli erano i suoi avi, e Giancarlo quindi cominciò a insistere anche con loro: «Non me dovete più chiamà Pàternik o Paternìcche. Io me chiamo Pèternic, v'ho detto... Peternich!»

E comunque disse di no: «Perché devo scappà? Sto tanto bene a casa mia, io. Mi' madre me vò bene, mi' padre pure, fratelli e sorelle anche... Chi me lo fa fà?»

«Parli bene tu» subito Accio e Carletto Gava: «Voi siete una famiglia piccola... Cinque figli soli».

«Mbè!?» Violetta: «Un altro po' e ci si sperdono, in quella casa... Lui poi è pure l'ultimo, cocco di mamma».

Fatto sta, erano stati giorni e giorni a fare i piani e andare avanti e indietro in piazza, o meglio a via Pio VI, a guardare e riguardare il grande modello in scala della *Cristofo-*

ro Colombo – la nave ammiraglia nostra che faceva su e giù, a portare emigranti e turisti dall'Italia alle Americhe – che stava nella vetrina dell'agenzia di navigazione Italia e del Lloyd Triestino, gestita dalla signora Del Grande con il figlio. Questo figlio sposerà poi – sia detto per inciso – la Giuseppina Caddeo che dieci anni dopo sarà professoressa di diritto di Accio al geometri: «Benassi, sempre tu!» si disperava a lezione.

E loro lì davanti per ore, a mirare e rimirare la *Cristoforo Colombo* mentre Accio spiegava: «Noi entriamo da lì, passiamo di qua, ci nascondiamo là sotto». Era lui che aveva fatto i piani, studiato ogni cosa e seguito con la matita sull'Atlante – il De Agostini ovviamente, non l'amico di Otello – i tragitti.

Come dice lei, scusi? Chissà quali scombinati piani s'era fatto: conti tutti da solo senza l'oste?

Ah, lo credo anch'io. Non erano del resto che bambini – lui e Carletto Gava potevano avere otto o nove anni, Violetta dieci – e i bambini, ma pure i ragazzi, spesso confondono i desideri con la realtà, i sogni con il *verum factum*.

Ma al di là dei bambini, diciamoci però la nuda e cruda verità: se zia Pace l'intelligenza sua – come detto – l'aveva passata tutta a Manrico, cosa vuole alla fine che ne fosse rimasta per Accio? Ognuno è – storicamente – quello che è. E si comporta di conseguenza.

Insomma era deciso. Guardato un'altra volta per bene sull'Atlante – sempre quello De Agostini – non c'era che da percorrere viale XXI Aprile fino al primo incrocio dove stava il cartello con scritto «*Terracina*» e soprattutto «*Napoli km 171*». Arrivare quindi dritti dritti a Napoli, cercare al porto la *Cristoforo Colombo*, mettersi davanti alla passerella facendo finta di litigare e, nella confusione che certamente ne sarebbe scaturita, sgusciare tra le maglie della sorveglianza, salire sopra, nascondersi e finalmente, quando sarebbe stata l'ora, scendere in America e diventare ricchi: «Che ci vuole? È tutto calcolato» aveva assicurato Accio.

Come dice lei, scusi? Che aveva ragione mia zia?
Mi sa di sì.
Comunque il giorno era fissato – tutti d'accordo – doveva essere, mi pare, un venerdì sera. Ma poi Carletto Gava ci aveva ripensato. S'era presentato il pomeriggio alla capanna e tutto contrito aveva confessato: «Scusatemi, ma non me la sento».
«E i piani che avevamo fatto? Mica si fa così, tra persone per bene. La parola è parola», Accio.
«Lo so, hai ragione, ma mia madre non vuole, poi si arrabbia e io non me la sento».
«Ma che t'importa se s'arrabbia?» Violetta: «Tu mica la vedi: noi stiamo già in America».
«No no, non me la sento».
«Vabbe'», Accio: «Andiamo io e te» a Violetta, e si sono salutati.
«Beati voi» faceva triste Carletto Gava.
«Mandatemi una cartolina», Giancarlo Peternich: «Ma come faremo noi adesso, senza di voi? E la capanna?»
«È tua mo'. Te la regalo».
«E a me?», Carletto Gava.
«A te niente».
«Non te preoccupà» lo consolava Giancarlo: «Te faccio entrà... Te faccio entrà pure a te».
La sera poi – cenato tutti e messi a letto – zia Pace e zio Benassi sono usciti: lui alle prove della Corale e lei a giocare a carte dalle sorelle.
Si riunivano apposta un paio di volte a settimana: tutte le domeniche pomeriggio e una sera infrasettimanale, a turno a casa di qualcuna. Giocavano a maus, una variante non so se veneta o ferrarese della bestia a quattro carte, con un misto di regole mutuate anche da briscola, tressette e poker. Una cosa complicatissima da giocarcisi la testa ed il collo, ma loro per evitare di rovinarsi l'un l'altra avevano stabilito come sicurezza del sistema – diremmo adesso – che la bestia massima non dovesse superare le duecen-

to lire. Così nel giro di un mese finivano quasi sempre tutte pari: mutua compensazione.

Ma nel corso del gioco si facevano certe litigate – soprattutto quando c'era zio Adelchi, che giocava sempre furbo sparagnino al risparmio esasperato, «ma 'l gheva pure un gran cul» diceva mia zia – con strilli ed urla che la gente li sentiva da fuori passando in strada. Era il loro modo di stare assieme e giocavano – si può dire – per potersi almeno strillare addosso un paio di volte a settimana. Razza Peruzzi, che ci possiamo fare?

In quel periodo, nella camera che poi è diventata per antonomasia quella delle femmine dormivano Tosca nella sua branda di ferro sotto la finestra, Mimì dentro il lettino alto che le era servito già da culla, e Accio e Violetta insieme nel lettone grande, senza più Norma che s'era sposata da poco; ma questo matrimonio lo saltiamo a piè pari – non ne facciamo neanche una parola adesso e lo rimandiamo a un altro filò – altrimenti non finiamo più. Manrico era in seminario e Otello invece in un lettino in camera di zia Pace e zio Benassi.

Quando finalmente s'è fatto buio buio, la notte fonda e in casa tutti dormivano – pure Tosca che nella branda sua non si girava più – Accio ha dato uno strattone a Violetta che gli stava a fianco, dentro il letto grande, girata però dall'altra parte: «Ma che stai a fà, stai a dormi'?»

«No» e s'è voltata. «Però non vengo» piagnucolosa: «Scusami ma non vengo, ho paura, mi manca il coraggio. Se c'era anche Carletto Gava...»

«Che c'importa a noi di Carletto Gava? Andiamo io e te».

«No no. Vai tu, se vuoi. Ma io non vengo...»

Non è che abbia provato a dire: «Non andare nemmeno tu, rimani qua». Niente.

Io adesso non so se dentro di sé pensava: «Ma dove va da solo? Da solo avrà paura, vedrai che non va» o se invece credeva sul serio che almeno lui avesse il diritto – se ne aveva la forza e il coraggio – di scappare e tentare l'avventura. E lo invidiava, Violetta, lo invidiava languida, mentre quello s'alzava dal letto e rivestiva nel buio: «Ciao».

«Ciao».

È uscito, ha riaccostato la porta, ha aperto quella del padre e della madre. A tastoni ha cercato il comò stando attento a non urtare la branda di Otello, che era venuto a letto presto pure lui – niente biliardo al bar del Corso – perché la mattina doveva andare a lavorare alla strada del mare.

Accio piano piano ha tirato il primo cassetto in alto del comò, e sempre a tastoni s'è messo a cercare l'orologio svizzero *Record Genève* placcato d'oro che gli aveva regalato il compare Zannella per la prima comunione: «Male che va, me lo rivendo».

Stava tutto qua – nell'orologio – il loro piano finanziario, oltre alle quattro o cinquecento lire metalliche del salvadanaio suo e di quello di Violetta, gentilmente offerto: «Piglia pure i soldi miei» mentre a stento tratteneva le lagrime.

Ma cercava cercava, Accio – furegava di qua e di là, nel cassetto – e non lo trovava, finché Otello s'è svegliato: «Che è sto trambusto, che madonna stai a fà? Vattene a dormì» e gli è toccato riaccostare il cassetto, richiudere la porta, venire via.

«Sto rompicoglioni...» continuava Otello.

«Mannaggia a te» pensava invece Accio: «Chissà se me l'ha fregato lui? Ma come faccio io mo', senza nemmeno l'orologio come capitale di riserva?» e quasi quasi era tentato dalla voglia di desistere. «Ma che figura ci faccio, però? No, no, proseguiamo. Mi basta la catenina» quella d'oro al collo con il crocifissetto.

Sempre al buio è arrivato in cucina – Violetta intanto dentro il letto, rannicchiata rannicchiata, pregava: «Speriamo che non va, speriamo che lo piglia la paura e ci ripensa» – e in cucina ha acceso la luce per cercare provviste, portarsi dietro qualcosa da mangiare: «Un tozzo di pane, va'».

Niente. Non avanzava niente in quella casa. S'accapigliavano per rosicarsi pure l'ultima briciola, se la strappavano di bocca l'un l'altro – manco le cavallette – col coltello alla mano. Se non ti sbrigavi a ritrarla, te la mangiavano pure con tutto il coltello la mano. Alla fine ha trovato tre mele, ma tre melette piccole piccole chissà come sopravvissute alla razzia – forse proprio perché, così piccole, nessuno le aveva viste – e se le è messe in tasca: «Porca miseria ci hanno scoperto» debbono avere pensato loro.

Ha spento la luce. Al buio ha aperto il portoncino dell'ingresso e piano piano – «Speriamo che non si risveglia Otello» – lo ha richiuso e via.

Violetta dentro il suo letto – quando ha creduto d'averne sentito il «*Blùp...*» e poi più niente – avrebbe davvero voluto morire. Piangeva piangeva, rannicchiata rannicchiata, pregando Dio e la Madonna che non succedesse niente a suo fratello: «Come faccio io adesso, di nuovo sola e senza quella peste a fianco? Chi perdonerà il mio peccato, d'averlo tradito e abbandonato, non averlo accompagnato?»

Ma anche, e soprattutto: «Non è che questi, adesso, danno la colpa a me e mi rimandano a Borgo Vodice, ch'agh vegna un càncher?»

Lui intanto – Accio – era scappato di casa, oramai. E questo è un fatto.

Al volo al cancello. Aperto, richiuso e di corsa lo stradone – «Prima che viene qualcuno» – da casa al viale XXI Aprile e ancora di corsa lungo la circonvallazione fino, diciamo, alla curva di Faggella: «Ecco. Mo' anche se arrivano da dietro, non me possono più vedé». Solo lì s'è fermato – col fiatone – dalla corsa.

E piano piano lemme lemme, tranquillo tranquillo, è giunto all'incrocio dei giardinetti. Ha girato a destra sulla strada per Napoli e Terracina – l'attuale S.S. 156 dei Monti Lepini – e arrivederci e grazie: «Ci rivediamo quando torno ricco dall'America, ve possin'ammazzà».

I miei zii intanto stavano, come le ho detto, uno alla Corale e l'altra a giocare a carte dalle sorelle.

Finite le prove – tutti contenti di come stesse venendo la *Missa* del Perosi – zio Benassi ha salutato gli amici ed è andato a piazza Roma, dalla cognata, a riprendersi zia Pace. Quando sono state le undici, o poco più, sono venuti via e alle undici e mezzo di sera – mezzanotte al massimo, to' – finalmente sono stati vicino casa.

Svoltato l'angolo dell'ex Gil, venivano quindi tranquilli pure loro – ridendo e chiacchierando – lungo viale XXI Aprile illuminato dai lampioni, camminando come una coppietta innamorata in mezzo alla strada asfaltata, perché allora di macchine non ce n'erano proprio, specie di notte, e perché il marciapiede non c'era ancora nemmeno lui, ma solo il ciglio di travertino a bordare l'asfalto e terra battuta sconnessa, cespugli ed erbacce.

Camminavano quindi tranquilli, ripeto, quando arrivati alla traversa nostra – lo stradone di fanga e pozzolana che lampioni non ne aveva, e che avrebbe quindi dovuto palesarsi loro, dopo la luminosità di viale XXI Aprile, buio buio – arrivati allo stradone, invece del buio hanno visto fermo là in fondo, davanti casa loro, un camion col motore e le luci accese.

«*Bedebé-bedebé-bedebém*» faceva il diesel in folle, mentre i fari illuminavano, lontano, il filare d'eucalypti sulla terra già dei Molon, dove stavano costruendo l'ospedale nuovo. Giù dal camion – a fianco alla cabina – due uomini s'aggiravano qui e là, non sapendo bene dove andare.

«Chissà chi cercano, quelli?» ha fatto zia Pace, ed ha affrettato il passo per andare sollecita incontro a quei due, gentile e sorridente. Mia zia – non so se gliel'ho detto – con gli estranei era sempre sollecita, sensibile, gentile, sorridente. Era con i suoi di casa, invece, che diventava una iena.

Come dice, scusi? Che mia zia doveva essere un po' nevrotica?

Eh, mi sa di sì. Fabiano – il dottor Fabiano – le dava il

Neurinase. Tubetti e tubetti, sul comodino suo, di Irgapirina per i dolori reumatici e Neurinase per quelli dell'anima.

E così, le dicevo, è andata incontro a quelli – mentre uno nel frattempo entrava dal cancello nostro in giardino e già sul pianerottolo suonava «*Drèèèèèèèè...*» al campanello vicino la porta – e sempre sorridendo ha chiesto, con l'intento di rendersi utile: «Chi cercate?»

Poi abbassando gli occhi ha visto all'improvviso immobile – a fianco a quello rimasto fuori dal cancello, sotto la cabina del camion – suo figlio piccolo Accio: «Che fai tu qua?» ha chiesto sorridente anche a lui.

Credo che all'inizio non avesse capito, povera donna. Era sorpresa e basta. Divertita, quasi: «Da dove sbuca adesso questo?»

Intanto – a furia di «*Drèèèè... Drèèèèè... Drèèèè...*» al campanello – s'è accesa una luce dentro casa, s'è aperto il portoncino e sul pianerottolo è apparso Otello in mutande: «Che volete, chi siete, che madonna cercate?»

«Che fa qua sto ragazzino?» ha chiesto allora serio mio zio Benassi a quello del camion, mentre zia Pace smetteva di sorridere e, pure lei: «Che fa, eh? Che fa!?»

«Signo', ve l'avemo riportato a casa, ecco che fa. L'avemo trovato in mezzo alla strada a Borgo San Michele».

«A Borgo San Michele?»

Quello a piedi s'era fatto non so quanti chilometri e non so nemmeno dirle se ogni tanto ci avesse ripensato, si fosse messo paura o avesse avuto la nostalgia di sua madre, di sua sorella, del suo letto. Lui poi ha raccontato che sì, quando sono finite le poche case che c'erano allora su viale Cesare Augusto – quando è finita Latina e con Latina le luci, e la S.S. 156 è entrata in mezzo alla campagna – a lui un pochino di paura è venuta, man mano che davanti ai poderi i cani gli abbaiavano dietro.

All'incrocio del Piccarello – dove c'era una Madonnina

anche lì, dall'altra parte della strada – ha detto una preghierina: «Madonnina aiutami» e pronti via, di nuovo.

Per farsi coraggio cantava Tony Dallara – dice lui – *Come prima* e soprattutto *Julia*: «*Juliaaaa, / amarti e comprenderti / è stato difficile / perché strana sei tuuu. / Juliaaaa, / del mio amore non ridere / non sciupare così / il ricordo che ho di te-e-e*». Gli sarebbe piaciuto cantare pure *Forever* di Joe Damiano come la cantava Otello. Otello però la conosceva tutta in inglese – o meglio, lui diceva che era inglese – ma Accio no, sapeva solo: «*Forever, / lav mi forever*» e poi basta. Ripeteva solo e sempre quello. Poi non lo so, forse *Volare* o *T'adoriam Ostia divina*. Ma anche: «*You are mai dèstny, / You are mai fòrtuny*».

E cammina cammina nel silenzio della notte – nessuna macchina e solo i cani a rispondere da lontano ai suoi ululati – a un certo punto ha sentito provenire da Latina il «*Broooooooum*» d'un camion in avvicinamento. S'è voltato, e quando i fari si sono fatti più grandi ha alzato un braccio.

Quelli si sono fermati. Era un camion senza rimorchio. Solo la motrice. Un OM credo. Dal finestrino hanno chiesto preoccupati: «Che è successo?» pensando a un incidente o a una disgrazia.

«Devo andare a Napoli».

«A Napoli? Vie' qua, va'» e lo hanno fatto salire.

Sistemato tra i due sedili – sul coperchio bombato e caldo del motore – hanno ingranato la prima, la seconda e sono ripartiti: «Cosa dovresti andare a fare, a Napoli?»

«A trovare mio padre all'ospedale», la risposta preparata da tempo.

«In quale ospedale sta?» hanno voluto approfondire quelli.

«All'ospedale di Napoli».

«Ho capito, va'» hanno fatto: «Mo' raccontacela tutta, però. Sei scappato di casa?» e a lui non è rimasto che confessare.

Quelli con il camion hanno proseguito un altro po', ma quando sono stati a Borgo San Michele, dove la 156 fa il grande curvone in direzione dell'Appia – la curva della Pfizer la chiamavano, e sull'altro lato della strada c'era a quel tempo il piazzale di un distributore Caltex sempre aperto anche di notte – hanno stoppato, attraversato quasi ad U la strada e dritti al gabbiotto illuminato.

«Il pieno?» gli ha chiesto il benzinaio.

«No. Avemo trovato sto ragazzino scappato de casa, non sapemo ndó lasciallo e lo lasciamo a te».

«A me? Ma voi siete scemi, chi trova la roba se la tiene».

«Ma qua prima o poi passa la pattuglia della Stradale e lo dai a loro».

«E se invece poi non passa che faccio, me lo tengo io? Riportatelo alla madre che è meglio».

Accio allora ha detto: «Vabbe', grazie mille, voi ripartite pure che io torno a casa da solo».

«No no, e se riscappi?» e lo hanno fatto risalire. Rimetti in moto, marcia indietro, di nuovo a Latina.

Quando sulla circonvallazione di viale XXI Aprile sono stati davanti alla traversa nostra, lui gli ha detto grazie un'altra volta: «So' arrivato. Mo' fàteme scende, che vado a casa».

«No no. Noi te volemo proprio vedé entrà dentro» e così hanno girato, si sono fatti lo stradone e fermati davanti al cancello: «È qua?»

«È qua. Però è inutile che venite. Tanto mi' madre non ce sta e mi' fratello sta a dormì».

«E lo svegliamo» hanno fatto quelli: «Ma noi da solo non ti molliamo» e da lì in poi gliel'ho già raccontato. Dalla circonvallazione sono sbucati zia Pace e zio Benassi, e dalla porta invece Otello in mutande: «Che volete, chi siete?»

«Grazie, grazie d'avercelo riportato» i miei zii: «Dobbiamo qualcosa per il disturbo?»

«No, no. Basta che lo guardate meglio, sto ragazzino» e se ne sono andati.

Come il camion – «*Vròòuummm...*» – è sparito, subito mia zia ha alzato la mano: «Dove volevi andare, desgrasià?»

Zio Benassi l'ha bloccata al volo: «No Pace, non lo dobbiamo menare».

«Perché sei scappato? Dove avevi in mente d'andare, ch'at vegna un càncher» furiosa, china sul bambino lì al cancello ancora, con Otello che in mutande rideva chiedendo pure lui al fratello: «Do' cazzo sei andato, che t'avemo fatto, che volevi fà?»

Accio zitto muto – con la testa china – impenetrabile.

«Allora?» spingendolo a ditate Otello – mentre però il padre gli intimava: «Statte fermo, tu» – «Allora 'ndici niente?»

E quello ancora come una sfinge – altroché Tutankhamon – senza un fiato, un sospiro, una lagrima, un cenno, uno sguardo. Torvo torvo per i fatti suoi a capo chino finché – entrati in casa – zio Benassi gli ha detto dolce: «Vai a letto adesso, vai».

Ma appena Accio s'è avviato, lo ha ripreso per la spalla, lo ha fatto rigirare e gli si è accucciato innanzi, viso a viso: «Mi prometti che non scappi più?»

E quello zitto.

«Me lo prometti, figlio?» implorante, mio zio.

Allora ha detto: «Sì».

«Sicuro?»

«Sicuro» Accio, che però invece di andare in camera s'è riavviato verso la cucina.

«Ndó vai adesso?»

«Ciò le mele da rimette a posto» e dalla tasca dei calzoni corti ha estratto le tre micromele.

«Ah, t'eri portato pure da magnà?» rideva Otello: «Co' quelle potevi stà via chissà quanto tempo. Chi te ripigliava più? A te e sto scemo che sei».

Violetta invece non aveva mai chiuso occhio, poverina, sempre tutta rannicchiata a piangere e ciucciarsi il dito con l'ansia nello stomaco a pensare a suo fratello da solo nella notte chissà dove. Poi «*Drèèèè, drèèèèè*» era suonato il campanello – a lei era preso un colpo – Otello che s'alzava e

Tosca appresso a lui ad aprire il portoncino. I rumori: «*Bedebé-bedebé-bedebém*» del camion fuori. Mimì che continuava a dormire nella culla di ferro. Le urla, il trambusto e il vociare sovrapposto di Tosca di Otello del padre e della madre già in cucina o nell'ingresso. E lei sempre rannicchiata nel suo letto a volersi stringere ancora di più fino a scomparire: «Chissà che è successo?» pensava. «Adesso però vengono qua e se la pigliano con me. Mi rimandano a Borgo Vodice, mannaggia Accio».

E appena – «*Scrèèk*» – s'è aperta la porta della camera e con la luce della sala alle spalle è riapparso zitto muto capo chino sguardo torvo, quel canchero di suo fratello, a Violetta è sembrato all'improvviso di volare all'istante dall'Inferno al Paradiso: «Accio!» seduta radiosa dentro il letto, nella sua camiciola da notte di flanella celeste con stampigliati tanti piccoli aerostati gialli, tali e quali a quello grande sulla copertina del *Giro del mondo in ottanta giorni.*

«*Sssh!*» le ha fatto lui complice col dito sulla bocca. S'è spogliato e ha provato a richiudere la porta.

«No no, lascia aperto che te voglio sentì» ha detto il padre dalla camera sua.

Allora s'è ficcato sotto le coperte e lei gli si è stretta forte forte addosso: «Sei tornato. Menomale che sei tornato... Racconta, racconta».

«Ma che racconta, che tornato?» piano piano piano: «M'hanno catturato, m'hanno fatto prigioniero. Però riscappo, hai voglia tu che riscappo...»

«Ma non hai promesso a papà che non scappi più?»

«Che promessa è, se tu mi ci obblighi per forza? Mica gli potevo dire di no. Ma riscappo, riscappo».

«Ah, la prossima volta vengo anch'io con te. Non ci rimango più, qua da sola. Promesso».

«Eh, come stavolta, come le promesse mie a papà».

«No no, la prossima volta vengo, scappo di casa pure io». Poi, come lei sa, Accio che era cattivo davvero è riscappato più di qualche altra volta. Violetta e tutte le sue sorelle, invece, per riuscire a evadere da quella casa si dovettero giusto sposare il primo che passava: «Bello o brutto che tu sia, ciapa su che 'ndemo via».

Io adesso non so che cosa avesse esattamente in testa Accio. Mio zio Benassi il problema se lo pose però quella sera, e quando finalmente riuscirono a mettersi a letto lo pose anche alla moglie: «Che gli avremo fatto, a quel ragazzino, pe' fallo scappà?»

«Lo chiedi a me?» zia Pace sulle furie: «Io di certo non gli ho fatto niente. Tu piuttosto, sempre scorbutico appresso alla Corale...»

«Io? La Corale? Che c'entra mo' la Corale?»

«C'entra, c'entra. E chi se no? Non vorrai mica che sia stata io...»

«No no, Pace» e per farla finita e mettersi a dormire – che il giorno dopo doveva pure lui come Otello andare a lavorare – le buttò là: «Sarà colpa di quei libri d'avventura. So' quelli, che je mettono in testa i sogni e le fantasie, che loro dopo je corrono appresso».

«Insomma è colpa mia che glieli compro?»

«No, no. Stai tranquilla, è colpa mia» e con uno sbuffo s'è girato dall'altra parte.

Ma quella niente da fare, l'ultima botta – come ai fuochi d'artificio – doveva essere per forza la sua: «L'unica è che non ne facciamo più una parola neanche con lui. Zitti assoluti senza dargli nessuna importanza, come se non fosse successo niente. Vedrai che alla lunga gli passa e se ne scorda anche lui. Normalità assoluta Benassi, normalità».

«Sarà...» ha pensato lui: «Ma è meglio che me sto zitto».

Quella era sempre stata – del resto – la medicina migliore che mia zia avesse trovato per non stare male o, quanto meno, per stare meno male possibile: non pensare alle cose che la potessero far stare male. «Ti scancello e non sei nemmeno esistita».

Così dal giorno dopo – che Accio s'aspettava giustamente di dover pagare in qualche modo il conto: «Chissà che me faranno» – tutto tranquillo invece come prima. Anzi, la madre quasi più dolce e meno dura – la colazione pronta, i calzoncini stirati, la maglietta pulita – ma senza una parola, senza dirgli nulla. E lui – man mano che passavano i giorni e nessuno parlava o lo menava – a un certo punto ha detto, dentro di sé: «Ma come, mi gonfiate di botte per ogni piccola cosa, e per questa neanche un rimprovero, nemmeno mi toccate? Ah, ma allora davvero non ve n'è fregato niente! Mo' ve faccio vedè io, ve possin'ammazzà» e da quel momento s'è fatto, se possibile, ancora più cattivo.

Che le debbo dire io? Io non so – fra lui e la madre – chi fosse lì il più matto.

Pure zio Adelchi il giorno dopo però, quando la sorella gli raccontò tutta piena di vergogna che il figlio era scappato, ma che per fortuna glielo avevano riportato – e lui subito: «Hai preso il numero di targa?»; «Parché? Vòtu farghe 'a multa?»; «No, sta' calma: deformasion professional» – diede la colpa ai libri: «At sta ben, senpia! I vecchi dicevano, lassù in Altitalia, che ci sono tre cose che non si debbono mai dare: libri in man de putei, s-ciopi in man de mati e osei in man de fémene».

Anche a Manrico – dopo avere letto e riletto tre o quattro volte di seguito *Kim* – fu a sette o otto anni che gli era venuta la fissazione dell'India: «Quando divento missionario devo andare in India a convertirli tutti. Però quando muoio mi faccio bruciare come loro e le ceneri nel Gange. Hai capito, Ote'?» mentre la sera stavano ognuno nel suo letto: «E se per caso invece muoio prima e sto ancora qui, allora ci devi pensare tu che sei il fratello più grande a farmi bruciare, e poi portare le ceneri in India e spargerle nel Gange».

«Nel Gange? Fino all'India me vòi fà annà? Ma non ce penzà proprio, Manri'. Io al massimo te butto al Canale dell'Acque Medie. Penza a campà, che è meglio. No a morì...»

Non escludo quindi che pure Accio sulla 156 verso Borgo San Michele – da solo nella notte, davanti all'ignoto dell'Universo Mondo – potesse avere avuto a frullargli nella testa anche quei *Cuore, Dagli Appennini alle Ande*, e *Martin Eden, Senza famiglia, Davide Copperfield* e l'intera serie di *Idioti, Incompresi, Tares Bulbe* e *Anne Karenine* che s'era dovuto sciroppare; tutta roba peraltro che, dopo letta, c'era davvero, a quell'età, da strapparsi da soli il cuore dal petto: «Orca santasgnàcara, tanto val ch'am copo sùbito mi».

Chissà, forse ci obbligavano a leggerli proprio per potergli dare poi la colpa quando scappavamo – «Xè stà quei» – senza doversi mettere sotto accusa loro. Così zia Pace e i fratelli e sorelle di Accio – e lui compreso, probabilmente – credevano che scappasse e riscappasse per puro spirito di avventura: «So' i sogni che si fa nella testa».

Solo a zio Benassi, ripeto, ogni tanto veniva il lontano sospetto che, quando un ragazzino scappa di casa, c'è dietro qualcosa che non va.

Come dice lei, scusi? Che non ci vuole mica il mago Ugolì per capirlo? Che è chiaro a tutti oramai – tranne forse a quelli di *Chi l'ha visto?* – che se qualcuno scappa e se ne va, vuol dire che non ci si trova più tanto bene, dove sta? Chissà che gli fanno – secondo lui – lì?

Ah, sono d'accordo con lei, non si discute. Lo so anch'io che è chiaro. Ma è chiaro adesso però. Non era chiaro allora.

Otello l'indomani era riandato a lavorare e la sera – dopo un paio d'ore al bar del Corso – aveva ritirato fuori i libri e s'era messo a studiare.

«Speriamo ben» faceva mia zia.

I fascicoli della Radio Elettra non li guardava più – s'era stufato: «Case e strade devo fà. Che me frega a me degli aradi?» – e restavano chiusi via via che arrivavano. Finché a un certo punto si è messo ad aprirli zio Benassi, che da tempo li guardava incuriosito.

Zio Benassi non è che leggesse molto. A parte la musica, *Quattroruote* e *Famiglia Cristiana*, lui leggeva ogni tanto i due manualetti Hoepli che s'era comprato tanti anni prima: il *Manuale Pratico per l'Aggiustatore Meccanico* di Ferdinando Massero, e *Macchinista e Fochista* dell'ingegner Malavasi. A lui, ripeto, oltre alla musica, al calcio, al ciclismo, all'automobilismo e alla religione, interessavano le macchine, i motori, la meccanica. La roba sua, diciamo. Con l'elettricità non aveva mai avuto invece dimestichezza. Gli piaceva ascoltare la radio, ma quando si guastava – e si guastava spesso – toccava portarla dall'aradiaro e doverne fare a meno per un paio di giorni.

Così s'è messo lui a sfogliare i fascicoli della Radio Elettra. Sempre tèkne era – roba sua in fin dei conti, pensava, anche questa – progresso scientifico. E sfoglia un fascicoletto oggi e uno domani – mettendo da parte per mezz'ora lo spartito dei bassi del *Canto degli Eroi* – gli è venuta voglia di farsi lui da solo questa benedetta radio: «Così quando me se rompe la mia, non solo ce ne ho già un'altra, ma me l'aggiusto pure».

Purtroppo però i kit non arrivavano tutti i giorni, in modo che in una settimana o due potesse a un certo punto dire: «Stop: ecco qua la radio». Macché. Arrivavano a goccia a goccia come le torture cinesi.

«Qua me ce vòle un sacco de tempo...» pensava zio Benassi mentre la musica da ricopiare – oltre al lavoro corrente della Corale: la corrispondenza per l'organizzazione dei concerti, le pratiche per i contributi del ministero, il libro dei conti dare e avere – s'accumulava sempre più. «Gli spartiti nuovi, Bena', non sono ancora pronti?» chiedevano i coristi ogni sera.

«Ancora no, ce sto a lavorà» ma finite le prove e tornato

a casa, sempre i fascicoli della Radio Elettra continuava a tirare fuori: «Io sta radio la debbo fà, mannaggia a me. Mica me posso arrènde così».

«I miei fratelli se n'erano fatti una a galena» ha pensato di suggerirgli zia Pace: «Funziona anche senza corrente».

«Ah, lo so pure io, mica solo i tuoi fratelli. Ma le radio a galena si facevano durante la guerra e non servivano a niente. Ci volevano le cuffie, pensa tu».

Così alla fine, tra quel poco che aveva capito dai fascicoli e quattro chiacchiere con Scotto – un amico suo elettricista dei tempi della bonifica, che aveva aperto un negozio di radiotecnica, giradischi e lampadine su corso della Repubblica – alla fine s'era risolto: «Mo' m'arrangio da solo e te faccio vedé: questo non me serve, quest'altro faccio a meno, st'altro lo butto, me basta solo giusto un po' de bachelite», l'isolante per i supporti che gli aveva detto Scotto.

Da quel momento i figli – o almeno quelli che andavano a scuola – cessarono ognuno di trovare dentro la cartella di cuoio la penna che ricordavano di averci riposto: «Ce l'ho messa ieri».

Niente più: sparita. Specie quelle stilografiche. Le biro e le prime Bic un po' meno; non andavano bene. A lui non è che servisse tutta la penna in perfetto stato di funzionamento. No, a lui occorreva solo il corpo – la carrozzeria – il fusto in bachelite che contiene e copre il tutto. Del resto invece – cappuccio, pennino, alimentatore e serbatoio – non gli fregava niente. Solo i fusti gli servivano e all'inizio s'era messo a cercarli in ogni cassetto della cucina dove c'era sempre di tutto, dai tappi della birra Peroni all'orologio di Accio, che non riusciva poi a trovare nel comò quando doveva scappare di casa. Ma niente, e niente nemmeno sui ripiani dello sgabuzzino, finché era andato dai figli a chiedere cortesemente che gli dessero almeno le stilografiche vecchie o rotte che non usavano più. Ma quelli: «No, non ce l'ho».

«Come, non ce l'hai? La mamma ve sta sempre a comprà penne nove, spendemo più de penne che de pane a sta casa, e mo' che me ne serve una vecchia a me, non ce n'avete nessuna?»

«L'avemo buttate. Quando la robba è vecchia se butta, papà».

«Ma io ve butterei a voi...» e – volendo o non volendo – gliele fregava.

Quando i miei cugini a scuola cercavano e ricercavano la penna dentro la cartella – «Mannaggia mi' padre» – non la trovavano più e dovevano farsela prestare in fretta e furia da qualcuno, prima che se ne accorgesse la maestra e gliela desse lei, ma assieme sempre a tre o quattro bacchettate: «Così impari a venire a scuola senza» mentre il resto della scolaresca faceva con la testa «Sì, sì», a darle pure ragione.

Solo una volta Accio ha provato a giustificarsi: «Non è colpa mia. Me l'ha rubata mio padre».

«Cosa?» è diventata una iena quella là, peggio ancora di zia Pace: «Adesso infanghi anche tuo padre?» e tante di quelle bacchettate, che appena lui per il dolore ha dovuto ritrarre la mano – «Ch'at vegna un càncher a ti e a lu» – ha continuato a dargliele a tutta forza sulle spalle e le braccia.

«Un altro po' e m'ammazza» ha detto la sera al padre, mentre dopo cena zia Pace sparecchiava, e ripulita e stesa per bene sul tavolo di legno della cucina la tovaglia incerata a fiori gialla, zio Benassi abbassava il volume della radio in alto sulla mensola attaccata al muro – «Se no me disturba e non me concentro»; «Ma fammi sentire qualcosa anca a mi» zia Pace al lavandino o seduta già a rammendare – e cominciava a disporre pinze e pinzette, vitarelle, seghetto, cacciaviti grandi e piccoli, supporto di legno, valvole, bobine, rocchettini di filo di rame smaltato di due o tre diversi microdiametri, e fusti sani o già intagliati incisi segati limati o traforati di ex penne stilografiche di bachelite: «Quante botte m'hai fatto piglià oggi», sempre Accio.

E con tutti e tre i più piccoli – Accio, Violetta e Mimì – seduti attorno al tavolo a guardarlo ammirati, mio zio Benassi concentratissimo, col sorrisino suo solito di sghembo, «bocca storta» diceva zia Pace, fischiettando piano piano qualche aria d'opera montava e rismontava, avvitava o stringeva, risvitava o riallargava.

«Facci una televisione, papà» riprovavano a chiedere ogni sera quei tre, «che la radio ce l'abbiamo già».

«Eeeeh, la televisione è difficile...»

«Ma tu sei bravo. Sai fare tutto» Accio.

«Seeeh, sa fare tutto?» zia Pace.

«Eggià, non so fà niente?»

«Va, va'... No i xè mina tratori, questi».

Ma smonta e rimonta – una sera appresso all'altra – finalmente è arrivato il fatidico momento che ha chiamato tutti a raccolta: «Correte! Venite a vedé, che stavolta l'ho finita».

E tutti subito in cucina attorno a questa scatola di compensato giallo, che s'era costruito col trapano e il seghetto del traforo portato in dono dalla Befana ai figli; a quel tempo – non so se gliel'ho detto – era la Befana che elargiva regali, non Babbo Natale che nemmeno sapevamo chi fosse. La scatola ovviamente era aperta avanti e dietro – pannelli smontati – per qualche, non sia mai, intervento d'emergenza.

Zio Benassi allora ha spento la radio vecchia sopra la mensola attaccata al muro e con un gesto sacrale – pareva il nuovo parroco di San Marco, don Angelo Di Cola, quando s'avvicinava all'ostensorio per sollevarlo e dare la benedizione alla città dopo la processione del Corpus Domini – ha acceso la radio nuova autocostruita, con tutti i fili e gli organi interni in bella vista, la valvola termoionica in piedi sul supporto, attraversata da fulminei lampi di luce sopra l'incerata gialla del tavolo della cucina.

Io che le debbo dire?

A sentire, qualcosa si sentiva. Qualche parola in lingua

straniera, qualche nota di violino, uno straccio d'orchestra. Ma non continuativamente. Solo a tratti ogni tanto, un suono qua e un altro là – quale più basso e quale più alto – sommersi tutti indistintamente da un ininterrotto frascichio: «*Fìsccfìscccfìscc, ptìuu-ptìuu-ptìuu, fìsccfìscc-crèèèèk, ptìuu-ptìuu-ptìuu*».

«Spegni quel coso, prima che dai fuoco a tutta casa» ha detto zia Pace per un filo di fumo che sembrava alzarsi dalla valvola termoionica.

«Però si sente» zio Benassi orgoglioso: «Che, non si sente, per caso?»

«No no, si sente, si sente...» tutti gli altri intorno al tavolo alzandosi, uno alla volta, per andare chi a letto e chi in sala a leggere o studiare.

«Bravo papà» gli ha detto Otello alzandosi anche lui: «Però mi sa che ci devi lavorare un altro po', la devi ancora perfezionare».

«Sì sì, ce devo ancora lavorà... mannaggia a te e la Radio Elettra», mentre Otello rideva.

«Benassi, vieni a letto» lo chiamava zia Pace.

«Mo' vengo, mo' vengo».

Ma rimasto solo in cucina – «Però ce so' riuscito» – ha fatto tutto un mucchio di bobine, valvole, supporti, ex penne stilografiche e fili di rame, e via nel secchio della spazzatura: «I fascicoli, invece, domani je do foco nell'orto. Che m'importa a me, benedetta la Madonna della Valle, dei volt e degli ampère? A ognuno il suo mestiere».

Ha riacceso la radio sopra la mensola – c'era *Ventiquattresima ora* con Mario Riva e Silvio Gigli – ha preso dallo sportello in basso della credenza le carte da musica e i registri della Corale, li ha messi sul tavolo e ci si è seduto contento davanti, come avesse all'improvviso ritrovato dei vecchi amici: «Famme lavorà va', che già troppo ritardo ho accumulato co' sta storia». E il giorno dopo davvero – la mattina presto, prima di andare a lavorare – nell'orto coi fascicoli ci ha fatto il falò. Solo la scatola di compensato, ridotta a pezzi, finì dentro la stufa: «Almeno servi a qualcosa».

Otello invece tutte le sere, dopo un'ora sola di bar del Corso – con Di Francia e gli altri che provavano a trattenerlo: «Già te ne vai? Ma sei appena arivato. Fatte nantra partita, no?»; «Ciò da fà, ciò da fà»; «Ma che ciavrai da fà...» – oramai tornava a casa e si metteva a studiare sul serio: chimica, matematica, scienze, geografia, *Promessi Sposi*, italiano, storia e disegno a china.

«Vamme a iscrive a scola all'esame de idoneità da privatista, quando lo fanno; così a ottobre, se me ce mandate, riparto dal secondo geometri» aveva detto alla madre a primavera.

«Certo che ti ci mando», tutta contenta zia Pace.

«E papà?»

«Ci parlo io».

I lavori della strada del mare andavano intanto a tamburo battente. Completato il tracciato, a Capoportiere si innestava sulla Lungomare che da Foceverde arriva – costeggiando per trenta chilometri sul filo della duna la lunga serie dei laghi costieri – fino sotto il promontorio del Circeo. La Lungomare era stata costruita dal fascio, a dire il vero, ma era tutta sgarrupata dalla guerra e loro l'hanno rimessa a posto, allargata e riasfaltata a puntino.

A Capoportiere invece – subito dopo l'idrovora che solleva l'acqua sottoquota dei fossi Colmata, Mastro Pietro e Allacciante – hanno coperto gli scogli e la foce del canale che allora sboccava a mare a cielo aperto. Tutto chiuso cementato e adesso la foce, come lei sa, scorre sotto questa grande rotonda belvedere – con le panchine, le fontane, le ringhiere, i lampioni illuminati di notte – che loro hanno piantato proprio in mezzo al mare.

È lì che qualche anno dopo, nel 1962 o '63, a Fred Bongusto, che finita la serata all'Hotel Fogliano s'era messo a fumare in santa pace con gli amici della band sulla rotonda nostra alla luce dei lampioni – con l'onde e la risacca che addosso agli scogli facevano nella notte: «*Plàuffllssccc... plàuffllssccc... plàuffllssccc...*» – gli è venuta in mente la canzone che lo porterà al successo imperituro e che lei sicuramente ricorderà: «*Una rotonda sul mare, / il nostro disco che suona, / vedo gli amici ballare, / ma tu non sei qui con me. // Amore mio, / dimmi se sei / triste così come me, / dimmi se chi / ci separò / è sempre lì accanto a teee...*»

Restava solo da asfaltare, oramai, la strada nostra del mare, da Capoportiere all'incrocio di via Aspromonte a Latina: «Per l'inizio dell'estate deve essere finita» metteva in croce tutti quanti l'ingegner Selva.

«La finimo, la finimo» rispondevano pronti sia l'impresa che Restante, e su e giù coi compressori – gli schiacciasassi dicevamo noi – coi rulli enormi d'acciaio anteriori, a compattare e rullare avanti e indietro il macadam e infine l'asfalto. Strati e strati di asfalto fuso e progressivamente mischiato con il brecciolino fino fino, lanciato a colpi di pala – dalle carriole che si alternavano veloci dietro la caldaia tirata a mano – a coprire e saldarsi per sempre al getto bollente, appena spruzzato dalla lancia.

«Sei diventato un mago, Ote', con la pala» faceva Restante: «Quasi quasi, manco ce conviene che te rimetti a studià. Quando lo trovamo più sennò, un operaio come te?» e rideva.

«Ridi, ridi, testa decazzi» e quello si sganasciava di più.

Sul cantiere, però, erano rimasti in pochi. Via via che si profilava la fine dei lavori erano gli operai stessi che – prima ancora di trovare il sabato il proprio nome in tabella: «Strada ultimà, Tizio e Caio resta a casa» – andavano a cercarsi un'altra impresa, un altro cantiere. Il lavoro degli edili è del resto sempre stato così: oggi qui, domani là, e normalmente a Roma pendolari con i treni e le corriere. Ma pure qua da noi, oramai, in quel periodo c'erano ogni giorno cantieri nuovi che aprivano: dal campo incolto tra la Gil e il palazzo M, all'ex cinema Dell'Aquila buttato giù per farci la Standa, alla Casa del contadino demolita anche quella. Cantieri dappertutto, come se – con la strada del mare – fosse venuta all'improvviso voglia a tutti di mettersi a fabbricare. A costruire.

Quando l'asfaltatura è terminata – che era venuta una cosa meravigliosa, mi deve credere – l'ingegner Selva ha ridetto un'altra volta a Otello e Restante: «Venite, venite. Ci facciamo un giretto completo sulla strada, lo ius primae noctis e poi andiamo al bar».

«Io non ciò na lira» ha chiarito subito mio cugino.

«Madonna che venale! Lei sta sempre a pensare ai soldi, Benassi. Non è bello, mi creda. Corregga fin che è giovane questo aspetto asociale del suo carattere, questa sua taccagneria, diciamo».

«Ma chi: io, mo'?» si schermiva Otello.

«Sì sì, proprio tu. Mica ha detto a me...» ci metteva la giunta ridendo Restante.

E sul Fiat 1400 da Latina al mare e dal mare a Latina e un'altra volta al mare a tutta gallara sulla strada nuova completamente vuota, profumante ancora tutta di nafte ed asfalto appena fuso che era un piacere inalare e respirare – «Xè l'otava meravilia del mondo, ciò» disse Restante che, le ricordo, la famiglia era di Cavarzere provincia di Venezia, e quando andava in estasi emergeva anche in lui, dal suo Genius, l'atavica ancestrale parlata; ma solo in estasi però, se no solo latinese-romanesco – perché era il profumo inebriante del progresso, ciò.

Al bar, finalmente, Otello con uno scatto è entrato di corsa per primo, ha ordinato un chinotto Neri – «*Non è chinotto se non c'è l'otto. Se bevi Neri ne ribevi*» – e s'è messo a sorseggiarlo in piedi sulla porta: «Non sia mai che scappano, da qua li frego e faccio prima io».

Selva rideva: «Venga qui, che parliamo».

«No no, prima pagate e poi parlamo».

Il conto, insomma, anche quella volta è toccato a Luciano Restante – «Io lo dovevo trovà su un campo de calcio, a questo» ha detto a Otello uscendo – e poi si sono seduti fuori a chiacchierare del più e del meno: «Che farà lei adesso?» ha chiesto l'ingegner Selva a mio cugino.

«Mo' do gli esami e mi rimetto a studiare. E voi?»

«Io vado qui o vado là: la Basentana, il Gran Sasso, non so. Lei Restante?»

«Vengo con lei. Basta che mi paga puntuale, però».

«Ma scherza? Quando mai l'avrei fatta aspettare?»

«Ingegne'» s'è messo a ridere Otello: «Ma lei ci ha mai giocato a pallone?» e rideva anche Restante.

«No. Perché?»

«Così...»

Ora però che la strada era finita e quasi pronta per l'inaugurazione – con l'impresa che intanto smontava le baraccature di cantiere e trasferiva altrove i macchinari pesanti – mancava solo il tocco finale: la segnaletica verticale e soprattutto quella orizzontale. Ma tra una chiacchiera e l'altra è uscito fuori, lì davanti al bar, che quelli ci avevano ripensato: «No, ma che le famo a fà, quattro corsie? Quando mai a Latina ce staranno tutte ste macchine?» Luciano Restante.

«Ma che state a di'?» insisteva Otello: «Vedrai tu, se prima o poi ce staranno. Non ce se potrà più passà, un giorno, su sta strada».

«Vabbe'», l'ingegner Selva, «noi il mezzo metro in più lo abbiamo fatto, sta lì e grazie a lei siamo a posto pure con la Qabbālāh. Risplende tutto come un diamante purissimo al sole. Per adesso se lo godono le piste ciclabili e un giorno» – volgendosi quindi a Luciano Restante – «se davvero come dice qui il nostro amico Otello Benassi, futuro geometra, le macchine la intaseranno, be', non ci vorrà niente a cancellare le strisce vecchie delle ciclabili e ripitturare quelle nuove per le quattro corsie».

«Fate come cazzo ve pare...» s'offese Otello e venne via: «Se vedemo domani».

Così – per far contento anche lei – non la ripartirono a quattro corsie. Sempre dodici metri complessivi, ma a due sole corsie da quattro metri per i veicoli a motore – una per senso di marcia, divise da una bella linea tratteggiata bianca fosforescente – e due corsie laterali di due metri ognuna per le biciclette, delimitate da una linea continua arancione da cui spuntavano, ogni tanto, le bacchette verticali flessibili col catarifrangente e i cartelli alti rotondi blu, con una bicicletta bianca disegnata dentro. Due piste ciclabili che a quel tempo non le trovava – mi creda – neanche in Olanda o Danimarca.

All'incrocio con viale Lamarmora – innesto e partenza della strada del mare dal sacro cerchio magico della circonvallazione – fu installato un semaforo. Era il terzo di tutta Latina – prima non c'erano, non servivano – gli altri due li avevano messi da un anno o due, nel 1957 o '58, all'incrocio delle Case popolari sulla strada che portava a Roma e a corso della Repubblica, in centro, davanti proprio al bar Centrale. Ma non erano come quelli di adesso, piantati sul marciapiede all'angolo delle vie. Era un apparecchio solo – con le tre luci verde rosso e giallo in verticale sui quattro lati – piazzato in aria alto alto in mezzo all'incrocio, sorretto lassù, come tutta l'illuminazione pubblica a quel tempo, da un cavo d'acciaio teso da un palazzo all'altro. E quando pioveva o c'era vento, il semaforo – lampeggiando vuoi di giallo, di rosso o di verde – dondolava là in aria «*cìo-cìo*» appresso al vento anche lui.

«Ma a che serviranno» dicevano i latinesi, all'inizio, «che non ce passa mai nessuno?»

«Pe' fà perde tempo alla gente» rispondevano i radi guidatori fermi in attesa del verde.

«Eh, non sanno proprio come fà, pe' poté spende i soldi e mangiarci sopra».

Poi però – quando è partita la strada del mare – se lo trovavano spento si intruppavano peggio che all'autoscontro delle giostre alla festa dell'*Unità* o di santa Maria Goretti.

Ai primi di giugno del 1959 c'è stata l'inaugurazione – della strada, non del solo semaforo – e venne Giulio Andreotti a tagliare il nastro a via Aspromonte. Ma non fece in tempo a fare *zak!* con la forbice, che se non si sbriga a togliersi di torno lo riducono come gatto Silvestro schiacciato sull'asfalto. Pareva la partenza di Le Mans. Tutti i latinesi in auto da quell'istante – senza poi più smettere – a fare Latina-Mare, come criceti, avanti e indietro.

«Ma da 'ndó so' uscite tutte ste macchine?» chiese la sera a tavola ridendo Luciano Restante, alla grande cena organizzata per la fine dei lavori da Zi' Maddalena a Capoportiere.

«Mai avrei pensato», convenne l'ingegner Selva, «che a Latina ci fossero tutti questi autoveicoli».

«E che avevo detto io!?» Otello.

«Pensa a magnà...» Restante, «che è tutto pagato» poiché come lei sa, la cena di fine lavori è da sempre, di norma, a carico dell'impresa: «Stasera, Ote', non scappa nessuno...» guardando di sottecchi Selva che beveva, mentre zi' Maddalena tra i tavoli controllava che tutto girasse per il meglio.

Questa zia Maddalena era già da qualche anno, da dopo la guerra, che s'era messa a cucinare il pesce fresco dentro una baracca di legno all'angolo quasi del lungomare di Capoportiere – sul lato verso i monti, di fronte al Miramare di quel Marzullo terracinese – a chi ogni tanto passava di là. Il marito pescava e lei cucinava.

Ma appena iniziati i lavori della via del mare, zia Maddalena aveva chiamato anche lei i muratori, buttato giù la baracca e tirato su un ristorante di un piano solo – ma in muratura di calce e mattoni – tutto bianco con una grande vetrata davanti e una veranda sulla strada. In cima al terrazzo ci aveva messo grosso grosso – lungo per lungo com'era lungo il ristorante – un cartellone colorato: «*da zi' Maddalena*».

Il ristorante sta ancora lì – sempre pieno di gente – tale e quale come allora. Il Miramare invece è diventato un grande albergo bianco bianco di lusso. Solo zia Maddalena non c'è più. C'è il nipote – figlio del figlio o della figlia, non so – che però ha cambiato il nome, tolto il cartellone e messa un'insegna piccola verticale con il nome nuovo e sotto, piccolo piccolo: «*zì Maddalena*».

Ma quello che più conta, lei non ci crederà, è che a partire dal 1960 – roba del prossimo filò, qui la accenniamo e basta – subito appresso a zia Maddalena i latinesi, ma pure i romani e velletrani, cominceranno a costruire case, casette, camping, alberghi, villini, villette, palazzi e palazzine sull'intero lungomare che da Capoportiere arriva a Foceverde. Tutti dietro a zi' Maddalena. O, meglio: tutti dietro – zia Maddalena compresa – alla strada del mare.

È questo che mi induce a pensare certe volte che non sia affatto vero – come affermano a Latina – che la costruzione della strada del mare sia stata resa possibile, e sia quindi dovuta, all'arrivo del boom economico e del conseguente benessere: «Prima non se poteva fà», sostengono tutti, «solo dopo s'è potuto».

Io mi permetto di credere che non sia così. Anzi, è il contrario: è la strada del mare – secondo me – che ha portato a Latina il boom ed il benessere. È lì che abbiamo svoltato.

Otello e Restante erano venuti assieme, alla cena, con la Vespa vecchia – «*Vrèèèèèèèè...*» – del padre di Luciano. Per tutta la strada s'erano ogni tanto detti all'andata, sferzati dall'aria: «Che capolavoro avemo fatto! Nun me pare manco vero».

Giù per la discesa del mare, al vallone della Cicerchia: «Te ricordi qua», Restante, «che cazzo era prima?»

«Non me ne parlà. Certe serpi, mortacci loro...»

Ma mangia e bevi, bevi e rimangia – mentre zi' Maddalena riempiva le caraffe vuote e portava altre fritture – a un certo punto Otello ha detto: «Ahò, e qua s'è fatta n'ora, bisogna che me riporti a casa».

«Già?» s'è meravigliato Restante: «Ndó devi andà, al bar del Corso? Ma magna e bevi che è tutto pagato, t'ho detto. Mica devi annà a lavorà, domani mattina».

«No, ma ciò l'esami però» e riluttante riluttante Luciano Restante – «*Vrèèèèèèèèè...*» – lo riportò a casa.

Il giorno dopo 16 giugno 1959 – martedì, sant'Aureliano: «*La fame caccia il lupo dal bosco*» – iniziò gli esami di idoneità al secondo geometri, conclusi alla fine della settimana con la sufficienza di tutti sei. Non Einstein – o Pico della Mirandola – ma comunque idoneo.

Durante l'estate continuò a lavorare – non più manovale edile nei cantieri, ma avventizio a turno notturno allo zuccherificio di Latina Scalo per la campagna delle barbabietole: «Così mi metto qualche lira da parte» – finché il primo ottobre iniziò il secondo geometri e di lì in avanti non si fece più bocciare.

Non – le ripeto – che fosse diventato san Domenico Savio. Sempre Otello era – bar e biliardi, e al posto delle capanne le ragazze, adesso – e nessuno si sarebbe aspettato medie scolastiche del sette o dell'otto. Mica era Manrico o Violetta. Il sei bastava, a lui. E se bastava a lui, bastava a questo punto anche al padre e alla madre – «Va' che la lezione gli è servita» ridacchiava zio Benassi – e con tutti questi sei stiracchiati è passato l'anno dopo al terzo geometri, poi al quarto, al quinto e finalmente il diploma: «So' geometra pure io mo'» dirà la prima volta che al bar del Corso incontrerà Restante.

«Io però voglio diventà architetto».

«Sì vabbe'...» richinandosi con la stecca sul biliardo. Poi Otello farà tante altre cose, sia nella professione che ai tavoli da gioco. Ma ancora oggi – se le capita di fare un giro in macchina con lui fino al mare – già subito dopo via Aspromonte le indicherà la strada: «Vede questa? L'ho fatta tutta io».

Arrivati poi a Caportiere, parcheggiata la macchina e scesi a fumare e a guardare il panorama dalla rotonda in mezzo al mare, lei resterà sicuramente incuriosito da un enorme scatolone che alla sua destra in lontananza, verso Foceverde e Torre Astura, si staglia inconfondibile sulla linea dell'orizzonte e chiederà, ci scommetto: «Cos'è quello?»

«La centrale nucleare» risponderà Otello: «Pure quella l'ho fatta io».

E se lei accennerà un sorrisino di scetticismo, allora attenuerà: «Vabbe', a quella eravamo in tanti... Facevo solo il manovale».

Ma appena ripartiti da Capoportiere per tornare a Latina – sulla strada del mare – le specificherà tratto per tratto, metro per metro: «Qua ho fatto tutto io, però. Mica doveva èsse così. Doveva venì più stretta, l'ho fatta allargà io. Qui ho fatto questo, laggiù quest'altro. Tutta io l'ho fatta».

«E Restante?» gli ho chiesto io una volta: «Avrà fatto qualcosa anche Restante...»

«Restante? Eccheccazzo ha fatto Restante!?» manca poco e s'arrabbia: «Lui faceva quello che je dicevo io».

Luciano Restante invece – finita la strada del mare – andò con l'ingegnere Selva a costruire dal nulla in Lucania la grande strada statale Basentana, da Potenza a Metaponto. Con gli anni – ben oltre quindi questo filò – verrà assunto dalla Provincia di Latina a sei ore al giorno, dalle 8 alle 14 quando non c'era straordinario, e il pomeriggio tutti i giorni sopra il treno fino a Roma a valle Giulia, all'università. Diventerà davvero architetto e poi assessore all'urbanistica di Latina, partito socialista of course, incappando pure in un processo, ai tempi di Tangentopoli, da cui uscirà però completamente pulito, assolto «per non avere commesso il fatto».

Certo gli restano sulla coscienza i misfatti compiuti da giovane sui campi di calcio – ai danni di più o meno incolpevoli attaccanti avversari – unitamente alla sabbia sottratta alla duna, su cui però la prescrizione è oramai quasi sessantennale.

L'unica sua vera colpa – come assessore all'urbanistica e al decoro urbano – è di avere condannato a morte negli anni ottanta, a Latina, tutti quegli stupendi lampioni di una volta, con luce e plafoniera bianca. Sorretti in alto in alto – come i semafori che le ho detto prima – sul centro esatto della strada da un cavo teso da un palazzo all'altro, ondeggiavano «*cìo-cìo*» al vento quando pioveva forte, e il fascio di luce ondeggiava anch'esso di qua e di là, dall'asfalto bagnato alle serrande chiuse dei negozi.

È Luciano Restante che ha eliminato quei lampioni d'antan – «So' rétro. Fanno troppo anni cinquanta» – per sostituirli con dei grossi globi arancione a luce gialla a neanche quattro metri d'altezza, su ogni lato della strada, fissi su un palo di ferro in mezzo al marciapiede, che se lei per caso cammina qualche volta pensando ai fatti suoi, ci sbatte pure le corna addosso.

«Non se possono vedè» gli dice Otello ogni volta che lo incontra: «Vent'anni de galera te dovevano dà».

«Ma so' al sodio a bassa tensione. So' pure antinebbia» si incazza Restante: «Fanno un sacco de luce, consumano poco e durano una vita».

Io non discuto: «Ognuno ga le so razon» e la razionalità economica sta tutta dalla parte sua, probabilmente. Ma il crimine estetico rimane – pure se non punibile, purtroppo, penalmente – tu m'hai sottratto la poiesis della nostalghiya. Chi me la restituisce mo'? Io prima oltre tutto – imboccando una qualunque via – avevo davanti a me tutta intera, fino in fondo, la prospettiva generale della strada con gli edifici che le stanno attorno. Adesso invece, come disse mio zio Adelchi: «Ti at védito solo quei casso de balon tuti zali (gialli), ch'agh vegna un càncher a lori e al can che li ga messi».

Resta comunque che la strada del mare, con quei dodici metri e quelle piste ciclabili, è venuta un capolavoro – «L'otava meravilia del mondo» ripeto, diceva Restante – che davvero neanche in Olanda e Danimarca ce l'avevano. Anzi, nemmeno a Miami Beach – a quei tempi – ce ne erano di uguali. «Porca putana» dissero i maiemibiccesi quando vennero a saperlo: «Bisogna che ne femo anca nantri una acsì».

Ma sono proprio quei cinquanta centimetri in più che si debbono a Otello, che ne hanno fatto l'opera d'arte che era e che soprattutto – se mi permette – hanno cambiato il corso della storia.

Noi ce ne accorgemmo nel 1963 – quattro anni dopo, con uno scarto temporale che ci impone per ora di saltare a piè pari tutta un'altra serie di fatti e accadimenti – quando a metà luglio si presentarono in comune a Latina due macchinone nere dell'ambasciata americana di Roma, con degli alti funzionari a bordo a chiedere al sindaco, per cortesia, una pattuglia di scorta di vigili urbani in motocicletta.

«Agli ordini» rispose il sindaco e chiamò zio Adelchi e il suo amico e collega Manuelo Canali.

«Indove xè che i vòle 'ndare?» domandarono loro.

«Strada del mare e dintorni» l'interprete.

«Benon».

«*Brè-èm brè-èm!*» e pronti via – i Gilera 125 avanti e i merican de drìo – sulla strada del mare fino a Capoportiere. Poi sopra la duna, con il mare tutto blu da una parte ed il lago di Fogliano – blu pure lui – da quell'altra. Avanti e indietro per la Lungomare da Rio Martino a Foceverde e da Capoportiere – sempre sulla strada del mare – fino a Littoria, pardon Latina. Avanti e indietro, le ripeto. Coi campi all'orizzonte, le vacche al pascolo, i calìps di sentinella.

Ogni tanto gli americani suonavano: «*Pò-pò!*» e Canali e mio zio accostavano. Si fermavano. Scendevano dalle moto, le mettevano sul cavalletto e via in mezzo alla carreggiata con le palette a fermare il traffico – se eventualmente c'era – e comunque a sovrintendere che nulla accadesse agli incliti ospiti.

Gli americani quindi scendevano anche loro in tutta sicurezza, si guardavano intorno di qua e di là, scattavano foto, dispiegavano mappe e grandi fogli che avevano appresso, pigliavano ogni tanto – con la fettuccia – misure di non so che.

«Casso i xè drìo fare?» ha chiesto Canali all'interprete. E quello glielo ha spiegato.

Non eravamo neanche a metà luglio – diceva zio Adelchi – e lei ricorderà che ai primi del mese, l'1 e 2 luglio 1963, c'era stata la visita ufficiale in Italia del presidente Usa, John Fitzgerald Kennedy.

Il 26 giugno era stato a Berlino, dove insieme a Willi Brandt – sindaco della città e grande socialdemocratico tedesco – aveva pronunciato sotto il Muro, davanti alla porta di Brandeburgo, lo storico discorso in cui aveva pure detto, in tono di sfida all'Unione Sovietica: «Ich bin ein Berliner!», mi son berlinese anca mi.

Lo stesso suo staff era rimasto di stucco: «Casso ghe xè saltà int'a testa?» perché s'erano appena appena calmate le acque della buriana di un anno prima – ottobre 1962 – quando con la seconda crisi di Cuba s'erano ritrovati a un passo solo dal far scoppiare la terza guerra mondiale, che stavolta però sarebbe stata anche nucleare.

Pure il primo affaire cubano – esploso ad aprile 1961 – non era stato uno scherzo. La Cia aveva organizzato uno sbarco di esuli controrivoluzionari sull'isola, per rovesciare Fidel Castro. Dovevano stabilire una testa di ponte e appena liberato uno spicchio di territorio proclamare un nuovo governo – che sarebbe stato riconosciuto all'istante dagli Usa – governo che deliberando la destituzione di Fidel avrebbe chiamato il popolo all'insurrezione e soprattutto loro, gli americani, a dargli ufficialmente una mano: «Vegnì qua, par cortesia».

«Ah be', se i ne ciama» avrebbero a quel punto potuto giustificarsi gli Usa e sbarcare in forze anche loro, che non vedevano l'ora di togliersi di torno i comunisti da Cuba.

Dietro c'era la «dottrina Monroe» – così chiamata non in onore di Marilyn, ma del James Monroe che l'aveva formulata nel 1823 – secondo cui l'intero continente americano andava considerato come il giardino di casa degli Stati Uniti: «Guai a chi ghe vien a calpestarne 'l prà», il prato.

Kennedy era presidente da soli tre mesi e l'operazione era stata studiata nei minimi dettagli dal capo della Cia, Allen Dulles, a partire dal 1960 quando alla Casa Bianca c'era ancora Eisenhower. Kennedy però, arrivato ripeto appena da tre mesi, non solo l'aveva benedetta e controfirmata – «Andè col tango» – ma ci aveva voluto pure mettere le mani.

Quelli inizialmente avevano deciso di sbarcare a Trinidad? Lui: «No no» – sbattendo il dito sulla mappa di Cuba – «Sbarchemo qua a Ziron, a la Baia dei Porsèi».

«Sicuro, Presidente?» aveva provato a tergiversare Allen Dulles: «In realtà noi pensiamo che forse è meglio che...»

«Ma se t'al digo mi?!», JFK.

«Va ben, ubidisso» quell'altro.

I combattimenti durarono tre giorni. Lo sbarco fu preceduto da bombardamenti d'appoggio con aerei camuffati – senza insegne americane – mentre al largo, in acque internazionali, sostava una superflotta Usa con tre portaerei, una ventina di cacciatorpediniere, tre sommergibili e vascelli a iosa da sbarco. I 1453 controrivoluzionari anticastristi, ben addestrati e armati fino ai denti – pure con pezzi d'artiglieria e mezzi corazzati – sbarcarono a Girón, nella Baia dei Porci.

Fu un disastro però. Le Far, Fuerzas Armadas Revolucionarias de Cuba – bene addestrate pure loro oramai, dopo anni di guerriglia contro l'esercito del dittatore Batista – messe all'erta dal Kgb sovietico li stavano aspettando al varco.

Tutta l'operazione era infatti da tempo divenuta il segreto di Pulcinella. Dieci giorni prima – il 7 aprile 1961 – era perfino uscito un articolo sul *New York Times* che annunciava l'invasione di Cuba per il 18.

Kennedy si incazzò come una bestia: «Castro no ga nissun bisogno de mandar spie da nantri, agh basta lèzare 'l zornal» disse al direttore del *Times* – «*Castro doesn't need spies in the United States; all he has to do is read the newspaper*» – ma con tutto questo non cambiò idea. Non ci fu alcuna variazione di date o di programmi.

«Adelante compañeros» e il 17 aprile 1961, all'una di notte, fecero sbarcare i 1453 esuli controrivoluzionari sulla spiaggia di Girón: «Fatevi onore. Liberatevi e soprattutto liberateci da Fidel».

Le Far – le forze armate cubane che li stavano aspettando – gli chiusero il passo accerchiandoli alla Baia dei Porci.

I contras per radio alla Cia: «Venìtece a aiutà, qua ce stanno a distrugge».

Da Mosca intanto, giustamente, Kruscev s'era messo a strillare: «Americani imperialisti! L'Unione Sovietica non consentirà questa invasione».

Allen Dulles – quello della Cia – voleva partire in soccorso: «Non possiamo lasciarli lì, mr. President».

Ma Kennedy lo fermò: «Tu mi vuoi far rischiare una guerra mondiale?»

Hai voglia i contras a continuare a chiedere aiuto: «Venite qua. Che gente siete, ve possin'ammazzà... Prima ci mandate e poi ci abbandonate?»

«Non possumus, fratres» e la flotta Usa con le portaerei, i sommergibili, cacciatorpediniere, mezzi e truppe da sbarco, rimase silenziosa al largo: «Riposino in pace» pregavano per loro e basta, sulla tolda delle navi.

Fu una carneficina. Quasi duecento morti tra gli esuli invasori. Soltanto in ventisei riuscirono a reimbarcarsi su un gommone – per essere tratti in salvo dopo cinque giorni senza acqua e senza cibo, da uno dei sommergibili Usa – e tornare a

Miami. Gli altri millecento si dovettero arrendere. Verranno liberati dopo la seconda crisi di Cuba, nel dicembre 1962, in cambio di cinquantatré milioni di dollari di aiuti a Cuba da parte degli Usa. Ma incazzati neri per tutta la vita, oramai, contro Kennedy e la Cia.

Kennedy pure, però, era incazzato come una iena – «Che figura, davanti al mondo» – e per prima cosa licenziò Allen Dulles dalla Cia: «Va in malora va', ch'at vegna un càncher. Vatti a cercare un altro lavoro».

«Perché?» faceva quello: «Che ho fatto mai di male?»

«Come, che hai fatto? E questa figura di merda, a me, chi me l'avrebbe fatta fare allora?»

«Io no» Allen Dulles: «È lei, Presidente, che ha detto Baia dei Porci. Casso vòlelo desso da mi? Mi go fato solo quel che ha detto lei, ch'agh vegna un càncher su l'istante».

«Fora de qua, inpertinente maleducà» strillava JFK: «Fora de qua. Lisensià».

«Ah, ma me la paghi, però, mascherina. At vedarà se me la paghi...» venne via tutto offeso Allen Dulles.

Qui si chiude quindi la prima crisi di Cuba: aprile 1961, Baia dei Porci.

Ma si apre subito la seconda, perché già dal giorno dopo – mentre a Berlino ad agosto la Germania comunista inizia ad erigere il Muro che dividerà in due la città: «Valtri de là e nantri de qua. Guai chi ghe passa atraverso» – Fidel Castro si attacca come una zecca a Kruscev e all'Unione Sovietica: «Ahò, stavolta è andata bene, ma la prossima come mi metto? Quelli prima o poi mi invadono davvero, e se si presentano in forze, come mi difendo io? Qui compagni bisogna che diate un po' di missili nucleari anche a noi. Force de frappe, deterrenza come de Gaulle. Solo così, quelli ci pensano due volte, prima di toccarci ancora».

«Vabbe'» e piano piano, di nascosto, i sovietici installano

i missili nucleari a Cuba, finché però – passa un giorno passa l'altro – a ottobre 1962 gli americani se ne accorgono. Osservando le foto scattate dall'alto dagli U2, i loro aerei spia, vedono delle robe strane sul terreno – «Porca putana! Cossa xèi questi?» – e vanno ai matti: «A casa mia? Sulla porta di casa mia, davanti a Miami, tu mi punti le rampe dei missili addosso? Ah, ma se vuoi la guerra, io sono pronto» e tutto il mondo all'istante si mette paura.

Subito papa Giovanni XXIII – già cardinale Angelo Giuseppe Roncalli, l'ex patriarca di Venezia che aveva mandato i saluti al congresso socialista del 1957 – lancia un'accorata implorazione dalla Radio Vaticana «*a tutti gli uomini di buona volontà*»: «Stì boni, fiòi».

L'appello viene immediatamente accolto da Kruscev, capo supremo dell'Urss: «Va bene. Noi ritiriamo i missili da Cuba a condizione, però, che gli americani si impegnino a non invaderla mai più, e soprattutto ritirino i missili loro da Italia e Turchia» – i nostri stavano a San Vito dei Normanni, vicino Brindisi – «parché anca questi, casso, i xè su la porta de casa nostra».

A un passo seguì l'altro e prese così avvio un dialogo che – con la soluzione pacifica della crisi – portò a quel processo generale chiamato «distensione», tra i cui principali attori va annoverato Giovanni XXIII. A lui e alla diplomazia vaticana – in quel primario ruolo di mediazione – si aggiunse l'azione del governo italiano, a cui capo c'era allora Fanfani. I primi missili ad essere smontati, infatti, furono proprio quelli di Brindisi nostri.

Kennedy e Kruscev – dopo essersi evidentemente messi paura anche loro: «Orcocàn, ghe xè mancà un pelo a scatenare un casin» – firmarono un protocollo e installarono il «telefono rosso», una linea diretta tra la Casa Bianca e il Cremlino, per potersi parlare subito subito loro due di persona, in ogni futuro caso d'emergenza o necessità: «Semo in dó, e aghemo da coesìstare in dó, su stocasso de pianeta».

Passò il concetto di «coesistenza pacifica», tanto che Otello, una sera, ebbe a dire a Silvio Di Francia al bar: «Vuoi vedere che ciaveva raggione mi' padre, quella volta, col disarmo?»

A Natale del 1962, a crisi risolta e con tutto che era ateo e comunista, Kruscev mandò un biglietto di ringraziamenti ed auguri a papa Giovanni, che tre mesi dopo – il 7 marzo 1963 – ricevette in Vaticano la figlia, Rada Krusceva, accompagnata dal marito Alexei Adjubei, direttore dell'agenzia di stampa sovietica *Izvestija* e membro influente del comitato centrale del Pcus.

Passa un altro mese e l'11 aprile 1963 papa Giovanni pubblica l'ultima sua enciclica, *Pacem in terris*, rivolta di nuovo «*a tutti gli uomini di buona volontà*». Ma oramai il cancro allo stomaco di cui era ammalato da tempo si è aggravato. Grande Papa, muore – poverino – il 3 giugno 1963, all'età di ottantadue anni; riposi in pace. Al suo posto verrà eletto Paolo VI, già cardinale Montini.

Quando John Fitzgerald Kennedy – presidente cattolico degli Usa, di origini irlandesi – fa quel suo famoso discorso il 26 giugno 1963 davanti alla porta di Brandeburgo, il nuovo papa è quindi Paolo VI, il processo di distensione Usa-Urss oramai avviato, la crisi di Cuba non è che un brutto ricordo e la coesistenza pacifica accettata e acclarata. Le diplomazie delle due superpotenze sono inoltre in fase avanzata di elaborazione di un trattato che metta per sempre fine agli esperimenti nucleari nell'atmosfera, nello spazio e sott'acqua. Sembrano andare d'amore e d'accordo, a parte ovviamente un po' di guerra fredda sotterranea.

È per questo che lo staff di Kennedy si preoccupa, quando quello sotto il Muro si mette a dire *Ich bin ein Berliner*: «Casso gh'entreva, inquò, el Muro de Berlin e te sì berlinese anca ti? Non è che i russi adesso s'incazzano?»

«Tasì! Xè pretàtica» li tranquillizzò lui: «Un colpo al cerchio e uno alla botte» e difatti il mese dopo, il 5 agosto 1963, quel trattato che proibiva ulteriori esperimenti nucleari nell'atmosfera lo firmarono tra baci e abbracci a Mosca. Si chiama proprio «Accordo di Mosca».

Lui intanto, venuto via da Berlino, si fece il giro delle capitali europee a rinsaldare i rapporti con i Paesi alleati. Andò anche in Irlanda a visitare i luoghi d'origine della sua famiglia finché il primo luglio 1963 sbarcò a Roma, con l'Air Force One, nel nuovo aeroporto di Fiumicino, accolto con tutti gli onori dal presidente della repubblica Antonio Segni e da quello nuovo del consiglio, Leone. Il giorno dopo invece è atteso a Napoli.

Kennedy è solo, senza moglie appresso. Le fonti non dicono se abbia o meno qualcun'altra dietro, ma Jacqueline è incinta ed è dovuta restare a casa perché ha purtroppo sempre avuto gravidanze difficili. Anche stavolta deve rimanere ferma a letto – possibilmente senza alzarsi mai – se non vuol rischiare. Ma con tutto questo – pur con mille attenzioni e senza venire con lui in Italia – ad agosto abortirà e addio bambino. Povera Jackie e povero bambino.

Fatto sta, comunque, prima che lui partisse per l'Europa – e soprattutto per l'Italia – la moglie lo aveva istruito per benino.

Jackie in Italia, in vacanza, c'era stata l'anno prima. Gliene avevano parlato un gran bene tutte le meglio attrici sue amiche: «Ah, tu non hai idea di che paradiso è laggiù» le diceva l'Ingrid Bergman che ci aveva messo su casa, insieme al regista Rossellini con cui aveva fatto tre figli.

Non parliamo dell'Audrey Hepburn, che dieci anni prima – nel 1952 – aveva girato *Vacanze romane* di William Wyler, e su e giù in Vespa per tutta Roma con Gregory Peck, alla fine s'era innamorata alla follia di Roma e dell'Italia.

Lei – Audrey Hepburn – a quell'epoca era fidanzata con James Hanson, uomo d'affari inglese con cui dopo il film si sarebbe dovuta sposare. Si stava quindi facendo confezionare il vestito da sposa dalle sorelle Fontana, con cui era diventata grande amica e stava sempre là. Ma quando il vestito finalmente fu finito – «L'è pronto» dissero le Fontana – lei oramai, su e giù con la Vespa, oltre che dell'Italia s'era innamorata pure di Gregory Peck e disamorata, di conseguenza, del povero James Hanson: «Non ti voglio più. Questo matrimonio non s'ha da fare».

Gregory Peck però – seppure innamorato follemente anche lui di Audrey Hepburn – era purtroppo già sposato con Greta Kukkonen, aveva tre figli e nessuna intenzione di lasciarla: «El voléa tegnérle tute e dó» diceva zio Adelchi. Ne divorziò solo tre anni dopo – nel 1955 – ma per un'altra ancora: Veronique Passani, francese di Parigi, che si terrà per tutta la vita.

Saltato il matrimonio con James Hanson e neanche ipotizzato quello con Gregory Peck, le sorelle Fontana a un certo punto chiesero giustamente alla Audrey Hepburn: «Scusa, eh? Ma il vestito?»

«Non vi preoccupate, che ve lo pago uguale».

«Sì, vabbè, ma che ce famo?»

«Lo regaliamo!» e alzatasi in piedi sulla sedia in mezzo al laboratorio, chiese a tutte le ragazze chine a tagliare, cucire o stirare: «C'è per caso qualcuna con le stesse misure mie, ancora da sposare?»

«Io» alzò il dito mia cugina Mafalda Peruzzi – che però tutti chiamavano Doralide, con l'accento sulla a – della via Parallela Sinistra, Canale Mussolini, Borgo Podgora.

Che fa adesso lei, si mette a ridere? Crede sia una frottola? Vada a vedere sui giornali dell'epoca, se dico o no la verità. Oppure a chiedere direttamente alle figlie rimaste sul podere 516.

Lei faceva la sartina dalle sorelle Fontana, come le ho detto, e non so però bene – per le note questioni – se vada considerata esattamente mia cugina o piuttosto mia zia. Era la sorella più piccola di Paride – ultima figlia di mio zio Temistocle, diciamo zio – nata appena arrivati. È la prima iscritta nei registri dell'anagrafe di Littoria, e vada a controllare anche quelli, se crede.

Mia zia Clelia s'era fatta tutto il viaggio – a novembre del 1932 – con il pancione, e quando è arrivata qui l'ha squadernata. Certo ne era nato pure qualcun altro prima di lei, ma lo avevano dovuto registrare a Cisterna perché il comune di Littoria non esisteva ancora, lo hanno istituito solo il 18 dicembre 1932, con l'inaugurazione della città. Lei è nata dopo qualche giorno – 7 o 8 gennaio 1933, portata dalla Befana – e risulta quindi a tutti gli effetti la prima nata della *città nuova*. «Nata sotto la stella del Littorio» affermò Cencelli, e un premio speciale di cinquecento lire alla puerpera da parte del Duce.

Poi però l'hanno sempre chiamata Doralide e non Mafalda, perché il Rossoni – una volta che era venuto a trovare mio nonno al podere 517, e prima di ripartire era passato al 516 a salutare zio Temistocle – come la vide piccolina piccolina, attaccata alla tetta di mia zia Clelia, quasi quasi gli prese un colpo: «La ga propio i oci de me mama Doràlide» faceva commosso.

Come tutte le femmine Peruzzi, la bambina ha imparato fin da piccola a tagliare e cucire con le vecchie Singer a pedali che ci eravamo portati giù dall'Altitalia. Mutande, camicie, gonne e vestitini, tutto da sole si facevano. Doralide però voleva cucire di fino e dopo la guerra – a dodici o tredici anni – s'era iscritta a una scuola di taglio e cucito a Velletri. Ce n'era qualcuna pure a Latina e Cisterna, ma a lei non bastava: «No no, anca a Litoria i fa solo roba de canpagna come nantri».

Così era andata a Velletri, sull'ultima propaggine dei Colli Albani, che a quel tempo – ma fino a quasi tutti gli anni sessanta, si può dire – era la città più importante del circondario. Anzi l'unica, perché Latina era sì capoluogo di provincia, ma città vera di lusso, negozi e di traffici, ancora no. Era un borgo o poco più – le ho già detto altre volte – un paesone di campagna, pure se coi portici, le piazze e le strade larghe.

Il vescovo – giusto come esempio – era ancora quello di Velletri, che qui veniva solo per le cresime, o per comandare quando i politici o i salesiani di San Marco lo facevano incazzare. Ma oltre al vescovo, a Velletri c'erano tutte le scuole; non solo il classico, ragioneria, magistrali e geometri come a Latina, ma pure il liceo artistico, la scuola d'arte, l'istituto industriale con perfino il perito elettronico, tutta roba che da noi è cominciata ad arrivare solo appunto negli anni sessanta. Pure a carnevale lì facevano da sempre le sfilate coi carri. Noi no. Montavamo in corriera – a carnevale – per andare a vedere i carri loro.

Per i negozi normali e il mercato settimanale, i Peruzzi andavano a Cisterna il mercoledì, ma anche noi di Latina il nostro – che si teneva il martedì – lo usavamo solo per le spese correnti. Quando la gente doveva fare acquisti di un certo rilievo – per feste, arredamenti o matrimoni – tutta a Velletri andava, perché c'era il corso bello, le chiese belle, i negozi sfavillanti.

I velletrani d'altra parte – abituati da sempre a scendere a caccia qui in piano e guardare dall'alto la distesa acquitrinosa delle Paludi Pontine come fosse tutta roba loro – ci trattavano da gente di campagna: loro cittadini e noi invece coloni cispadani, compresi quelli di Latina città. Anzi, c'è ancora adesso uno scrittore di Velletri – lei mi deve credere, si chiama Aurelio Picca – che ogni tanto s'aggira per Latina. Petto in fuori, cappello da cowboy in testa e mani incrociate dietro le reni, cammina sotto i portici di corso della Repubblica come fosse il padrone: «Ahò, mi' nonno ce veniva a caccia, qua» dice a tutti quelli che incontra.

Doralide Peruzzi quindi la mattina inforcava la bicicletta, arrivava al Borgo, la lasciava in deposito da Nasi, montava sulla corriera e andava a Velletri a scuola di taglio e cucito. E quando ha finito la scuola ha cercato lavoro a Roma, come faceva del resto a quei tempi ogni apprendista qui intorno. Anche dalla montagna – da Cori, Norma, Bassiano, Sezze,

Priverno – tutti andavano a imparare il mestiere a Roma. E pure da Latina città.

Sarte e sarti, barbieri, parrucchiere, podologi, callisti, meccanici, elettrauti, carrozzieri, carpentieri in legno o ferro; chi pendolare col treno o l'autobus, chi in una cameretta in affitto o in convento di preti o di monache, per quattro soldi a settimana – quando addirittura non dovevano essere loro, a pagare il maestro per l'apprendistato – facevano gli schiavi a calci in culo: «Sei proprio un burino» e giù una pedata. Ma fatti grandi ed esperti, rientravano orgogliosi al paese o a Latina: «Ahò, io il mestiere glió so' mparato a Roma».

E così pure mia cugina Doralide – prendendo ogni mattina la corriera al Borgo ed il treno a Cisterna – era riuscita a entrare nel laboratorio delle sorelle Fontana, ed era anche una delle più brave e benvoluta, fino al punto che Audrey Hepburn le regalò il suo vestito da sposa d'alta moda, coi brillantini cuciti addosso.

Con quello convolò a nozze con uno d'una famiglia qua di fianco della Parallela Sinistra – zona Borgo Carso, però – e l'Audrey Hepburn venne al matrimonio e al grande pranzo sull'aia del podere nostro 516, insieme alle sorelle Fontana, le modelle e i parenti e vicinanti della strada. I fratelli di Doralide avevano regolarmente pitturato grosso grosso con la vernice verde, sotto il portico: «*Viva i sposi*».

Lei lo sa però – gliel'ho già detto – che a quel tempo c'era ancora la fame in Agro Pontino, la gente si rifaceva un po' a Pasqua, Natale e matrimoni. Così anche quella volta ci furono un paio di cugini – non ricordo se dalla parte di zia Bìssola di Aprilia o di quelli dell'Hermada – che si purgarono due giorni prima, per farsi trovare pronti alla bisogna. E dopo la stracciatella e i cappelletti in brodo, si fecero sei o sette passate ognuno di lasagne al forno e due o tre polli a testa, con le sorelle Fontana e le modelle – mezze anoressiche – che li guardavano con gli occhi sbarrati.

«Mariavèrzine» fece l'Audrey Hepburn: «N'agò mai visto un magnar acsì», che la jèra un fià secoleta anca éla, diciamo.

Oltre al vestito, lei regalò agli sposi il viaggio di nozze a Parigi. Lo dissero pure in televisione – che era appena nata e ancora in bianco e nero – in una delle primissime puntate di *Campanile Sera*, trasmessa da Latina. Doralide la fecero salire sul palco in piazza San Marco, presentata da Enzo Tortora – «La prima nata di Latina!» – che raccontò tutta la storia del vestito e del viaggio di nozze.

L'Audrey le battezzò la prima figlia e ogni volta che veniva in Italia passava di qua – Doralide oramai, con i figli, faceva la sarta in casa – e poi su e giù per l'Agro Pontino. Il vestito, invece, ogni tanto veniva qualcuna anche dagli altri borghi: «N'agò tanti schèi, ma agò da sposarme. Me 'o presteréssito, Àlide?»

Lei pigliava le misure, faceva i dovuti ritocchini e via. Ci è andato a nozze mezzo Agro Pontino col vestito da sposa di Audrey Hepburn. Doralide lo ha tenuto per anni e anni nell'armadio, riverito come una reliquia. Solo poco tempo fa le figlie lo hanno messo all'asta da Christie's a Londra. Non so quanti soldi ci abbiano fatto. Parecchi credo, però.

Ad Audrey comunque non è più uscita dal cuore l'Italia. Qualche anno dopo s'è sposata anche lei un italiano, lo psichiatra Andrea Dotti e ci ha fatto un figlio. E ogni volta che vedeva la Jacqueline Kennedy – che erano proprio amiche amiche; ma era amica anche con suo marito John; anzi, secondo certi maligni era più amica di lui che di lei, e come Marilyn pure l'Audrey cantò, al suo ultimo compleanno: «*Happy Birthday Mr. President*» – e tutte le volte, ogni volta, due palle così: «L'Italia de qua, l'Italia de là».

E tra la moglie Jackie, l'Ingrid Bergman, l'Audrey Hepburn e tutte le amiche loro gli hanno fatto una capoccia tanta – al povero Kennedy – che quando finalmente è venuto in Italia quel 1963, s'è messo addirittura a declamare in pubblico: «*Secondo il poeta Shelley, l'Italia è il paradiso di tutti gli esi-*

liati. Be', in questo mio breve esilio dal clima di Washington, mi sono lasciato apposta questo paradiso come ultima tappa del mio viaggio in Europa. L'unico rammarico è la brevità del soggiorno, ma mi consola la certezza di un assai più lungo ritorno, la prossima volta, insieme a mia moglie».

«Bene, bravo, bis», gli urlammo tutti quanti.

Noi del resto in Italia erano già tre o quattro anni che discutevamo di una certa «distensione» nostra, tra i cattolici della Dc che stavano al governo e i socialisti e comunisti invece che dal 1947 – dopo che Truman aveva imposto a De Gasperi l'aut aut: «Con le buone o le cattive, ma li devi cacciare. Se no da nantri gninte schèi, par l'Italia e la ricostrusion» – stavano all'opposizione.

La Democrazia cristiana non aveva però la maggioranza assoluta in parlamento. Solo relativa – grossa ma relativa – e per governare aveva bisogno dell'apporto di alcuni partiti più piccoli: i liberali che erano di destra, filoamericani ed emanazione della Confindustria; i socialdemocratici, filoamericani anche loro che s'erano divisi fin da subito dai socialisti perché erano proprio anti-Urss anticomunisti. E infine i repubblicani, che erano la parte un po' più di destra della vecchia Giustizia e Libertà, che dopo la Liberazione s'era però dovuta sciogliere e dividere a causa degli insuccessi elettorali, e loro, i repubblicani, si consideravano ancora di sinistra, sinistra laica mazziniana moderata, riassunta nello slogan, secondo loro: «*Le idee chiare della sinistra*».

Intanto, però, governavano con la Democrazia cristiana, partito di centro e soprattutto clericale, anche se divisa in tante correnti. C'era di tutto lì dentro: dalla destra più estrema – reazionaria e conservatrice – al cattolicesimo più democratico e progressista. Si scannavano fra di loro, ma alla fine trovavano sempre il modo di mettersi d'accordo e andare avanti, soprattutto sotto il magistero della Chiesa.

Dal prete di campagna fino ai vescovi e cardinali – finché c'è stato Pio XII – doveva passare tutto sotto la cappella loro. Guai al politico che non obbedisse, e se c'era una cosa che Pio XII non poteva sopportare, era proprio l'idea o l'odore di socialisti e comunisti: «Scomunicà! I xè scomunicà, v'agò dito».

È solo nel 1958 – quando muore Pio XII e arriva finalmente Giovanni XXIII – che comincia il «dialogo». Anche se – per la verità – erano già tre o quattro anni che qualcosa lentamente si moveva.

Un'elezione dopo l'altra, la maggioranza della Dc s'era man mano assottigliata, non bastandole quasi più, oramai, l'apporto di liberali, socialdemocratici e repubblicani per fare il governo – «Qui non ci sono più i numeri, in parlamento. La prossima volta toccherà per forza imbarcare qualcun altro» – e ogni tanto si levava qualche voce favorevole ad aprire a sinistra: «Almanco ai socialisti, va'...»

Le destre interne alla Dc – oltre ovviamente a quelle esterne – non volevano. Ma soprattutto gli americani erano assatanati: «Quali socialisti e socialisti? Quelli sono legati a filo doppio con i comunisti, stanno insieme a loro nei sindacati e nelle cooperative. Se entrano al governo sabotano e spionano l'Alleanza Atlantica, la Nato, fanno il gioco dell'Urss e dei comunisti. No, no, no, i socialisti no».

«Visto?» facevano i destri Dc a Moro, a Fanfani e agli aperturisti come loro: «No i vòle gnanca i merican».

Ma passa un anno passa l'altro, le cose piano piano cambiano. Già l'anno prima che Kennedy venisse in Italia, Tullia Zevi aveva fatto incontrare a casa sua a Roma, nel febbraio 1962, Arthur M. Schlesinger – il più fidato dei consiglieri di Kennedy, quello che gli scriveva i discorsi fin dalla campagna elettorale e s'era inventato il mito e ideologia della «nuova frontiera» – lo aveva fatto incontrare a cena con Pietro Nenni, il grande capo del Psi, Partito socialista italiano.

Arthur Schlesinger e Tullia Zevi – nata Calabi – erano

amici d'infanzia, si può dire. S'erano conosciuti a Parigi nel 1938 quando lei con la famiglia – di origine ebraica – dopo le leggi razziali era dovuta scappare all'estero. S'erano poi rivisti in America, avevano studiato assieme e continuato a frequentarsi anche dopo che lei, in Usa, aveva sposato Bruno Zevi – rifugiatosi lì pure lui – e a guerra finita erano rientrati in Italia.

A casa Zevi quel pomeriggio – a fianco a Nenni – c'erano Riccardo Lombardi, Fernando Santi, Giuseppe Saragat socialdemocratico del Psdi, Ugo La Malfa repubblicano del Pri. Non è del tutto sicuro invece – ma alcuni dicono di sì – che insieme a Schlesinger e Tullia Zevi ci fosse pure Audrey Hepburn.

Fatto sta, Nenni assicurò a Schlesinger – e Tullia Zevi e l'Audrey Hepburn garantirono – che loro, i socialisti, erano persone per bene e con l'Unione Sovietica non avevano più a che fare: «No no. Dopo che hanno invaso l'Ungheria non vogliamo più saperne. Noi non siamo comunisti. Noi aspiriamo a un socialismo che è però, prima di tutto, libertà e democrazia. Nantri i vorìa, in sostansa, solo un fià de zustisia sosiale in più, ben indentro a un'Europa unita e la Nato attlàntica. Culo e camisa con valtri merican».

«Benon» rispose quello: «Gavì quasi la me benedision. Desso torno a casa e vedarem par bene. Valtri intanto cercate di far qualcosa ma sensa massa bacan... e se son rose, 'e fiorirà».

Pochi giorni dopo, Fanfani otterrà dal parlamento la fiducia ad un governo con ministri Dc, Psdi e Pri – democristiani, socialdemocratici e repubblicani – ma con l'appoggio esterno dei socialisti, che lo votano senza starci dentro. Tutto quello però che il governo farà, lo avrà discusso prima – in separata sede – con loro.

È il primo centrosinistra – di fatto – e fu un grande governo che avrà al suo attivo riforme di portata storica, quali la nazionalizzazione dell'energia elettrica, l'Enel e la luce in ogni casa del Paese; l'obbligo scolastico fino a quattordici anni e la scuola media unica per tutti, sia ricchi che poveri; l'aumento delle pensioni del 30 per cento; la compiuta realizzazione dell'Autostrada del Sole ed altre infrastrutture; la riduzione da diciotto a quindici mesi della leva militare obbligatoria; la commissione parlamentare antimafia; la Rai che con Bernabei diventa davvero servizio pubblico e fa trasmissioni come *Non è mai troppo tardi*, per insegnare a leggere e scrivere ai tanti analfabeti, e *Tribuna politica*, che per la prima volta dà uguale spazio in tv a tutti i partiti.

Le destre però – sia italiane che americane – non è che stessero a guardare o battessero le mani. Strillavano da ogni parte, e col passare dei mesi pure i socialisti cominciarono a scrollare le spalle: «Sì, vabbe'. Ma io non posso stare una vita a darti i voti aggratis, mentre al governo a fare il ministro e comandare ci stai solo tu. Vògio entrarghe anca mi» – diceva Nenni – «indrento la stansa dei bottoni».

«Eh, non è così facile» faceva sapere Schlesinger da Washington: «Vedarem, vedarem...»

«Porta pasiensa» aggiungevano i Dc.

«Chi de pasiensa campa, de pasiensa 'l crepa» Nenni.

«Vedarem, vedarem» ripeteva quell'altro.

Ora lei capisce pure, però, che quell'incontro che abbiamo detto prima – di Schlesinger con Nenni a casa Zevi che aveva dato il «Pronti, via» al processo – c'era stato solo ai primi di febbraio del 1962, poco più di un anno appena che Kennedy era entrato il 20 gennaio 1961 alla Casa Bianca. Il vento della nuova frontiera faceva ancora un'enorme fatica a penetrare in quelle stanze.

Intendiamoci: non è che stessero a fare la Rivoluzione d'Ottobre. Sempre anticomunisti, firstamerica ed antisovietici erano: «L'Urss xè l'Inpero del Mal». Ma questa *nuova frontiera* del Kennedy, che gliel'aveva scritta Schlesinger, prendeva spunto dall'epica conquista del West da parte dei primi pionieri che intorno al 1850 – in una continua corsa verso Ovest, portando secondo loro la civiltà nei territori indiani – avevano spostato di giorno in giorno la linea di frontiera degli Usa fino a raggiungere, dalle sponde dell'oceano Atlantico, quelle del Pacifico. E sulle orme di quei mitici eroi dell'Ottocento, i nuovi pionieri volevano adesso spostare le frontiere dell'intera umanità, sia nel campo scientifico conquistando lo spazio, sia in quello umano e dei diritti, rivendicando libertà e democrazia per tutti i popoli che ancora non le avessero.

Volevano pure – però – una maggiore condivisione del benessere, redistribuzione della ricchezza, istruzione per tutti, lotta alla povertà, alla disoccupazione e alla discriminazione razziale. Anche in politica estera ritenevano che il modo migliore – per contrastare l'azione dell'Urss e del comunismo – fosse quello di favorire lo sviluppo economico e una maggiore giustizia sociale nei tanti Paesi poveri: «Soltanto acsì, i vegnerà con nantri».

Si figuri quindi che accoglimento possono avere avuto i newfrontieristi quando sono entrati nel 1961 alla Casa Bianca. Tutti a battergli le mani? No, tutti col coltello pronto, piuttosto.

Lì dentro, chi conosceva ogni piega del potere – e di come si gestiva – era la burocrazia imperiale, che da che mondo è mondo è imperitura e non cambia mai. Ogni volta che per caso cambia l'imperatore, lei resta sempre salda, attaccata al suo posto.

Pure da noi – quando cadde il fascismo e s'instaurò la democrazia – tutti i burocrati dal più grande al più piccolo, dai manager di Stato ai ministeri, esercito, giustizia e polizia, giurarono si fa per dire fedeltà ai nuovi arrivati e rimasero là: «I xè lori», si dovettero arrendere De Gasperi e Togliatti, «che i sa come far andare avanti la màchina».

Si figuri in Usa, che non c'era neanche appena stata una guerra civile come da noi, ma solo una campagna elettorale come tante e un cambio di presidente. Sempre di funzionari vecchi dell'era Truman e Eisenhower, erano piene quelle stanze e l'intera amministrazione degli Usa, comprese le ambasciate all'estero.

Per quanto riguarda l'Italia poi, quelli erano ancora convinti – secondo i vecchi insegnamenti dell'ex ambasciatora a Roma, Clare Boothe Luce – che perfino Scelba non fosse, in realtà, che *«un estremista di sinistra»*. Figuriamoci gli altri – «Alla larga, alla larga dai socialisti agenti dell'Urss» – l'unico di cui ci si potesse fidare in Italia, secondo loro, era forse il Papa: «Ma gnanca tanto anca lu, stocasso de papa novo Zovanni. Bono Pio XII».

Intanto – fra le continue urla e proteste della destra, dei conservatori e dei reazionari interni ed esterni in Italia e negli Usa – a fine aprile del 1963 ci furono da noi le elezioni politiche per il rinnovo del parlamento; a cui parteciperà pure Valentino Orsolini Cencelli a Latina, come le ho detto, senza però essere eletto.

La Dc prese una bastonata. Mantenne sempre la maggioranza relativa, tra il 36 e il 38 per cento dei voti, ma perse il 4 per cento alla camera dei deputati e quasi il 5 al senato: «Casso ghévimo dito nantri?» si stracciavano le vesti i destri Dc.

«Non c'è niente da fare» insistevano però i cattolici democratici, Moro e Fanfani su tutti: «Il Paese ha bisogno di questa apertura a sinistra. Ghe xè massa troppe ingiustizie e desquilibri».

Il boom economico degli anni cinquanta s'era fatto tutto sulle spalle delle masse proletarie: chi costretto a emigrare in Germania o nelle miniere in Belgio come mio zio Treves, e chi invece a Milano o Torino nelle fabbriche e nei cantieri edili, a lavorare notte e giorno per due schèi – troppo bassi i salari – senza assicurazioni o a lavoro nero. Solo chi era già ricco aumentava a dismisura la sua ricchezza, ma chi era povero no, s'impoveriva sempre più: «Qualcossa, de tuto sto benèsere, se garà pure da redistribuirlo, un fià, par tuti quanti».

«Sì vabbe', ma stavolta però, nel nuovo governo, ci vogliono pure i ministri nostri» insistevano i socialisti.

«No, no, no. Gnanca se casca 'l mondo, podarem védare i sosialisti al governo» strillavano dalla destra Dc, e soprattutto dall'ambasciata americana a Roma.

È in questo bailamme che lunedì primo luglio 1963 John Fitzgerald Kennedy sbarca a Roma all'aeroporto di Fiumicino, ricevuto dal presidente della repubblica Segni e da Giovanni Leone, che per scavallare l'estate – «Intanto discutiamo, poi da qui a ottobre qualcosa decidiamo» – era stato messo a capo di un governo monocolore Dc, definito «balneare».

Feste di qua, feste di là. Picchetti armati a destra e sinistra. Corona d'alloro per il Milite Ignoto all'Altare della Patria. Un giro in macchina per Roma al Colosseo, al Palatino, Archi di Tito e Costantino, Villa Borghese e il Pincio, Piazza di Spagna, Fontana di Trevi. Incontra questo, stringi la mano a quell'altro.

Ma la moglie lo aveva istruito per benino, prima di partire. E quando la sera al grande ricevimento offerto dal presidente della repubblica al Quirinale gli hanno cominciato a presentare tutti i più importanti uomini politici italiani, lui s'è ricordato non solo della moglie e di Schlesinger che ce lo aveva a fianco, ma soprattutto della Audrey Hepburn – due palle così, ogni volta che melliflua, nell'intimità: «*I recommend, Mr. President! / Happy Italy for me*» – e appena gli hanno indicato Nenni da lontano, lo ha chiamato subito al volo senza intermediari: «Vien qua, ti, ch'agò da parlarte».

Si sono chiusi dentro una stanza e manca poco non escono più, con gli altri fuori che schiumavano dalla rabbia. Soprattutto il segretario del Pli, Partito liberale – partito della Confindustria – Giovanni Malagodi: «Ma come, parla con lu e non con mi, che son l'unico filoamerican per davero, qua drento?»

Quei due insomma si sono annusati e si sono piaciuti.

Hanno fatto i patti chiari – «Stiamo e restiamo nella Nato» ha assicurato Nenni: «Basta acsì con l'Urss» – e Kennedy, al momento di lasciarsi, gli ha detto: «Io sono il presente, Pietro. Ma il futuro te sì ti».

«Ciao John, grassie tante e saluti alla signora. Ma forse sarìa mègio ch'at parli pure con quelaltro».

E Kennedy – dopo Nenni – ha voluto vedere alla svelta, di nascosto, anche Togliatti: «Niente scherzi?»

«Niente scherzi, Presidente. Verrà il giorno, le assicuro, che anche i comunisti italiani potranno dire a tutto il mondo di sentirsi più sicuri sotto l'ombrello della Nato».

«E tutti quei discorsi di lotta dura e rivoluzione?»

«La xè pretàtica, sior Presidente. Anca lu, gavarìa da saverlo».

«Orco, se 'o so» e da lì a qualche mese – finita l'estate e il governo balneare – il 4 dicembre 1963 fu varato il primo governo di *centrosinistra organico*, come lo chiamava Moro, con ministri e sottosegretari democristiani, socialisti del Psi, socialdemocratici Psdi e repubblicani Pri. Presidente del consiglio Aldo Moro, vicepresidente Nenni.

Come dice, scusi? Che a lei non risulta che le cose siano andate così, e che anzi tutti gli storici affermano che i comunisti fossero superincazzati con i socialisti?

Eh, amico mio. Fu tattica, le ripeto.

Certo strillavano, baccagliavano: «Traditori. Avete rotto il fronte unito delle masse popolari», e secondo alcuni favorirono – ma non è affatto sicuro, anzi! – la scissione dal Psi delle correnti più di sinistra, che andarono a formare il Psiup, Partito socialista italiano di unità proletaria. Ma sotto sotto – almeno ai massimi livelli – erano d'accordo. Tanto è vero che socialisti e comunisti – anche ai livelli più bassi – hanno continuato a camminare insieme senza mai dividersi, uniti più che mai, non solo nelle organizzazioni di massa come il grande sindacato Cgil, l'unione donne italiane Udi, l'Arci e la lega delle cooperative. Ma soprattutto nelle giunte di sinistra al comando dei tanti comuni e province rosse che pure c'erano in Italia. Non è che i comunisti, da lì, li abbiano mai cacciati.

«Se jèra davero traditor», diceva mio zio Adelchi, «i gheva da pararli via. E che casso, a Roma al governo coi democristian, e qua te vòl restare ancora infianco a mi? Ma va a cagare, va'».

Invece no: sono sempre rimasti assieme, poiché la verità è che se uno andò al governo insieme alla Dc e l'altro invece no, non fu perché quest'altro si fosse rifiutato – «Ah mi no ghe vegno parché non son d'acordo, e con la Dc infame e desgrasià no ghe vogio averghe a che far» – ma perché gli americani non lo avevano voluto: «Eh no, casso. Quelli proprio no».

Se no ci andavano. Ha voglia lei, che ci andavano.

Non c'erano già stati del resto – insieme a Dc e socialisti – fino al 1947, quando a maggio Truman disse a De Gasperi «Sbolognali tuti dó», e solo dopo averli cacciati arrivarono i primi cento milioni di dollari del piano Marshall?

Ma fino al giorno prima stavano al governo e hanno condiviso con De Gasperi e la Dc non solo la Costituzione – che stavano redigendo – ma anche e soprattutto la politica economica. Avevano fin dall'inizio accettato l'economia di mercato ed il capitalismo in Italia, limitandosi a far inserire nella Costituzione solo qualche elemento di socialismo – dicevano loro – come le garanzie a favore del movimento cooperativo.

Questa oltre tutto era un'idea che non veniva né da Lenin né da Marx, ma da Ferdinand Lassalle, uno dei maestri del socialismo democratico tedesco di metà Ottocento, che con le cooperative – senza sfruttare gli operai, lavorando tutti d'amore e d'accordo – riteneva si potesse fare concorrenza e battere alla lunga sul suo terreno il capitalismo: «Solo acsì, farem el sosialismo».

Morì giovane, poverino, a soli trentanove anni. S'era innamorato – corrisposto – di una nobildonna e si dovevano sposare. La famiglia di lei era però contraria – «Un sosialista che vuole far fuori tutti i ricchi ristocràtici come nantri?» – la promisero quindi, tale e quale a una vacca, a un pari loro che lo sfidò a duello e lo ammazzò.

«Viva i sposi» dissero poi, tutti contenti, i parenti di lei.

Quelli comunque – i comunisti, non i suoceri di Lassalle – avevano accettato tutte, e da un pezzo, le logiche che stavano dietro al piano Marshall. Per far rinascere l'Europa dai disastri della guerra bisognava che i Paesi centro e nordeuropei – ricchi di materie prime, ma senza mano d'opera nazionale – sviluppassero al massimo le loro risorse, impiegando come forza lavoro le masse di disoccupati dei Paesi come il nostro, sovrappopolati ma senza materie prime.

«I ciapè de qua e li spostè de là» diceva in sostanza il piano Marshall: «Questo xè 'l santo capitalismo e la ecconomìa de mercà».

Certo è così che si è prodotto il boom, il benessere ed il miracolo economico italiano. Ma di tutto quel processo che porterà i nostri lavoratori a emigrare schiavi in tutto il mondo – e che si replicherà pari pari sul fronte interno, con lo spostamento di masse bracciantili e contadine dal Sud all'Altitalia – era già consapevole benissimo Togliatti. E non solo dal 1945-1947 che stava al governo, ma già il 27 marzo 1944 – svolta di Salerno – quando dall'Urss è finalmente rientrato in Italia, sbarcando a Napoli. Lui già allora sapeva che la rivoluzione comunista in Italia non ci sarebbe mai stata: «Qua' rivolusion? Qui il massimo che podarem fare sarà la sosialdemocrasìa».

Poi vabbe', ai comizi e compagnia cantante per aumentare i voti, conservare il consenso e tenere sulla corda i militanti e l'apparato, avrà pure continuato a dire, ogni tanto: «Rivoluzione di qua, rivoluzione di là... Ma sempre per via democratica però compagni, senza violenza e per la libertà di tutti».

Dentro di sé lo sapeva dall'inizio – fin da quando è tornato dall'Urss in Italia, ripeto – che il Partito comunista italiano sarebbe stato solamente, per tutti i secoli dei secoli: «Il più grande partito socialdemocratico europeo», come ebbe a dire una volta al bar Mimì, nel 1973 o giù di lì, il povero Ignazio Balsamo ad Accio.

Così quando s'è aperta per i socialisti la possibilità di rientrare intanto loro, dentro la stanza dei bottoni, i compagni comunisti – almeno a quei famosi massimi livelli – debbono avergli detto: «Vai, vai! Per adesso entri tu, nantri da fora farem casoto e manfrina, ma un domani, chissà, rentrarem anca nantri, se Dio 'l vòle» e li hanno mandati avanti a fargli strada e a fare comunque, con qualche sacrosanta riforma, l'interesse generale del Paese e delle masse lavoratrici.

Erano i «*due partiti della classe operaia*» dicevano – uno al governo e l'altro all'opposizione – partiti fratelli in tutto e per tutto nelle organizzazioni di massa ripeto, in Cgil, nelle giunte di sinistra, nelle cooperative. Ma anche per quanto riguarda riforme, leggi e provvedimenti di governo i socialisti si sentivano prima con i comunisti, che il più delle volte glieli approvavano – o al massimo si astenevano – in parlamento. I due partiti della classe operaia, appunto – «*uno al governo e l'altro all'opposizione*» – in cui quello al governo faceva da ponte anche per l'altro.

È la consociazione o consociazionismo, se vuole: «Siamo tutti nella stessa barca, serchemo tuti da remar insiem» ed è andata avanti così – con l'Italia però che, dal Paese sottosviluppato che era, s'è ritrovata a un certo punto ad essere la quinta potenza economica del mondo – fino a Craxi e Berlinguer: «Xè lì» diceva zio Adelchi, che il giocattolo s'è rotto, «se ga scracà».

Forse ai giovani – alle nuove leve – i vecchi s'erano scordati di dirgli come stavano le cose. O forse sono i giovani che non lo hanno voluto capire: «Casso ne savè valtri?

Al so mi, cossa ghe xè da far». O molto più probabilmente – come Mussolini e il De Ambris nel 1921 – non sono semplicemente riusciti a mettersi d'accordo su chi e come dovesse comandare: «Muoia Sanson con tuti i Filistei alora, ma mi at struco tuti i ossi, se non comandi mi» e questa è la triste fine che abbiamo tutti fatto. Tóltela in quel posto, adesso.

Fatto sta, quella sera di lunedì primo luglio 1963 – san Teobaldo eremita, «*Tanto cammina lo zoppo quanto lo sciancato*» – nel corso del ricevimento al Quirinale a Roma, John Fitzgerald Kennedy diede finalmente la tanto sospirata autorizzazione: «Fiat!» al nascere del centrosinistra in Italia.

E mentre Moro, Fanfani, Nenni e Togliatti facevano tra loro contenti: «Habemus Papam», JFK salutò tutti e se ne andò – «Stì ben» – in ambasciata a dormire. Se da solo o in compagnia non lo so, e nemmeno mi interessa. «Xè prìvasi» direbbe mio zio.

La mattina dopo – 2 luglio martedì sant'Ottone, poi dice i calendari: «*Le donne ne sanno una più del diavolo*» – ha fatto un altro po' di giri e di incontri in ambasciata. Verso le dieci è uscito ed è andato a San Pietro, in Vaticano, a farsi benedire – da buon cattolico – dal nuovo papa Paolo VI.

Via di corsa quindi al collegio nordamericano al Gianicolo, per un pranzetto veloce con il cardinale Cushing che era delle sue parti – Massachusetts – e che tutti però chiamavano il Fabbro. Nato e cresciuto nella bottega del padre, chissà quanti erpici aveva aggiustato anche lui, come Mussolini, prima di entrare in seminario. JFK gli era molto legato, tanto che dieci anni prima era andato da lui, a farsi celebrare il matrimonio con Jacqueline.

Pranzetto veloce però, le ripeto, finché a un certo punto è arrivato l'elicotterone grosso dell'Us Army che doveva portarlo a Napoli – Kennedy ovviamente, non il cardinale Cushing – e allora baci e abbracci: «Scùseme, Fàvaro, ma agò massa pressia. A Napoli m'aspettano, ma per la strada agò da far na comission par me mojèr. Che se no ghea fasso, quea me scórdega, quando ch'al torno».

«Porta pasiensa, fiòlo. Benedictio Domini nostri Jesus Christi...» e l'elicottero è partito, direzione Napoli.

«Lungo la costa, però!» ha ordinato perentorio JFK al pilota, appena messo piede sopra. O almeno questo è quanto ha raccontato una decina di giorni dopo l'interprete che accompagnava i tecnici e funzionari dei due macchinoni ambasciatoriali, a mio zio Adelchi e al suo collega vigile urbano di Latina già Littoria, Manuelo Canali, che con i Gilera 125 li scortavano solerti, e ogni tanto si fermavano a chiacchierare, lungo la nostra gloriosa strada del mare.

Ora difatti si dà il caso – secondo l'interprete – che la moglie Jacqueline ed Audrey Hepburn, prima che JFK partisse per l'Europa, non gli avessero dato solo istruzioni precise in riferimento all'ingresso o meno dei socialisti nel governo italiano. No, questo era stato un corollario, un en passant secondario del tipo: «Ah, scusa. Visto che sei là, vedi pure di lasciargli fare, per cortesia, quel casso de sentrosinistra che i vòle lori». «Sì». «Bon». «Arrivederci e grazie».

Certo gli dissero anche quello, ma la cosa più importante fu un'altra, che ne parlavano già da un anno oramai: fin da quando la moglie era stata in Italia e insieme all'Audrey Hepburn e qualche sorella Fontana – da cui pure Jacqueline e Tullia Zevi si facevano vestire – era venuta in Agro Pontino.

Erano state anche da Doralide, al podere 516 Peruzzi, Parallela Sinistra, Canale Mussolini eccetera, che ad abitare stava allora sul podere del marito un chilometro più avanti, zona Borgo Carso le ho detto. Ma anche lì era una pipinara e per lavorare s'era attrezzata la sartoria in una stanza del 516, a casa della madre.

Quella volta quindi, quando sono arrivate le due macchine – il Fiat 2300 con la Fontana, l'Audrey e la Jacqueline, e una vetturona nera con la scorta – c'era pure Manrico in giro per il podere; che la madre, zia Santapace, aveva mandato a Borgo Carso, al mulino di Borsato, a prendere la farina.

I fratelli di zio Benassi infatti – che insieme al vecchio padre stavano, come le ho già detto, a mezzadria coi Caetani al podere della Belladonna a Latina Scalo – col tempo s'erano fatti, oltre che contadini, pure contoterzisti. Avevano trattori, aratri, seminatrici e trebbie con cui andavano a fare i lavori in giro. A tempo di trebbiatura arrivavano fino in Abruzzo, nel Fucino, e finita la campagna del grano il fratello più piccolo di mio zio – zio Italo Benassi – lasciava sempre al mulino di Borsato a Borgo Carso due o tre quintali di farina all'anno intestati a zia Pace. Era un regalo, un contributo al fratello più grande e soprattutto alla cognata, zia Pace, piena piena di figli. Grande zio Italo.

Così mese per mese – che tra fettuccine, gnocchi, torte, focacce e pasta fatta in casa la finiva – mia zia mandava qualche figlio in bicicletta al mulino a Borgo Carso, con la sacchetta bianca a farsela riempire di volta in volta con quindici, venti o venticinque chili di farina. Quelli segnavano su un quadernetto – «Resta tot, dighe a to mare» – e lui con la sacchetta finalmente piena in bilico, bella infossata sul manubrio della bicicletta, ripartiva con una mano in cima al sacco, non sia mai dovesse cadere, e con l'altra a guidare.

Quella volta era toccato a Manrico, anzi s'era offerto lui: «Così dopo vado da Doralide...»

«Perché?» mia zia: «Io non son più buona a giustarti le braghe?»

«Ma no, mamma, non fare l'offesa, vado a salutarla».

Lui era il cocco non solo della madre, ma di tutte le zie e cugine d'ogni grado ed età. E soprattutto aveva sedici o diciassette anni allora. Era già bello alto, ma continuava a crescere – seppure di poco, oramai – e gli sembrava man mano che i vestiti, i pantaloni, le giacche o le camicie non gli calzassero più a puntino: «Mi ci vuole il tocco di Doralide, qua». L'alta moda.

Così, caricata da Borsato la farina, era arrivato al podere 516 – tra le feste dei parenti – quando a un certo punto s'erano presentate, tra le feste pure loro, l'Audrey, la Jackie e la Fontana.

La macchina nera della scorta era rimasta sul ponte. Non era entrata nell'aia. Mia zia Clelia e mia cugina li hanno invitati: «Vegnì drento, siori».

«No no, grazie mille, thank you very much».

«Ma vegnì, no stì a far storie. Vulìo un cafè, un fià de salama, un goto de vin?»

«No no».

«E stì là, alora... Andè a cagare».

Le altre invece facevano dentro e fuori, da casa e sull'aia, ridendo e parlottando.

Manrico zitto zitto era già nel portico a riprendersi la bicicletta e togliere il disturbo insieme alla farina, quando a un certo punto, scostandosi dalle altre, gli si è avvicinata da un canto – bellissima, elegante, mora mora, squisitissima – Jacqueline Kennedy sussurrandogli: «Gavarìa debisoin d'andare al prìvy, caro».

«Comandi, signora» è scattato Manrico: «Venga con me» e mentre nella stalla le vacche facevano «*Mééééhuu...*» l'ha accompagnata dietro il podere – fino alla latrina di fianco alla letamaia – sorreggendola per la mano nei tratti un po' sconnessi del sentiero.

«Grassie, caro» ha fatto lei, prima di richiudersi la porta alle spalle: «Am pare 'l Tèxas, ciò».

Ora come lei sa, da noi il prìvy era sempre contornato da alberi di fico – la prima cosa che abbiamo piantato, arrivati qui – e lì al 516 erano tra i più belli e splendenti dell'Agro Pontino.

Manrico nell'attesa che uscisse ne ha colti due o tre frutti, grossi come pesche, neri neri quasi blu, tosti e maturi da metterli in un quadro di Caravaggio, e appena lei è riapparsa sorridente e sollevata – «Ah...» – gliene ha offerto uno già bello e sbucciato sulla punta delle dita: «Mangez vous, Madame. C'est exqui...»

Lei è rimasta sorpresa, poiché anche se americana – come sa – era di origine francese. Da ragazza si chiamava Jacqueline Bouvier e Manrico il francese – gliel'ho già raccontato – lo aveva studiato da matti a Siena in seminario.

Lietamente sorpresa la Jackie, mentre lui compito compito stava lì in piedi davanti a lei, alto e bello con gli occhietti dolci da pesce fracico suoi, il sorrisino a mezza bocca appena abbozzato, e questo capolavoro di fico maturo zuccherino sulla punta delle dita.

«Merci beaucoup, mon chéri» ha fatto Jackie, e s'è chinata flessuosa, col sorriso e gli occhi languidi anche lei, a mangiare a microscopici tocchetti il fico sugoso, direttamente dalla mano tesa di lui.

Manrico sentiva – con un brivido – le labbra sfiorargli le dita.

Tornata poi dalle amiche – col fido scudiero a sorreggerla lungo il sentiero – ha offerto loro gli altri due fichi, avvicinandosi all'orecchio dell'Audrey per dirle piano piano: «C'est un biscuit».

«Le fruit, dis-tu?» – il frutto? – l'Audrey.

«Non. Le garçon» il ragazzo, Jackie.

«Ahi, ahi, ahi, ahi» è scoppiata a ridere Audrey Hepburn: «Per questo ci avete messo un sacco di tempo, non tornavate più. Cosa hai combinato Jackie, cosa hai fatto col tuo bel biscottino?» ma piano piano però pure lei, per non farsi sentire dagli altri.

«Ma tasi, insulsa» strillando quasi, ma ridendo: «Aghevo na pissada che no 'a tegnevo propio più, varda. Am pareva le cascate del Niagara».

«Ah» ha sentito stavolta però zio Temistocle: «Chi caga duro e 'l pissa forte, no 'l ga paura gnanca de la morte».

Manrico intanto – mentre loro si accingevano a risalire in macchina, perché l'Audrey voleva far vedere all'amica la strada del mare e il resto – Manrico s'era riavviato al portico per ripartire anche lui.

«Ma parché non lo portemo con nantre?» ha risussurrato Jackie.

«Ahi, ahi, ahi, ahi» s'è rimessa a ridere l'Audrey, e a lui: «Ma vieni anche tu con noi, no?»

«Maaa... come faccio? Io verrei pure, ma ho la bicicletta e la farina da riportare a casa».

«Che vuoi che sia?» Jackie.

E detto fatto – con un cenno solo da lontano – i giannizzeri di scorta si sono precipitati a buttare farina e bicicletta dentro il bagagliaio della macchina loro nera: «Pronti, via! Se sìo pronte valtre, siore».

La sorella Fontana e l'Audrey Hepburn sono entrate nel Fiat 2300, sedili davanti; Jackie – facendo segno a Manrico di seguirla – in quello dietro. Ma mentre lui si piegava verso lo sportello, è arrivata Doralide mezzo imbronciata: «Vai via senza salutarmi?» ad abbracciarlo carezzosa. Quando poi lo ha mollato – «Vai...» – s'è chinata lei al finestrino, ad informare le inclite ospiti: «Questo xè 'l più bel fior, de tuta la rassa d'i Peruzzi».

«Ah, lo credo ben» la Jackie da dentro.

«Am racomando...» Doralide. E sono partiti.

Il Fiat 2300 davanti e i giannizzeri appresso con la macchina nera, sono arrivati al cerchio magico di Latina, sacra circonvallazione, viale XXI Aprile. Hanno scaricato la bicicletta con la farina e Manrico s'è avviato verso casa.

«Sbrìghete, parò...» ha chiesto dolce Jackie dal finestrino.

«Orca!» e due secondi dopo – più veloce della luce – era già lì, cambiato di tutto punto e improfumato per benino sul sedile di dietro del Fiat 2300 a fianco a lei: «Son qua».

Gira un po' di qui, gira un po' di là – per farle vedere anche se di corsa pure la città – quando finalmente hanno imboccato la Latina-Lido, l'Audrey Hepburn s'è voltata tutta sul sedile verso Jackie: «Varda varda: questa xè 'a strada del mare. Varda che belessa, varda che splendor».

«Ma varda ti che meravilia! Gnanca a Los Angeles ghe xè na roba acsì...» la Jackie sbalordita.

«L'ha fatta mio fratello» ha detto umile – ma orgoglioso dentro – Manrico: «Doveva venire di undici metri e mezzo, ma lui gliel'ha fatta fare di dodici».

«E chi è, il governatore di Latina tuo fratello? Come si chiama, come si chiama...»

«Otello».

«... e è bello e bravo e intelligente come te?»

«Be', con le mani è più bravo lui, sa fare tutto. Io invece lavoro più di mente e, a bellezza, non vorrei sembrare immodesto ma mi sa che sono un tantino meglio io. Sono anche più alto...»

«Allora ci teniamo te» all'unisono tutte e tre, mentre la Jackie sul sedile di dietro si voltava rapida, di qua e di là, ad inseguire con lo sguardo tutti i dintorni dai finestrini e, nel girarsi e rigirarsi, ogni tanto però – volendo o non volendo – con la mano come un soffio gli strusciava un braccio, le gambe, le dita.

Manrico intanto, che aveva già cominciato dal podere 516 appena partiti – «Sì al sì, no al no» non so se si ricorda: «*Est est, non non*» – continuava a specificare, tante volte non lo avessero capito, che lui non era a favore del capitalismo, era antimperialista, socialista e iscritto alla Federazione giovanile del Psi.

«Nenni è un grand'uomo» spiegava alla Jackie e all'Audrey Hepburn: «L'Italia ha bisogno di un po' di giustizia. Voi americani non ce lo potete impedire...»

«Visto! Visto?» faceva l'Audrey all'amica: «Cossa te go dito mi?»

«Agò capìo, agò capìo... Vedarem, vedarem. Ma desso ndemo avanti, ciò!»

E cammina cammina sulla strada del mare tra i pini giovanetti che crescevano ai lati, man mano si avvicinavano al lido e già costeggiavano il lago di Fogliano sul lato in cui Luchino Visconti, spacciandolo per l'Idroscalo di Milano, aveva girato la scena madre di *Rocco e i suoi fratelli*, dove alla luce dei lampioni, di notte, Renato Salvatori ammazza Annie Girardot. Che poi – non a caso – proprio girando quella scena al lago di Fogliano, Renato Salvatori e la Girardot s'innamorarono davvero, si sposarono ed ebbero la figlia Giulia.

Ma con gli anni il comune o chissacchì – probabilmente il Parco del Circeo, se non proprio Luciano Restante divenuto assessore, ch'agh vegna la pelagra – hanno sciaguratamente tolto quei lampioni anni cinquanta pazzeschi. Cigolavano «*cìo-cìo*» anch'essi di notte, quando il vento spirava forte dal mare infuriato e i fasci di luce, pendolando di qua e di là, illuminavano a sprazzi ora l'onde increspate del lago, ora i rami dei calìps sulla sponda; d'un romantico quel lato del lago, che non ce n'è un altro in tutta la galassia. Se lo vedono gli extraterrestri si fermano qui, e come gli zingari di Latina non vanno più via: «Ah, mi no ghe torno là de sora. Salutème me mama e stì ben tuti quanti».

Con gli anni però, ripeto, hanno tolto sia i lampioni che la passeggiata e chiuso sbarrato l'accesso a quel lato del lago di Fogliano su cui – dopo che ci si erano uccisi nel film e innamorati per la vita Annie Girardot e Renato Salvatori, riposino in pace – appena ci è arrivata quella volta la Jacqueline Kennedy dalla strada del mare, prima di sbucare a Capoportiere, s'è sentita male. Le è preso – come un fulmine – un colpo d'estasi al petto.

Ha stretto forte forte la mano di Manrico – lui ha fatto pure «Ahi» ma non l'ha tirata via; l'ha lasciata lì docile: «Stringi quanto ti pare. Anzi, più stringi e più mi piace» – e tremava e vibrava tutta: «Ma questo xè 'l Paradiso...» e s'è innamorata per sempre, della strada del mare che da Latina porta al Lido.

Manrico l'ha dovuta abbracciare – «Bravo, bravo» annuiva l'Audrey Hepburn – perché si calmasse. Sindrome di Stendhal. «Mariavèrzine che spetàcolo» non faceva che ripetere la Jacqueline Kennedy, nata Bouvier.

Non le dico poi quando da Capoportiere hanno fatto su e giù per la Lungomare nuova nuova pure questa – lasciandosi alle spalle la foce del Mussolini, Torre Astura e la centrale nucleare oramai in funzione – i trenta chilometri che da Foceverde vanno fino a Torre Paola sotto monte Circeo. Trenta chilometri sul filo della duna, con il mare Tirreno da una parte e la serie rettilinea dei laghi costieri nostri dall'altra: Fogliano, Monaci, Caprolace, Sabaudia.

Il panorama più bello di tutta Italia e d'Europa. Non ce n'è un altro uguale, giuro.

Ogni tanto si fermavano e scendevano, sia dalla parte del mare che di là dalla duna verso i laghi. L'Audrey con la macchinetta al collo scattava fotografie a ripetizione. Jackie le dava indicazioni: «Prendi questo, prendi quello, di là, di sopra, di sotto, piglia anca nantri ciò» mentre volendo o non volendo abbracciava stretta stretta per un fianco Manrico.

Scendendo o risalendo sulla macchina, o mentre camminavano, è capitato pure, ogni tanto, che anche la Audrey per caso – volendo o non volendo – gli si strusciasse.

«Stà in là!» la cacciava subito ridendo la Jackie: «Maladeta».

E più lei la cacciava, e più l'Audrey gli si strusciava.

«Bruta sporca...» la Jackie, sempre ridendo.

A un certo punto però, mentre stavano dalle parti della foce del Duca, ma ai piedi della duna verso il lago di Fogliano, a Manrico è parso di vedere – là in alto sulla strada Lungomare – un Vespino 50 che da Rio Martino veniva verso Capoportiere: «*Vrèèèèèèèè!*» con due sopra che potevano sembrare, da lontano, Silvio Di Francia e l'Atlante.

Manrico di corsa s'è nascosto dietro un cespuglione grosso di tamerici – anzi, proprio dentro il cespuglio, in quella specie di antro, capanna o caverna che i refoli del vento, e talvolta pure gli animali, spesso scavano tra gli arbusti della duna – portandosi appresso con un balzo anche Jackie per la vita: «Speriamo che non m'hanno visto».

Ma il Vespino ha tirato dritto – «*Vrèèmmmmm...*» – e poi s'è perso senza che quelli, quand'erano stati all'altezza loro, avessero fatto un solo gesto o minimamente voltati a guardare di qua, dritti dritti per fortuna per i fatti loro: «Non m'hanno visto, non m'hanno visto, ammesso sempre che fossero loro... Ma non erano, non erano».

Invece erano, purtroppo. Anche se lui – beato lui – ancora non lo sapeva.

Fatto oramai pomeriggio imbrunire, finita l'escursione – la Jackie innamorata matta infatuata dei posti: «Mariavèrzine de strada che bela che bela» all'infinito – tornati indietro per la strada del mare Manrico ha fatto da guida fino al semaforo delle Case popolari e al distributore Agip Supercortemaggiore dove iniziava la S.S. 148 Pontina, perché allora mica c'erano i tom-tom o Google Maps, e s'è fatto lasciare lì: «Ecco, dritto dritto e siete a Roma».

«Ciao, caro», «Ciao, care», salto i convenevoli e facciamola finita. Jackie è scesa dalla macchina, per abbracciarlo: «Grassie di tutto e non star mai a scordarte de mi. Adieu, mon cher».

«Addio signora, si figuri se mi scordo».

È andato in piazza a fare il giro di Peppe con gli amici. La sera è tornato a casa. Cenato tutti assieme in cucina, come se niente fosse. Appena sparecchiato, zio Benassi ha acceso la radio – non c'era più *Ventiquattresima ora* purtroppo, perché Mario Riva era morto due anni prima, nel 1960, cadendo giù dal palco all'arena di Verona – e s'è messo a copiare sulla carta da musica gli spartiti per i coristi della San Marco. Zia Pace a fare i piatti e a cucire, con un orecchio anche lei alla radio. Violetta a studiare – studiava sempre, quella, sia d'estate che d'inverno – gli altri a leggere o radio pure loro.

Alle dieci o dieci e mezzo – undici al massimo, to' – zia

Pace ha spento le luci e tutti a letto in camera loro. I maschi in quella nuova di là dalla sala – che zia Pace aveva da poco fatto costruire abusiva dietro casa, nell'orto – chi a mettersi il pigiama e chi già dentro il letto, di nuovo a leggere, quando all'improvviso Otello se n'è uscito: «Manri', ma che è sta storia della moglie de Kennedy?»

«Che storia è?» subito Accio: «Io non so niente, spiegàteme pure a me».

Quello invece – Manrico – zitto zitto, serio serio, a piegare per bene e riordinarsi i vestiti, come non fosse volata una parola sola in quella stanza.

Otello allora di nuovo all'attacco, sogghignando: «Manri', ma tu davvero non vuoi raccontare ai tuoi fratelli cosa ci facevi in giro oggi con Jacqueline Kennedy? E che fratello sei? Racconta, racconta...»

E quello sempre zitto, ammusato, come non avesse sentito.

Accio: «Racconta, te possin'ammazzà».

Otello: «Sbrìgati, dillo pure a noi. Lo sanno tutti oramai, in giro per Latina. Ti ci hanno visto abbracciato al mare, infrattato sotto la duna in mezzo ai cespugli al lago di Fogliano. Dicci solo quello che ci hai fatto».

«Basta» s'è messo a strillare Manrico: «Non ti devi permettere. È offensivo per me e per lei. Ti devi sciacquare la bocca. Io sono un gentiluomo, brutto stronzo, non una serva come quelle pettegole degli amici tuoi Atlante e Di Francia...»

«Ahò, non offènde gli amici perché me fai incazzà».

«... e un gentiluomo non parla mai di una signora in questi termini».

«Ma te la sei ingroppata o no?» Accio: «Solo questo volemo sapé».

«Bastaaa» e s'è avventato addosso a Accio.

Quello subito cazzotti ai fianchi.

Cazzotti allora anche Manrico.

Otello giustamente è sceso pure lui dal letto e giù botte anche lui.

Accio ed Otello insieme – contro Manrico – lo hanno gonfiato come una zampogna. «*BODOBÓMBOMBOM!*» facevano tutti e tre rimbalzando come un'unica trottola da cui ogni tanto emergevano ringhi, muggiti, pugni chiusi, pedate e cazzotti, tra l'armadio, i comodini e la porta della camera.

Finché la porta s'è aperta, ed è apparsa zia Pace con la camicia da notte tutta bianca fino ai piedi, senza dentiera perché prima di coricarsi se la toglieva per riporla dentro un bicchiere sul comodino, ma con il mattarello grosso di legno in mano – quello con cui tirava la sfoglia della pasta – e giù bastonate a tutti. Ma – come al solito – sempre un po' più ad Accio e dopo, in ordine decrescente, agli altri due: prima a Otello e poi a Manrico. Quasi niente, però, Manrico.

«A letto e silenzio assoluto! Non voglio più sentire volare una mosca».

«Che è successo, Pace?» s'è sentito zio Benassi dalla camera loro, che evidentemente già dormiva: «Debbo venire anch'io?»

«Che devi venire a fare, tu? Zitto e dormi, che qua ci basto io».

Spenta la luce, chiusa la porta e tutti finalmente sotto le lenzuola.

«In due contro uno, eh?» Manrico dal letto suo.

«Perché eravamo in due!» Otello ridendo: «Ma se eravamo in tre, te menavamo pure in tre. Hai cominciato tu, che vai cercando mo'?»

«Prima o poi mi farete come a Giuseppe della Bibbia, che i fratelli per farlo morire lo buttarono in un pozzo».

«Ma non gli è riuscito, però» Otello: «Noi invece sì, se ce se mettemo. Statte attento...»

Accio: «Sempre modesto, eh? Il Principe Giuseppe della Bibbia è diventato mo'».

«Mbeh!?» Otello: «Co' la moglie del Faraone tra le palme del lago de Fogliano, mortacci sua...»

«Ma l'hai battezzata per davvero, Manri'?» Accio: «E dìcce almeno solo questo, pe' piacere: l'hai cresimata o no?»

«Maladeti Zorzi Vila!» Manrico: «Ch'av vegna un càncher par omo a tuti dó».

In ogni caso – a parte il ruolo effettivamente svolto da Manrico e che nessuno, purtroppo, sarà più in grado di svelare – il panorama più bello d'Italia e del mondo aveva fatto colpo.

Non ce n'è un altro uguale – le ripeto – e Jacqueline Kennedy appena tornata a casa aveva cominciato a mettere in croce il marito: «Bisogna che andiamo a stare là. Devi venire, devi vedere, ti innamorerai anche tu. Un gioiello di prima grandezza, a due passi da Roma, a metà strada da Napoli. Noi dobbiamo investire e far investire i più grandi magnati amici nostri, e quando finalmente hai finito questo lavoro qua, che dobbiamo lasciare la Casa Bianca, ce ne andiamo a stare in pensione là».

«Ma ti te sì mata» rideva lui: «De tanti bei posti che ghe xè in Amèrica, agò da 'ndarme a ficare fin là? Non podaréssito scegliere, fiòla, par esenpio Miami?»

«Miami? Ma allora sei tu davvero matto, John. Propio Miami che 'l xè no sputasso pien de cuban?»

«Ah be', qua sì ch'at ga razon ti» perché quella era ancora l'epoca delle crisi di Cuba – Baie dei Porci e compagnie cantanti – e Miami comunque non era come adesso; fermo restando che Miami è una cosa e Miami Beach un'altra, distinta e separata.

Miami era popolata solo, si può dire, da cubani. Si calcola che fossero più di 250.000 gli esuli anticastristi – gente di tutte le risme, dalle più brave persone ai più delinquenti, dagli ex ricchi granjeros agli sgherri più biechi del vecchio dittatore Batista, dai preti ai croupier, ai papponi, alle puttane delle oramai chiuse case da gioco – scappati dall'isola con i mezzi più strani: aerei a motore e a pedali, barche da pesca, zattere, pattìni, mosconi di salvataggio degli stabilimenti balneari, catamarani barconi o barchette peggio di quelle di Otello, camere d'aria grosse d'autotreno o quelle più piccole di macchina o bicicletta legate assieme.

Approdati lì, tutti lì restavano: a Miami. A due passi, secondo loro, da casa – «Prima o poi ci torniamo» – sistemati non le dico come: campi profughi, accoglienza, baracche e baraccopoli peggio di quelli nostri in Italia dei migranti che scappano dall'Africa o dal Medioriente in fiamme.

Miami Beach poi non ne parliamo.

Non c'era niente a Miami Beach. Solo lagune e acquitrini da bonificare, e giusto qualche casetta isolata sulla spiaggia, e villino o palazzina a due piani in art déco – degli anni venti o trenta del Novecento – tali e quali a quelle nostre di epoca fascista di Littoria, Pontinia, Sabaudia, Pomezia ed Aprilia. E Marco Romano – il più grande urbanista italiano vivente – si adonta come una bestia, ogni volta che qualche suo collega si azzarda a classificare come «razionalismo italiano» l'architettura nostra di quel periodo: «Ma quale razionalismo? Andate a vedere Miami: è tutto art déco pure il nostro, e non fatemi incazzare».

La Jackie e l'Audrey Hepburn erano quindi andate avanti un anno a dirgli: «Latina mare di qua, Latina mare di là». E quando JFK è stato sul punto, a fine giugno 1963, di partire per l'Europa e prima di lasciare la Casa Bianca è andato a salutare e dare un ultimo bacio ai ragazzini e alla moglie – che stava stesa sul letto per quella gravidanza che le ho detto e che era messa molto male – lei gli ha detto: «Ohi John, am racomando, *I recommend*. Va' a védare la Latina Mar».

«Ma come fasso, fémena. Ti te sì mata. Con tuto quel che agò da far?»

«Tasi, mona, e fa' quel che ti dico. Agò studià 'l programa del to viagio e am pare che ti, se non sbaglio...» – e sul letto, sopra la copertina di raso, ramenava tra i fogli di carta e le mappe geografiche – «che ti da Roma, il giorno dopo, at gavaressi de 'ndare a Nàppoli o no?»

«Sì, am pare anca a mi».

«Ecco. Allora quando da Roma devi partire per Napoli non ti ci fai portare con l'aereo, ma con l'elicottero. Sono due passi, in fin dei conti. E quando da Roma stai sull'elicottero, li fai passare verso il mare dopo Anzio e Torre Astura e ti ritrovi all'improvviso su questo Paradiso dell'Agro Pontino, col Circeo in fondo, il mare da una parte, i laghi da quell'altra e quel portento di strada che da Latina va al mare. Sono sicura che come lo vedi dall'alto t'innamori anche tu e quando torni ne parliamo. Ho un sacco di idee e progetti, ho interessato una montagna di persone, agò parlà anca col Walt...»

«Eh?» già tutto scuro: «Qualo Walt, ch'at vegna un càncher?»

«El Walt Disney, ch'el xè contento come una Pasqua. Vòl farghe nantra Disneyland» – che allora c'era solo quella negli Stati Uniti, in California – «Eurodisney, gàlo dito che la ciama. Sai i soldi che facciamo?»

«Ma mi at copo, maladeta ti. Quello non è democratico, no 'l ga votà par mi. El ga votà par Nixon, porca putana, 'l xè republican».

«Non dar retta a chiacchiere. I schèi xè schèi John, no i cognosse color».

«Mmmmh...» faceva JFK col muso traverso.

«Vien qua a darme un baso».

«Mmmm...» faceva lui, e però ci andava.

«Nantro, caro».

«Mmmm...»

«Daghe solo n'ociada par farme contenta, toso. Poi se non ti piace lasciamo stare. Ma non tornare sensa èserghe 'ndà, che n'at fasso più entrare, ciò».

«Bon».

«Ciao toso».

«Ciao tosa» e quando poi da Roma, nel primo pomeriggio di martedì 2 luglio 1963 – sant'Ottone, «*Le donne ne sanno una più del diavolo*» – s'è fatta l'ora di partire per Napoli, ha detto all'elicotterone Us Army: «Andè per Latina, strada del mare».

Gli F-104 nostri di scorta Starfighter – chiamati anche dagli stessi piloti «bare volanti», perché ogni tanto ne veniva giù uno – si chiedevano per radio dall'alto: «Ma che cazzo stanno a fà?», mentre giù in basso l'elicottero faceva due o tre volte da Latina a Capoportiere sulla strada del mare, e lungo la duna dal lago di Fogliano a quello dei Monaci, Caprolace e Sabaudia fino al Circeo, dove girava intorno al promontorio e ritornava indrìo. «Fasìme dar par ben un'altra ociada», Kennedy.

«Mr. President, i ne spèta...»

«Lassia che i spèta. O at preferìssito che me fémena me scórdega, quando ch'al torno?»

E fatti due o tre giri avanti e indietro: «La ga razon éla, porca putana» ha detto JFK. «Fasìme siéndare un fià!»

«Eh?» hanno fatto quelli: «Ma proprio non si può, Mr. President».

«Non si può? E che casso de presidente son alora mi? Presidente par finta, ch'av vegna un càncher? Fasìme siéndare almanco a sentir l'odor, agò disesto» e l'elicottero pian piano – mentre là in alto, come condor, gli F-104 giravano e rigiravano in tondo: «Ma che cazzo stanno a fà?» per non perderli di vista – è planato sulla duna, all'altezza della foce del Duca, proprio quasi dove mio cugino Diomede, non so se si ricorda, seppellì in tempo di guerra il suo amico tedesco Eberhard e dove pure però, lei guardi il caso, secondo quei calunniatori dell'Atlante e Di Francia la moglie di JFK avrebbe messo un corno al marito, l'anno prima, con l'altro mio cugino, Manrico.

Kennedy è sceso – «Fasì presto Mr. President, fasì presto» s'erano raccomandati sia i piloti che i due Men in Black saltati giù di corsa anche loro: «Indove vàlo sto mona da solo?» attenti guardinghi a fargli di lato la scorta – e s'è guardato, il Kennedy, di qua e di là con da una parte il mar Tirreno tutto blu, il promontorio del Circeo e le isole di Ponza, Palmarola e Zannone al largo, e dall'altro lato invece il lago di Fogliano con le palme, i boschi di eucalypti e le vacche al pascolo nei prati.

S'è allontanato un po' dal vento turbinoso delle pale dell'aeromobile e ha inalato finalmente quattro o cinque respirate a pieni polmoni di iodio salmastro dal mare, misto agli effluvi di mirto, di pino e tamerici della duna e di palme, di vacche e di eucalypti dal lago: «Orco che védare e che respirar. Gnanca in Paradiso, davero sarìa ugual».

E mentre i piloti mettevano il motore in folle – «*Plòffffff... Plòffffff... Plòffffff...*» facevano le pale – John Fitzgerald Kennedy ha riguardato davanti a sé, sotto la duna, la spiaggia lunga di sabbia gialla, lambita dritta dritta, in fondo, dall'acqua blu del mare. Una tavola, per quanto era calmo, da cui onde piccolissime venivano a placarsi alla riva, murmugliando senza fine: «*Plàuffllssccc... Plàuffllssccc... Plàuffllssccc...*»

Era il pomeriggio di martedì 2 luglio però, le ripeto, e quel giorno in spiaggia – ma un po' più indietro, verso Capoportiere – c'erano pure Otello e gli amici suoi, a prendere il sole e giocare a tamburello con le ragazze, quando appunto s'era visto l'elicottero fare prima avanti e indietro «*Plò-plò-plò-plòtp*» con gli F-104 che da sopra gli giravano intorno, e poi a un certo punto atterrare e mettere in folle «*Plòffffff... Plòffffff... Plòffffff*» e subito qualcuno in spiaggia, vicino a loro, era scattato di corsa, incuriosito.

«Perché non vai a vedé pure tu, che cazzo sta a succède?» ha detto allora Otello a Silvio Di Francia, che è quindi partito insieme all'Atlante, mentre lui continuava – «*Tòk, tòk, tòk*» – a respingere col tamburello la palla alla sua dama.

Kennedy intanto – davanti all'onde piccolissime che dall'enorme tavola blu venivano a placarsi «*Plàuffllssccc... Plàuff-*

llssccc... Plàuffllssccc...» sulla riva – era rimasto fermo un attimo, a rimirarle. Poi aveva iniziato a spogliarsi – «Questo è matto» dicevano tra loro gli altri Men in Black, scagliatisi adesso fuori anch'essi in gruppo come un pacchetto di mischia di rugby, per fargli immediatamente ala ovunque avesse oramai voluto andare: «Sto mona» – e giù dalla duna con le sole mutande celestine addosso di cotone a pantaloncino, mutande tattiche o da sbarco diciamo, di corsa tutta la spiaggia sino a tuffarsi in mare: «Ah! Gnanca nel Pasìfico, ciò, gnanca a Plum Pudding» e s'è messo a nuotare avanti e indietro.

«Allora?» ha chiesto Otello, bloccando con la mano la palla, quando Silvio Di Francia è tornato da solo.

«Ma niente, no...» Di Francia: «È solo quer rompicojoni de Kennedy che se sta a fà 'r bagno».

«E l'Atlante?»

«Lo sai com'è fatto... È rimasto, cojone pure lui, a guardà».

Poi JFK è tornato a riva. S'è rivestito senza quasi asciugarsi. Dentro la garitta di cemento lì vicino sotto la duna – uno di quei bunker o ripari che mio cugino Diomede e il suo amico ufficialetto germanico Eberhard avevano costruito durante la guerra a difesa della sacra linea di costa, altresì detta bagnasciuga, dell'Agro Pontino da ogni imminente immonda invasione giustappunto angloamericana – s'è tolto solo le mutande celestine bagnate, buttandole lì di fianco, e s'è rimesso i pantaloni direttamente a pelle senza, ripeto, quasi asciugarsi e di nuovo al volo dentro l'elicottero: «Ndemo a Nàppoli adesso fiòi! No stì a pèrdare altro tenpo, che là i xè drìo spetarne».

«Sto gran testa decassi» pensarono i piloti: «Ma tu varda che vita, che i ne toca far».

«E nantri? Cossa gavaressimo da dire alora nantri?» trasmettevano via radio, dall'alto, quelli degli F-104 condor pasa.

Le mutande bagnate intanto – fra tutto il pubblico non troppo numeroso, ma comunque presente e non pagante – era stato l'Atlante nostro ad aggiudicarsele raggiungendo per primo, allo scatto, la garitta. Ce le ha ancora. Le conserva religiosamente. Se lei va in redazione a *LatinaOggi* dove lui lavora, le vede attaccate al muro dentro una bacheca – «Le selesti budande del Chènedi» le ciama la portiera – dietro la scrivania sua a fianco alla maglia numero 9, celeste anche quella, di Giorgio Chinaglia; mannaggia l'Atlante e la Lazio.

Arrivato quindi Kennedy finalmente a Napoli, ma ancora scosso dalle aeree sublimi visioni ed effusioni – sindrome di Stendhal appunto, davanti ai nostri laghi la duna e la strada del mare – disse testualmente al popolo napoletano accorso, come le ho già raccontato e come trova, se vuole, su ogni resoconto del viaggio: «*In questo mio breve esilio dal clima di Washington, mi sono lasciato apposta questo paradiso come ultima tappa del mio viaggio in Europa. L'unico rammarico è la brevità del soggiorno, ma mi consola la certezza di un assai più lungo ritorno, la prossima volta, insieme a mia moglie*».

Dopodiché salutò tutti, rimontò nel pomeriggio stesso sull'Air Force One che lo aspettava coi motori accesi a Capodichino – sulla pista, lei ricorderà, costruita a suo tempo da mio zio Benassi con i Caterpillar, dove una volta zia Pace era andata a fargli una scenata di gelosia che lui la sera, tornato casa, le aveva dato uno schiaffo e lei per tutta la vita ogni tanto glielo rinfacciava: «Mi hai messo le mani addosso»; «Ma una volta sola, Pace»; «Sì, ma me le hai messe»; «Ma che t'ho messo? Era uno schiaffetto, ho fatto solo finta, ti ci ho appena appoggiato la mano»; «Appoggiata la mano? Era uno schiaffone forte, ancora c'è il segno» e si toccava la guancia, «ancora mi fa male» – e via per l'America, a casa sua, dalla moglie che, trepidante, lo aspettava anche lei con i motori accesi: «Allora? Ghe sìto andà?»

«Ghe son 'ndà, ghe son 'ndà... Come podaréssito crédare, tosa, che am gavarìa desmentegà?»

«Bon! E te ga piasesto o no?»

«Mmmmmh...» per non darle troppa soddisfazione: «Agò parfino fato il bagno e una nuotata» cominciando a spogliarsi per farsi la doccia.

«E le budande?» Jackie.

«Jèra massa insupà. Le go butà là...»

«Stà atento però, nane, a non lasciarmi adesso il bagno sporco di sabbia, che at destaco 'l caporion», la testa.

Come dice lei, scusi? Che non le pare verosimile che nelle tante ore precedenti – sia a Napoli che dentro l'aereo, sopra l'oceano Atlantico – non gli sia riuscito di cambiarsi e farsi una doccia?

E che ne so io se a Napoli o sull'Air Force One c'era o non c'era una doccia? Magari era stanco e s'è messo a dormire. In ogni caso un racconto è un racconto e non gli si va – anche per educazione – a rompere le scatole cercandone le pulci. Soprattutto quando è più che verosimile, invece, che nella realtà – come dice Aristotele nella *Poetica*, 1456a, 20-25 – «*accadano assai spesso molte cose inverosimili*».

Fatto sta, poco più di dieci giorni dopo, come lei sa – a neanche metà luglio 1963 – si presentarono in comune, a Latina, quelle due famose macchine dell'ambasciata americana, piene di tecnici, funzionari e pezzi grossi incravattati.

«Top secret» dissero subito però – ancora prima di muoversi dal comune – a mio zio e al suo collega Canali.

«Orco» fece mio zio Adelchi: «Ghe xè nisun, più top sìcre de nantri. Gnanca le tombe al simitero...» e come due angeli custodi, con le divise bianche estive, sui Gilera 125 li spasseggiarono su e giù per la strada del mare fino al lago di Fogliano e sulla Lungomare sopra la duna – fiancheggiando il lago – fino a Rio Martino.

Gli americani volevano andare ancora avanti: «Noi li dobbiamo vedere tutti però, questi laghi, almeno fin sotto quel promontorio laggiù... come se ciàmalo?» – cercandolo al volo sulla mappa – «Ah, Circeo».

«Am dispiase», rispose Canali, «ma nantri semo polisia munisipal».

«Alora?» l'americano.

«Alora un casso» Canali: «Al Rio Martin ghe xè la linea de confin, baùco» – che vuol dire stupido, citrullo, rincoglionito, bacucco – «de qua xè comun nostro de Latina, ma de là dal Rio xè queo de Sabàudia, ostia. No podemo 'ndarghe. Andè da soli, se 'l vulì. Mica sarete come Pollicino, che vi perdete».

«Ma cossa n'in frega a nantri de Sabàudia!?» lo interruppe zio Adelchi: «Nantri sem sieriffi de Litoria, ciò. Questi i xè merican mandà dal Chènedi, e ti vòtu lassiarli ramenar da soli? Monta in sèla, Canal» e – «*Vrèèèèmmm!*» – con un colpo secco di pedivella mise in moto il Gilera: «Fin al Sirsèo e fin 'ntel cul del paradiso, se i vòle, aghemo da vardarli e starghe drìo» e li hanno scortati dovunque hanno voluto.

Ogni tanto si fermavano. Scendevano tutti. Chi col binocolo, le cineprese, le macchine fotografiche, e chi coi progetti di massima e i disegni spiegati: «Top secret, top secret» continuavano a raccomandarsi gli americani.

«Topsìcre, tossìcre...» li rassicuravano zio Adelchi e Canali.

Era luglio però, le ripeto, e al mare sulla duna e sulla spiaggia c'era pure un po' di gente che faceva il bagno e pigliava il sole. Non il pipinaro di macchine che c'è adesso d'estate, che non ci si può passare, ma qualche macchina ogni tanto c'era già allora – Lancia Appia, Aprilia; Fiat Topolino belvedere, o Seicento, Millecento D; Alfa 1900 o Giulietta vecchio tipo, Bianchina – e soprattutto biciclette, oltre a qualche Vespa, Lambretta, Motom o motocarro Guzzi, infilati di traverso all'ombra fra i rami delle tamerici in fianco alla strada, in cima alla duna.

E ogni tanto questi perditempo al mare – che non erano poi numerosi ripeto come adesso; ma che comunque c'erano – vedendo questi due macchinoni scuri che si fermavano avvoltoieschi sopra la duna e tutta quella gente che ne usciva in giacca e cravatta nera con macchine fotografiche e disegni e i nostri due vigili di scorta, quelli tutti si chiedevano tra loro, in spiaggia: «Che cazzo stanno a fà?»

«Boh... Annamo a vedè» e uno dopo l'altro – saltellando a piedi nudi sulla sabbia bollente – risalivano la duna e si presentavano in crocchio là: «Che state a fà?»

«Sircolare, sircolare!» gridava zio Adelchi: «Xè topsìcre qua. Tossìcre».

«Ma che vòr di' tossìcre, Ade'?»

«Che te ga da farte i cassi tui, ciò. Via de qua o vi arresto» e tirava fuori le catenelle di una volta.

«Ma può essere, Ade', che a te ancora nessuno t'ha detto che il fascismo è caduto?»

«Poco spìrito! Teo farìa védare mi 'l fasismo, che at gavaressi da siaquarte quea boca de merda pitost, prima da parlarne» s'incazzava ancora di più mio zio, e li cacciava in malo modo. Finché però gli è venuto pure a loro due – mio zio e il Canali – di chiedere all'interprete: «Ma parché tutto questo altarino gran segreto, tossìcre topsìcre? Casso ghe xè de mal, si anca la zente 'o sa?»

«Tasi, mona» quell'altro: «Che se si sparge la voce, i se alza e se drissa a le stelle tuti i prezzi».

«Orcocan» ha fatto mio zio.

Ha capito?

Quelli dovevano comprare dappertutto, qui a Latina, dai monti fino al mare. C'erano dietro tutti quanti. Non solo il clan dei Kennedy e Walt Disney. Ma pure i Rothschild, Rockefeller, Paul Getty e Paperon de' Paperoni. Il meglio capitalismo gringo norteamericano, insieme ai fondi di investimento dei grandi sindacati e pensionati Usa. Lei non ha idea di cosa doveva venire qui.

Mio zio ha visto i progetti, quella volta di scorta col Gilera ai macchinoni americani. Stavano sulla duna e mentre quelli ristendevano sopra i cofani le piante e planimetrie, i prospetti, gli schizzi d'insieme colorati ad acquerello e col dito indicavano prima un punto sui disegni e poi di qua o di là, lontano, in direzione dell'orizzonte: «Qua ghe vien questo, de là ghe va quel'altro» – quasi proprio come il conte Cencelli che illustrava a Mussolini, il 5 aprile 1932, da sopra la terrazza del vecchio casale del Quadrato, dove e come doveva nascere Littoria – pure Canali e mio zio si sono avvicinati ai cofani delle macchine e hanno visto tutto quanto. E quel che non capivano, chiedevano all'interprete.

Be', a farla breve, tutta la duna da Foceverde fino alla Bufalara – che da una parte c'è il mare e dall'altra i laghi – tutta una sfilza assiepata fitta fitta di grattacieli più alti uno dell'altro. Un'altra sfilza – ma che dico? una foresta – di grattacieli ancora più alti anche dall'altra parte e intorno ai laghi. Che subito Canali disse: «Ma valtri sìo mati. Il Parco del Circeo av copa. Non ve lo farà mai fare».

«El parco del Sirsèo? Ma va in malora, baby» gli spiegò l'interprete: «Ma ti te ga capìo o no, chi semo nantri? Nantri sem american mandà dal Chènedy, paron del mondo. Sètu quanti calci 'ntel cul, ghe demo al parco?»

«Tasi, Canali, no star disturbare» lo ammonì zio Adelchi. E all'interprete: «Continui pure, sior. Lo perdoni, se può».

Dietro Capoportiere le terme, e grattacieli anche là. Addosso alla Mediana – oggi Pontina – Eurodisney e ovviamente grattacieli. Da Latina poi, e fino ai monti, industrie ecologiche, parchi tematici e ancora grattacieli a piovere fino quasi a Latina Scalo. Da lì sarebbero partiti i due binari sopraelevati di una linea metropolitana superveloce, che dalla stazione ferroviaria avrebbe raggiunto l'aeroporto lì vicino – che da militare doveva diventare internazionale civile, secondo aeroporto del Lazio dopo Fiumicino, che ci dovevano atterrare i Boeing no-stop dall'America – per poi portare velocissimamente prima a Latina e poi al mare, Fogliano e lungomare. Tutti i collegamenti aerei perfettamente integrati con quelli terrestri, sia su gomma che rotaia, pubblici e privati, con tanto di fermate, tapis roulant e scale mobili.

Intorno al lago di Fogliano, dove c'era una volta il viale che lo circondava tutto – contornato dalle palme che una delle principesse Caetani s'era fatta mandare apposta dall'Arabia, per poterlo percorrere tranquillamente all'ombra su un suo cavallo, arabo anche quello, che secondo la leggenda la principessa, intorno al lago, avrebbe cavalcato nuda come Lady Godiva – al posto del viale, che le palme poi in ogni caso se le è mangiate tutte il punteruolo rosso, una strada panoramica bella asfaltata: di qua il lago e di là le ville, i grattacieli, gli hotel, i casinò, case da gioco, discoteche, case di tolleranza, Caesars Palace, Moulin Rouge, Casino Royale.

In mezzo al lago, invece, un'isola artificiale con altre palme sulle sponde e un grattacielo altissimo in mezzo – il più alto di tutti – con hotel e casa da gioco anche questo, ma extra lusso. Un'altra isola artificiale – più grossa ma in mare, piena pure lei di palme, porticciolo turistico, grattacieli-albergo e casinò – doveva venire al largo, di fronte a Capoportiere.

Gli americani prevedevano anche di rimettere mano all'intera bonifica fascista – «Massa stretti sti canali, ciò» – allargandone a volte l'alveo, correggendone il corso od il fondo e collegandoli tutti in un'unica rete completamente navigabile: «Pianura Blu la ciamemo, miràccolo del genio uman. Ti in barca, s'at vòl, te pòl andare dal mare a la montagna, dal Canale Musolin al lago de Folian».

Dulcis in fundo, non contenti della sola navigazione interna dell'Agro Pontino – che peraltro prima di loro l'avevano già fatta gli antichi romani e l'imperatore Nerone – avevano pensato pure a quella esterna, via mare: «Aghemo da far fare il saluto al lago anca ai piròscafi de le crociere. I ga da 'ndare a Venessia a San Marco e po' vegner qua, a la tore gratasièlo del lago de Folian, dove ghe metemo sora, grando grando, un bel Lione Alà».

Dovevano sbancare, riscavare ed allargare – disse l'interprete – la foce del Duca. Quella che dal lago va al mare e sulla cui sponda, lei ricorderà, nostro cugino Diomede Peruzzi seppellì durante la guerra, nel tardo pomeriggio di sabato 20 maggio 1944 san Bernardino da Siena – col sole che lento e dolce calava dal largo di Torre Astura sull'onde placide del mare – seppellì l'amico germanico Eberhard. Il più caro amico della sua vita; ufficialetto del genio militare Wehrmacht, rosso di pelo come lui, morto poco prima per una scheggia di granata americana, che penetrata dalla schiena gli si era infissa dentro il cuore fra le tamerici sopra la duna.

Be', da lì dovevano entrare navi di tutte le stazze, con l'intero lago di Fogliano trasformato – eccezion fatta per l'isoletta hotel-casinò grattacielo al centro – nel nuovo grande porto «*International Harbour of Latina - Agro Pontino*», come c'era scritto sulla mappa a colori.

«Eh, no» sbottò di nuovo il vigile Canali: «Gnanca se vien giù il Padreterno, se poderà mai fare una cossa acsì. Il fondo lì è troppo basso, fiòi: l'acqua al massimo, se lei ci va dentro, le riva a i bal».

«Che provinsiale ch'at sì» mio zio deluso: «Ma questi xè i merican, Canali, ghètu capìo? Questi, coi mezzi che hanno, sono capaci di scavare tutto e farci entrare incrociatori, somerzìbili e corassà, gnanca che fusse 'a Fosa dee Mariane. Questi, se i vòl, i te fa atracar la portaparéci *Fòrestal*, a Vila Folian».

«At ga razon ti, Dèlchi» Canali: «Scusème tuti. Pardon».

Quelli, però, finalmente ripartirono: «Basta acsì, par adesso. Poi se tutto va bene, se la nuova frontiera va avanti e cominciamo a conquistare anche lo spazio, allora dietro la centrale nucleare, da Torre Astura in là, dove c'è adesso il poligono militare, facciamo un astroporto, tipo Cape Canaveral».

«Ah, bon» zio Adelchi.

Tornarono quindi più e più volte – insieme ad altri loro parigrado – in Provincia e in comune, a prendere informazioni, consultare carte e incontrare politici. E in giro per l'Agro in ulteriori sopralluoghi; in uffici o ristoranti riservati a contattare insieme a Diomede – che peraltro aveva pure provato a chiedere: «Ma la foce del Duca, par cortesia, no se poderìa lassiarla star?»; «No»; «Peccà...» – a contattare i maggiori costruttori e uomini d'affari. Ma soprattutto gli avvocati Gerardo Ritzu e Decimo Savino, i più agguerriti giovani leoni – ma pure volpi e faine – della giungla pontina del mercato immobiliare.

Quei due sapevano tutto di ogni area o pezzetto di terreno, sia che fosse già fabbricabile o che con i magheggi loro – «Oplà! Sim Salabìn» – potesse diventarlo. E con loro gli americani stavano sempre a pranzo al ristorante Impero, in piazza 23 Marzo, pardon oggi della Libertà. Altre volte invece erano Ritzu e Savino, ad andare a Roma a via Veneto, all'ambasciata.

La Cia e l'Fbi li avevano sottoposti al siero e alla macchina della verità – «Orcocan, no 'a se move», pare abbia strillato il G-Man, «gàla fato tilt» – e li hanno accettati solo dopo parecchi altri esami ai raggi X: «Òcio però, valtri dó». E una volta che è passata di lì l'ex ambasciatora Clare Boothe Luce e li ha visti nell'androne, manca poco che prende a schiaffi il nuovo Inquilino che galante e cortese la accompagnava: «Anca questi de Litoria adesso, che i xè tuti fasisti, fasì entrare qua drento?»

«Ma no Clara, non ce n'è più di fascisti in Italia. Sti dó, po', l'un xè republican e l'altro, 'l Savin, sosialista».

«Sosialista? Ch'av vegna 'n desboco de sangue».

A farla breve, da metà luglio a novembre inoltrato del 1963 è stato un continuo andare e venire, e tutto ciò che poi invece è stato realizzato a Miami in Florida e soprattutto a Miami Beach – esattamente come sta adesso le ripeto, perché lì allora non c'era proprio niente – doveva essere fatto, in realtà, tutto quanto qui, a Latina Mare.

Diomede e gli avvocati Ritzu e Savino erano sul punto di

comprare – per conto degli americani – ogni metro quadro di terreno, dai monti Lepini fino a Capoportiere e da Torre Astura a poco oltre la Bufalara.

Sabaudia, il suo mare ed il suo lago invece no. Gli americani non li volevano, da quando non so se Jackie o l'Audrey Hepburn avevano saputo che – ai tempi loro – già Cencelli e il duce Mussolini andavano dicendo che Sabaudia, col suo mare ed il suo lago, portasse iella. «A la larga, a la larga de Sabaudia» debbono avere pensato l'Audrey e la Jackie: «Terque quaterque testiculis tactis», poiché a scuola avevano studiato il latino.

Era quindi tutto pronto per decollare, quando il 22 novembre 1963 – come lei sa – a Dallas nel Texas ammazzarono a colpi di fucile sulla pubblica via, all'età di 46 anni, John Fitzgerald Kennedy. Erano le 12:30 locali – altro che Ok Corral – mezzogiorno e mezzo di sangue e di fuoco.

Portato ancora vivo all'ospedale con il cranio in parte esploso e i pezzi di cervello e materia grigia sparsi sul cofano posteriore – Jackie era saltata subito in ginocchio sul sedile, e china sopra il cofano (se guarda i filmati lo vede) con le mani veloce li raccoglieva spasmodica uno ad uno, pensando sicura: «Mo' glieli rimetto dentro e tutto si sistema e ritorna come era prima, amato marito mio»; lei non ha idea di cosa può passarci per la testa, in quei momenti – alle 13:00 i medici non hanno potuto che constatarne il decesso. La notizia fu data all'America e al mondo alle 13:30 ora di Dallas, le 20:30 da noi.

Fu un grande presidente visionario e progressista, amato dalle masse americane e mondiali per la forza empatica e comunicativa sua e del suo messaggio. Adorato dallo staff – per la cordialità, ironia e generosa simpatia con cui trattava tutti – e soprattutto dagli agenti della sicurezza, innamorati dell'eroe che era stato nella guerra del Pacifico.

Aveva già provato a ventiquattro anni – primavera 1941 – ad

arruolarsi volontario nell'esercito, ma era stato riformato per la colonna vertebrale, lesa da una brutta frattura rimediata ad Harvard giocando a football. Dopo Pearl Harbour – 7 dicembre dello stesso anno – ci aveva riprovato con la marina, l'Us Navy, e grazie alle raccomandazioni del padre era riuscito a farsi reclutare.

La notte del 2 agosto 1943 – sant'Eusebio e san Gustavo, festa del Perdono: «*Per il Perdon, si mette la zappa in un canton*» – con il grado di sottotenente di vascello era al comando della motosilurante PT-109, con quindici uomini di equipaggio, nelle isole Salomone dell'oceano Pacifico quando l'*Amagiri*, un cacciatorpediniere giapponese, li speronò e spezzò in due, uccidendo nell'impatto quattro marinai e ferendone altri. Alcuni dei superstiti – mentre l'*Amagiri* s'allontanava nella notte – riuscirono ad aggrapparsi a un relitto che galleggiava. Gli altri invece furono sbalzati in mare.

Il giovane Kennedy – nonostante i colpi riportati alla colonna vertebrale già lesionata – aiutò tutti quelli alla deriva ad aggrapparsi anch'essi al relitto. Li guidò fino all'isolotto di Plum Pudding, tirandosi dietro per quattro ore a nuoto – con la cinghia del salvagente in bocca – il macchinista McMahon gravemente ustionato. Tre miglia d'oceano, per fortuna quella notte senza squali.

A Plum Pudding però – che adesso si chiama Kennedy Island – non c'erano né acqua né cibo. Così la notte dopo riparte a nuoto da solo – altre quattro ore e cinque miglia d'oceano, sempre col rischio di squali – nella speranza di incrociare nel Passaggio di Ferguson qualche imbarcazione statunitense a cui chiedere soccorso.

Niente da fare, solo giapponesi.

Torna allora indietro e la notte successiva – altre quattro ore, altre tre o quattro miglia – arriva a Olosana, dove trova: «Grazie, stella», noci di cocco ed acqua potabile. Rivà a Plum Pudding a riprendersi i suoi e li porta ad Olosana:

«Quanto tempo ci toccherà restare qua», facevano quelli, «senza radio o qualcuno che avvisa che siamo ancora vivi?»

«Animo» li incoraggiava lui: «Pensè al Robinson Crusoe, ciò».

Per fortuna dopo sei giorni passarono di lì due nativi delle Salomone – i signori Biuki Gasa ed Eroni Kumana, che Eroni nella lingua loro è la trasposizione di Aronne, fratello di Mosè e primo sommo sacerdote del popolo ebraico – a bordo di un cayuco, una canoa di quelle parti.

Kennedy – presa una noce di cocco – ci incise sopra: «*Nauro Isl Commander. Native Knows Pos'it. He can Pilot. 11 Alive Need Small Boat. Kennedy*» (Al Comando dell'isola di Nauro. I nativi conoscono la posizione. Possono guidarvi. 11 vivi hanno bisogno di una piccola barca. Kennedy). Biuki Gasa ed Eroni Kumana rimontarono sul cayuco e remarono finché trovarono un'isola dove c'era un informatore australiano munito di radio.

Finalmente arrivarono i soccorsi e li trassero in salvo, pure se parecchio malridotti. John Fitzgerald Kennedy, che di suo era alto 1,83 e peso forma 80 chili – un pezzo d'uomo – tornò a casa che ne pesava 58, la schiena rovinata dai traumi e sforzi fisici di quelle nottate in mare, un'insufficienza renale, la sciatica e la malaria addosso. La noce di cocco col messaggio graffito – «Vorìa tegnerla par ricordo» aveva chiesto al Comando – incastonata a mo' di portacarte la mise sulla scrivania del suo studio alla Casa Bianca: «Am portarà fortuna anca qua».

Alla cerimonia di insediamento come Presidente degli Stati Uniti d'America invitò ufficialmente, con tanto di biglietti aerei e soggiorni pagati, i signori Biuki Gasa ed Eroni Kumana. Loro tutti contenti, ma all'aeroporto i funzionari del governatorato britannico delle isole – pensando forse che a Washington gli avrebbero fatto fare brutta figura – non li fecero partire: «Tornè a casa in cayuco, bagotti».

Eroni «Aronne» Kumana – intervistato nel 2008 all'età di

novant'anni – rivelò che Kennedy gli «*aveva fatto visita più volte dopo il recupero, portandogli sempre dei ninnoli da scambiare*». Era il 2008 ripeto, e diceva pure: «Mi viene a trovare ogni tanto ancora adesso e facciamo delle lunghe nuotate».

Kennedy fu decorato al valore con *Purple Heart, Asiatic-Pacific Campaign, World War II Victory Medal* e *Navy and Marine Corps Medal* conferitagli personalmente dal Segretario, ossia ministro, della marina Us Navy, James Forrestal; da cui prenderà poi nome la grande portaerei che mio zio avrebbe voluto vedere un giorno attraccare al porto di Fogliano.

Questo James Forrestal che lo decorò, non fece però una bella fine. Verrà ricoverato al Bethesda Naval Hospital dove il 22 maggio 1949 si suiciderà buttandosi dal sedicesimo piano, «*credendo di aver visto dei sovietici che entravano dalla finestra*». Secondo alcuni era affetto da turbe mentali, secondo altri invece non si sarebbe trattato di comunisti sovietici, ma di extra-terrestri – «*omini grigi*» – incazzati con lui perché voleva rendere pubblici i rapporti che il governo americano aveva stabilito con gli alieni.

Forrestal infatti avrebbe fatto parte – secondo costoro – del Majestic-12, il supergoverno ombra che con gli alieni è pappa e ciccia ormai da anni. Loro – gli alieni – fornirebbero supertecnologie segrete agli Usa, che in cambio gli consentirebbero tutti gli esperimenti che vogliono, sulla gente umana che per noi «sparisce» ma è in realtà rapita e portata nello spazio.

Segretario alla Difesa, James Forrestal conosceva quindi nel dettaglio ogni mistero dell'Area 51, degli Ufo e della navicella interplanetaria caduta nel 1947 a Roswell, New Mexico, e avrebbe anche parlato a lungo – telepaticamente – con l'alieno sopravvissuto al disastro. Voleva a quel punto rendere finalmente tutto pubblico, ma il Majestic-12 e gli extraterrestri lo hanno suicidato e fatto fuori. Poi gli hanno dedicato – «Riposa in pace, va'...» – la *Uss Forrestal*, riposi in pace per davvero.

Tornando però a Kennedy, la condotta eroica nel Pacifico e l'attaccamento ai suoi soldati compromisero per sempre la già menomata colonna vertebrale. Riusciva a stare in piedi – e certe volte solo a fare finta – esclusivamente a forza di busti ortopedici e analgesici, antinfiammatori e novocaine, man mano più potenti sino a determinare una sorta di assuefazione e dipendenza.

Come dice lei, scusi? Che se non riusciva a stare in piedi come avrebbe fatto allora – quella volta a Latina Mare, alla Foce del Duca – a saltare e risaltare dall'elicottero e correre in spiaggia a farsi il bagno?

E cosa vuole da me? Sarà stata l'aura magica – gliel'ho detto tante volte – del lago di Fogliano, gli eucalypti, la strada del mare, la duna, il mirto e tamerici della marina pontina. Aggiunta magari alle due novocaine che s'era forse sparato prima di partire per Napoli.

Lei tenga pure conto, però, che anche se faceva assai fatica a stare in piedi, tutte le fonti confermano che la libido e l'attività sessuale, per esempio, gli funzionassero al massimo dei giri.

«Xè stà un putanier» – diceva mio zio Adelchi – di prima categoria. Pallone d'oro, scudetto e Champions League. E non solo grandi attrici, modelle e jet set. Ma tutto tutto quello che capitava. Dalle escort di lusso alle mignotte di strada: «Am vien un mal de testa qua» disse una volta al premier britannico Harold Macmillan, stringendosi con forza le tempie «ma male male da morir, se non ciuco almanco 'na figa nova ogni dì».

Gli agenti della sicurezza gliele portavano avanti e indietro di nascosto dalla moglie – se no che sicurezza era? – e ne aveva comunque due fisse, che lavoravano nel suo staff e gli agenti chiamavano «Fiddle and Faddle», Violino e Violina, tutte e due assieme, prima in camera da letto e poi dentro la piscina che s'era fatto fare alla Casa Bianca. Una delle due pare che fosse pure fidanzata con un boss di Cosa

Nostra legato a Sam Giancana; si ricordi questo nome, perché poi ritorna.

Non che Kennedy non amasse sua moglie.

Jackie, gliel'ho detto, era non solo bella, ma elegante e siderale. Una stanga mora mora – anzi, castano scuro scuro, 1,70 d'altezza, 56 chili in tutto; ma 86-60-86, 5B di seno; 40 di piede; voce calda bassa, sinuosa, dolce, soffusa – sembrava una pantera. E difatti manderà ai pazzi – una volta rimasta purtroppo vedova – pure Aristotele Onassis.

«Sex Symbol» la chiamava Kennedy in privato, e ne era orgoglioso da non credere. Lei pensi che quel giorno a Dallas – dove non tirava una buona aria, i texani un po' razzisti non lo potevano vedere e per sfregio gli avevano attaccato nelle strade le bandiere americane alla rovescia, facendo invece garrire al vento quelle confederate del Sud – la scorta aveva insistito in tutti modi perché la Lincoln presidenziale non girasse scoperta. Volevano montare la capote antiproiettile. Fu lui a intestardirsi: «No no. I texani i ga da védare tuti ben, quanto xè bea me mojer».

Le ha messo un sacco di corna – e su questo non si discute – ma lui l'amava, lei lo adorava, però non gli bastava. Che ci possiamo fare? Certo sono peccati, ma se glieli ha perdonati Jackie glieli perdonerà anche Nostro Signore, io credo.

Lei invece non stia a credere ai più puttanieri di lui, che vanno in giro dicendo che la moglie fosse d'accordo e gliele scegliesse proprio lei, tra tutte quelle che in ogni città o paese dove andassero, venivano ad offrirglisi a bizzeffe. Dicono che gli agenti della scorta – ad ogni ricevimento – gliene mettessero davanti, ogni volta, almeno due o tre, che JFK guardava un attimo, voltandosi subito verso Jacqueline a vedere cosa ne pensasse. Lei allora le scrutava meglio – dicono questi grandissimi cornuti – facendo di volta in volta un segno con il muso e sorridendo: «Questa!» o «Quella!», con cui lui dopo s'appartava; quando non s'appartava con loro anche lei, tutti e tre o quattro assieme. Ma sono calunnie e infamità – degne proprio di malelingue come Di Francia, l'Atlante e l'Abruzzese – da non credere assolutamente. Era una santa donna – con tutto quel che ha passato – povera Jackie e poverini tutti e due. Il Signore dia pace a entrambi.

Grande presidente il Kennedy, quindi, con quella sua *nuova frontiera* di riforme e giustizia sociale, diritti umani e conquista dello spazio. Anche responsabile però – poiché se la storia è Storia bisogna pure dirla tutta – responsabile sia della Baia dei Porci sia, se permette, dell'intervento americano in Vietnam.

Come dice lei, scusi? Lo prescriveva la dottrina Monroe?

Ho capito, ma il Vietnam non sta in Sudamerica – come voleva quel Monroe là – e comunque è sbagliata anche lì: «Senpre inperialismo 'l xè», diceva mio zio Adelchi, «tale e quale, quea volta, a nantri in Abissinia».

Sarà stata la Marilyn – o la dialettica degli eventi o non so che cos'altro – ma JFK la dottrina Monroe l'ha allargata fino all'Asia e al mondo intero. E soprattutto è stato lui a dare inizio a quella guerra americana in Vietnam a cui metterà fine solo nel 1973-75 l'innominabile – per altri versi – Richard Nixon. Poi dice, certe volte, i casi strani e le aporie della storia.

Ciò non toglie che Kennedy sia stato un grande presidente. Il mondo intero ne pianse la scomparsa. Negli Stati Uniti se la presero con tutti i texani e negli stadi – ovunque si presentassero i Dallas Cowboys – apparvero le scritte: «*President's killers*».

Dappertutto ci fu gente che singhiozzava per strada, o si riuniva davanti ai negozi di elettrodomestici – che restarono aperti ben oltre l'orario di chiusura – a seguire e commentare in diretta alla tv, attaccati alle vetrine, il continuo rimbalzare delle notizie. Le macchine si fermavano in mezzo al traffico, per potersele scambiare. Radio e televisioni interruppero la normale programmazione per trasmettere solo

Requiem o musiche sinfoniche, notiziari, interviste e vecchi filmati delle visite di Kennedy nei vari Paesi.

Da noi *Il Secolo d'Italia* – il giornale del Msi, i neofascisti, che non vendeva normalmente più di trentamila copie al giorno – riuscì a battere sul tempo, con un'edizione straordinaria, la concorrenza anche dei giornali della sera, che a quell'ora erano già usciti senza la notizia. Loro invece alle nove, in neanche mezz'ora, erano nelle edicole di Roma Termini – «*Hanno ammazzato Kennedy*» – e da lì in tutte le stazioni ferroviarie del Paese, che vennero prese d'assalto. Altro che trentamila copie. Tra quella notte ed il mattino dopo, ne vendettero oltre duecentomila; anche se la gente, col *Secolo d'Italia* in mano, si guardava come a scusarsi: «L'ho preso solo per Kennedy».

E poi bandiere a lutto – a mezz'asta – e cordoglio anche nei Paesi dell'Est, e attenuazione della guerra fredda. Anche tanti comunisti italiani – dopo che è morto – si innamoreranno di lui, anche quelli che adesso dicono di non esserlo mai stati; comunisti intendo, non innamorati kennediani.

Accio se la piglia tuttora con Veltroni – «Mannaggia a lui» – ripensando al congresso del 2000 dei Ds-Democratici di Sinistra, ai manifesti con scritto «*I Care*» e a tutti i suoi compagni che in fabbrica, in Fulgorcavi, facevano la spola alla Maillefer 120 a chiedergli: «Che cazzo vòr di' st'Icàre?»

La gente per anni continuerà a chiedersi – e ricordarsi l'un l'altra – dove stava e cosa stesse facendo «*quando hanno ammazzato Kennedy*». Il segno di un'epoca, come si suole dire.

I più addolorati a Latina però – che da noi le 13:30 di Dallas erano le otto e mezzo di sera, quando tv e radio ne diffusero la notizia – pare siano stati gli avvocati Gerardo Ritzu e Decimo Savino che sottobraccio, venendo dal bar Mimì senza saperne ancora nulla, stavano camminando assieme in piazza 23 Marzo per andare al ristorante Impero. Glielo disse il poliziotto che stazionava di guardia alla cancellata d'ingresso della Prefettura, proprio di fronte – sull'altro lato della piazza – alla Banca d'Italia: «Savì gnente, ciò? I ga copà 'l Chènedi».

«Porca putana» scoppiarono in un pianto disperato. E per non correre il rischio di cadere accasciati sul marciapiede, andarono a sedersi lì davanti, in mezzo alla piazza – sopra il gradino più alto della fontana monumentale con spighe di grano, donataci nel 1934 dalla città sorella di Asti, rurale come noi – a piangere e piangere per ore, empiendo più loro di lagrime la vasca, che le pur potenti astigiane canne, apportatrici fluenti di getti e zampilli.

Trovandosi inoltre per caso a transitare di là anche Diomede Peruzzi mio cugino, e vedendoli in siffatte condizioni: «Porca putana» corse solidale ad abbracciarli, aggiungendosi tosto anco lui al doloroso pianto. La vasca, pelo pelo, quasi quasi tracimava.

C'era poca gente per fortuna – alle otto e mezzo lo struscio del giro di Peppe s'era oramai esaurito – e i pochi che pure passavano erano tristi e addolorati anch'essi, poiché percosso attonito, ripeto, il mondo intero al nunzio fu.

Eppure quei pochi – scorgendo i nostri – si sollevavan dal loro intimo strazio per chiedersi partecipi l'un l'altro: «Benedeto sant'Anton da Pàdoa. Chi 'o gavarìa mai dito, quanto ben i ghe volesse quei tri al pòv'ro Chènedi?»

«Speremo solo che i no se senta anca mal, poareti pure lori».

«Tutto a bàccara xè andà» piangevano invece quelli: «Non si farà più niente» e difatti l'intero sogno svanì nel nulla. Tutti i progetti, lo sviluppo e gli investimenti programmati a Latina, verranno purtroppo dirottati altrove: «Tutto a Miami», si disperava Gerardo Ritzu, «porteranno adesso».

Diomede ogni tanto – con le spalle al grande ingresso monumentale della Banca d'Italia da lui svaligiata «*cìo-cìo*» con le carriole circa vent'anni prima – tentava tra i singulti di rincuorare in qualche modo i due sodali: «Che non sia il caso, ragassi, de lassiarsi propio andare e anegarse tuti tri, in stacasso de fontana?»

Tutti sfumati, comunque, i nostri castelli in aria. Tanto che il vigile Canali – che per i primi due o tre giorni era rimasto un po' scosso anche lui, come l'universo mondo – finalmente una mattina, portate fuori le Gilera dalla rimessa di fianco al comune, al momento di mettere in moto e partire, chiese sardonico a mio zio: «Alora, Adelchi! Dove andiamo oggi di pattuglia?»

«Parché?» fece mio zio: «N'at piàsito più 'l giro de senpre? Cossa ghe sarìa de stran inquò, che gavaréssimo da desvoltarlo?»

«No, sai... Mi gavarìa pensà che forse sarìa mèi andare a Fogliano a far la multa ai merican, tante volte i ghesse parchegià la *Fòrestal* portapareci intel divieto de sosta».

«Insulso...» e mio zio contrariato mise in moto, mentre Canali rideva.

Non erano però stati solo Ritzu, Savino e Diomede a soffrire. Tutta l'Italia e il mondo le ho detto – anche se con accenti e tonalità diverse – s'erano uniti al compianto. A casa di zia Pace e zio Benassi – ad esempio – avevano appreso anch'essi la notizia dalla radio la sera stessa, mentre erano a cena.

Zia Pace, Violetta e Mimì, subito in lagrime. Ma tutti colpiti e costernati. Specie Manrico, che aveva pure la strana e fastidiosa sensazione d'essere al centro degli sguardi indagatori di quei cancheri dei due fratelli maschi: «Mo' chissà che mi diranno».

Invece no. Ognuno, fino a tardi, è rimasto attorno al tavolo in cucina a pendere dalla radio. Zio Benassi quella sera non ha neanche tirato fuori le penne a biro, i pennini, l'inchiostro di china e la carta da musica della Corale. Niente.

Ogni tanto diceva solo: «I comunisti. So' stati i comunisti. Eh, ma vedrai se li pigliano: la sedia elettrica gli danno. Gli americani mica so' fessi, so' meglio dei tedeschi: prima scoprono chi è, e poi buttano un po' di bombe atomiche in Russia».

«Ma non volevi il disarmo, tu?» Otello.

«Statte zitto che 'ncapisci niente» e si stava zitto lui, zio Benassi, solo quando dopo ripetuti «*Tkiutìtu-tkiutìtu-tkiutìtu-tìtutì!*» – «Chisà qua' casso d'osèo xèlo?» chiedeva sempre a tutti zio Adelchi – il giornale radio annunciava le ultimissime notizie: «*Qui New York, vi parla il vostro Ruggero Orlando*». Poi zia Pace ha suonato la ritirata e ognuno è andato in camera sua, spente le luci e ficcati dentro i letti pure i maschi, senza più una parola.

«Menomale va', in fin dei conti è passato più di un anno» ha pensato Manrico: «Si saranno scordati».

Anche il giorno dopo è filato tutto liscio, a parte zio Benassi che – a cena – continuava ogni tanto a dire: «I comunisti. So' stati i comunisti».

«E basta con sti comunisti» la moglie: «Lasciaci mangiare in pace, no?». Poi di nuovo, a una cert'ora, tutti a letto e amen.

Pure i maschi, nella stanza loro, stavano ognuno oramai rannicchiato dentro la sua branda, con la luce spenta e coperti per bene poiché era novembre ripeto, tutti tesi e concentrati ad acchiappare al volo il sonno nel silenzio generale – giusto lo «*Gnàhuuuuu!*» d'una gatta in amore laggiù dai Gava – quando Accio, dal letto suo, ha detto a Manrico: «Ahò! Mo' però je pòi pure scrive che te la sposi tu».

«*Whòòuffscc!*» con un colpo Manrico ha buttato all'aria coperte e lenzuola.

Immediatamente – «*Whòòuffscc!*» – sono volate anche quelle di Accio. I due si sono incontrati al buio al centro della stanza. Senza neanche una parola, giù cazzotti alla rinfusa, a dove colgo, colgo.

Allora – «*Whòòuffscc!*» – è scattato pure Otello a tentare di dividerli: «Zitti. Fate piano, ve possin'ammazzà, che se no sente mamma».

Per fortuna c'è riuscito e dopo poco ognuno, alla bell'e meglio, nel suo letto. Giusto in tempo, perché quella invece – in camicia da notte bianca, of course – neanche un secondo ed è sbucata dalla porta; ma senza entrare. È rimasta sulla soglia senza accendere la luce.

Li ha guardati al buio, tutti e tre che sembravano dormire – «Mah...» – ed è tornata in camera sua: «Mi sarò sbagliata».

«Però pure tu Manri'», ha detto Otello, «non te se po' di' più niente. In fin dei conti quella è vedova adesso» – ridendo – «fatte avanti tu, prima che ce pensa qualcun altro. Così dopo ce porti in America co' te» e rideva.

«Vaffallippavà...» sorridendo anche Manrico.

«Però», Accio, «io ancora non ho capito se al lago di Fogliano gliel'hai data la benedizione o no. Ce lo vuoi dire una volta per tutte?»

«No. Non ve lo dirò mai» di nuovo arrabbiato: «Io sono un signore, e voi e gli amici vostri invece...»

«Lascia stà gli amici, Manri'!» Otello: «Gli amici dei fratelli non si insultano».

«... burini de Latina, senza nessuna pietà di quello che sta passando adesso, quella signora. Vergognève».

«Eh!» Accio: «Il gran principe d'Egitto, Giuseppe della Bibbia».

«E noi i fratelli pecorari» Otello.

Lei pensi che al giro di Peppe – per colpa ovviamente di Silvio Di Francia, l'Abruzzese e l'Atlante, che quando lo incrociavano senza più salutarsi dicevano regolarmente a tutti: «È quello che ha timbrato la Jacqueline Kennedy al mare» – be', al giro di Peppe, i primi tempi dopo l'assassinio ogni tanto qualcuno lo fermava per fargli, a suo modo, le condoglianze.

Perfino Akim lo zingaro, gli disse contrito: «Mi dispiace tanto. Se ti dovesse servire qualcosa...»

«Benedetta la Madonna della Valle» faceva Manrico, tirando dritto.

Ora però, nonostante ciò che credesse mio zio Benassi – «I comunisti! So' stati i comunisti» – lei lo sa come sono andate davvero le cose quella volta a Dallas, il 22 novembre 1963 venerdì, santa Cecilia vergine e martire, «*Cosa troppo vista, perde grazia e vista*», santa protettrice peraltro pure della Corale San Marco.

O meglio, tutti adesso dicono di saperlo, anche se poi si limitano ad ipotesi e congetture: «Mi 'o savarìa chi xè stà, ma n'agò le prove e non posso dirlo»; senza alcun riferimento a Pasolini, che parlava solo di cose nostre italiane.

All'inizio dissero che era stato Lee Harvey Oswald – un ragazzo di ventiquattro anni che già ai tempi della scuola, secondo i medici, aveva dato segno di non avere tutte le rotelle a posto: un po' sociopatico, borderline e narcisista – e che aveva agito completamente da solo.

A diciotto anni si era arruolato nei marines – tiratore scelto – dove però non solo non nasconde le sue opinioni politiche, ma fa pure propaganda attiva comunista. «Più sociopatico di così?» debbono avere pensato e dopo due anni, appena chiede il congedo anticipato, glielo danno di corsa: «Va in malora, va'».

Oswald prende e si imbarca. Va a Helsinki, entra in Urss e arrivato a Mosca chiede la cittadinanza sovietica. Quelli gliela rifiutano e lui tenta il suicidio. Gli concedono allora asilo politico e lo infilano come operaio in una fabbrica a Minsk, dove si sposa con una compagna di lavoro.

Ma né l'Urss né il lavoro sono esattamente quello che si aspettava – lui si sentiva un grande rivoluzionario – e dopo un po', a ventitré anni nel 1962, con moglie e figlia appena nata ritorna negli Stati Uniti.

Interrogato un paio di volte dall'Fbi – che lo tiene ovviamente sott'occhio: «El xè comunista, ciò» – fa lavoretti saltuari e briga e impiccia sia con comunisti filocastristi sia con gli esuli cubani nemici di Castro. Ma quando questi si rendono conto che fa il doppio gioco, lo riempiono di botte e finisce pure arrestato.

Non demorde, però: «Mo' faccio la rivoluzione» e nell'estate del 1963 va in Messico per farsi rilasciare un permesso di ingresso a Cuba e di nuovo in Unione Sovietica. Ma questa volta niente: «Va in malora, va'» gli dicono sovietici e cubani.

Rientra a Dallas il 3 ottobre, affitta una cameretta sotto falso nome, sostiene un colloquio alla Texas School Book Depository – un grande deposito di libri scolastici sulla Dealey Plaza – dove guarda caso viene assunto e comincia a lavorare come magazziniere il 15 ottobre 1963.

Ed è qui nella Dealey Plaza, sulla Elm Street, che neanche quaranta giorni dopo – il 22 novembre, da una finestra del sesto piano della Texas School – Lee Harvey Oswald spara alle spalle del corteo, uccidendo John Fitzgerald Kennedy.

Sulla Lincoln presidenziale – una Continental SS100X del 1961, a tre file di posti – sedevano davanti l'autista e un agente di scorta; in mezzo il governatore del Texas John Connally con la moglie; e dietro John e Jacqueline Kennedy.

La macchina procedeva a passo lento, poiché arrivando in Dealey Plaza dalla Main Street aveva già rallentato per girare a destra – a novanta gradi – sulla Houston Street. Subito dopo – dalla Houston – immediatamente a sinistra un'altra curva a gomito, di centoventi gradi, per immettersi appunto sulla Elm Street, dove quindi oramai transitava a passo d'uomo a una ventina di metri dalla Texas School.

Il percorso inizialmente previsto e già fissato da una settimana, non era però questo: il corteo – entrato nella Dealey Plaza – avrebbe dovuto attraversarla dritto per dritto, senza fare nessuna curva e soprattutto senza mai passare sotto la Texas School. L'itinerario era stato cambiato – vai a sapere perché – solo all'ultimo minuto.

Numerosi testimoni affermarono di avere sentito tre colpi di fucile provenire da questa Texas School, dove accanto a una finestra del sesto piano fu ritrovato il Mannlicher-Carcano di fabbricazione italiana – meglio conosciuto come moschetto 91/38, ancora in dotazione in alcuni nostri reparti negli anni settanta – che risultò acquistato da Oswald per corrispondenza a dieci dollari, completo di cannocchiale. Ottimo fucile peraltro – anche se vetusto – a lunga gittata.

Come dice, scusi? Un fucile di precisione per corrispondenza, tipo Amazon adesso o Vestro e Postalmarket di quei tempi? Esatto. Ha capito bene. In America si poteva e forse – non lo so – si può ancora fare.

Tre colpi in otto secondi, sentirono quei testimoni. Il primo andò completamente a vuoto, mentre quello fatale che uccise Kennedy, facendogli saltare la calotta cranica, fu il terzo.

Il proiettile di mezzo invece – sparato solo due secondi dopo il primo – venne chiamato «la pallottola magica». Sarebbe stato infatti un *single bullet*, che dopo avere colpito Kennedy alla schiena – Oswald sparava dall'alto ripeto, da dietro – gli sarebbe uscito dalla gola e proseguita la sua corsa avrebbe raggiunto il governatore Connally sul sedile di mezzo, e perforatogli prima il torace e poi il polso destro fratturando il radio, gli si sarebbe ficcato nella coscia sinistra. Coscia da cui sarebbe riapparso perfettamente intatto – nuovo di fabbrica, come se neanche avesse mai subito in vita sua la più minima traversia – solo mentre il governatore stava già nella barella sopra l'ambulanza.

Sette ferite complessive – tra Kennedy e Connally – sarebbe riuscito a infliggere quel secondo proiettile, per poi riemergere quasi intatto nella barella. Una «*pallottola magica*» appunto.

«Neanche Otello a carambola», fu il commento generale nella sala biliardo del bar del Corso.

C'è da dire che diversi testimoni affermarono però di avere sentito altri colpi – o almeno uno con assoluta certezza, di cui si sarebbe anche vista la nuvoletta dello sparo sollevarsi dal cespuglio di una siepe – provenire dalla Grassy Knoll, una collinetta erbosa di fianco al deposito di libri, una quarantina di metri più avanti.

È da lì che Abraham Zapruder – un sarto di origine ucraina emigrato negli Usa nel 1920 e che lavorava vicino alla Texas School – sceso in strada e salito su un muretto di cemento filmò con la sua cinepresa da 8 mm i ventidue secondi in cui la Lincoln di Kennedy entra in Elm Street, il Presidente viene colpito e Jacqueline salta sul cofano, ad inseguire e raccogliere ad uno ad uno i pezzetti d'osso ed i brandelli di materia grigia, pensando di poterli rimettere al loro posto e far così tornare bello e aitante come prima suo marito.

Zapruder – il sarto cineoperatore – dirà che mentre aveva gli occhi puntati alle lenti della cinepresa aveva sentito un colpo vicino a lui e subito dopo un altro sparo o due. Il filmato però è muto. Senza audio. Acquistato nelle stesse ore dalla rivista *Life*, verrà reso integralmente pubblico in tv – a *Good Night America* – solo nel 1975, a dodici anni di distanza dai fatti. Secondo alcuni, in un fotogramma si vedrebbe anche la nuvoletta dello sparo sopra la siepe.

Fatto sta, neanche un'ora dopo l'attentato la polizia di Dallas arrestò in un cinema lì vicino Lee Harvey Oswald – «È lui l'assassino» – se lo portò in centrale e lo sottopose in due giorni a diciotto ore di interrogatori, nel corso dei quali Oswald continuò imperterrito a dichiararsi innocente: «Non son stà mi. Sono un capro espiatorio e basta».

Nel frattempo, caricata sull'aereo la salma di Kennedy e ripartiti per Washington, il suo vice Lyndon B. Johnson con a fianco Jacqueline Kennedy – il tailleur rosa e le gambe ancora sporche del sangue e del cervello del marito – giurò fedeltà alle 14:38 del 22 novembre 1963, come nuovo presidente degli Stati Uniti.

L'Air Force One atterrò alle diciotto nella base aerea Andrews di Washington e la salma fu trasportata per l'autopsia all'ospedale navale di Bethesda; lo stesso da cui quattordici anni prima s'era buttato il povero Forrestal. Per tutto il pomeriggio e fino al mattino dopo, Jacqueline rimase accanto al marito, rifiutando recisamente di cambiarsi d'abito: «No. Vogio che i varda ben, cossa che i ga fato al me omo».

Due giorni dopo (domenica 24 novembre 1963, Cristo Re e santa Flora: «*Chi mal fa, mal pensa*»), in un'uscita di servizio della centrale di polizia di Dallas il presunto assassino di Kennedy – Lee Harvey Oswald, che fino a quel momento s'era ripetuto innocente: «Mi son solo un capro 'spiatorio» – venne ucciso con un colpo di pistola da Jack Leon Ruby, proprietario di un bar, che s'era intrufolato mentre stavano trasferendo Oswald alla prigione della contea.

«L'ho fatto per Jacqueline» dichiarò: «Volevo risparmiarle il dolore che avrebbe di nuovo dovuto subire al processo».

Si seppe poi che era sì proprietario di un bar, ma pure legato alla mafia – pare proprio, peraltro, al Sam Giancana che le ho detto prima a proposito di Fiddle&Faddle, Violino e Violina su e giù nella piscina della Casa Bianca – oltre che malato da un pezzo di un tumore ai polmoni che lo finirà tre anni dopo, riposi in pace anche lui. «Pietà per tutti» è il messaggio di Omero nell'*Iliade*, ma pure dei Vangeli.

L'Fbi comunque – comandato da John Edgar Hoover, da sempre acerrimo nemico dei Kennedy – fece le sue indagini e concluse: «È stato Oswald al di là d'ogni dubbio, ad uccidere. Ha fatto tutto da solo, senza alcun complotto o concorso di chicchessia. Oswald e basta, ciò».

Lì per lì, la maggior parte della gente ci credette o ci volle credere per forza. Ma dopo qualche giorno si alzarono anche le perplessità: «Ma come xè posìbile, ostia? Tuto quel casin da solo?»

Il nuovo presidente Johnson istituì allora una commissione parlamentare d'inchiesta – chiamata «Warren» dal presidente della corte suprema, Earl Warren, che la coordinava – per indagare e appurare fino in fondo la verità. Oltre a Warren, facevano parte della commissione altri sei componenti fra cui – guarda caso – l'Allen Dulles già a capo della Cia, sbattuto malamente fuori dalla porta due anni prima da Kennedy, per la gran bella figura rimediata, come lei ricorderà, alla Baia dei Porci.

«Métaghe anca mi, métaghe anca mi int'la comision» pare avesse insistito in tutti i modi il Dulles, con il presidente Johnson. Glielo poteva rifiutare?

Dopo neanche dieci mesi di laboriosissime indagini, la commissione Warren consegnò il suo rapporto, confermando in pieno tutto ciò che aveva già vaticinato l'Fbi: «Lee Harvey Oswald ha fatto tutto da solo. Non c'è nessunissima prova o sospetto di un complotto che possa coinvolgere qualunque altra persona, gruppo organizzato o Paese straniero. Niente, assolutamente niente, solo Lee Harvey Oswald e basta». La chiamarono «*lone gunman theory*», teoria del pistolero solitario.

Subito si levarono i sospetti, i distinguo, le calunnie. «Ma pensa un po' tu» diceva la gente nei bar: «La commissione Warren con Allen Dulles dentro? Ma se è stato lui, a organizzare il complotto...»

Un sondaggio Gallup del 1966 rilevò che la maggioranza degli americani non credeva oramai più al *pistolero solitario* – «Xè stà un comploto, xè stà. Altro che cassi» – oltre naturalmente ai più bei nomi della cultura internazionale, a partire dal grande filosofo inglese Bertrand Russell.

Nei primi mesi del 1969 poi, a New Orleans, il procuratore distrettuale Jim Garrison portò a processo un certo Clay Shaw, alias Clay Bertrand – su questa storia nel 1991 Oliver Stone farà il film *JFK - Un caso ancora aperto* con Kevin Costner – accusandolo di avere organizzato il complotto per uccidere Kennedy.

Questo suo imputato Clay Shaw, alias Clay Bertrand, sarebbe stato in realtà un agente Cia, che avrebbe operato attraverso un circolo di omosessuali anticastristi anticomunisti. Una lobby gay, un complotto di froci di cui avrebbero fatto parte anche Lee Harvey Oswald e Jack Ruby; omosessuali pure loro, per Garrison.

I due si sarebbero visti almeno un paio di volte a New Orleans – quando dopo il divorzio dalla moglie Oswald ci era andato a lavorare in una ditta di caffè e a bazzicare gli anticastristi – per mettere a punto l'attentato. Si rincontreranno l'ultima volta il 24 novembre 1963, dentro la centrale di polizia: «Va' chi si rivede» avrà pensato Oswald – povero capro – prima che Jack Leon Ruby lo ammazzasse.

Perché e per quali motivi però – secondo Garrison ma secondo pure Stone e Kevin Costner – fra i tanti anticomunisti anticastristi che c'erano in giro fossero stati proprio i gay ad ammazzare Kennedy, questo è un mistero che nessuno ha svelato. Non si sa. Forse gli rodeva – come diceva zio Adelchi – che JFK fosse: «Massa femenaro»?

Il processo andò quindi a puttane. Garrison non riuscì a produrre una prova che reggesse e la giuria alla fine – dopo neanche un'ora di camera di consiglio – assolse Clay Shaw per non aver commesso il fatto. «Lascia stare, va'», pare abbiano detto al procuratore Garrison, «e vatti a far curare l'omofobia».

Il casino però – l'indignazione contro il verdetto della commissione Warren – non cessò e anzi si fece più forte nel 1975, nel mese di marzo, quando finalmente venne trasmesso in tv, per intero, il filmato di Abraham Zapruder. Così una nuova commissione di inchiesta diramò nel 1979 le sue conclusioni: «I colpi sparati non erano tre, ma quattro. Il quarto – proveniente dalla collinetta erbosa chiamata Grassy Knoll – non aveva però colpito il Presidente, che era stato ucciso da quelli del sesto piano della Texas School di Lee Harvey Oswald, in un complotto o cospirazione di cui non è più possibile, allo stato delle cose, accertare l'identità di altri componenti».

Veniva altresì categoricamente escluso che della cospirazione avessero potuto fare parte i governi dell'Urss o di Cuba, l'Fbi, la Cia, il Secret Service, la mafia o qualunque altro gruppo criminale o di esuli anticastristi, «*senza però escludere individualmente gli appartenenti a queste organizzazioni*».

Insomma: «Xè stà un comploto. Ma chi xè stà xè stà, lo ga fato a tìtolo personal. Ciapèv'la in quel posto, fiòi».

Dopodiché, in tutti questi anni si sono aggiunti libri su libri, biblioteche intere di controinchieste e reportage, tra cui appunto quel *JFK* di Stone con Kevin Costner che abbiamo detto prima. Ma sempre lì siamo rimasti: «Indovina indovinelo», diceva mio zio Adelchi, «nisun sa qual xè 'l busèlo».

Certo i nemici a John Fitzgerald Kennedy non mancavano. Ne aveva di sicuro molti più lui che Cencelli nel Pontino. Stavi dunque bene a scegliere tra l'Hoover dell'Fbi e l'Allen Dulles ex Cia, o la mafia, gli esuli anticastristi bidonati alla Baia dei Porci e Fidel Castro stesso, l'Unione Sovietica, la lobby delle armi, quella del petrolio, l'establishment Usa e l'apparato dello Stato, terrorizzati dalla *nuova frontiera*.

Jackie a dire il vero era convinta che fosse stato l'ex vicepresidente Lyndon B. Johnson, d'accordo col Kkk, il Ku Klux Klan. Del resto anni prima – per racimolare anche il voto razzista – aveva pure detto d'essere contro i neri e per la supremazia bianca.

Ma una volta nominato presidente, Johnson si rivelerà ancora più determinato di Kennedy – come pure, però, sulla guerra in Vietnam – sia in difesa dei diritti umani che della piena eguaglianza e integrazione degli afroamericani. Sul piano sociale sarà un grande progressista e – contro la segregazione razziale – il più strenuo difensore di Martin Luther King. L'alleanza Johnson-Kkk è quindi da scartare.

Secondo alcuni, invece, Kennedy sarebbe stato anche lui membro del Majestic-12, finché però – con la *nuova frontiera* e col voler rendere pubblica ogni cosa come già il Forrestal – non aveva fatto incazzare tutti quanti, a partire dagli extraterrestri. «La conquista de 'o spasio?» debbono avere detto gli *omini grigi*: «E nantri cossa sem drìo fare alora qua: a petenar 'e bànbole? Ma va in malora va', ci siamo già noi qui, a conquistare voi».

Vai a sapere però adesso. Io di extraterrestri – ammesso che esistano – non mi intendo e non so niente, non faccio parte del Majestic-12. Come non faccio parte peraltro, e quindi non so niente, di petrolieri e lobby d'armi; anche se – a lume di naso – a me pare che non avessero poi tanto da lamentarsi del Kennedy. Hanno guadagnato forse poco – i petrolieri e le lobby d'armi – con la guerra a cui lui ha dato inizio in Vietnam? Altro che farlo fuori, quelli avrebbero dovuto riempirlo d'oro.

Edgar Hoover invece – il capo dell'Fbi – era una vita che ce l'aveva con i Kennedy. Ancora da quando JFK non aveva neanche tre anni, ma il padre però, Joseph Patrick «Joe» Kennedy senior, faceva il contrabbando di alcool con la mafia irlandese, mentre in Usa era in vigore il più duro proibizionismo. Durò dal 1919 al 1933, e non a caso li chiamarono i *«ruggenti anni venti»*, per le continue sparatorie e il gangsterismo.

Al repubblicano Hoover – che già dal 1924 era a capo del Boi, *Bureau Of Investigation* che nel 1935 diverrà Fbi – quel «Joe» Kennedy senior, damerino bostoniano irlandese, democratico, cattolico e contrabbandiere non deve essere mai piaciuto. Ma che il figlio fosse addirittura diventato Presidente degli Stati Uniti, era un boccone troppo amaro da mandare giù. Sarebbe come – faccia conto – se a noi in Italia venissero a dire che da domani, a fare il presidente del consiglio, ci va il figlio di Totò Riina. Non so se ho reso l'idea.

Come dice, scusi? Che la legge comunque non lo vieta e che in ogni caso nessuno ci può assicurare che tutti coloro divenuti in ogni tempo premier – o che lo diverranno – siano tutti migliori di lui?

Ah, non c'è dubbio – «Chi sono io per giudicare?» afferma papa Francesco – non si discute. Può essere davvero che magari sia lui il migliore. «Che ne sai», diceva un altro, «tu di un campo di grano?»

Lasciamo però stare questi busillis e lasciamo pure stare chi e come – dopo comprovata osservazione Fbi – avesse reperito quel poverocristo di Oswald. Lasciamo anche stare l'assunzione alla Texas School, lo spostamento ad hoc del percorso presidenziale e l'uccisione rituale del capro espiatorio nell'androne della centrale di polizia. Ma l'insabbiamento per anni e anni delle indagini, e le omissioni e forzature che hanno portato alla costruzione di una verità – *il pistolero matto solitario* – oramai manifestamente falsa, chi le ha fatte?

I servizi segreti deviati – dice lei – come in Italia?

Ma non mi faccia ridere. Non esistono – lei lo sa – servizi deviati. Tutti i servizi sono ontologicamente «deviati» dal cosiddetto rispetto della legge. Se no non ci sarebbe bisogno di loro. Basterebbe la polizia normale.

Se lei invece istituisce dei servizi che debbono proprio essere «segreti», è perché lo sa fin dall'inizio – anzi, li ha creati apposta – che debbono fare il lavoro sporco che per pro forma, se le cose andranno male, lei chiamerà «deviato». Ma pro forma e basta, però. Sia per Kennedy che per la Banca nazionale dell'agricoltura, 12 dicembre 1969, qui da noi a Milano. Così stanno le cose, caro lei. Requiescant in pace tutte le vittime – ma pure i carnefici oramai – amen.

Come dice, scusi? Che lei non è d'accordo, che Kennedy in quanto capo comandava anche i servizi e quindi per forza – se sono stati loro, o parte di loro – hanno «deviato» dal loro compito e dovere?

Eh, no. Lei non ha capito allora l'ontica, l'essenza e la fenomenologia del potere. Chi comanda davvero non è il capo nominale, quello con i gradi sul braccio e le greche sul cappello; ma l'interezza della macchina in sé – establishment ed apparato – che quando si sente minacciata non ci mette niente a farlo fuori e sostituirlo, come diceva zio Adelchi: «Col primo cojon che 'l passa». È il potere. Che funziona da sempre così, perfino in Vaticano; povero Giovanni Paolo I, papa Albino Luciani.

Oltre all'Hoover dell'Fbi comunque, c'era pure la Cia dell'Allen Dulles, che certo non dirigeva più lui – formalmente – dopo che Kennedy lo aveva cacciato. Ma tutti quelli che ci erano rimasti – la macchina appunto – erano ancora roba sua, superincazzata dalla Baia dei Porci: «Prima ci mandi e poi ci molli là? Anzi, la colpa dopo è pure nostra?»

Ma ancora più incazzati della Cia – se lei permette – c'erano i contras, gli esuli cubani che su quella spiaggia, oltre ad ogni speranza, ci avevano lasciato i morti, mentre i superstiti, anche feriti, venivano trascinati in catene sotto i calci, gli insulti e gli sputi dei barbudos: «Ch'at vegna un càncher a ti e Fidèl».

Infine c'era, e credo basti la parola, la mafia di Cosa Nostra, che a Cuba prima che arrivasse Fidel Castro – quando c'era ancora il dittatore Batista – aveva il suo paradiso legalizzato. Affari, proprietà, alberghi, case da gioco, prostituzione, alcol e droga, che attiravano ogni giorno frotte di ricconi Usa a fare bagordi e divertirsi all'Avana, rimpinguando vieppiù le casse della mafia, amministrate da Meyer Lansky per conto di tutte le cosche.

Con Fidel Castro però, se ne era andato tutto all'aria, tutto in fumo. I mafiosi via di corsa e, appresso a loro, ogni famiglia e gruppo che dipendeva in qualche modo dall'industria malavitosa, traffico narcos e collegati – migliaia e migliaia di persone – a scappare in massa esuli a Miami: «Chi ne mantiene adesso a nantri?»

Ecco perché c'era pure la mafia – insieme a contras e Cia – alla Baia dei Porci quella volta; anche se non era solo questo, però, il conto aperto con i Kennedy.

Cosa Nostra era scesa sul piede di guerra già da quando Robert Francis Kennedy – il fratello di JFK chiamato anche Bob o Bobby, trentasei anni nel 1961 – appena insediato come Segretario alla Giustizia aveva annunciato una lotta senza quartiere contro la malavita organizzata: «E che è sta novità? Sto grandissimo cornuto» erano insorti i mafiosi.

Questo Robert pare fosse davvero più forte, deciso, carismatico, progressista e rivoluzionario del fratello. Era un socialista o quasi, e morirà come lui ammazzato a pistolettate in un attentato nel 1968 – mentre stava affrontando la campagna elettorale per candidarsi a sua volta alla Casa Bianca – in un albergo di Los Angeles. Ma stavolta – nonostante qualche dubbio – pare non ci sia stato nessun complotto: gli sparò Sirhan Sirhan, un immigrato giordano-palestinese di ventiquattro anni, perché lui s'era dichiarato apertamente a favore di Israele.

La mafia in ogni caso era superincazzata per la caccia senza quartiere che l'amministrazione Kennedy le stava sferrando: «Grandissimi cornuti!» non facevano che lamentarsi fra loro – quando si incontravano – i mafiosi di origine italiana.

Se in quegli ambienti infatti il «cornuto» semplice è un insulto di grado medio-basso – spesso scherzoso e colloquiale – il «grandissimo cornuto» equivale invece a un giudizio inappellabile, di assoluta indegnità morale meritevole, se possibile, di pena capitale. Il grandissimo cornuto è – per loro – colui che gioca sporco e non rispetta le regole.

Se lei per caso è un giudice o un poliziotto che fa il suo mestiere e li persegue, contrasta e combatte – ma nell'identica maniera e misura con cui lo fa con gli altri criminali presenti su piazza – lei allora è un cornuto semplice, degno pure, certe volte, di rispetto.

Ma se lei gioca sporco e non rispetta le regole, commercia prima con uno e poi lo frega; oppure fa due pesi e due misure perseguendo uno e gli altri no; anzi, favorisce qualcuno per contrastare gli altri, violando così le sacre leggi e dinamiche del mercato – che sia pure criminale, sempre mercato è – lei in questo caso diventa un grandissimo cornuto. E peggio ancora però, le ripeto, se lei prima fa affari con uno e poi lo tradisce. Allora sì che diventa un grandissimo cornuto all'ennesima potenza.

Ed è così che è andata con i Kennedy. Quelli – i mafiosi – col padre Joseph Patrick «Joe» Kennedy senior ci avevano fatto affari durante il proibizionismo. Lui era di buona famiglia, laureato ad Harvard e pieno di soldi. Ma i soldi – come lei sa – più ne hai e più ne vuoi avere, e lui ne fece un'altra bella barca, importando liquori, alcool e whisky di contrabbando dal Canada.

Come dice lei, scusi? Che vuoi che sia un po' di contrabbando?

Eh no, lei non deve credere che lui – perché benestante, harvardiano e damerino – il contrabbando lo facesse in giacca e cravatta, col drappo bianco su un braccio e senza sporcarsi le mani. No, non c'era scampo: se lei voleva far arrivare i camion con le botti o i barili di whisky a Boston, li doveva per forza far scortare – e sparare quando occorreva – coi mitra e i parabellum. Se no che *anni ruggenti* erano?

E tra una spedizione e l'altra, scontri con i concorrenti e alleanze con altri, Kennedy senior era entrato in contatto con quelli di Cosa Nostra, tra cui il Sam Giancana che le ho detto prima di Violino e Violina – Fiddle&Faddle dentro e fuori la piscina della Casa Bianca – e del barista Jack Leon Ruby che alla fine ha ammazzato Oswald.

Quando nel 1933 il proibizionismo è finito e i bar legali hanno riaperto, quelli hanno continuato a fare i malavitosi con i racket classici loro delle estorsioni, gioco d'azzardo, prostituzione eccetera – dopo la seconda guerra mondiale è arrivata anche la droga – e Kennedy senior invece ha ripulito i suoi capitali in attività lecite, entrando anche in politica e divenendo senatore. Per riaggiustare Wall Street – squassata ancora dalla crisi del 1929 – Roosevelt lo nominò apposta presidente della commissione Borsa e Finanze: «Pènsaghe ti». E lui – secondo le fonti – in quel ruolo fece furore e rese finalmente illegali tante pratiche e tattiche, che lui stesso aveva «*utilizzato in passato per accumulare il suo patrimonio*».

Un po' antisemita e filohitleriano, divenne ambasciatore a Londra, deputato e tante altre cose, mentre i figli si facevano grandi e prendevano le loro strade, finché John Fitzgerald – incoraggiato da lui e con l'intera famiglia dietro – si candidò alle primarie del partito democratico e poi alle elezioni come presidente degli Stati Uniti.

E lui gli ha quindi fatto, per quello che poteva, la campagna elettorale, andando insieme a Frank Sinatra da Sam Giancana – sempre quello di Fiddle&Faddle e Jack Ruby – a chiedergli i voti per il figlio, che nell'Illinois non stava messo tanto bene.

Sam Giancana – nato da famiglia originaria di Partanna-Trapani; già braccio destro e poi erede di Al Capone – era il boss di Chicago, Illinois appunto, e i voti glieli diede volentieri. Secondo alcuni, seimila. Secondo altri di più. Da dettagliati controlli fatti anni dopo, sarebbe risultato che quella volta a Chicago avrebbero votato oltre quindicimila elettori già morti da un pezzo. Solo così John Fitzgerald Kennedy sarebbe riuscito a battere Nixon pure in Illinois, ma per soli novemila voti però, che furono quindi determinanti nella sua elezione a Presidente.

Senza il provvidenziale soccorso di Sam Giancana – che era tutto contento di averlo dato: «Adesso aghemo 'l Presidente int'le tasche» – avrebbe vinto Richard Nixon.

Io ora non so se davvero Joseph «Joe» Kennedy padre non avesse raccontato niente – ai figli – né di come aveva fatto i soldi durante il proibizionismo, né dove e da chi fosse andato a prendere i voti. Qualcuno dice che pure John Fitzgerald però – insieme sempre a Frank Sinatra – avrebbe avuto almeno un incontro diretto con Giancana, anche se pure lui magari non ha detto niente a Robert.

Fatto sta, quando i due fratelli Kennedy si sono messi a dare la caccia ai mafiosi, a voler chiudere le bische, stroncare il traffico di droga e arrestarli tutti, a Sam Giancana gli è preso un colpo: «Dopo i voti che gli ho dato, sti grandissimissimi cornuti m'hanno pure inchiappettato? Dove scappano, però? Prima o poi ci rivediamo».

In neanche tre mesi quindi, dal suo insediamento il 20 gennaio 1961, John Fitzgerald Kennedy e la sua amministrazione erano riusciti a farsi tanti di quei nemici che – messi assieme – facevano la più potente coalizione di tutte le maggiori Forze del Bene e del Male dell'Impero Egemone che si fosse mai vista su questo pianeta.

L'equazione a questo punto sembrerebbe risolta: «Che altro c'è da capire?» chiede lei.

Be', intanto che una cosa è farsi dei nemici – sia pure numerosi e ognuno, di per sé, anche potente – un'altra è che questi riescano a coalizzarsi tra loro. Non sempre è detto che accada – non è una legge di natura – anzi, più spesso accade il contrario.

Ora è chiaro che poi – quando hanno agito – lo hanno fatto di concerto tutti assieme, chi con un compito e chi con un altro. L'establishment, la Cia e l'Fbi ci avranno messo i soldi, le coperture e probabilmente – «Tegnì, questo xè 'l capro 'spiatorio final» – il Lee Harvey Oswald. La mafia e gli esuli cubani invece avranno fornito gli altri killer e il Jack Ruby per eliminare Oswald: «Tante volte quel senpio gavesse da parlar».

Ma l'equazione in sé non è affatto risolta, poiché ci sono i tempi – sincronie di orologi e calendario – che non tornano.

Perché, mi dica lei, se quelli erano tutti d'accordo – establishment, Cia, Fbi, mafia ed esuli cubani – ci hanno messo più di due anni e mezzo a farlo fuori? Perché dal 17 aprile 1961 hanno aspettato il 22 novembre 1963 – per ucciderlo – e non lo hanno fatto prima?

Con le coperture e potenza di fuoco che potevano esprimere, gli sarebbe dovuto bastare un attimo – un fiat – uno schiocco di dita. Perché due anni e mezzo, ripeto? Me lo dica lei, se lo sa.

Intanto però – se mi consente – glielo spiego io perché: perché non erano ancora una coalizione.

Per potersi mettere tutti d'accordo gli ci è voluto del tempo, e soprattutto qualche altro accidente o pericolo assai più grave ed impellente, che li spingesse a farlo mettendo da parte ogni sospetto o diffidenza. Non gli era bastata evidentemente – per portare a cottura l'alleanza – la sola frittata, per quanto dolorosa, della Baia dei Porci. Gli ci voleva qualcos'altro, che li costringesse a forza. E sono andati avanti per più di due anni – tra annusamenti, allusioni, contatti, senza però riuscire ad arrivare a dama – a coltivare probabilmente ognuno le sue resistenze: «Ah, io con quello non ci voglio avere a che fare».

«Io di quell'altro non mi fiderò giammai».

«No no, il Diavolo e l'Acqua santa non possono stare assieme. Ma che scherziamo? Non sia mai che un giorno si viene a sapere? Lo Stato con la Mafia è contro natura».

Poi all'improvviso – com'è, come non è – hanno trovato la quadra: «Patto fatto e unità d'azione, vai!»

Negli immediati ridossi del 22 novembre 1963 – e non due anni e mezzo prima, quindi – deve essere accaduto qualcosa di molto più grave e clamoroso, per loro, della Baia dei Porci, che li ha costretti ognuno a mettere il punto e superare le reciproche remore: «Basta, se ga da farlo subito, costi quel che costi».

E che è successo allora, secondo lei – nei più o meno immediati ridossi del 22 novembre 1963 – che non era successo prima, nei due anni e mezzo trascorsi dall'aprile 1961, tentativo andato a male d'invasione di Cuba?

Glielo dico io cos'è successo, anche se dovrebbe essere sufficiente prendere in mano un calendario e farsi i conti.

Di ritorno da Berlino ed altre capitali europee, il primo luglio 1963 John Fitzgerald Kennedy viene a Roma, e convinto da Schlesinger – ma molto più probabilmente, grazie anche a Manrico, dalla moglie Jackie e da Audrey Hepburn – familiarizza con Nenni, forse pure con Togliatti, e autorizza l'ingresso dei socialisti nel governo italiano.

«Orca santa sgnàcara» deve essere entrato in fibrillazione l'establishment con tutto l'apparato: «Ma questo xè in conbrìcola con Mosca e il Kgb. Se ga da farlo fora, prima che n'intrùfola anca i comunisti».

«Va ben, va ben, ma cossa vòtu che sia?» avranno detto lì per lì la mafia e gli esuli cubani.

Ma quello il giorno dopo andando a Napoli – era martedì 2 luglio 1963, le ripeto: «Né de Venere né de Marte, no s'ariva, no se parte, no se dà de man a l'arte», diceva mio zio Adelchi – già suggestionato dall'Audrey e da Jackie s'è fatto portare a vedere Latina e la strada del mare, e se ne è innamorato anche lui, fino al punto da spedirci a nemmeno metà luglio due macchine di emissari, dall'ambasciata, per visionare e comprare tutto.

È lì – dia retta a me – che è suonata la campana.

«Benedetta la Madonna della Valle» debbono essersi messi a piangere e strillare tutti quanti appena lo hanno saputo – non so se tramite Cia, Fbi o cosche italiane, ma lo hanno saputo subito – specie quelli con maggiore stanza a Miami, tipo mafia ed esuli cubani ma pure l'Edgar Hoover dell'Fbi, che Miami era il suo rifugio preferito e ci veniva a passare le feste e i Natali: «Orca santa sgnàcara. E adesso questo si mette a investire tutti quei soldi» una barca di miliardi di dollari, ripeto, «in quel casso di posto di Latina Littoria in culo al mondo, invece che qua a Miami a casa sua e soprattutto casa nostra? Con 250.000 cubani immigrati qua nelle baracche, coi grattacieli, i resort, i traffici di droga, case da gioco e Miami Beach da tirare su dal nulla, questo invece va a farli laggiù? Eh no, caro. Adesso sì, che te sìto legà par ben la corda al colo».

Era metà luglio, le ho detto. Hanno giustamente fatto passare agosto – «Le ferie, fiòi» – e tra settembre e ottobre, in fretta in fretta e perfetta concordia e unità d'intenti, hanno preparato il piatto e il 22 novembre 1963 lo hanno servito a Dallas, povero Kennedy.

È così che tutto quel che si sarebbe dovuto realizzare a Latina Mare, è stato invece dirottato a Miami Beach.

Ed è così che sono andati i fatti. Questa è la storia e la cronologia, poiché se Allen Dulles, la Cia, la mafia ed i contras erano pronti – pugnale tra i denti già da due anni e mezzo – la Baia dei Porci non era però stata, con tutta evidenza, in grado di unificare da sola le forze della coalizione. Ci voleva il conquibus – i miliardi di dollari in gioco tra Latina e Miami Beach – per portare a effetto e cementare il complotto.

Poi se ci siano entrati anche gli extraterrestri, io questo non lo so, ma nemmeno lo escludo. Non so niente – ripeto – del Majestic-12, dell'Area 51 e tanto meno del supposto disastro di una presunta nave aliena nei pressi della base aerea di Roswell nel New Mexico, Usa, il 2 luglio 1947.

L'unica cosa che so con assoluta certezza è che gli extraterrestri – ammesso che esistano – qui in Agro Pontino sono almeno duemiladuecento anni che fanno avanti e indietro. Altro che il 1947 di Roswell. Da noi Tito Livio li registra già nell'anno 540 di Roma – 213 a.C. – sotto il consolato di Quinto Fabio Massimo figlio e Tito Sempronio Gracco: «*Su un fiume nei pressi di Terracina*», probabilmente il Sisto, o alla confluenza di Ufente ed Amaseno nel Linea, a Ponte Maggiore, «*furono avvistate certe specie di grandi navi da guerra, che sparirono nel nulla rendendosi invisibili*». E se non ci crede vada a controllare direttamente in Livio, XXIV, 44, 8: «*Navium longarum species in flumine Tarracinae, quae nullae erant, visas*».

In ultima analisi, nel caso lei volesse cercare a tutti i costi, con il bisturi e il microscopio, la causa prima di quanto è capitato percorrendo a ritroso l'intera serie degli accadimenti e circostanze, lei troverebbe – esattamente come il famigerato battito d'ali d'una farfalla che, dall'estremo oriente australiano, ha casualmente generato il tornado che finisce per abbattersi su di noi – lei troverebbe che la causa prima di quanto è accaduto a Dallas il 22 novembre 1963 sta, a ben vedere, in quel mezzo metro di larghezza in più della strada del mare di Latina. All'estremo oriente quindi – se permette – di Dallas.

È per quel mezzo metro in più, che Audrey Hepburn e

Jacqueline Kennedy si sono affascinate prima della strada in sé – la Latina-Lido – e poi del mare, la duna, la costa, il lago di Fogliano e il resto, inducendo Kennedy a dare il via a quell'operazione che, dove non era riuscita la Baia dei Porci, porterà invece a coalizzare a Dallas, in un solo unico malefico complotto, tutti i suoi nemici.

Come dice lei, scusi? Tutta colpa allora di Otello e di Restante, se lo hanno fatto fuori?

Ho paura di sì. Se invece dei dodici metri di larghezza si facevano gli affari loro e la lasciavano di undici e mezzo – come previsto dal progetto – può forse essere che quello adesso campasse ancora. Si salvava, povero Kennedy. Che ne sappiamo?

A Latina però non è che la gente non sia soddisfatta di come sono andate poi le cose. Anzi, ce ne sono un sacco – verdi ambientalisti, fighetti radicalchic e grillino-sardineschi – che dicono: «Meglio così. Sai come ce la deturpavano la marina, con quella sfilza di grattacieli in vetro e cemento? Ma di' che vadano affanculo va', a loro e tutta Miami. Chi ci vorrebbe mai abitare lì? Tu permetti che io mi tenga la mia splendida duna intatta, con la sabbia gialla e il blu del mare da una parte, e dall'altra i laghi immersi nel verde dei boschi di calìps e dei prati con gli irrigatori Italpioggia e le vacche al pascolo? Mi no vorìa dire eresìe, ma quasi quasi, par nantri, xè stà quasi mèi che i lo ga copà».

Nonostante questo però, pare che ogni tanto nelle notti d'estate, quando c'è la luna piena, il mare calmo calmo, e il fascio magico di luce argentea lunare si distende placido dal largo di Torre Astura fino all'onde murmuglianti sulla riva sotto la duna all'altezza quasi della Foce del Duca del lago di Fogliano – pressappoco dove, dalla parte del lago, Diomede seppellì il povero Eberhard, l'amico suo rosso di pelo come lui, ufficialetto della Wehrmacht; e sopra la duna invece, sulla strada Lungomare, c'è la baracchetta, il chiosco di legno che chiamano «Kennedy Beach» – pare che di notte nel silenzio generale, con giusto qualche raro *«crìììììì-crììììì-crììììì»* di grillo oltre ovviamente ai *«plàuffllssccc, plàuffllssccc, plàuffllssccc»* delle onde, si senta all'improvviso l'inconfondibile: *«Plò-plò-plò-plòtp!»* d'un elicottero che dall'alto del cielo stellato plana sulla duna.

Lei non vede niente: né l'aeromobile né una luce di posizione, né un finestrino acceso e tanto meno un riflesso della luna sullo chassis. Non c'è niente e non c'è niente da vedere. Solo il rumore *«plò-plò-plò-plòtp»* che man mano s'abbassa e rallenta *«plòtp-plòtp-plòtp-plòtp»* – mentre s'alza, agitato dall'invisibili pale, il vento forte che sferza lei in spiaggia, sul viso, con i granelli di sabbia – e infine atterra ed in folle riposa: *«Plòffffff... Plòffffff... Plòffffff»*.

Poi tace del tutto. Il vento si placa. E mentre dal bagnasciuga riprende tenue il mormorio dell'onde *«Plàuffllssccc... Plàuffllssccc... Plàuffllssccc...»*, alla luce della luna si vedono imprimersi – prima l'una poi l'altra e via di seguito, una dopo l'altra nella sabbia – l'orme di un qualcuno che dall'alto della duna discende in spiaggia e s'avvia lesto verso il mare: *«Plàuffllssccc... plàuffllssccc»*.

Ma l'orme e basta però, senza alcun'altra imago, mentre il *«plàuffllssccc»* di colpo si tace e nel raggio d'argento della luna sul mare s'ode il *«Pciàff!»* d'un tuffo e subito, ritmato: *«Plùtf-plùtf-plùtf»*, il Kennedy che nuota.

Pare che faccia due o tre volte avanti e indietro dalla Foce del Duca a Rio Martino, quando non arriva davanti all'Hotel Miramare a Capoportiere. Per alcuni addirittura a Foceverde, da Pietro il Pescatore.

Solo d'estate viene qua. D'inverno – quando è estate nelle isole Salomone del Sud Pacifico – va a trovare quel suo vecchio amico dei tempi di guerra, «Aronne» Eroni Kumana, della salvifica noce di cocco. E nuotano allora assieme.

Anche da noi, ogni tanto nuota in compagnia.

L'Atlante dice che una volta lui stava – lui Atlante ovviamente, non J.F. Kennedy – stava sotto la duna in spiaggia, di notte, al Kennedy Beach, con una dolce fanciulla a cui aveva appena iniziato ad attaccare bottone. Erano in precorteggiamento, non s'erano ancora sfiorati, solo guardati e studiati: «Chissà se è il caso o è meglio lasciar stare?»

E mentre stavano seduti sulla sabbia un po' discosti, la preda a un certo punto ha provato a tastare il terreno e contrattaccare lei: «Dimmi Atlantino mio, come dovrebbe essere, secondo te, la perfetta donna ideale?»

«Porca puttana» ha pensato l'Atlante, ma non ha fatto in tempo a rispondere. È rimasto di colpo di sasso a guardare – sotto la luna piena – John Kennedy e la moglie che risalivano dai flutti *«plàuffllssccc»* del mare, dopo fatto il bagno.

Mano nella mano bellissimi, fluorescenti, le gocce d'acqua su tutta la pelle. Jackie con un due pezzi da morire – «Questa sì che sarebbe davvero la mia donna ideale» ha sognato per un attimo l'Atlante – i capelli neri lunghi lunghi, lisci lisci dell'acqua salata, a fasciarle la fronte ed il viso fino a le spalle ed ai seni.

Venere uscita dall'onde ed Ares potente solare. E appena sono stati all'altezza loro, lui – Ares – ha chinato leggermente il capo verso la pulzella di Atlante spiegandole, a divino parere suo, come stanno o dovrebbero stare le cose: «La fémena ideal? T'al digo mi, tosa, come deve essere: bisogna che la piasa, che la tasa, che la staga in casa».

«No starghe a dar reta, fiòla» ha subito strillato, ridendo, Jackie: «Divèrtete fin che te sì zóvane. Bàgolate e poi baràcate, ciassa, ciava, imboréssate, ingrìngola, revèrtite, sbànpolate, smatìsate, stràviate, vaghìgiate e soratuto ciava e po' riciava, no star pèrdarne gnanca una, ciò. Ciava e riciava fin che te sì in tenpo, che del doman no ghe xè sertessa a questo mondo. T'al digo mi, putina, che ne go passà massa tante» e a questo punto, però, le veniva da piangere.

John amorevole l'ha stretta al fianco e – «Ndemo, tosa» – si sono rincamminati verso la duna.

Prima di sparire, Jackie s'è però voltata un'altra volta, fluorescente, a chiedere: «Che per caso conoscete uno che si chiama Manrico?»

«Eh l'avevo detto, io» s'è alzato in piedi di scatto l'Atlante, neanche avesse indovinato i numeri al Lotto.

A quel punto, guardandolo meglio, è venuto un dubbio anche a John: «Ma a me mi pare d'averti già visto, a te...»

«Sììì» tutto contento: «Ho ancora le sue mutande, Presidente! Le conservo come una reliquia».

«Be'» s'è rimesso a ridere Kennedy: «Sarìa stà mèi quee de na fémena, no?»

«Eh, sì» voleva rispondere l'Atlante, ma oramai non c'erano più.

S'è sentito il «*Plòffffff... Plòffffff... Plòffffff*» delle pale che lentamente ripartivano, il vento che alla progressiva accelerazione «*plòtp-plòtp-plòtp-plòtp*» del decollo veniva a sferzargli i granelli di sabbia sul viso, e infine il «*plò-plò-plò-plòtp...*» che s'allontanava e poi svaniva.

L'Atlante con quella non ha più stretto niente: «Alla larga» diceva.

«Come?» chiedevano Otello, Di Francia e l'Abruzzese: «Sembrava che ti piacesse tanto...»

«Ahò! Ma con tutti i bei consigli che le ha dato Jackie, sai quante corna me metteva dopo, quella a me?»

Eberhard invece – l'ufficialetto germanico amico di mio cugino Diomede, che durante la guerra lo aveva seppellito lì dietro – la prima volta che si sono intravisti stava alla Foce del Duca, seduto sulla spalletta del ponte stradale, che fumava tranquillo tranquillo guardando la luna ed il mare e ogni tanto diceva, alla luna ed al mare: «Ah, vorìa star senpre qua».

Kennedy come lo ha visto ha riconosciuto la divisa tedesca e gli è corso incontro, giocoso e festante: «Ich bin ein Berliner!»

«Ah, sì?» ha fatto Eberhard: «Go piaser par éla, ma n'agò

massa intaresse. Mi son de Colonia ciò, non so se cognosse la tomba dei Re Magi... E comunque quando vado in giro e incontro le persone, io non è che mi metto a strillare a tutti: sono di Colonia, sono di Colonia! Cosa vuole che gliene freghi a loro? Esattamente come, mi perdoni, min frega un casso a mi, del so Berlin».

«Porca putana che brutto carattere» ha detto Kennedy venendo via: «Gnanca l'Hoover o l'Allen Dulles, ciò».

Ma quello, dietro: «E no la stia più a lassiar budande sporche drento la garéta, la prego, che l'agò fata mi, ostia».

Adesso basta però. Riposino tutti in pace – buoni e meno buoni – amen.

Note e ringraziamenti

Per la bibliografia e il dettaglio storiografico sulla bonifica e colonizzazione dell'Agro Pontino, cfr. A. Pennacchi, *Fascio e martello. Viaggio per le città del Duce,* Laterza, Roma-Bari 2008; e il precedente Id., *Viaggio per le città del Duce,* Asefi, Milano 2003.

Sullo specifico di Sabaudia, cfr. Id., *Lo scandalo Sabaudia,* in "Limes", 2, 2006.

Cfr. anche Id., *Sabaudia, Littoria, Aprilia e i cantanti (In memoria di Giorgio Muratore, 1946-2017),* in "Limes", 8, 2018; *Topografia antica e città moderna. Dal Cancello del Quadrato a Latina già Littoria,* in "Limes", 5, 8 e 9, 2019.

La bibliografia essenziale, invece, dell'ipercriticismo contestato da don Pericle rimane: A. Mioni, *Le trasformazioni territoriali in Italia nella prima età industriale,* Venezia 1976 (in cui per la prima volta appare, a p. 249, il giudizio di «quasi-deportazioni»); R. Mariani, *Fascismo e «città nuove»,* Milano 1976; Id. (a cura di), *Latina. Storia di una città,* Firenze 1982; L. Nuti, R. Martinelli, *Le città di Strapaese. La politica di «fondazione» nel ventennio,* Milano 1981. Cfr. pure, però: O. Gaspari, *L'emigrazione veneta nell'Agro pontino durante il periodo fascista,* Brescia 1985; E. Franzina, A. Parisella (a cura di), *La Merica in Piscinara. Emigrazione, bonifiche e colonizzazione veneta nell'Agro Romano e Pontino tra fascismo e post-fascismo,* Abano Terme 1986.

La citazione di sant'Agostino è tratta da: *Epistole,* 98, 1.

Quella di san Paolo invece da: *Romani,* 5, 12: «*Sicut per unum hominem peccatum in hunc mundum intravit et per peccatum mors, et ita in omnes homines pertransivit, in quo omnes peccaverunt*» (Come per mezzo di un solo uomo il peccato entrò in questo mondo e attraverso il peccato la morte, così si estese a tutti gli uomini, poiché in lui tutti peccarono). Ma se non fossi andato a lezione da Ugo Bianchi – riposi in santissima pace – non lo avrei mai saputo.

Nel ringraziare Aurelio Picca e Mario Tozzi per l'amichevole partecipazione, non posso non esplicitare alcuni prestiti da: Lucio Battisti; Gian Arturo Ferrari; Paolo Iannuccelli; Michele Magno; Marco Romano; *Riusciranno i nostri eroi a ritrovare l'amico misteriosamente scomparso in Africa?* e chissà quanti altri.

Grazie a Laura Barbara Gagliardi, Massimiliano Lanzidei e Simone Morandi.

Grazie a Emanuele Brienza, Dino Del Giudice, Gerardo Rizzo e grazie – per il "raschin" – a Andrea Pennacchi, cugino ritrovato.

Grazie a Nathalie Bauer; Lazzaro "Rino" Caputo; Lucio Caracciolo; Roberta Colombi; Leone D'Ambrosio; Gino De Vecchis; Valeria Della Valle; Silvio Di Francia; Giulio Ferroni; Øjvind Fritjof Arnfred; Mia Fuller; Leopoldo Gamberale; Thomas Harder; Diana Kastrati; Elisa Manca; Massimo Onofri; Giuseppe Patota; Marco Petreschi; Marco Romano; Marco Santagata; John Thornton; Giorgio Villa.

Grazie inoltre – per tutte le storie, informazioni e testimonianze che hanno voluto condividere – a: Renzo Altobello; Giuseppe "Peppe" Angeloni; Agostino Attanasio; Gianni Biondi; Guglielmo Bompan; Cesare Bruni; Antonio "Tony" Bruognolo; Clara Busatto Tonazzi; Pietrangelo Buttafuoco; Giuseppina Caddeo Del Grande; Domenico e Franca Cappelli; Rodolfo Carelli; Pietro Cefaly; Tullio e Roberto Cerisano; Carlo Cervellin; Antonio Ciarelli e famiglia; Sergio Ciccarelli; Gastone Contarini; Andrea Contini; Mauro Corbi; Filippo Cosignani; Aldo e Vittorio Dapelo; Erasmo Di Ciaccio; Costantino Di Silvio; Lidia Fabiano Ciranna; Pierluigi Felli; Carlo, Maurizio, Paolo Galante e Maria Pia Cinelli; Carlo "Carletto" Gava; Maria Teresa Grifone Palombi; Rinaldo Labella; Fabrizio Leccabue; Pasquale Maietta; Angelo e Luciano Maldi; Giorgio

Maulucci; Giampaolo Milizia; Angelo Nardoni; Valentino Orsolini Cencelli jr; Alessandro Panigutti; Michele Paolelli; Enzo Paulinich; Fernando Pennacchi; Bruno Roccato; Silvano Roccato; Angelo Romeo; Romano Saurini; Anna e Guerrino "Nino" Scapin; Roberto Spocci; Nino Tasciotti; Cristiano Tatarelli; Manlio Tonazzi; Maria Tosatti Muolo; Marcello Trabucco; Carmine Vellucci; Giorgio Villa; oltre ovviamente a mia moglie Ivana, mio padre, mia madre e tutti i miei zii e parenti Pennacchi, Tosatti, Busatto e rami collegati.

Altre fonti orali, purtroppo scomparse: Ajmone Finestra; Benito Berna; Alfio Calcagnini; Onello Yards Ciccarelli; Tullio Cinto; Dario Evangelista; Mario Ferrarese; Francesco D'Erme; Antonio "Tonino" Gava; Mario Incollingo; Franco Luberti; Ezio Lucchetti; don Natale Mantovani; Giancarlo Piattella; Angelino, Giancarlo e Benito Tosatti; Giorgio Zeppieri. Riposino in pace.

Chiedo perdono a quelli che ho eventualmente scordato.

I fagioli al sugo ma senza pomodoro, di Steinbeck, dovrebbero essere – se la memoria non mi inganna – in *La corriera stravagante.*

Secondo *Il Guinness dei primati*, infine, il numero massimo di persone riuscite ad entrare tutte assieme in una Fiat Cinquecento – modello originale del 1972 – sarebbe stato raggiunto in Francia, a Parigi, il 2 aprile 2011, da 14 studenti della Essca Business School.

In Gran Bretagna però, il 24 marzo 2017 a Stanway – una cittadina a un centinaio di chilometri a nordovest di Londra – nel corso di una manifestazione di beneficenza i dipendenti di un supermercato ci sarebbero entrati in 15.

Zio Adelchi – riposi in pace anche lui, oramai – avrebbe sicuramente commentato: «Po' i dise che la zente no ga un casso da fare».

a.p. – agosto 2020

Indice

Mondadori Libri S.p.A.

Questo volume è stato stampato
presso ELCOGRAF S.p.A.
Stabilimento - Cles (TN)

Stampato in Italia - Printed in Italy